TRAGEDIAS
III

LETRAS UNIVERSALES

EURÍPIDES

Tragedias
III

Edición de Juan Miguel Labiano

Traducción de Juan Miguel Labiano

CÁTEDRA
LETRAS UNIVERSALES

Títulos originales de las tragedias con traducción:
Ἑλένη *(Helena)*
Φοίνισσαι *(Las Fenicias)*
Ὀρέστης *(Orestes)*
Βάκχαι *(Las Bacantes)*
Ἰφιγένεια ἡ ἐν Αὐλίδι *(Ifigenia en Áulide)*
Ῥῆσος *(Reso)*

Diseño de cubierta: Diego Lara

© Ediciones Cátedra (Grupo Anaya, S. A.), 2000
Juan Ignacio Luca de Tena, 15. 28027 Madrid
Depósito legal: M.24.446-2000
I.S.B.N.: 84-376-1833-9
Printed in Spain
Impreso en Lavel, S. A.

A mis tres Blancas,
tres generaciones ya

Eurípides.

PRÓLOGO

E L presente libro recoge la traducción del griego al español de las seis tragedias de Eurípides contenidas en el tomo tercero de la edición oxoniense de J. Diggle, *Euripidis Fabulae*, Oxford University Press, Nueva York, 1994. Hemos utilizado, por tanto, como texto base para nuestra traducción la edición más reciente que se ha hecho hasta este momento, que nosotros sepamos, del texto de las tragedias de Eurípides.

Las tragedias en cuestión son las siguientes: *Helena, Las Fenicias, Orestes, Las Bacantes, Ifigenia en Áulide* y *Reso*.

La Editorial Cátedra ha ido publicando la traducción de estas tragedias en el mismo orden y número de volúmenes que las ediciones oxonienses. El primer volumen corrió a cargo del profesor D. Juan Antonio López Férez y contiene, a propósito del dramaturgo que nos ocupa, una magnífica introducción general[1], que a su vez se complementa con el capítulo dedicado a Eurípides en la *Historia de la literatura griega,* de la que es además editor de conjunto[2]. A ambos trabajos remitimos al lector interesado en profundizar en la figura de Eurípides y en su producción dramática. Del segundo volumen se ocupó quien estas líneas escribe, así como también de este tercer volumen, que completa por fin la traducción al español de todas las piezas dramáticas de Eurípides en esta colección de Letras Universales de la Editorial Cátedra.

---

[1] Juan Antonio López Férez, *Eurípides. Tragedias I,* Madrid, Cátedra, 1992.

[2] Juan Antonio López Férez, «Eurípides», en Juan Antonio López Férez (ed.), *Historia de la literatura griega,* Madrid, Cátedra, 1988, págs. 352-405.

Los criterios seguidos en la elaboración de este tercer tomo han sido los mismos que se han empleado en los dos volúmenes anteriores. Hemos acompañado la traducción del texto con notas que informan al lector sobre aspectos de mitología, de *realia,* con referencias cruzadas que tratan constantemente de poner en relación unos pasajes con otros, y hemos procurado reducir al máximo las anotaciones técnicas y filológicas, que podrían resultar farragosas a un lector no iniciado en la filología y el mundo griego de la Antigüedad. En ese sentido, las explicaciones y anotaciones van dirigidas precisamente a un público no especialista en la materia, con vistas a que pueda disfrutar al máximo de la apasionante experiencia de leer tragedia griega[3]. Apasionante, desde luego, debía de parecerle a Dioniso, a juzgar por las palabras que en boca del dios leemos en estos versos de la comedia *Las Ranas* de Aristófanes: versos 52-4 «Y entonces, mientras leía para mí en mi barco la *Andrómeda (sc.* de Eurípides), de repente un deseo me golpeó el corazón, no puedes imaginarte con qué fuerza». Se trata de un deseo, como él mismo explica más adelante, por Eurípides.

Las seis tragedias aquí recogidas nos ofrecen un panorama muy amplio y variado de la rica producción dramática de Eurípides, aunque incluso sobre la propia autoría y paternidad euripidea de todas ellas vamos a tener que incluir alguna leve matización.

Las Bacantes nos ofrecen desde luego el modelo paradigmático de lo que es una tragedia griega en el sentido, quizá, más clásico de la expresión. Pieza de una irreprochable factura, es el único drama dionisíaco que se nos ha conservado de la Antigüedad griega. Cierto sabor arcaico conjugado con la maestría de un Eurípides ya muy experimentado en este arte de crear piezas dramáticas, nos ofrecen un drama de una calidad

---

[3] De leer o, expresado con mayor propiedad, ser espectador de una tragedia griega, en la medida en que no hay que perder de vista el hecho incontrovertible de que, si bien nosotros hoy día nos acercamos a estos textos dramáticos a través fundamentalmente de un acto de lectura, éstos eran en realidad —y esto no debe olvidarse— representaciones teatrales que tuvieron una efectiva puesta en escena en el teatro, con un público, unos actores, una escena y unas concretas circunstancias.

insuperable en todos los sentidos, cuya lectura renovada siempre tiene algo nuevo e interesante que contarnos.

Alejada sólo en apariencia del molde clásico y tradicional de la tragedia griega antigua, *Helena* continúa una vía ya explotada por el autor en dramas anteriores como *Ifigenia entre los Tauros* o *Ión*, donde lo novelesco, lo melodramático, el enredo y la poderosa fuerza del azar dominan toda la tensión dramática, al tiempo que abren nuevas formas de expresión y de creación que iba demandando un público tremendamente ávido de novedad.

La tragedia *Reso*, de la que hay serios fundamentos para creer que su autor no es Eurípides sino que sería obra más bien de algún autor anónimo del siglo IV a. C., sin que, por otra parte, pueda negarse taxativamente su genuina autoría euripidea, nos ofrece la oportunidad de seguir el desarrollo de la tragedia en el siglo posterior al de los tres grandes tragediógrafos conservados. La tensión dramática reposa aquí en el elevado número de personajes, las numerosas entradas y salidas de dichos personajes, la confusión que se produce entre ellos, un ritmo acelerado de la acción, etc., por citar sólo alguno de estos elementos, que toman como pretexto un determinado momento de la leyenda heroica para dramatizarlo con gran acierto y efectismo puramente teatral.

Por lo que respecta a *Las Fenicias, Orestes* e *Ifigenia en Áulide,* Eurípides recupera el patetismo trágico que había cobrado quizá menor importancia en producciones como *Ifigenia entre los Tauros, Ión* o *Helena,* y, a través de un efectismo y espectacularidad teatral que ya habían sido puestos de relieve en algunos casos por los mismos estudiosos de la Antigüedad, por no hablar de las complicadas tramas escénicas y argumentales que sorprenden de principio a fin, sobre todo en el caso de *Orestes* e *Ifigenia en Áulide,* no tanto en el caso de *Las Fenicias,* presenta a unos personajes que destacan sobre todo por la pérdida de su estatura heroica y por los mil y un subterfugios a que tienen que acudir para escapar a las situaciones de tremenda presión a que se ven sometidos por un azaroso destino que lo domina todo y que no concede ni un momento de respiro. *Las Fenicias* nos presenta un grandioso cuadro épico, grandioso en todas sus dimensiones, incluida la extensión, en la que los hijos de Edipo prefieren, víctimas de la maldición paterna, morir antes que llegar a algún tipo de acuerdo pacífico, y con ello arrastran a todo cuanto se les pone por delante. En *Orestes*, en una desesperada lucha por la supervivencia y por salir lo mejor parado posible de la situación, todos los personajes nos dan modélicas lecciones de mezquindad, ruindad y falta de escrúpulos, hasta el punto de hacer exclamar al autor de uno de los antiguos argumentos del drama lo siguiente: «El drama es de los que gozan de alta estima por su teatralidad, pero pésimo por sus caracteres ya que, excepto Pílades, todos son inferiores a su condición.» *Ifigenia en Áulide* supone, entre otras muchas cosas, un esfuerzo por penetrar en el alma humana en interno conflicto por tomar una decisión de irreparables consecuencias, y por ello aparecen insistentemente la duda, los cambios de opinión, el debate interno, pero también las violentas discusiones en las que se enfrentan despiadadamente unos personajes con otros.

Éste es el amplio panorama dramático, ligerísimamente esbozado —porque aún hay mucho más, muchísimo más— de las seis piezas dramáticas recogidas en este volumen. Sin más preámbulos, damos paso ya a nuestra traducción. Ésta consiste en una versión en prosa que trata de recoger la energía y la excelencia de composición de los versos euripideos, especialmente en los bellísimos y muy trabajados discursos que pronuncian los personajes creados por Eurípides, tras los que hay mucha buena retórica, mucho *éthos* y mucha persuasión. Cada una de las piezas va precedida de una breve introducción que, sin ánimo de exhaustividad, resalta algunos de los elementos que hemos considerado de mayor relevancia. Al final de dicha introducción indicamos debidamente, tras una breve nota bibliográfica, los versos en que nos hemos apartado de la muy aceptable edición oxoniense de J. Diggle.

HELENA

INTRODUCCIÓN

D E este drama sabemos que se representó el año 412 a. C.
y tiene como principal aliciente, entre otros muchos,
el hecho de ofrecernos una versión de la historia de
Helena que no es la más comúnmente difundida, de modo
que Eurípides nos presenta aquí un personaje que muy poco
tiene que ver con la Helena tradicional. El contraste entre estas distintas Helenas es fantástico, como vamos a tratar de esbozar brevemente a continuación.

La versión más tradicional del mito de Helena sostiene que
tras el juicio de Paris, en el que éste debía dirimir la cuestión
de cuál de las tres diosas —Hera, Afrodita y Atenea— aventajaba a las otras en belleza, certamen en el que Afrodita resultó ser la vencedora y Helena pasó a ser el trofeo ganado por
Paris, éste en efecto se encaminó a Esparta, donde Helena re-
sidía en calidad de esposa de Menelao, para cobrarse su premio. La protagonista del drama relata en primera persona esta
historia en el prólogo de la obra y es a partir de este punto, a
partir de la llegada de Paris a Esparta, donde comienzan a di-
ferir las dos versiones del relato. Comúnmente se creía que
Helena había caído rendida de amor ante Paris en cuanto llegó a su palacio y que, presa de esta pasión, había sido raptada
por Paris con sumo gusto, camino de la ciudadela de Troya,
donde habitaba el padre del joven, el rey Príamo. Las consecuencias de este rapto son, asimismo, bien conocidas: una
alianza de tropas griegas se encaminó hostilmente a Troya
para recuperar a la mujer de uno de sus caudillos, comanda-
das todas ellas por el caudillo Agamenón, hermano a su vez

del burlado esposo Menelao. Tras años de luctuosa guerra y de innumerables bajas por parte de ambos bandos, Troya cae conquistada a manos de los griegos, Menelao recupera su esposa infiel y ambos regresan a Esparta. En esta versión de la historia, Helena es el prototipo de mujer mala malísima, infiel, desenfrenada, ambiciosa de riquezas, coqueta hasta el extremo del vicio, seductora y enhechizadora de voluntades gracias a su proverbial belleza, causante de infinitas desgracias para todos, griegos y troyanos, y aún podríamos seguir añadiéndole cuantos negativos calificativos se nos fuesen ocurriendo. Su hermana Clitemestra, de belleza igualmente proverbial, no le queda a la zaga y es, asimismo, el colmo de la perfidia femenina. Son mujeres que no pierden, además, la elegancia y el *glamour* ni siquiera en las situaciones más apuradas. En la tragedia *Las Troyanas* de Eurípides, pieza en la que aparecen magistral y crudamente retratadas las nefastas consecuencias de la guerra (de Troya en particular, pero de todas las guerras en general), vemos magníficamente representada esta Helena de la que venimos hablando. En la serie de discursos que se suceden entre la esposa infiel, el marido burlado y la madre del ya difunto amante, no falta ninguno de los detalles que nos llevan a estas conclusiones sobre la perfidia de Helena, especialmente en el parlamento duramente acusatorio de Hécabe, la madre del amante raptor, en los versos 969-1032, hasta el punto de afirmar ésta que «todo mi discurso, una vez compuesto, a muerte la va a condenar en forma tal que no tiene escapatoria alguna»[1].

Pero ésta no es la única versión que circula de esta historia. Ya Eurípides al final de su *Electra* recoge la versión que va a desarrollar más extensamente en el drama que nos ocupa. Allí, en efecto, leíamos lo siguiente: *Electra*, versos 1278-1283 «En cuanto a tu madre (*sc.* Clitemestra), la enterrarán Menelao, que acaba de llegar a Nauplia de conquistar Troya, y Helena, que regresa de la casa de Proteo después de dejar Egipto, sin haber ido jamás a Frigia (Zeus, para sembrar muerte y discordia entre los mortales, envió a Ilión un fantasma de Helena)».

---

[1] *Las Troyanas*, versos 909-910.

Ésta es, pues, la situación que nos vamos a encontrar en *Helena*. La supuesta infiel esposa nunca fue raptada por Paris y nunca viajó a Troya sino que fue enviada secretamente a Egipto bajo la protección del rey Proteo, si bien de acuerdo a la opinión general de la gentes, ella se encontraba en Troya, cuando en realidad se trataba únicamente de una falsa imagen de la protagonista. En este caso, Helena es todo lo contrario a lo anteriormente expuesto: es la casta esposa que trata de mantener intacto el lecho para su esposo, incluso cuando muerto el rey Proteo, el hijo de éste pretende casarse con ella. Frente a la mala malísima, aquí tenemos una mujer buena, fiel y preocupada por los infinitos sufrimientos que, completamente ajenos a su voluntad, está provocando a todos los hombres. En este sentido, Eurípides sigue la versión que ya antes siguieron Estesícoro y Heródoto.

Hay dos obras en la producción dramática de nuestro autor que parecen sugerir que Eurípides es el inventor y precursor de un género de melodrama romántico, en el que suele ser habitual el rescate de una heroína de las garras de extranjeros retrógrados, a cargo de unos aventureros que se aprovechan de las supersticiones de los nativos. Así parece suceder en *Ifigenia entre los Tauros* y en *Helena*, la pieza que nos ocupa.

Helena es aquí la pobre mujer griega que se encuentra lejos de Grecia, en un país extranjero, bajo la custodia y protección del rey Proteo. Pero a la muerte de éste, su hijo trata por todos los medios de lograr el matrimonio con la fiel esposa que, por supuesto, se resiste a ello pues está fuertemente enamorada de su esposo. Este Teoclímeno —que así se llama el hijo del difunto rey— tiene además la bárbara costumbre de hacer asesinar a todo griego que arribe a sus costas. Así las cosas, resulta que naufraga allí justamente el desdichado Menelao, de regreso de Troya con el fantasma de su mujer. Tras poner a salvo a su falsa esposa en una gruta en compañía de los supervivientes del naufragio, Menelao se dirige al palacio de Proteo para buscar algún tipo de ayuda. Allí, a las puertas del palacio, recibe un ultrajante trato por parte de la vieja portera de la casa, que lo echa con muy malos modales. A la humillación de tener que mendigar ayuda a pesar de su condición real, se le suma, por si fuera poco, el ultraje de ser vilmente rechazado.

Los dos esposos acabarán encontrándose en la escena, que se desarrolla en concreto delante del palacio citado, y, finalmente, acabarán reconociéndose el uno al otro. Se suceden, claro está, algunos lógicos malentendidos provocados por la existencia de dos Helenas, la auténtica y la falsa. A partir de este momento, ambos tienen que tramar el modo de escapar de allí y regresar junto a la patria. La acción no se detiene ni un momento: hay que pensar un plan y ponerlo en práctica, engañando de algún modo a Teoclímeno, el nuevo soberano del país, y buscando la colaboración de la hermana del monarca, que tiene el poder de saberlo todo. Finalmente los planes de escapatoria tienen éxito y ambos consiguen regresar a su hogar. Cierto es que la obra concluye con un final feliz, de reconciliación de iras y de consecución de los deseos de los protagonistas, pero hasta llegar a este punto no es menos cierto que los personajes implicados en la acción se han visto sometidos a situaciones de tenso sufrimiento, tanto antes de la acción desarrollada propiamente por el drama —el pobre Menelao lleva años vagando errante por el mar sin alcanzar su tierra— como en el transcurso de la pieza. El éxito obtenido al final viene después de mucho sufrimiento, después de un azar capaz de hacer enloquecer a cualquiera, y después de aguzar el ingenio hasta extremos insospechados. *Helena* es por todo ello —además de por su desarrollado elemento mítico— un drama de deliciosa lectura que, pese a que no responda exactamente a la idea clásica y canónica de tragedia clásica (si es que dicho concepto existe), pese a que reciba calificativos de 'comedia fantástica' o 'de enredo', que no son tampoco precisamente falsos, es total y talmente una tragedia de principio a fin.

Hemos resumido en el párrafo anterior únicamente algunos de los numerosos puntos de la acción que se desarrollan en este drama. La obra tiene muchos ingredientes propios de una novela: los paisajes y las costumbres exóticas, los viajes, los cambios repentinos de la fortuna, el azar, que preludia un elemento fundamental en la posterior Comedia Nueva y en la novela helenística e imperial, la acción trepidante. Tampoco faltan ingredientes consubstanciales al estilo de Eurípides, a saber, el agudo sentido del humor y la sutil y trabajada ironía. Todo esto nos sitúa, pues, ante un nuevo modo de escribir tragedias que no agota los moldes tradicionales, sino que abre nuevos y fecundos caminos para la literatura, como bien podemos observar en siglos posteriores.

Nota bibliográfica

Alt, K., «Zur Anagnorisis der Helena», *Hermes,* 90 (1962), 6-24.
— *Euripidis Helena,* Leipzig, 1964.
Burnett, A. P., «Euripides' *Helen.* A Comedy of Ideas», *CPh,* 55 (1960), 151-63.
Dale, A. M., *Euripides. Helen. Edited with Introduction and Commentary,* Oxford, 1967.
Segal, C., «The two worlds of Euripides' *Helen», TAPhA,* 102 (1971), 553-614.
Solmsen, F., «Onoma and Pragma in Euripides' *Helen», CR,* 48 (1934), 119-21.
Tovar, A., «Algunos aspectos de la *Helena* de Eurípides», en *Estudios sobre la tragedia griega,* Madrid, 1966.
Willink, C. W., «The Reunion Duo in Euripides' Helen», *CQ,* XXXIX (1989), 45-69.

Sobre el texto

Nos hemos apartado de la edición oxoniense de J. Diggle en los siguientes versos: 325, 352.

ARGUMENTO

Heródoto investiga sobre Helena y dice que fue a Egipto[2], y que también Homero[3] lo confirma cuando hace que Helena suministre a Telémaco en *La Odisea* una droga que disipaba las preocupaciones, y que le había dado Polidamna, la esposa de Ton, pero, según cuenta Eurípides, los hechos en absoluto se desarrollaron de este modo.

Los primeros, en efecto, afirman que anduvo errante en compañía de Menelao tras el saqueo de Ilión, que fue a Egipto y que de allí consiguió la droga. El otro, en cambio, afirma que en realidad ella ni siquiera fue a Troya, sino una imagen suya, ya que Hermes se la llevó en secreto por voluntad de Hera y se la entregó a Proteo, rey de Egipto, para que la custodiase. Pero cuando éste murió, su hijo Teoclímeno trató de casarse con ella y Helena acudió junto a la tumba de Proteo para aposentarse allí en calidad de suplicante. Allí se le aparece Menelao, que había perdido sus barcos en el mar y que había dejado a salvo a unos pocos de sus compañeros encerrados en una gruta. Tras entrar en conversación, urden un astuto plan y engañan a Teoclímeno: tras embarcar a bordo de una nave con la supuesta intención de ofrecer unas honras fúnebres en el mar al difunto Menelao, logran llegar sanos y salvos a su país.

---

[2] Heródoto, II, 113-119.
[3] Homero, *Odisea*, IV, 218-232.

PERSONAJES DEL DRAMA

HELENA, *esposa de Menelao*
TEUCRO, *hijo de Telamón*
CORO DE CAUTIVAS GRIEGAS
MENELAO, *rey de Esparta, esposo de Helena*
ANCIANA, *portera del palacio de Proteo al servicio de Teoclímeno*
MENSAJERO, *griego, servidor de Menelao*
TEÓNOE, *hija de Proteo*
TEOCLÍMENO, *hijo de Proteo, rey de Egipto*
MENSAJERO, *egipcio, servidor de Teoclímeno*
SIRVIENTE DE TEÓNOE
DIÓSCUROS, *Cástor y Polideuces, hermanos de Helena*

(La acción transcurre en Egipto, en la isla de Faros. Al fondo de la escena se encuentra el palacio del difunto rey Proteo y en un lateral, cerca del palacio, está su tumba. Junto a ella permanece sentada HELENA, *en actitud de suplicante, pero se levanta para comenzar su parlamento. A lo lejos puede divisarse el Nilo.)*

HELENA.—[1] *(Señalando las aguas del Nilo.)* Éstas son las corrientes del Nilo, de virginal belleza, que en lugar de la lluvia, don de Zeus, la llanura de Egipto y sus tierras riega cuando la nieve blanca se funde.

Proteo fue, cuando vivía, monarca de esta tierra y, aun viviendo en la isla de Faros[4], soberano de Egipto. Toma por esposa a una de las doncellas del mar, a Psámate, después que ésta hubo dejado el lecho de Éaco[5]. Engendra, entonces, dos hijos en este palacio, un varón, Teoclímeno, precisamente porque ha pasado su vida honrando a los dioses, [10] y una niña de buena raza, Ido, el orgullo de su madre cuando era una recién nacida. Pero, desde que se hizo moza y le llegó la hora del matrimonio, la llaman Teónoe, pues conocía, en efecto, el curso todo de la providencia, presente y futuro, por haber recibido heredada de su abuelo Nereo esta distinción.

Por lo que a mí respecta, mi tierra patria no carece de nombre, Esparta. Mi padre es Tindáreo, y circula cierta his-

---

[4] La isla de Faros se encuentra en el golfo de Alejandría y llegó a alcanzar gran fama por el faro —de ahí, precisamente, su nombre— que había en ella.
[5] Psámate es una de las Nereidas, divinidades marinas hijas de Nereo y Dóride, y nietas de Oceano. Estuvo unida, en efecto, a Éaco, el más piadoso de todos los griegos, hijo de Zeus y de la ninfa Egina.

toria, como es bien sabido, a propósito de que Zeus voló hasta Leda, mi madre, tras adoptar la forma de un ave, un cisne, [20] y que así, con el engaño de que estaba huyendo de una persecución a garras de un águila, consumó su unión, de ser cierta la historia esa. A mí, entonces, me llamaron Helena[6].

Voy a contar los males que me ha tocado pasar. Tres diosas acudieron por una cuestión de belleza a lo más recóndito del Ida junto a Alejandro —Hera, Cipris[7] y la virginal hija nacida de Zeus[8]— porque querían resolver un juicio sobre su hermosura respectiva[9]. Cipris, entonces, vence, al proponerle a Alejandro que obtendría mi belleza, si es que bella es mi mala suerte. El ideo Paris[10], pues, dejó sus bovinos apriscos [30] y se dirigió a Esparta con la intención de poseerme como esposa. Pero Hera, disgustada por no haber vencido a las otras diosas, en aire trocó mis bodas con

---

[6] Helena es hija de Zeus y de Leda, aunque tiene por padre 'humano' a Tindáreo. Clitemestra, que aparece en la tragedia *Ifigenia en Áulide*, en este mismo volumen, es hermana gemela suya, aunque ésta no tiene el ascendente divino de su hermana. Ambas hermanas están casadas con dos caudillos griegos igualmente hermanos, Menelao y Agamenón. Se alude aquí también a cierta historia que narra cómo Zeus se unió a Leda bajo la forma de un cisne y cómo ésta puso posteriormente un huevo del que nació su hija Helena. Ésta es la tradición que recoge Eurípides; pero según otras tradiciones, la que sufrió la unión de Zeus metamorfoseado en cisne fue Némesis, que rehuía los amores del dios, y Leda fue quien crió el fruto del huevo como si fuese su propia hija.

[7] Cipris es una diosa chipriota identificada con Afrodita. Repetidamente se la llamará por este nombre a lo largo de toda la pieza.

[8] Atenea, la tercera en discordia.

[9] Cfr. *Ifigenia en Áulide*, versos 1291-1308: «¡Jamás debiste criar al boyero Alejandro entre bueyes ni dejar que habitase en las cercanías de cristalinas aguas, donde fluyen pacíficas las fuentes de las ninfas y el prado florece entre renuevos de hierba y flores de rosas y jacintos que las diosas recogen! Allí un día acudieron Palas, la astuta Cipris y Hera, junto con Hermes, el mensajero de Zeus —Cipris presumía de las pasiones que desataba, Palas por su arma y Hera por su regio matrimonio con el soberano Zeus— con vistas a un aborrecible juicio, un certamen de belleza.»

[10] Paris, o Alejandro, es hijo de Príamo, rey de Troya, y de Hécabe. Cfr. *Ifigenia en Áulide*, versos 1283-1290: «¡Ay, ay! ¡Nevada espesura de Frigia y montes del Ida, donde Príamo un día a un tierno bebé, tras apartarlo lejos de su madre, dejó caer en un destino colmado de muerte, a Paris, a quien ideo, ideo llamaban, sí, llamaban en la ciudad de los frigios!» La historia general del juicio de Paris y del rapto de Helena se cuenta aquí con suficiente detalle.

Alejandro y no me entrega a mí al hijo del rey Príamo, sino que le da una imagen idéntica a mí, insuflada de aliento vital, que había formado a partir del cielo. Y él cree que me tiene —vana creencia— aunque no me tiene. Y las demás resoluciones de Zeus, por su parte, caminan parejas a estas desgracias, pues condujo a la guerra al país de los griegos y a los desgraciados frigios, [40] para aligerar a la madre tierra de su gravosa carga tumultuosa de mortales y para dar a conocer al hombre más poderoso de la Hélade.

En la guerra contra los frigios no me expusieron a mí como premio del combate para los griegos, sino a mi nombre[11]. Hermes me tomó entre los repliegues del éter, ocultándome en una nube, pues Zeus no se despreocupaba de mí, y me instaló en este palacio de Proteo *(señalando el palacio a sus espaldas)*, escogido por ser el más sensato de todos los mortales, de modo que conservase yo intacto el lecho de Menelao. Y aquí yo estoy, mientras mi sufrido esposo [50] anda congregando ejércitos para rescatarme y marcha a la caza y captura de los torreones de Ilión. Muchas son ya las vidas que por mi causa se han perdido junto a las corrientes del Escamandro. Y yo, que lo he aguantado todo, soy una maldita y doy la impresión de haber traicionado a mi esposo y de haber provocado esta enorme guerra para perjuicio de los griegos.

¿Por qué, entonces, sigo todavía con vida? Escuché las palabras del dios Hermes, a propósito de que algún día habitaría la ilustre llanura de Esparta en compañía de mi marido, sabedor de que yo no he ido a Ilión para ocupar el lecho de nadie. [60] Lo cierto es que mientras Proteo estuvo contemplando la luz esta del sol, a salvo me encontraba yo de bodas y violaciones, pero, desde que quedó cubierto en la oscuridad de la tierra, el hijo del difunto anda buscando por todos los medios el modo de casarse conmigo. Por respeto a mi antiguo esposo me he postrado en calidad de su-

---

[11] Cfr. *Electra*, versos 1282-1283: «Zeus, para sembrar muerte y discordia entre los mortales, envió a Ilión un fantasma de Helena.» En la tragedia *Las Troyanas*, en cambio, aparece como la esposa infiel que abandonó, raptada con sumo gusto, a su esposo Menelao a cambio del joven, apuesto y rijoso Paris.

plicante ante la tumba de Proteo, para mantener intacto el lecho de mi marido, que, si bien arrastro a lo largo y ancho de la Hélade mi nombre con deshonor, mi cuerpo no ha de incurrir aquí en oprobio semejante.

(Entra por un lateral TEUCRO, *hijo de Telamón, que participó en la guerra contra Troya en el bando aqueo. Muestra su sorpresa ante la magnificencia del palacio.)*

TEUCRO.—¿Quién posee el señorío de estas fortificadas mansiones? ¡Que de Pluto digna asemeja ser esta morada, [70] sus regios alrededores y los hermosos frisos de su sede!
(Viendo, sorprendido, a HELENA, *en quien no había reparado.)* ¡Eh! ¡Dioses! ¿Qué ven mis ojos? ¡Estoy contemplando la más aborrecible imagen sanguinaria de la mujer que causó mi perdición y la de todos los aqueos! Que los dioses escupan[12] y renieguen de ti. ¡Qué parecido tienes con Helena! Si no estuviese con mis pies en tierra extranjera, víctima de una flecha alada y certera morirías como recompensa por tu parecido con la hija de Zeus.

HELENA.—¿Por qué, infeliz, quienquiera que seas, te das la vuelta apartándote de mí y me muestras este aborrecimiento por las desventuras de esa mujer?

TEUCRO.—[80] Me he equivocado de objetivo y he dado paso a mi cólera más de lo debido, pero es que toda la Hélade odia a la hija de Zeus. Perdóname, pues, mujer, por lo que acabo de decir.

HELENA.—¿Quién eres? ¿Desde dónde has llegado a la llanura de esta tierra?

TEUCRO.—Soy uno de los aqueos, mujer, uno de aquellos desgraciados.

---

[12] Con intención de alejar de sí cualquier mancha o desgracia. En griego propiamente hay una forma de aoristo. Escupir era para los antiguos un modo de rechazar un mal agüero, como puede verse en el verso 1161 de la tragedia *Ifigenia entre los Tauros,* «Escupo. A la piedad imputo esta palabra». Cfr. también *Helena,* verso 664: «Escupo sobre ese relato que voy a referirte, y reniego de él.» *Ifigenia en Áulide,* versos 509-510: «Escupo con desprecio sobre un parentesco que así de amargo resulta para unos y otros.» *Ifigenia en Áulide,* verso 874: «¿Cómo? Escupo con desprecio sobre ese cuento, anciano, pues no estás en tu sano juicio.»

HELENA.—No hay que sorprenderse, entonces, de que aborrezcas a Helena. Pero, ¿quién y de dónde eres? ¿Con qué nombre debo llamarte?

TEUCRO.—Mi nombre es Teucro. Telamón es el padre que me engendró y Salamina la patria que me ha visto crecer.

HELENA.—¿Por qué, entonces, andas recorriendo estos campos del Nilo?

TEUCRO.—[90] He sido desterrado de mi tierra patria.

HELENA.—¡Qué desgraciado eres! Pero, ¿quién te expulsa de la patria?

TEUCRO.—Mi padre Telamón. ¿A qué pariente querrías más?

HELENA.—¿A raíz de qué? Pues este hecho —déjame que te diga— alberga una desgracia.

TEUCRO.—Mi hermano Áyax causó mi perdición cuando murió en Troya.

HELENA.—¿Cómo? ¿No será, quizá, que con tu espada le despojaste de la vida?

TEUCRO.—Él mismo la perdió al saltar sobre su espada.

HELENA.—¿Estaba loco? Pues, ¿quién en su sano juicio se atrevería a eso?

TEUCRO.—¿Conoces a un hijo de Peleo, a Aquiles?

HELENA.—Sí. Fue hace tiempo pretendiente de Helena, según sé de oídas.

TEUCRO.—[100] Al morir interpuso entre sus aliados una disputa por sus armas.

HELENA.—*(Altamente sorprendida.)* Pero, entonces, ¿de qué modo esto se convierte en un mal para Áyax?

TEUCRO.—Como otro obtuvo esas armas, él se quitó la vida.

HELENA.—¿Estás sufriendo tú, pues, a consecuencia de su desgracia?

TEUCRO.—Sí, por no haber muerto al mismo tiempo que él.

HELENA.—¿Fuiste, por tanto, extranjero, a la renombrada ciudad de Ilión?

TEUCRO.—Sí, y al tiempo que la destruía, yo mismo causaba a la vez mi propia perdición.

HELENA.—¿Es que ya ha ardido por obra del fuego y ha sido conquistada?

TEUCRO.—Hasta el extremo de que no queda rastro alguno visible de sus muros.

HELENA.—¡Ay, desdichada Helena! ¡Por tu culpa perecieron los frigios!

TEUCRO.—[110] Y también, además, los aqueos. Ha causado grandes desgracias.

HELENA.—¿Cuánto tiempo hace que la ciudad fue destruida?

TEUCRO.—Aproximadamente, los ciclos de cosecha de siete años.

HELENA.—¿Y durante cuánto tiempo permanecisteis en Troya?

TEUCRO.—A lo largo de muchas lunas, hasta transcurrir diez años.

HELENA.—¿Y capturasteis también a la mujer espartana?

TEUCRO.—Menelao se la llevó arrastrándola del pelo[13].

HELENA.—¿Viste tú a esa desgraciada? ¿O me lo estás diciendo porque lo has oído contar?

TEUCRO.—Nada menos que del mismo modo que te estoy viendo a ti ahora con mis ojos.

HELENA.—Reflexiona sobre si percibirías una aparición de origen divino.

TEUCRO.—[120] ¡Menciona otro asunto! ¡No me recuerdes más a esa mujer!

HELENA.—¿Así crees que esa aparición cobra firmeza?

TEUCRO.—Sí, porque yo mismo la vi con mis ojos, y la mente ve.

HELENA.—¿Y ya se encuentra Menelao en su palacio junto con su esposa?

TEUCRO.—Lo cierto es que no está en Argos ni a las orillas del Eurotas[14].

---

[13] Cfr. *Las Troyanas*, versos 880-883: «¡Así que, ea! Entrad en las tiendas, compañeros de armas, traedla *(sc.* a Helena) arrastrándola de sus cabellos ávidos de sangre. Cuando lleguen favorables los vientos, la escoltaremos hasta la Hélade.» Pero no será ésta la última vez tampoco para la pobre Helena: cfr. *Orestes*, versos 1469-1473: «Pero Orestes, agarrándola del pelo con sus dos gracias a haberse adelantado con los pasos de sus botas de Micenas, le dobló hacia atrás el cuello sobre el hombro izquierdo con la inmediata intención de atravesarle la garganta con su funesta espada.» Cfr. también, en general, *Ifigenia en Áulide*, versos 791-793: «¿Quién, pues, de los cabellos de mi hermosa melena, haciendo mis lloros más intensos, me arrastrará lejos de mi patria destruida?»

[14] El Eurotas es uno de los principales ríos de Laconia, patria de Helena.

HELENA.—¡Ay, ay! Has contado una mala noticia para aquéllos de los que hablas.

TEUCRO.—Se dice de él que se encuentra desaparecido, junto con su esposa.

HELENA.—¿No recorrían todos los argivos el mismo rumbo?

TEUCRO.—Sí, pero una tormenta los separó a cada uno en una dirección.

HELENA.—¿En qué lugar de los lomos de la mar salada?

TEUCRO.—[130] Iban surcando las aguas por medio del mar Egeo.

HELENA.—Y desde ese momento, ¿nadie ha visto llegar a Menelao?

TEUCRO.—Nadie. Por la Hélade se dice que murió.

HELENA.—Estoy perdida. ¿Vive la hija de Testio?

TEUCRO.—¿Te refieres a Leda? Ya se ha marchado entre los muertos.

HELENA.—¿No habrá sido, quizá, que la vergonzosa fama de Helena causó su perdición?

TEUCRO.—Dicen que sí, y que, nada más y nada menos, se anudó una soga a su bonito cuello.

HELENA.—Y los hijos de Tindáreo, ¿viven o no viven?[15].

TEUCRO.—Están muertos y no lo están. Hay dos versiones.

HELENA.—¿Cuál de las dos es más veraz? ¡Ay, desgraciada de mí! ¡Qué calamidades!

TEUCRO.—[140] Cuentan que ambos son dioses convertidos en estrellas.

HELENA.—¡Bien está eso que has dicho! ¿Y cuál es la otra?

TEUCRO.—Que por culpa de su hermana se degollaron y exhalaron su aliento vital. Pero ya está bien de palabras. No quiero lamentarme dos veces.

Por lo que respecta al motivo por el que he venido a estas regias moradas queriendo ver a Teónoe, la muchacha que canta en profético trance, sírveme tú de guía y procura que yo obtenga mi oráculo, a saber, cómo disponer para la travesía con vientos favorables los alados remos de mi nave rumbo a las tierras costeras de Chipre, donde Apolo predi-

---

[15] Se está refiriendo a Cástor y Polideuces, los Dióscuros, 'hijos de Zeus', hermanos de Helena y Clitemestra.

jo que yo crearía una colonia que recibiría el nombre de la isla de Salamina, [150] gracias a mi anterior patria[16].

HELENA.—*(Hablando con nerviosismo.)* La propia navegación te irá dando las señales oportunas, pero vete y escapa de esta tierra antes de que te vea el hijo de Proteo, que gobierna sobre este país (se encuentra ausente, cazando animales salvajes confiado en sus perros), pues da muerte a todo extranjero griego que atrapa. Y no pretendas saber por qué, que yo callaré. ¿Qué favor te haría yo, pues, con ello?

TEUCRO.—Tienes razón, mujer. Que los dioses te obsequien a cambio de tus nobles actos con una buena recompensa. [160] Si bien tu cuerpo es idéntico al de Helena, no así tu corazón, sino muy diferente. ¡Que de mala muerte perezca y que nunca alcance las orillas del Eurotas! Tú, por tu parte, mujer, dichosa seas por siempre.

(TEUCRO *se aleja por un lateral.* HELENA *se queda sola en la escena junto a la tumba de Proteo. Empieza a cantar con gran pena y dolor, al tiempo que el* CORO DE CAUTIVAS GRIEGAS *hace su aparición lentamente.)*

HELENA.—*¡Ay! Para dar comienzo a mis muy dolorosas quejas, consecuencia de mis grandes penas, ¿con qué llanto emitiría mis más lastimeros sones? ¿A qué musa acudir podría con mis lágrimas, mis lamentos, mis penas? ¡Ay, ay!*

Estrofa.
¡Sirenas[17], jóvenes aladas, virginales hijas de la Tierra! ¡Ojalá al son de mis llantos [170] acudieseis trayendo vuestra flauta libia, o las siringas y las liras, para derramar lágrimas que armonía guardasen con los cantos de mis luctuosas desgracias! ¡Sufrimientos eco

---

[16] Salamina de Chipre. Como Teucro fue desterrado por su padre Telamón de su patria, la isla de Salamina, en la costa del Ática, acabó fundando otra Salamina en la isla de Chipre.

[17] Las Sirenas son genios marinos, mitad mujer, mitad ave. Aparecen mencionadas por primera vez en la *Odisea* de Homero. En las especulaciones escatológicas posteriores a la epopeya homérica, las sirenas fueron consideradas como divinidades del más allá, que cantaban para los bienaventurados en las islas Afortunadas.

*de mis sufrimientos, cantos eco de mis cantos, coros de muerte eco
de mis lamentos, ojalá Perséfone enviase, para que, en señal de gratitud, además de mis lágrimas, reciba de mi parte un peán en favor de mis difuntos fallecidos allá abajo, en sus negras moradas,
oscuras como la noche!*[18].

Antístrofa.

CORO.—*Hallábame yo junto a las aguas color azul marino, [180]
y sobre la hierba enmarañada había puesto a secar bajo los áureos
rayos del sol mis ropas púrpuras cerca de unos tallos tiernos de
caña. Resonó entonces un potente grito de mi señora, que a compasión movía. Escuché un sonido, una melodía sin el acompañamiento de la lira que ella cantaba lamentándose en medio de 'ayes'
de dolor, al igual que una Ninfa, o una Náyade que en su huida
en medio de los montes deja oír sus tristes melodías, y que cerca de
su refugio entre las rocas procura hacer todo el ruido posible [190]
para defenderse con sus gritos de la violación de Pan*[19].

Estrofa.

HELENA.—*¡Ay, ay! ¡Mujeres griegas, trofeos de los remos bárbaros!
Ha venido, sí, ha venido un marinero aqueo y me ha traído más
llanto sobre mis llantos. El fuego abrasador ha dado buena cuenta
de Ilión, ya destruida, por mi culpa, que a tantos he llevado a la
muerte, por culpa de mi nombre, fuente de innumerables fatigas.
[200] Leda se ha dado muerte ahorcándose por la aflicción causada por mi oprobio*[20]. *Mi esposo, por su parte, tras mucho errar por
el mar, ha fallecido, y Cástor y su hermano, los gemelos orgullo de
la patria, han desaparecido, ¡desaparecido! Atrás han quedado
las pistas en las que resonaban los cascos de sus caballos, y los gim-*

---

[18] Perséfone, hija de Zeus y Deméter, es diosa de los infiernos y compañera de Hades. De ahí las alusiones a las tinieblas del mundo subterráneo de los
muertos.
[19] Pan es un dios de los pastores y los rebaños, por lo cual le place especialmente el frescor de las fuentes y la sombra de los bosques. Se le representa
como un genio, mitad hombre, mitad animal. Pan es también una divinidad
dotada de una gran actividad sexual, motivo por el cual persigue a ninfas y
muchachos con igual pasión. Aquí se alude a las persecuciones de ninfas en
medio de los bosques.
[20] Cfr. verso 136: «se anudó una soga a su bonito cuello».

nasios [210] junto a los cañizales del Eurotas, lugar de los fatigosos entrenamientos de los jóvenes.

Antístrofa.

CORO.—*¡Ay, ay! ¡Ay, ay! ¡Oh! ¡Qué suerte más desgraciada y qué sino el tuyo, mujer! Una vida, que no es vida, te tocó en suerte, ¡en suerte!, cuando de tu madre te engendró Zeus al aparecer a través del éter con plumaje de cisne blanco como la nieve. ¿Qué calamidad, pues, te falta? ¿Qué no has sufrido en tu vida? Tu madre ha muerto, [220] los queridos hijos de Zeus, los gemelos, no gozan de felicidad, tú no contemplas la tierra patria, de ciudad en ciudad se difunde un rumor que te entrega a traición al lecho de un extranjero, tu esposo ha dejado la vida en medio del mar y las olas, y tú nunca más podrás regocijarte con los palacios paternos y la casa de bronce.*

HELENA.—*¡Huy, huy! ¿Quién, frigio [230] o procedente de tierra helena, cortó en Ilión el pino, fuente de tantas lágrimas? De ahí, en habiendo armado convenientemente las piezas de una nave de perdición, el hijo de Príamo se hizo a la mar con remo extranjero en dirección a mi hogar, a por el muy desafortunado atractivo de mis bodas, con intención de apropiárselo. La dolosa, criminal Cipris llevó la muerte a los danaidas, a los hijos de Príamo. [240] ¡Oh, desdichada, qué desgracia! Hera, objeto de veneración que Zeus en su trono de oro estrecha entre sus brazos, envió al hijo de Maya[21], el de los pies ligeros, para que a mí, que estaba recogiendo frescos pálidos pétalos de rosa en el regazo de mis ropas para presentarme ante Atenea en su casa de bronce, me raptase y me llevase a través del éter hasta esta desdichada tierra, e imponer así a los priámidas una terrible discordia, la discordia de la Hélade. Entre tanto, mi nombre [250] es objeto a las orillas del Simunte[22] de vanas y falsas habladurías.*

---

[21] Hermes. Cfr. versos 44-46: «Hermes me tomó entre los repliegues del éter, ocultándome en una nube, pues Zeus no se despreocupaba de mí, y me instaló en este palacio de Proteo, escogido por ser el más sensato de todos los mortales, de modo que conservase yo intacto el lecho de Menelao.»

[22] El Simunte es un río de la llanura troyana.

CORIFEO.—Te hallas en una dolorosa situación, lo sé. Conviene, no obstante —déjame que te diga—, soportar los imperativos de la vida con la mayor ecuanimidad posible.

HELENA.—¡Amigas mías! ¿A qué destino me une el yugo? ¿Acaso la madre que me parió me engendró como un portento para los hombres? Lo cierto es que ninguna mujer, ni griega ni extranjera, da a luz un huevo[23], con el que dicen que Leda me parió a mí de Zeus. [260] Mi vida y mis circunstancias son, efectivamente, un portento, de una parte por culpa de Hera, de otra parte a causa de mi belleza. ¡Ojalá, si me pudiese borrar como una pintura, tomase un aspecto más feo en lugar de éste tan bello, y de mi fortuna, ojalá los griegos se olvidasen de la mala que estoy teniendo ahora, y recordasen la que no lo es del mismo modo que se acuerdan ahora de la mala!

El hecho de que un individuo, tras apartar su atención de todo y concentrarla en un único punto, reciba un revés de parte de los dioses, es algo gravoso, pero, con todo, soportable, pero es que yo me hallo sumida en innumerables desgracias. [270] En primer lugar, tengo una pésima reputación aunque no he obrado incorrectamente; y que alguien se cargue con males que no le pertenecen es una desgracia aún mayor que la realidad misma de esos males. Además, los dioses me alejaron de mi patria para hacerme vivir en un país bárbaro, y me he convertido en una esclava privada de mis seres queridos, aunque provengo de padres libres, pues todos los bárbaros son esclavos, excepto uno[24]. Y la única áncora que todavía amarraba mis esperanzas de felicidad, que mi esposo algún día iba a regresar y a liberarme de estas desgracias,... ¡Él está muerto, ahora ya no vive!

[280] Mi madre ha fallecido y yo he sido su asesina, injustamente, sí, pero yo soy la responsable de esa injusticia. Y lo que fue mi orgullo y el de mi casa, mi hija[25], está dejando cre-

---

[23] Literalmente «recipiente blanco de un polluelo». Ya se ha aludido anteriormente a esta historia.
[24] El rey.
[25] Hermíone, su hija, que aparece como personaje en la tragedia *Orestes*, en este mismo volumen.

cer sus canas consumiendo su virginidad sin un esposo. Y los Dióscuros, llamados así por ser hijos de Zeus, tampoco viven. En fin, soy una completa desgraciada y por mis circunstancias es como si estuviese muerta, que no por mis hechos[26].

Por último, si regresara a mi patria, se me negaría la entrada cerrándome las puertas, toda vez que creerían que la Helena que estuvo en Ilión habría de regresar acompañada de Menelao, [290] ya que, si mi esposo estuviese vivo, nos habríamos reconocido, en habiendo recurrido a marcas de identidad que sólo conocíamos nosotros. Pero ahora ni eso resulta posible ni él retornará jamás sano y salvo.

¿Por qué, entonces, sigo todavía con vida?[27]. ¿Qué futuro me espera? ¿Optar a un matrimonio para liberarme de mis males? ¿Vivir con un marido bárbaro para sentarme a una mesa abundante? Pero cuando un esposo le resulta aborrecible a su mujer, también su cuerpo es aborrecible. ¡Mejor morir! ¿Cómo no iba a ser decorosa mi muerte? Ahorcarse suspendida en el aire es un acto impropio [300] y no parece apropiado ni siquiera para los esclavos. El degüello, en cambio, tiene un algo de nobleza y hermosura, y el momento de desprenderse de la vida es tremendamente breve[28]. ¡En qué abismo de males, en verdad, me hallo inmersa! Pues sí: las demás mujeres alcanzan buena dicha por medio de su belleza, pero en mi caso ha sido eso precisamente lo que ha causado mi perdición.

CORIFEO.—Helena, no estés tan segura de que todo lo que te ha contado ese extranjero al venir, quienquiera que pueda ser, sea verdad.

---

[26] Ésta es la diferencia que se establece en este punto entre *prágmata*, 'circunstancias, hechos que acompañan' (cfr. anteriormente el verso 260 «Mi vida y mis circunstancias son, efectivamente, un portento»), y *érga*, 'los propios actos de uno'.

[27] Casi idénticas palabras en el original griego a las del verso 56.

[28] En la tragedia *Las Troyanas*, Hécabe, la madre de su amante Paris, le recrimina precisamente el no haberse matado, si de verdad añoraba a su primer esposo. Cfr. *Las Troyanas*, versos 1012-1014: «¿Cómo, pues, no fuiste sorprendida ahorcándote con un lazo o aguzando un puñal, acciones que una noble mujer habría llevado a cabo si, efectivamente, añorase a su primer esposo?» Pero el personaje Helena de estas dos tragedias, *Helena* y *Las Troyanas*, no guarda ninguna relación entre sí, como bien puede verse.

HELENA.—Pues lo cierto es que ha dicho de un modo meridianamente claro que mi esposo ha muerto.

CORIFEO.—Muchas veces las historias pueden llegar a cobrar existencia también a través de mentiras.

HELENA.—[310] Y, viceversa, las verdades a partir de la realidad[29] de éstas.

CORIFEO.—Te estás dejando llevar por lo negativo en vez de por lo positivo.

HELENA.—Es que los temores que me rodean hacen que me entre el miedo.

CORIFEO.—¿Y cómo andas de apoyos a tu favor en este palacio?

HELENA.—Todos son amigos míos menos el que pretende cazarme en matrimonio.

CORIFEO.—¿Sabes, entonces, lo que tienes que hacer?[30]. Deja de estar sentada como suplicante en esta tumba...

HELENA.—¿Qué te propones o a qué consejo vas a llegar?

CORIFEO.—Ve a palacio y pregúntale por tu esposo a Teónoe, la hija de la marina Nereide que todo lo sabe, si todavía está vivo [320] o si ya ha dejado atrás la luz, y, una vez que te hallas enterado bien de tu destino, alégrate o entristécete. Antes de saber algo a ciencia cierta, ¿qué ganas con apenarte? Así que hazme caso: deja este túmulo y habla con esa muchacha. Por ella precisamente vas a enterarte de todo. Pudiendo, como puedes, averiguar[31] la verdad en esta misma casa, ¿por qué mirar más lejos? Yo también quiero entrar en el palacio contigo y acompañarte a preguntarle a la chica por el oráculo. La verdad es que las mujeres deben ser compañeras de fatigas entre sí.

(Se inicia en este punto un diálogo lírico entre HELENA *y las mujeres del* CORO *que, por indicación suya, van entrando lentamente en el palacio.* HELENA *es la última en entrar.)*

---

[29] Lectura de los manuscritos.
[30] Expresión de fuerte sabor coloquial en el original griego.
[31] Badham.

HELENA.—*[330] Amigas, acepto vuestros razonamientos. Caminad, caminad hacia el palacio, para que dentro de esta morada os informéis de mi crítica situación.*

CORO.—*Llamas a quienes están bien dispuestas a ello.*

HELENA.—*¡Ay, triste día! ¿Qué noticias, pues, desdichada de mí, qué lacrimosas noticias he de oír?*

CORO.—*No profieras por anticipado, querida, esos llantos, como si fueses profetisa de dolores.*

HELENA.—*[340] ¿Qué le ha pasado a mi pobre esposo? ¿Acaso sigue contemplando la luz del sol, y su cuadriga y el curso de las estrellas, o entre los muertos bajo tierra ha alcanzado su destino eterno?*

CORO.—*Ponte en el porvenir mejor, cualquiera que éste llegue a ser.*

HELENA.—*A ti, sí, a ti te invoco, a ti te pongo por testigo, acuoso Eurotas de tiernas cañas: [350] si es auténtico ese rumor de que mi marido está muerto...*

CORO.—*¿Qué son esos sonidos ininteligibles?*[32].

HELENA.—*...tensaré una soga mortal suspendida sobre mi cuello, o azuzaré una espada asesina sobre mi garganta para degollarme y que la sangre mane a borbotones, atravesando mis carnes con una dura embestida a puro hierro, sacrificio en honor de las tres diosas y del priámida que las veneraba con las melodías de su siringa, junto a los establos de los bueyes.*

CORO.—*[360] ¡Que estos males se vuelvan en otra dirección y que tu situación se torne dichosa!*

HELENA.—*¡Ay, desdichada Troya! Por acciones que no fueron tales acciones has sido destruida y has soportado tristes sufrimientos. Mis dones de Cipris han hecho correr mucha sangre y muchas lágrimas, han traído dolor tras dolor, lágrimas sobre lágrimas, sufrimientos. Las madres han perdido a sus hijos. Las mujeres jóvenes, parientes de los muertos, se han cortado la melena junto a las arremolinadas aguas del frigio Escamandro*[33]. *[370] Un grito, sí, un grito ha hecho resonar la Hélade y ha elevado un clamor luctuoso. A la cabeza se ha echado las manos y con las uñas se desgarra la*

---

[32] Atribución al Coro de estas palabras, según los manuscritos.

[33] El Escamandro es otro río de la llanura troyana, además del anteriormente citado Simunte.

delicada piel de las mejillas humedeciéndola con la sangre de sus golpes[34].

¡Oh, bienaventurada Calisto, doncella que en otro tiempo pusiste tus cuadrúpedos miembros sobre el lecho de Zeus en Arcadia! ¡Qué inmensa mejor fortuna que la de mi madre alcanzaste! Bajo la forma de fiera de miembros velludos —si bien con tu tierna mirada haces más agradable tu aspecto— [380] te libraste de cargar con penas[35]. *¡Bienaventurada, también, aquélla a la que Ártemis expulsó un día de su compañía, a la hija titánide de Mérope, a la cierva de áurea cornamenta, a causa de su belleza! Mi cuerpo, sí, ha causado la perdición —¡la perdición!— de la ciudadela dárdana*[36] *y de los difuntos aqueos.*

(HELENA *entra definitivamente en el palacio. La escena queda vacía. En este momento entra por un lateral* MENELAO, *con aspecto andrajoso, como el de quien acaba de sobrevivir a un naufragio.*)

MENELAO.—¡Oh, tú, Pélope, que otrora contra Enómao en Pisa mantuviste dura contienda con la cuadriga![37]. ¡Ojalá aquel día, cuando serviste de festín a los dioses, hubieses

---

[34] En señal de luto. Idénticas muestras de dolor podemos encontrarlas, en este mismo volumen, en *Helena*, 1054, 1089, 1124; *Las Fenicias*, 322-26, 1350, 1524-5; *Orestes*, 96, 458, 961-63, 1467; *Ifigenia en Áulide*, 1437.

[35] Se alude aquí a un mito arcadio. Calisto era una ninfa de los bosques que se había consagrado a la virginidad y pasaba la vida en el monte, cazando con el grupo de las compañeras de Ártemis, pero Zeus se enamoró de ella y la dejó embarazada. Ártemis entonces, al descubrir su falta, la transformó en osa.

[36] Dárdano es hijo de Zeus y progenitor de los troyanos. En consecuencia, la «ciudad de Dárdano» o la «ciudadela dárdana» es un modo de referirse a la ciudad de Troya.

[37] Enómao es un rey de Pisa, en Élide, Olimpia. Tenía una hija a la que se resistía a dar en matrimonio. Por ese motivo, sometía a sus pretendientes a una carrera de carros en la que siempre ganaba él, ya que sus caballos eran divinos. Cuando un día se presentó Pélope, hijo de Tántalo, Hipodamía se enamoró de él y sobornó al auriga de su padre para que éste perdiese la carrera. De este modo, Pélope e Hipodamía se casaron. Entre los hijos que tuvieron se cuenta Atreo, padre, a su vez, de Menelao y Agamenón (cfr. *Ifigenia entre los Tauros*, 1-4: «Pélope, el hijo de Tántalo, fue a Pisa con veloces caballos y se casó con la hija de Enómao, de la que nació Atreo. Los hijos de Atreo son Menelao y Agamenón»).

dejado la vida entre ellos, [390] antes de engendrar entonces a mi padre Atreo, que del lecho de Aérope nos dio la vida a Agamenón y a mí, Menelao, renombrada pareja![38].

Creo, en efecto —y no lo digo por jactancia— que he sido yo el que ha conducido el mayor contingente de tropas por mar contra Troya, sin dar ninguna orden al ejército a la fuerza como un tirano, sino siendo el comandante en jefe de los jóvenes de la Hélade dispuestos por su propia voluntad. A unos se les puede contar entre los que ya no viven; a otros entre los que están contentos de haber escapado del mar y llevan a sus casas de regreso el nombre de los muertos. [400] Yo, en cambio, llevo errando, pobre de mí, por entre las encrespadas olas de la verde mar salada, todo este larguísimo tiempo desde que devasté las torres de Ilión, y, aunque deseo llegar a mi patria, no se me considera digno de obtener esta dicha de los dioses. He navegado por todas las cercanías solitarias e inhóspitas de Libia pero, en cuanto estoy cerca de mi patria, los vientos me empujan hacia atrás y nunca entran favorables en mis velas de modo que yo llegue a mi patria.

Y ahora, pobre náufrago, he perdido a mis amigos y he caído en esta tierra: mi barco se ha hecho añicos contra las rocas. [410] Son innumerables los restos del naufragio. Del complejo armazón sólo ha quedado la quilla, gracias a la cual me las he arreglado a duras penas para salvarme, en un golpe inesperado de suerte, a mí y a Helena, a la que he conseguido arrancar de Troya. No sé cuál es el nombre de este país y el de su pueblo, ya que me ha dado vergüenza presentarme ante sus gentes a que me sometiesen a un interrogatorio a propósito de mis pobres vestimentas, y he ocultado mis desdichas[39] por vergüenza. Cuando a un hombre encumbrado le van mal sus empresas, la falta de costumbre hace que soporte esta situación

---

[38] Se cuenta que Tántalo mató a su hijo Pélope, lo partió en trozos, lo condimentó y se lo sirvió a los dioses como manjar. Los dioses no lo aceptaron y devolvieron a Pélope a la vida. De este modo pudo engendrar más tarde a Atreo, el padre de Menelao y Agamenón.

[39] Lectura de los manuscritos.

peor que el individuo que ya antes era desafortunado. [420] Con todo, la necesidad me apremia: no tengo ni comida ni ropas que cubran mi cuerpo, hecho que bien puede adivinarse a partir de los andrajos, restos del naufragio, con los que voy vestido. Mis ropas de antes, mis espléndidas vestimentas y mis lujosas joyas, el mar se las ha llevado.

He venido aquí después de ocultar en el interior de una gruta a mi mujer, la que dio comienzo a todos mis males, y les he impuesto a los pocos amigos que todavía me quedan vivos la obligación de custodiar a mi esposa. Vengo yo solo para buscar las cosas que necesitan los amigos que he dejado allí, si es que consigo buscarlo y encontrarlo. [430] Tras ver este palacio rodeado de cornisas y sus magníficas puertas, vivienda propia de un hombre dichoso, me he acercado hasta aquí. Al menos de una casa rica puede tener un marinero la esperanza de obtener algo, porque de quienes no tienen recursos... ¡ni aunque quisieran podrían prestarnos su ayuda!

(MENELAO *se acerca hasta la puerta y grita en voz alta para que le oigan desde adentro.*)

¡Eh! ¿Qué portero puede salir de este palacio para transmitir a los de adentro la noticia de mis desgracias?

(*Aparece una* ANCIANA, *portera del palacio de* PROTEO *al servicio de* TEOCLÍMENO. *Las primeras palabras las pronuncia todavía desde el interior. Luego se asoma, malhumorada, entreabriendo la puerta.*)

ANCIANA.—(*Todavía desde el interior.*) ¿Quién hay junto a las puertas? (*Asomándose, malhumorada, dándose cuenta de que es un griego.*) ¿No te apartarás de este palacio y dejarás de dar la lata a mis señores, ahí plantado de pie junto a las puertas de casa? De lo contrario, [440] vas a morir por ser griego, porque no les dedicamos nuestras atenciones.

MENELAO.—(*Con tono conciliador.*) ¡Sí, sí, anciana, tienes razón! ¡Ya te voy a hacer caso, pero modera tus palabras!

ANCIANA.—Vete de aquí, que se me ha encomendado, extranjero, que ningún griego se acerque a esta casa. *(La* ANCIANA *trata de echarlo y lo empuja.)*

MENELAO.—*(Molesto e indignado.)* ¡Ah! No me pongas las manos encima ni me empujes a la fuerza.

ANCIANA.—Pero es que no me haces ningún caso de lo que te digo. Tú tienes la culpa.

MENELAO.—Entra y anúnciales a tus señores...

ANCIANA.—¡Ya me estoy imaginando lo mal que sentaría anunciar tus palabras!

MENELAO.—He venido en calidad de náufrago y de huésped: ¡no puedo ser objeto de represalias ni malos tratos!

ANCIANA.—[450] ¡Vete, pues, a otra casa en vez de a ésta!

MENELAO.—No, sino que voy a entrar; y tú hazme caso.

ANCIANA.—Sábete que ya te estás poniendo pesado. Enseguida te van a echar a la fuerza.

MENELAO.—¡Ay, ay! ¡Mis renombrados ejércitos! ¿Dónde están?

ANCIANA.—No me cabe duda de que entonces eras un hombre respetable, pero no aquí.

MENELAO.—¡Ay, destino! ¡Qué indignos sufrimientos tengo que soportar! *(Se echa a llorar por la desesperación.)*

ANCIANA.—*(Se ablanda.)* ¿Por qué humedeces los párpados con lágrimas? ¿A quién te diriges con esos lamentos?

MENELAO.—A mis dichosas circunstancias del pasado.

ANCIANA.—¿No te irás, entonces, y les ofrecerás estas lágrimas a tus amigos?

MENELAO.—¿Qué país es éste? ¿De quién es esta regia morada?

ANCIANA.—[460] Esta tierra es Egipto y quien vive en este palacio es Proteo.

MENELAO.—¿Egipto? ¡Oh, infeliz! ¡Cuánto he estado navegando, pues!

ANCIANA.—¿Qué tiene de malo para ti el esplendor del Nilo?

MENELAO.—No es eso de lo que me quejo; me lamento por mi mala suerte.

ANCIANA.—A muchos les va mal en sus empresas, no sólo a ti, por cierto.

MENELAO.—¿Se encuentra, entonces, en palacio el hombre al que das el nombre de soberano?

ANCIANA.—*(Señalando su tumba.)* Ésa de ahí es su tumba. Ahora su hijo gobierna el país.

MENELAO.—¿Y dónde podrá estar ahora? ¿Fuera o en el palacio?

ANCIANA.—Dentro no, pero es el hombre más hostil a los helenos.

MENELAO.—¿Qué motivos tiene? ¡Sólo me faltaba encontrarme con esto, además!

ANCIANA.—[470] Helena, la hija de Zeus, se encuentra en esta morada.

MENELAO.—*(Sorprendido)*[40]. ¿Cómo dices? ¿Qué acabas de decir? ¡Repítemelo!

ANCIANA.—Sí, la hija de Tindáreo, la que antaño estaba en Esparta.

MENELAO.—¿Cómo habrá venido? ¿Qué explicación tiene este hecho?

ANCIANA.—Vino aquí desde Lacedemonia.

MENELAO.—¿Cuándo? *(Aparte, sin que le oiga la* ANCIANA.*)* ¿No será, quizá, que habrán cogido de la gruta a mi mujer y la habrán hecho prisionera?

ANCIANA.—Antes de que los aqueos fuesen a Troya, extranjero. ¡Pero vete lejos de esta casa! Que habita en esta casa un azar que produce confusión en el palacio real. Lo cierto es que has venido en un momento nada oportuno, y si te coge mi señor, [480] te encontrarás con la muerte como obsequio de hospitalidad. Te lo digo porque yo me siento bien dispuesta hacia los griegos, no como las duras palabras que te he dedicado antes por temor a mi señor. *(La* ANCIANA *cierra la puerta del palacio.* MENELAO *queda solo en la escena.)*

MENELAO.—¿Qué decir? ¡Qué decir! He oído que se me presentaba una nueva desgracia, ¡después de las de antes!, si he venido aquí trayendo de Troya a la mujer que me raptaron y que he dejado a salvo en la gruta, y vive en este palacio otra que tiene el mismo nombre que mi esposa. ¡Y dijo que

---

[40] Cfr. sus propias palabras en los versos 424-426: «He venido aquí después de ocultar en el interior de una gruta a mi mujer, la que dio comienzo a todos mis males.» Se trata de la falsa imagen de Helena.

era hija de Zeus! [490] Pero, ¿y si hay un hombre a las orillas del Nilo que tiene el nombre de Zeus? No puede ser, ya que sólo hay uno, el que está en el cielo. ¿Y hay en algún lugar de la tierra otra Esparta, excepto sólo aquélla en la que fluyen las corrientes del Eurotas, de frondosos juncos? El nombre de Tindáreo también es único. ¿Hay algún país que tenga el mismo nombre que Lacedemonia o Troya? La verdad es que no sé que decir. Al parecer, en realidad, muchas personas en muchos países tiene el mismo nombre, una ciudad y otra ciudad, una mujer y otra mujer. No hay, pues, de qué sorprenderse. [500] No he de rehuir, entonces, el peligro al que se refería esa sirvienta.

No hay ningún hombre de corazón tan bárbaro que, en cuanto oiga mi nombre, no me dé de comer. Yo, Menelao, que prendí la llama del renombrado incendio de Troya, soy conocido en el mundo entero. Aguardaré al soberano de este palacio. Tengo dos posibilidades: en caso de que sea hombre de duro corazón, me ocultaré y me dirigiré junto a los restos del naufragio; en caso de que dé muestras de ablandarse, le pediré lo que necesitamos en esta presente desgracia de ahora. [510] Éste es para mí, desgraciado, el colmo de las calamidades: tener que ir yo, que también soy rey, a pedir a otros monarcas medios de subsistencia, pero no queda más remedio. La frase no es mía, sino que es un sabio proverbio: 'nada puede más que la tremenda necesidad'.

(Tal como ha dicho, MENELAO se oculta para aguardar al soberano. Entre tanto, las mujeres del CORO van saliendo del palacio. HELENA es la última en salir.)

CORO.—Ya he oído de la muchacha recitadora de oráculos —que lo ha mostrado a estas regias moradas claramente en su profecía— que Menelao todavía no ha desaparecido ocultándose bajo tierra a través de las mortecinas luces del Erebo[41], [520] sino que, agotado de andar surcando aún las olas del mar, no ha llegado a tocar todavía los puertos de

---

[41] Las tinieblas infernales.

su tierra patria, con el corazón entristecido por su vida errante, sin amigos, y que dirige sus pasos acercándose a todos los países habidos y por haber después de partir de Troya a golpe de remo marino.

HELENA.—Ya estoy aquí otra vez. Vengo a sentarme aquí de nuevo junto a esta tumba, después de enterarme por Teónoe, la que realmente todo lo sabe, de unas estupendas noticias.

[530] Afirma que mi esposo está vivo y que ve la luz, y que ha estado navegando aquí y allá surcando miles de mares como un vagabundo, atormentado por su continuo errar, y que ha de regresar cuando alcance el fin de sus penas. Una única cosa no dijo: si, cuando llegase, lo haría sano y salvo. Me ha faltado preguntarle eso en concreto, por lo contenta que estaba cuando me dijo que él se encontraba bien. También dijo que estaba en algún lugar cerca de este país, tras caer a tierra náufrago con unos pocos amigos.

[540] ¡Ay de mí! ¿Cuándo vas a regresar? ¡Qué deseada sería tu llegada! *(Descubre por fin a* MENELAO *que, tras haberse ocultado, sale ahora de su escondrijo. Todavía no se reconocen, especialmente ella a él, debido a su aspecto andrajoso de náufrago.)* ¡Eh! ¿Quién es ése de ahí? ¿No habré caído, quizá, en una trampa a raíz de algún plan del impío hijo de Proteo? *(Intentando huir y refugiarse junto a la tumba.)* ¿No dirigiré mis pies junto a la tumba como una yegua veloz o una bacante del dios? ¡Qué salvaje es el aspecto del hombre este que me quiere cazar!

MENELAO.—*(Llamando a* HELENA.) ¡Eh, tú, la que corres a toda prisa a refugiarte sobre las gradas de esa tumba y los pilares del fuego sacrificial! ¡Aguarda! ¿Por qué estás huyendo? Que al dejarme ver tu cuerpo me estás dejando fuera de sí y sin habla.

HELENA.—[550] ¡Mujeres, me están maltratando! ¡Están intentando apartarme de esta tumba y quieren cogerme y entregarme al tirano cuyas bodas yo trataba de evitar!

MENELAO.—*(Ofendido.)* ¡No soy un ladrón, no soy un subordinado al servicio de hombres malvados!

HELENA.—Pues la verdad es que la ropa, al menos, con la que te vistes es espantosa.

MENELAO.—Abandona tus temores y deja quietos tus ágiles pies.

HELENA.—Ya me estoy quieta, pues ya he alcanzado este lugar[42].

MENELAO.—¿Quién eres? ¿Qué rostro, mujer, estoy observando fijamente mientras te miro?

HELENA.—Y tú, ¿quién eres? Pues tú y yo nos estamos haciendo la misma pregunta.

MENELAO.—¡Nunca he visto un cuerpo que se le parezca más!

HELENA.—[560] *(Percatándose, a su vez, del parecido con su marido.)* ¡Oh, dioses! Pues es cosa de dios reconocer aquí a un ser querido.

MENELAO.—¿Eres griega, o nativa de esta tierra?

HELENA.—Griega. Pero también yo quiero saber de ti.

MENELAO.—Mujer, te encuentro al mirarte un increíble parecido a Helena.

HELENA.—Y yo a ti a Menelao, ni más ni menos, y no sé qué decir.

MENELAO.—Pues acabas de reconocer perfectamente a un hombre de lo más desgraciado.

HELENA.—*(Termina de reconocerlo, gozosa.)* ¡Oh, por fin has llegado, después de tanto tiempo, a los brazos de tu esposa!

MENELAO.—*(Sin terminar de comprender que la mujer que tanto se parece a* HELENA *es su esposa real.)* ¿Qué esposa ni qué ocho cuartos? *(Ella trata de abrazarle, pero él la rechaza.)* ¡No toques mis ropas!

HELENA.— ¡La que te entregó Tindáreo, mi padre!

MENELAO.—¡Oh, Hécate, portadora de la antorcha! ¡Envíame apariciones favorables!

HELENA.—[570] No estás viendo la aparición nocturna de una servidora de Enodia[43].

---

[42] La tumba del difunto rey Proteo ante la que se postra como suplicante, a fin de obtener su protección. Sería un acto de impiedad arrancarla de ahí.

[43] Enodia es un epíteto de Hécate. Se la considera como la divinidad que preside la magia y los hechizos, ligada al mundo de las sombras. Suele aparecerse con una antorcha en la mano. Hécate, como maga, preside las encrucijadas, lugares por excelencia para la magia. En ellas se erigía su estatua, y de ahí, en este caso, su epíteto *Enodia*, literalmente «en el camino».

MENELAO.—¡Yo solo no soy, no, el esposo de dos mujeres!

HELENA.—Pero, ¿de qué otra esposa eres tú el dueño?

MENELAO.—De la que está oculta en la gruta y traigo yo del país de los frigios.

HELENA.—¡Tú no tienes más mujer que yo!

MENELAO.—¿No será, acaso, que, aun estando en mi sano juicio, mis ojos están enfermos?

HELENA.—¿Es que al verme no crees estar contemplando a tu esposa?

MENELAO.—Tu cuerpo es idéntico, pero no estoy completamente seguro.

HELENA.—Mírame atentamente. ¿Qué más necesitas? ¿Quién lo va a saber mejor que tú?

MENELAO.—Te das un aire a ella; eso sí que no lo puedo negar.

HELENA.—[580] ¿Pues qué otra cosa va a decírtelo, sino tus propio ojos?

MENELAO.—Entonces no estoy bien, porque tengo otra mujer.

HELENA.—Yo no fui a Troya, sino que aquello era una imagen.

MENELAO.—Pero, ¿quién crea cuerpos dotados de vida?

HELENA.—El éter, de donde salió la esposa que los dioses te prepararon.

MENELAO.—¿Cuál de los dioses le dio forma? Lo cierto es que me estás contando noticias que no esperaba.

HELENA.—Hera dio el cambiazo para que Paris no me tomase por esposa.

MENELAO.—Entonces, ¿cómo pudiste estar aquí y en Troya al mismo tiempo?

HELENA.—Mi nombre podrá estar en todas partes, pero mi cuerpo no.

MENELAO.—Déjame. ¡Con bastantes penas ya he venido aquí!

HELENA.—[590] ¿Es que me vas a dejar aquí abandonada y te vas a llevar a tu esposa etérea?

MENELAO.—¡Adiós, adiós! ¡Vete contenta de parecerte a Helena!

HELENA.—¡Estoy perdida! Por más que te haya encontrado no voy a tener a mi esposo.

MENELAO.—La inmensidad de fatigas que sufrí en Troya me convencen, pero tú no.

HELENA.—¡Ay de mí! ¿Quién ha sido más desgraciada que yo? Mis seres más queridos me abandonan y nunca voy a regresar ni junto a los helenos ni a mi patria.

(Llega un MENSAJERO, *uno de los servidores de* MENELAO, *en realidad. Al principio sólo ve a su amo, que se había apartado algo de la escena debido a su intención de marcharse.)*

MENSAJERO.—Menelao, después de mucho buscarte por fin te encuentro. He dado vueltas de un lugar para otro por toda esta tierra de bárbaros. Me han enviado los camaradas que dejaste.

MENELAO.—[600] Pero, ¿qué sucede? ¿No será, quizá, que los bárbaros os han despojado?

MENSAJERO.—Es un milagro, aunque la palabra se queda corta respecto del hecho en sí.

MENELAO.—Cuéntanoslo, que traes alguna novedad, a juzgar por tus prisas.

MENSAJERO.—Digo que en vano te has esforzado en tus miles de fatigas.

MENELAO.—Vieja es esa cantilena de miserias. A ver, ¿qué noticias me traes?

MENSAJERO.—Tu esposa se ha marchado por los aires hasta desaparecer del todo. Ha dejado la digna cueva en la que la estábamos protegiendo y se ha ocultado en el cielo, al tiempo que decía estas palabras: «¡Oh, desdichados frigios y aqueos todos! Por mi culpa [610] habéis estado muriendo en las escarpadas orillas del Escamandro, víctimas de las artimañas de Hera, en la creencia de que, aunque no lo había hecho, Paris había desposado a Helena. Ahora yo, toda vez que ya he permanecido aquí todo el tiempo que debía, en estricta observancia del destino, me marcho con mi padre, el cielo. En vano, pues, la hija de Tindáreo ha oído hablar mal de ella, ya que no hay motivo alguno.»

(El MENSAJERO *ve por fin a* HELENA, *que se ha retirado de la tumba y se ha ido acercando hacia la pareja.)* ¡Ah, hola, hija de Leda? ¿Así que estabas aquí? ¡Y yo estaba contando la no-

ticia de que te habías marchado a lo más recóndito de las estrellas sin saber nada de que tenías un cuerpo alado! No te permito [620] que vuelvas a burlarte de nosotros, que ya estuviste causando en Ilión bastantes fatigas a tu esposo y sus aliados.

(MENELAO *cae en la cuenta de que lo que acaba de contarle* HELENA *es verdad. Por fin ambos esposos se reconocen. Se abrazan y se dan mutuas y efusivas muestras de cariño.)*

MENELAO.—¡Eso es! ¡Estas palabras coinciden con las de ella! ¡Son de verdad! *(Ambos se abrazan.)* ¡Oh, día deseado que me ha permitido tomarte entre mis brazos![44]

HELENA.—*¡Oh, Menelao, el más amado de los hombres! Largo ha sido el tiempo transcurrido, pero finalmente ahora gozamos de esta alegría. (Al* CORO.) *¡Contenta estoy, amigas mías, de haber encontrado a mi esposo, y de rodearle con mis brazos con amor después de tantos lucíferos soles!*

MENELAO.—[630] Y yo a ti. Aunque tengo entremedias muchas cosas que decirte, no sé por dónde empezar ahora en primer lugar.

HELENA.—*Estoy llena de alegría. Tengo erizado el pelo de la cabeza, estoy dejando caer lágrimas y rodeo tu cuerpo con mis brazos, esposo mío, por el placer que recibo.*

MENELAO.—*¡Oh, amantísima visión! No te lo reprocho. Tengo a la hija de Zeus y de Leda, a ti, a quien antaño bajo las antorchas* [640] *felicitaron —¡sí, felicitaron!— tus dos hermanos, los de los albos corceles*[45]. *Pero una diosa te llevó fuera de mi palacio y te condujo a otro destino superior a ése. Finalmente una desgracia nos ha reunido para bien a ti y a mí, tu esposo, después de tanto tiempo. En fin, con todo, que pueda yo gozar de este golpe de buena suerte.*

CORIFEO.—¡Pues, entonces, goza de él! Me uno a tu misma súplica, pues, siendo dos como sois, no ha de ser uno desgraciado y otro no.

---

[44] Se inicia ahora un emotivo diálogo lírico entre los dos amantes esposos, que por fin se han reconocido el uno al otro.
[45] Los Dióscuros.

Helena.—*¡Amigas, amigas mías! Ya no me lamento por el pasa-*
do, ni me consumo de dolor. [650] Ya he recuperado a mi esposo,
a quien tantos años he esperado a que llegase de Troya.

Menelao.—Ya me tienes, y yo a ti. Tras recorrer en medio
de fatigas innumerables jornadas, me he percatado de los
designios de la diosa. Mis lágrimas son de alegría; se deben
más al gozo que a la pena.

Helena.—*¿Qué decir? ¿Qué mortal podría haber albergado seme-*
jantes esperanzas algún día? Te tengo junto a mi pecho contra toda
esperanza.

Menelao.—Y yo a ti, que hiciste creer que habías ido a la
ciudad del Ida y a las desdichadas torres de Ilión. [660] ¡Por
los dioses! ¿Cómo te marchaste de mi palacio?

Helena.—*¡Ay, ay! ¡Te estás remontando a unos amargos comien-*
zos! ¡Ay, ay! ¡Tratas de averiguar una amarga historia!

Menelao.—Cuéntamela, que hay que prestar oídos a todos
los dones de la divinidad.

Helena.—*Escupo[46] sobre ese relato que voy a referirte, y reniego*
de él.

Menelao.—Cuéntamelo de todos modos. Escuchar las penas —déjame que te diga— es placentero.

Helena.—*No me condujeron al lecho de un joven bárbaro remos*
veloces, ni el deseo etéreo de unas bodas inicuas...

Menelao.—Pues, entonces, ¿qué dios o qué destino te
arrancó de tu patria?

Helena.—*[670] ¡El hijo de Zeus, el hijo de Zeus, esposo mío, me*
trajo hasta el Nilo![47].

Menelao.—¡Asombroso! ¿Quién le envió? ¡Qué relato más
increíble!

Helena.—*Lloro y estoy empapando mis párpados con lágrimas.*
La esposa de Zeus causó mi perdición.

Menelao.—¿Hera? ¿Qué daño nos querría causar?

Helena.—*¡Ay de mí! ¡Qué funestos baños los míos y qué fuentes,*
donde las diosas hicieron resplandecer mi cuerpo! De ahí vino el
juicio.

Menelao.—¿Hera te impuso estos males a causa de ese juicio?

---

[46] Cfr. nota 12 a esta misma tragedia.
[47] Cfr. versos 44-48 y nota 21 a esta misma tragedia.

HELENA.—*[680] Con intención de privarle de mí a Paris...*

MENELAO.—¿Cómo? ¡Dilo!

HELENA.—*... a quien Cipris me había entregado con su asentimiento.*

MENELAO.—¡Oh, desgraciada!

HELENA.—*¡Desgraciada, desgraciada! Así llegué a Egipto.*

MENELAO.—Luego te cambió por una imagen, según te he oído decir.

HELENA.—*¡Qué sufrimientos los tuyos, qué sufrimientos los de tu hogar! ¡Ay de mí!*

MENELAO.—¿Qué estás diciendo?

HELENA.—*Mi madre no está viva. Se ató una soga al cuello para ahorcarse a causa del oprobio de mis tristes bodas*[48].

MENELAO.—¡Ay de mí! Nuestra hija Hermíone, ¿está viva?

HELENA.—*Está sin casar, sin hijos, lamentándose, esposo mío, [690] por aquellas bodas mías, que no fueron tales bodas.*

MENELAO.—¡Oh, Paris! ¡Has destruido a toda mi familia hasta el extremo! También esto ha sido tu perdición y la de miles de dánaos de broncíneas armas.

HELENA.—*Una diosa me echó, cargada con una maldición, lejos de mi patria, y de mi ciudad, y de tu lado, cuando abandoné —sin abandonarla— tu morada y tu lecho, con el pretexto de unas infamantes bodas.*

CORIFEO.—Si en el futuro llegaseis a alcanzar una fortuna dichosa, eso os compensaría respecto del pasado.

MENSAJERO.—[700] Menelao, permíteme también a mí tomar parte de este gozo que hasta yo mismo estoy percibiendo, pero que no acabo de tener claro.

MENELAO.—Sí, participa tú también, viejo amigo, en nuestra conversación.

MENSAJERO.—¿No ha sido ella la responsable de las penalidades de Ilión?

MENELAO.—No, no ha sido ella, sino que hemos sido engañados por los dioses, al tener entre nuestras manos la funesta imagen de una nube.

---

[48] Tal como se lo ha contado Teucro en el verso 136, «se anudó una soga a su bonito cuello».

MENSAJERO.—¿Qué estás diciendo? ¿Es que hemos estado soportando aquellas fatigas en vano, por una nube?

MENELAO.—Ha sido obra de Hera y de la discordia de tres diosas.

MENSAJERO.—¿Y ésta de aquí es tu mujer de verdad?

MENELAO.—[710] En persona. Haz caso de mis palabras.

MENSAJERO.—¡Oh, hija! ¡Qué intrincados son los caminos de la divinidad, y qué difícil averiguar su curso! Así como quien no quiere la cosa, a todo le anda dando la vuelta, llevándolo sin parar de aquí para allá. Un individuo sufre; otro, que no sufría, perece a su vez de mala muerte, sin la posibilidad de aferrarse eternamente a un azar firme y duradero.

Tu mujer y tú, efectivamente, tomasteis parte en innumerables penalidades *(a* HELENA): tú por culpa de los rumores *(a* MENELAO), y tú por tu diligencia en tomar las armas. Cuando se esforzaba, nada obtenía por mucho que se esforzase; ahora, en cambio, obtiene por sí solos los bienes de mayor fortuna. [720] *(A* HELENA.) No has deshonrado, por consiguiente, ni a tu anciano padre ni a los Dióscuros, ni has hecho todo lo que se anda contando de ti.

Estoy reviviendo ahora de nuevo tu himeneo y me estoy acordando de las antorchas que llevaba corriendo a tu lado velozmente sobre mis cuatro caballos uncidos. Abandonabas tú entonces, recién casada, sobre un carro en compañía de Menelao tu palacio dichoso[49]. En verdad, todo aquel que no respeta a sus señores, y que no comparte su regocijo y se duele con ellos en medio de sus desgracias, es un miserable. ¡Así sea yo contado, aunque sea un simple sirviente de nacimiento, entre los esclavos honrados y leales, [730] toda vez que, aunque no un nombre, sí tengo un espíritu libre! Mejor es, efectivamente, esta circunstancia, que el hecho de reunir un solo individuo estos dos defectos: ser de corazón miserable y oír decir a los demás que eres un esclavo.

---

[49] Se refiere en estos versos a la parte de la celebración matrimonial en la que la novia abandonaba la casa paterna camino del nuevo hogar con su esposo. Se evoca aquí el momento de las bodas de Helena y Menelao, en que el carro que los transportaba efectuaba este recorrido, acompañados por los padres de la novia y los amigos, bajo el resplandor de las antorchas y los cantos de boda.

MENELAO.—¡A ver, viejo amigo, que tantas penalidades has arrostrado esforzándote conmigo, y que ahora participas de mi felicidad! Ve y comunícales a los amigos que hemos dejado allí en qué estado has encontrado la situación y en qué dichosa situación estamos, y que sigan aguardando en la costa, y que permanezcan atentos al desenlace [740] de las luchas que, según creo, me esperan, y que, si podemos de algún modo coger y llevarnos a Helena fuera del país, miren el modo de reunir en una sola nuestra fortuna y escapar de los bárbaros sanos y salvos, si es que podemos.

MENSAJERO.—Así será, rey mío. De todos modos —déjame que te diga— acabo de ver qué vanas son las revelaciones de los adivinos, y qué llenas están de mentiras. De la llama de las ofrendas que ardían en el fuego no procedía, por tanto, verdad alguna, ni de los graznidos de las aves augurales. Es, pues, una necedad creer que los pájaros prestan algún tipo de ayuda a los mortales. Así es, pues Calcante no dijo ni una palabra ni dio ninguna señal al ejército [750] al ver que sus amigos estaban muriendo a causa de una nube, ni Heleno[50], sino que la ciudad fue saqueada para nada. ¿Podrías alegar que la divinidad no lo quiso? ¿Por qué, entonces, consultamos los oráculos? A los dioses, cuando se les ofrecen sacrificios, hay que pedirles el bien, y dejarse de adivinaciones. Éstas, en efecto, han resultado ser únicamente un señuelo para la humanidad. Los mejores adivinos son la razón y el sentido común.

(El MENSAJERO se marcha a la gruta donde se hallan el resto de sus compañeros para transmitir las órdenes de MENELAO.)

CORIFEO.—Las ideas de este anciano respecto de los adivinos llegan a la misma conclusión que las mías. Aquel individuo que tenga a los dioses como amigos, [760] tendrá en su casa la mejor arte adivinatoria.

HELENA.—(Carraspeando, con intención de tomar la palabra.) ¡Ejem! Hasta ahora todo va bien. No gano nada con saber

---

[50] Heleno es hermano gemelo de Casandra, hijos ambos de Príamo y Hécabe, reyes de Troya. Los dos hermanos poseían el don profético de Apolo.

cómo lograste salir de Troya sano y salvo, pobre de ti, pero a los seres queridos les corroe una comezón por enterarse de las desgracias de sus seres queridos[51].

MENELAO.—La verdad es que me has hecho muchas preguntas en una sola y de una vez. ¿Para qué te iría a hablar del naufragio en el Egeo, y de las hogueras a modo de faro de Nauplio en Eubea[52], y de las ciudades que incesantemente recorrí en Creta y en Libia, y de la atalaya de Perseo? Para nada, pues no te satisfaría con mis relatos, [770] y al contarte mis males yo volvería a sufrir, y ya estoy cansado de pasarlo mal. Sentiría pena dos veces.

HELENA.—Me has respondido mejor que lo que te he preguntado. Deja a un lado todo lo demás y respóndeme a una sola cosa: ¿durante cuánto tiempo estuviste vagando atormentado sobre la superficie de la mar salada?

MENELAO.—Además de los diez años transcurridos en Troya, he pasado en el barco el curso de otros siete años más.

HELENA.—¡Huy, huy! ¡Durante mucho tiempo, querrás decir, infeliz! ¡Y después de haber escapado de allí con vida has llegado aquí para morir degollado!

MENELAO.—¿Cómo dices? ¿Qué quieres decir? ¡Que has acabo conmigo, mujer!

HELENA.—[780] ¡Vete y huye cuanto antes de esta tierra! Morirás a manos del hombre a quien pertenece este palacio.

MENELAO.—¿Qué cosa he hecho merecedora de este castigo?

HELENA.—Has llegado como inesperado obstáculo para mis bodas.

MENELAO.—¿Es que, acaso, alguien quiere casarse con mi esposa?

HELENA.—¡Y someterme a sus ultrajes y vejaciones, pobre de mí!

MENELAO.—¿Alguien de poderosos recursos propios, o el gobernante del país?

---

[51] Cfr. verso 665: «Escuchar las penas —déjame que te diga— es placentero.»

[52] Cuando el grueso del ejército griego, a su regreso de Troya, llegaba a la altura de las Giras (las Rocas Redondas, cerca del cabo Cafareo, al sur de Eubea), Nauplio encendió durante la noche una gran hoguera en los arrecifes. Los griegos, creyendo hallarse en las proximidades de un puerto, pusieron rumbo hacia el lugar donde brillaba la luz y sus barcos se estrellaron contra las rocas.

HELENA.—El hijo de Proteo, que reina en este país[53].

MENELAO.—Éste es el enigma aquel que le oí contar a la sirvienta.

HELENA.—¿A qué puertas te has acercado en esta tierra bárbara?

MENELAO.—[790] *(Señalando las puertas del palacio.)* A éstas de aquí, de donde me echaron como a un mendigo.

HELENA.—¿No estarías, quizá, mendigando para sobrevivir? ¡Oh, triste de mí!

MENELAO.—Eso era lo que estaba haciendo, pero no tenía ese nombre.

HELENA.—Entonces ya lo sabes todo, según parece, de mis bodas.

MENELAO.—Lo sé. Pero lo que no sé es si has escapado de esa unión.

HELENA.—Sábete que mi lecho permanece intacto para ti.

MENELAO.—¿Qué me puede convencer de ello? Lo cierto es que, si eso es verdad, dices palabras que deseo oír.

HELENA.—¿Ves la postración en que me hallo junto a esta tumba, sentada como suplicante?

MENELAO.—Veo una yacija de hojas. ¿Qué tienen que ver contigo?

HELENA.—He venido aquí como suplicante para escapar de esa boda[54].

MENELAO.—[800] ¿No disponías de un altar, o se debe a alguna costumbre bárbara?

HELENA.—Esto me ha amparado igual que el templo de un dios.

MENELAO.—¿Es que no puedo, entonces, llevarte en barco a nuestro hogar?

HELENA.—Te aguarda una espada antes que mi lecho.

---

[53] Cfr. versos 60-63: «Lo cierto es que mientras Proteo estuvo contemplando la luz esta del sol, a salvo me encontraba yo de bodas y violaciones, pero, desde que quedó cubierto en la oscuridad de la tierra, el hijo del difunto anda buscando por todos los medios el modo de casarse conmigo.»

[54] Cfr. versos 63-67: «Por respeto a mi antiguo esposo me he postrado en calidad de suplicante ante la tumba de Proteo, para mantener intacto el lecho de mi marido, que, si bien arrastro a lo largo y ancho de la Hélade mi nombre con deshonor, mi cuerpo no ha de incurrir aquí en oprobio semejante.»

MENELAO.—En tal caso sería el más desgraciado de los mortales.

HELENA.—No tengas reparos y escapa de este país.

MENELAO.—¿Dejándote aquí? Destruí Troya hasta sus cimientos por tu causa.

HELENA.—Mejor es eso que alcanzar la muerte por mi amor.

MENELAO.—Has dicho palabras indignas de un hombre —cobardes— y que Ilión no merece.

HELENA.—No podrías matar al rey por mucho que lo intentases.

MENELAO.—[810] ¿Es que su cuerpo no es vulnerable al hierro?

HELENA.—Ya lo sabrás. Aventurarse a lo imposible no es propio de un hombre sensato.

MENELAO.—¿Le ofreceré, entonces, mis manos en silencio para que las cargue de cadenas?

HELENA.—Has llegado a un callejón sin salida. Necesitamos alguna treta.

MENELAO.—Sí, pues es más agradable morir haciendo algo que no haciéndolo.

HELENA.—Sólo me resta una esperanza, la única mediante la cual podríamos salvarnos.

MENELAO.—¿Puede comprarse? ¿O exige valor? ¿O se consigue con palabras?

HELENA.—Si el rey no se entera de que has llegado.

MENELAO.—Pero, ¿quién se lo va a decir? No va a llegar a saber quién soy yo.

HELENA.—Tiene dentro de su palacio una aliada igual a los dioses.

MENELAO.—[820] ¿Algún oráculo instalado en lo más recóndito de la casa?

HELENA.—No; su hermana. La llaman Teónoe.

MENELAO.—Profético, ciertamente, es el nombre ese[55]. Explícame qué hace.

---

[55] Cfr. versos 12-15: «Pero, desde que se hizo moza y le llegó la hora del matrimonio, la llaman Teónoe, pues conocía, en efecto, el curso todo de la providencia, presente y futuro, por haber recibido heredada de su abuelo Nereo esta distinción.»

HELENA.—Lo sabe todo y le dirá a su hermano que estás aquí.

MENELAO.—Moriría, pues no puedo ocultarme.

HELENA.—Quizá podríamos convencerla, si se lo pedimos los dos...

MENELAO.—¿Qué es lo que hay que hacer? ¿Qué esperanza me estás insinuando?

HELENA.—... de que no le dijese a su hermano que estás aquí, en este país.

MENELAO.—Y si lográsemos convencerla, ¿nos encaminaríamos fuera de esta tierra?

HELENA.—Sí, con facilidad, si la hacemos partícipe de nuestros planes. A espaldas de ella, no.

MENELAO.—[830] Eso es cosa tuya, que una mujer sabe ponerse de acuerdo con otra mujer.

HELENA.—Sí, pues mis manos no dejarán de tocar sus rodillas.

MENELAO.—A ver, ¿y si resulta que no acepta con agrado nuestras palabras?

HELENA.—Tú morirás y yo, pobre de mí, me casaré a la fuerza.

MENELAO.—¡Serías una traidora! ¡Te has apoyado en eso de 'a la fuerza'!

HELENA.—*(Ofreciéndole otra alternativa.)* Pues bien: te doy mi palabra por tu cabeza en sagrado juramento...

MENELAO.—¿Qué estás diciendo? ¿Nunca vas a aceptar otro matrimonio? ¿Vas a morir?

HELENA.—Con tu misma espada, y he de yacer junto a ti.

MENELAO.—Coge, pues, mi mano derecha para confirmarlo.

HELENA.—Ya la estoy tocando. Si tú mueres, que deje yo la luz.

MENELAO.—[840] Y yo, si me viese privado de ti, que dé término a mi vida.

HELENA.—¿Cómo, entonces, vamos a morir de modo que obtengamos por ello fama y buena reputación?

MENELAO.—Tan pronto como te haya dado muerte, habré de matarme yo encima de la superficie de esta tumba. Pero, primeramente, he de librar un gran combate en defensa de nuestro matrimonio. ¡Que se acerque el que quiera! No voy a deshonrar la gloria que obtuve de Troya, ni al regresar a la Hélade se hará acreedor de reproche alguno aquél que a Tetis privó de su hijo Aquiles, y que contempló la muerte de Áyax[56], el hijo de Telamón, y que vio cómo el hijo de Neleo se quedaba sin su hijo[57]. Si se trata de mi esposa, [850] ¿no he de creer yo que morir por ella es un acto digno? ¡Más que ninguno! Ya que, si los dioses son sabios, al hombre de noble espíritu que muere a manos de sus enemigos lo entierran en una tumba con una fina capa de tierra, pero a los cobardes los arrojan fuera de tierra firme por los escarpados arrecifes del mar.

CORIFEO.—¡Oh, dioses! ¡Que el linaje de los hijos de Tántalo llegue algún día a ser dichoso y quede libre de desgracias!

HELENA.—*(Oyendo el ruido de la puerta y viendo salir a* TEÓNOE *del palacio.)* ¡Ay de mí, desdichada, pues así de mala es mi suerte! ¡Menelao, estamos acabados del todo! Teónoe, la recitadora de Oráculos, está saliendo del palacio. La puerta está haciendo el ruido [860] de los cerrojos al abrirse. ¡Escapa! Pero, ¿para qué huir? La verdad es que ella, tanto si está presente como si no, ya sabe que has venido aquí. ¡Ay, desdichada, que estoy muerta! ¡Por más que lograste salir sano y salvo de Troya y que te alejaste de tierra bárbara, al venir aquí has vuelto a caer sobre una espada bárbara!

(Sale TEÓNOE *del palacio acompañada de dos sirvientas. Las primeras palabras se las dirige a ellas, dándoles órdenes.)*

TEÓNOE.—*(A una de las sirvientas.)* Tú ve delante de mí. Lleva la luz de las antorchas y purifica con azufre los rincones del éter de acuerdo al sagrado rito, para que recibamos puro el aire del cielo. *(A la otra sirvienta.)* Y tú, por tu parte, por si alguien ha dañado el camino hollándolo con pie impío, aplícale la llama purificadora, [870] y sacude, para que pueda yo pasar, la antorcha de madera de pino. Una vez que hayáis cumplido con las normas divinas, llevad la llama del hogar al palacio.

---

[56] Cfr. verso 96: «Él mismo *(sc.* Áyax) la perdió *(sc.* la vida) al saltar sobre su espada.»

[57] Es decir, sin Antíloco, hijo de Néstor, que a su vez es hijo de Neleo.

(Las dos sirvientas cumplen las órdenes de su señora y se retiran al interior del palacio.)

(A Helena.*)* Helena, ¿qué piensas de cómo se desarrollan mis oráculos? Aquí ha venido tu esposo Menelao, bien visible a la vista de todos, privado de sus naves y de tu imagen. *(A* Menelao.*)* ¡Oh, desdichado! ¡De qué fatigas has escapado al venir aquí! Pero no sabes si regresarás a tu hogar o si te quedarás aquí. Hay, en efecto, rivalidad de opiniones entre los dioses respecto de ti y en el día de hoy se va a celebrar una asamblea con la asistencia de Zeus. [880] Hera, por una parte, que en el pasado te era hostil, ahora se muestra benévola y quiere que llegues bien a tu patria acompañado de Helena, para que la Hélade se entere de que las bodas de Alejandro, regalo de Cipris, fueron una mentira. Pero Cipris, por su parte, quiere echar a perder tu regreso, con el propósito de no ser puesta en evidencia y de no dar ante la opinión pública la imagen de que ha comprado su belleza, por Helena, al precio de unas bodas inútiles.

La decisión final depende de mí: o que —cosa que quiere Cipris— cause tu muerte si le digo a mi hermano que estás aquí, o que, por el contrario, poniéndome del lado de Hera, salve tu vida [890] si se lo oculto a mi hermano, que me tiene ordenado que le avise en cuanto esta tierra alcanzases de regreso. ¿Quién va a ir a comunicarle a mi hermano que este individuo se encuentra aquí, a fin de que mi situación siga siendo segura?

Helena.—*(Echándose a sus rodillas, en actitud de súplica.)* ¡Oh, doncella! Suplicante a tus rodillas caigo y postrada me siento en postura nada dichosa, en favor de mí misma y de este hombre *(señalando a* Menelao*)*, a quien, apenas recobrado finalmente, estoy a punto de ver morir. No le digas a tu hermano que mi esposo ha llegado hasta estos amantísimos brazos míos; [900] antes bien, sálvalo, te lo suplico. No le entregues tu piedad del pasado a tu hermano, a modo de pago anticipado, para comprar su gratitud vil e inicuamente. La divinidad odia la violencia y da orden a todos de no adquirir las adquisiciones mediante hurto. Hay que renunciar a la riqueza injusta. Común es el cielo a todos los mortales, y la tierra, sobre la que, al llenar nuestras casas, no debemos ni adueñarnos de lo ajeno ni apropiárnoslo por la fuerza.

[910] Hermes me confió felizmente —si bien tristemente para mí— a tu padre con la finalidad de protegerme del peligro en beneficio de mi esposo, que está aquí presente y quiere recuperar lo que le pertenece. ¿Cómo, pues, si muere, podría recuperar lo que es suyo? ¿Cómo podría aquél devolverme viva a un muerto? Reflexiona ahora en lo que concierne a dios y a tu padre, si la divinidad y el difunto querrían o no querrían devolver a un vecino sus bienes. Yo creo que sí. Por consiguiente, no debes poner a tu insolente hermano antes que a tu honrado padre. Y si, aun siendo adivina y creyendo en los dioses, [920] desprecias la justa acción de tu padre y defiendes el derecho de un hermano, que no obra conforme a derecho, es una vergüenza que conozcas tú todo el curso de la providencia, presente y futuro, y desconozcas, en cambio, la justicia.

Líbrame, pobre de mí, de esta desgraciada situación en que me hallo. Concédeme esta insignificante compensación por mi sino, pues no hay ningún mortal que no aborrezca a Helena. A lo largo y ancho de la Hélade andan contando que traicioné a mi esposo y que habito las mansiones ricas en oro de los frigios. Pero si voy a la Hélade y pongo de nuevo mis pies en Esparta, [930] al oír y ver con sus propios ojos que perecieron a causa de las maquinaciones de los dioses, y que yo no he sido, por consiguiente, traidora respecto de mis seres queridos, volverían a considerarme una persona sensata, podría desposar a mi hija, con la que nadie se casa, y podría gozar de las riquezas de mi hogar si lograse dejar atrás mis amargas andanzas de aquí.

Y si mi esposo hubiese muerto inmolado sobre una pira, yo le seguiría mostrando amor con mis lágrimas, aunque se encontrase lejos y ausente. Pero, ¿ahora, pues, que está aquí presente, sano y salvo, me lo vais a quitar? Desde luego que no, doncella; antes bien, te imploro la siguiente súplica: [940] concédeme este favor y emula el carácter de tu honrado padre, pues éste es el mayor honor que puede alcanzar un hijo, a saber, que aquel individuo nacido de un padre honrado llegue a tener el mismo carácter que su progenitor.

CORIFEO[58].—Dignas de compasión son estas palabras que has expuesto aquí, en público, y digna de compasión eres tú también. No obstante, tengo también ganas de escuchar los argumentos de Menelao, qué va a decirnos en defensa de su vida[59].

MENELAO.—No osaría yo a arrojarme a tus rodillas ni a humedecer con lágrimas mis párpados[60], pues, si me convirtiese en un cobarde, deshonraría en sumo grado a Troya[61]. [950] Dicen, sin embargo, que en medio de una coyuntura negativa es propio de un hombre noble que de sus ojos deje caer lágrimas, pero yo no voy a escoger ese hermoso gesto —si es que es hermoso— antes que la entereza de ánimo. Por tanto, si decides salvarle la vida a un hombre extranjero que busca —no lo olvides— con todo derecho recuperar a su esposa, devuélvemela y, además, sálvame. Y si no tomas esta decisión, no sería yo ahora por primera vez un hombre desdichado, sino por enésima vez, pero tú, por tu parte, aparecerías a los ojos de todos como una mujer malvada.

Lo que creo que yo merezco con toda justicia, [960] y que más ha de llegarte al corazón, eso es lo que voy a decir ante esta tumba, con un sentimiento de añoranza por tu padre: *(Dirigiéndose a la tumba del difunto rey Proteo.)* ¡Oh, anciano, que yaces en este sepulcro de piedra! Devuélveme,

---

[58] Estas palabras del Corifeo vienen atribuidas en los manuscritos a Teónoe. La edición de Diggle, que es la que estamos manejando, las atribuye al Corifeo, siguiendo a Dindorf. En este punto, nosotros nos limitamos a señalar este detalle.

[59] En todo este pasaje estamos ante un magnífico despliegue de habilidades oratorias retóricas y tremendamente persuasivas.

[60] Ya ha llorado, no obstante, antes. Cfr. verso 456: «¿Por qué humedeces los párpados con lágrimas? ¿A quién te diriges con esos lamentos?»

[61] Cfr. *Las Fenicias,* versos 1622-1624: «Sin embargo, no me vas a ver actuando como un ser vil, abrazándome a tus rodillas con mis brazos, pues jamás traicionaría mi noble linaje, ni siquiera aunque me encontrase mal.»

te lo suplico, la esposa que Zeus te envió aquí para que me la protegieses del peligro. Sé que tú no vas a poder devolvérmela jamás, pues estás muerto, pero esta mujer *(señalando a* TEÓNOE*)*, toda vez que se te invoca en los infiernos, no ha de creer que su padre, antaño el hombre más renombrado, merece que se hable mal de su persona, pues está en su mano.

(Invocando a Hades.) ¡Oh, Hades, que estás en los infiernos! También a ti te invoco como aliado, [970] a ti que a muchos hombres recibiste gracias a mi mujer, cuando caían víctimas de mi espada. Ya tienes tu paga. O bien devuelve ahora a la vida a esos hombres, o, de lo contrario, obliga a esta mujer a mostrarse mejor que su piadoso padre y a devolverme a mi esposa.

(A todos.) Pero si me vais a despojar de mi esposa, voy a deciros lo que ella se dejó de sus palabras. Me he comprometido, para que lo sepas, mujer, en primer lugar a entablar combate con tu hermano: en pocas palabras, ha de morir uno de los dos, o él o yo. [980] Y si no enfrenta sus pasos a los míos en combate, y pretende cazarnos por medio del hambre junto a esta tumba a la que hemos acudido nosotros dos como suplicantes, tengo decidido matar primero a Helena y luego empuñar esta espada de doble filo contra mi pecho encima de la superficie de esta tumba, para que nuestros ríos de sangre vayan cayendo gota a gota desde este sepulcro[62]. Yaceremos juntos, los dos cadáveres, sobre este pulido sepulcro, dolor inmortal para ti y un insulto para tu padre. Por tanto, ni tu hermano ni ningún otro va a casarse con mi mujer, sino que yo me la voy a llevar de aquí, [990] si puedo, a mi hogar, y, si no, al país de los muertos.

(Se percata de que con su dura argumentación no llega a ninguna parte.) ¿Qué es esto? Si me hubiese comportado como una mujer, entre lágrimas, habría resultado más digno de compasión que siendo un hombre de acción. Mátame, si

---

[62] Cfr. verso 842: «Tan pronto como te haya dado muerte, habré de matarme yo encima de la superficie de esta tumba.»

es lo que quieres, que no vas a matar a personajes sin gloria. ¡No! Mejor haz caso a mis palabras, a fin de que tú obres rectamente y yo recupere a mi esposa.

CORIFEO.—Tú tienes que decidir, joven señora, a propósito de estos discursos. Emite un juicio de modo que a todos des agrado.

TEÓNOE.—Yo soy piadosa por naturaleza y quiero continuar siéndolo. Me aprecio a mí misma y no sería capaz de manchar la gloria de mi padre, [1000] ni a mi hermano le concedería un favor a raíz del cual la imagen pública de mi reputación se viese negativamente afectada. Hay en mi interior, en mi naturaleza, un gran santuario de justicia, y por haber recibido este don de Nereo, Menelao, intentaré salvarte. Inclinaré mi voto en la misma dirección que Hera, toda vez que quiere ella favorecerte; y que Cipris[63] me sea propicia, aunque nunca haya unido sus pasos a los míos, pues yo pretendo seguir siendo virgen para siempre.

(A MENELAO.) En cuanto a lo que le reprochabas a mi padre junto a su tumba, [1010] suscribo tus misma palabras. Obraría de modo incorrecto si no te devolviese a tu esposa, ya que él, si viviese, te la habría devuelto para que la recuperases, tú a ella y ella a ti.

En verdad, por estos actos hay un castigo tanto para los muertos de abajo como para todos los hombres de arriba.

La mente de los difuntos ya no vive, mas adquiere una conciencia inmortal al caer en el inmortal éter.

Como no suelo recomendar los largos discursos, guardaré silencio sobre lo que me habéis suplicado y no seré jamás cómplice de los insensatos planes de mi hermano. [1020] Lo cierto es que le estoy haciendo un bien, aunque no lo parezca, si le aparto de la impiedad y le hago obrar de modo justo y honrado.

(Retomando la cuestión principal de la salvación de HELENA y MENELAO.) Bien, sigamos. Encontrad vosotros mismos algún camino para salvaros. Yo, por mi parte, guardaré si-

---

63 Canter.

lencio y os dejaré el campo libre. Empezad por las diosas y dirigidles vuestras súplicas: que Cipris te permita regresar a tu patria y que Hera persevere en la intención que alberga de salvaros a ti y a tu esposo. *(Invocando a su padre Proteo.)* ¡Y a ti, oh difunto padre mío, en la medida al menos de mis fuerzas, jamás te habrán de llamar acusadoramente hombre impío en vez de pío! (TEÓNOE *entra en el palacio.)*

CORIFEO.—[1030] Nadie nunca la dicha alcanzó actuando injustamente. Antes bien, en el recto obrar se albergan las esperanzas de salvación.

HELENA.—Menelao, por lo que a la doncella respecta, estamos salvados. Ahora, a partir de este momento, se te tiene que ocurrir alguna idea para urdir una estratagema y salvarnos los dos.

MENELAO.—Escúchame, pues. Llevas mucho tiempo bajo estos techos y has adquirido gran familiaridad con los sirvientes del rey.

HELENA.—¿Qué quieres decir con eso? Lo cierto es que me estás infundiendo esperanzas, como si fueses a hacer algo provechoso para ambos dos.

MENELAO.—¿Podrías convencer a alguno de los que están al frente de las cuadrigas, [1040] para que nos diese un carro?

HELENA.—Sí, podría. Pero, ¿qué dirección tomaríamos en la huida, toda vez que desconocemos el territorio de este país bárbaro?

MENELAO.—Imposible. A ver, ¿y si me ocultase en el interior del palacio y matase al soberano con esta espada de doble filo?

HELENA.—La hermana no toleraría ni callaría que tú te dispusieses a matar a su hermano.

MENELAO.—Pues tampoco disponemos, por cierto, de un barco con el que huir y salvarnos, ya que el que teníamos es ahora el mar quien lo tiene.

HELENA.—Escúchame, si es que hasta una mujer puede decir algo sensato. [1050] ¿Quieres que diga que has muerto, de palabra, sin que hayas muerto realmente?

MENELAO.—¡Ave de mal agüero! Pero, si salgo ganando, estoy dispuesto a morir de palabra, sin morir realmente.

HELENA.—Entonces yo me lamentaré por ti ante ese hombre impío con lamentos propios de mujer y con el pelo cortado[64].

MENELAO.—¿Y de qué modo eso nos ayuda a conseguir la salvación? ¡Esas palabras están ya más que viejas y gastadas!

HELENA.—Con el cuento de que has muerto en el mar, le pediré al monarca de este país poder honrarte con un cenotafio.

MENELAO.—Bien, supón que ya te lo ha concedido[65]. Entonces, después, ¿cómo vamos a salir sanos y salvos [1060] sin una nave, por mucho que mi cuerpo reciba las honras de un cenotafio?

HELENA.—Le pediré que me proporcione un barco con el que poder dejar caer las honras sobre tu sepultura en los brazos del mar.

MENELAO.—Qué bien has hablado en todo, menos en una cosa: si te ordena ofrecerme en tierra firme tus honras funerarias, tus excusas no servirán de nada.

HELENA.—Pues entonces le diré que no acostumbramos en la Hélade a enterrar en tierra firme a quienes han muerto en el mar.

MENELAO.—Con eso enderezas la situación. A continuación yo me haré a la mar contigo y dejaré caer junto a ti las ofrendas en la misma embarcación.

HELENA.—Tenéis que estar preparados tú, sobre todo, [1070] y los marineros que consiguieron escapar del naufragio.

---

[64] En señal de luto. Idénticas muestras de dolor podemos encontrarlas, en este mismo volumen, en *Helena*, 372-74, 1089, 1124; *Las Fenicias*, 322-26, 1350, 1524-5; *Orestes*, 96, 458, 961-63, 1467; *Ifigenia en Áulide*, 1437. Aquí Helena no duda en cortarse el pelo, sin embargo, en la tragedia *Orestes* repite idéntico gesto para honrar a su madre, pero esta vez con una maliciosa coquetería: cfr. *Orestes*, versos 128-129: «¿Habéis visto cómo se ha cortado el cabello *(sc.* Helena), sólo en las puntas, para preservar su hermosura? Sigue siendo la mujer de antes.» La Helena de *Helena* es una buena mujer, pero la de *Orestes* es la terrible Helena de la tradición más extendida.

[65] En el original griego no leemos ninguna forma que diga «supón», pero nos encontramos con una enfática combinación de partículas que, a partir de la significación de la cumplida realización de un hecho, por el énfasis y la fuerza dramática del contexto y el coloquio puede llegar a implicar la imaginaria realización o cumplimiento real del hecho mencionado.

MENELAO.—Sí, desde luego, y si consigo alcanzar la nave anclada, mis hombres se cuadrarán firmes uno tras otro, armados de espada.

HELENA.—Tienes que dirigirlo tú todo. ¡Ojalá tengamos en el velamen vientos favorable que acompañen la travesía de la nave!

MENELAO.—Así será, y los dioses harán cesar mis fatigas. Pero, ¿a través de quién vas a decir que te has enterado de mi muerte?

HELENA.—De ti. Di que navegabas con el hijo de Atreo, que fuiste el único que logró escapar del desastre y que le viste morir.

MENELAO.—Y estas ropas harapientas que cuelgan alrededor de mi cuerpo [1080] apoyarán, sin lugar a dudas, mi testimonio del naufragio.

HELENA.—Ha venido en buen momento, si bien antes se hundió en mal momento. Aquella desgracia en un instante se ha tornado en dicha.

MENELAO.—¿Tengo que ir contigo dentro del palacio, o me quedo sentado tranquilamente junto a esta tumba?

HELENA.—Quédate aquí. Así, si intenta hacerte algo salido de tono, la tumba y tu espada podrán protegerte. Yo, mientras, entraré en el palacio, me cortaré unos rizos del cabello[66], me cambiaré estos vestidos blancos por otros negros y me haré sangre en las mejillas desgarrándomelas con las uñas[67]. [1090] Esta empresa es vital y veo que el desenlace puede inclinarse en dos direcciones: o bien que me vea obligada a morir, si me cogen en medio de mis tejemanejes, o bien librarte del peligro y regresar a mi patria.

(Invocando a Hera.) ¡Oh, tú, venerable Hera, que en el lecho de Zeus te acuestas! ¡Concédeles a estos dos pobres miserables un respiro de sus penas! Te lo pedimos los dos, ele-

---

[66] Cfr. versos 1053-4: «Entonces yo me lamentaré por ti ante ese hombre impío con lamentos propios de mujer y con el pelo cortado.»

[67] En señal de luto, junto con los mechones cortados. Idénticas muestras de dolor podemos encontrarlas, en este mismo volumen, en *Helena*, 372-74, 1054, 1124; *Las Fenicias*, 322-26, 1350, 1524-5; *Orestes*, 96, 458, 961-63, 1467; *Ifigenia en Áulide*, 1437.

vando nuestros brazos derechamente al cielo, donde habitas el entramado multicolor de las estrellas.

(Invocando a Afrodita.) ¡Y tú, que ganaste el certamen de belleza al precio de mi boda, hija de Dione[68], Cipris, no acabes conmigo! ¡Bastantes afrentas me has causado ya en el pasado, [1100] cuando a los bárbaros entregaste mi nombre, que no mi cuerpo! ¡Deja que muera, si lo que quieres es mi muerte, en la tierra de mis padres! ¿Por qué, enhoramala, nunca te sacias de desgracias, y te entretienes maquinando amores, engaños, inventos traicioneros y filtros que tiñen de sangre los hogares? Si fueses moderada, serías por lo demás la más grata de los dioses a ojos de los hombres. No es otra cosa lo que quiero decir.

(HELENA *entra en el palacio, tal como dijo en los versos 1086 y ss.* MENELAO *se queda apartado en un rincón, acurrucado junto al sepulcro.)*

CORO.
Estrofa 1.ª.
A ti, que bajo las moradas que la madera va haciendo crecer te posas en sede musical, a ti elevo mi clamor, al ave más canora, melodiosa, [1110] triste y lacrimosa. Ven aquí, haz oír tu canto a través de tu vibrante pico. Ven en mi ayuda para llorar en mis cantos las fatigas de la pobre Helena, y las penalidades de las troyanas, dignas de lágrimas y compasión, a causa de las lanzas aqueas, desde el momento en que Paris surcó veloz la rugiente llanura marina a golpe de remo bárbaro, desde que vino y trajo a los priámidas tu funesto lecho, [1120] Helena, fatalmente casado por insinuación de Afrodita.

Antístrofa 1.ª.
De muchos aqueos, que perdieron la vida víctimas de la lanza y de los pétreos proyectiles, es ahora dueño el triste Hades. Por ello sus desdichadas mujeres se cortaron sus melenas[69]. Ya no hay esposas

---

[68] Dione es una de las diosas de la primera generación. Según la tradición que recoge Eurípides en este pasaje, pasa por ser la madre de Afrodita.
[69] En señal de luto. Idénticas muestras de dolor podemos encontrarlas, en este mismo volumen, en *Helena,* 372-74, 1054, 1089; *Las Fenicias,* 322-26, 1350, 1524-5; *Orestes,* 96, 458, 961-63, 1467; *Ifigenia en Áulide,* 1437.

en las casas: sólo viudas. A otros muchos aqueos los mató el hombre de un solo remo, cuando en las costas de Eubea, que el mar rodea, les hizo unas señales con fuego resplandeciente; de este modo los arrojó contra las rocas cafereas [1130] y el mar Egeo, al hacer brillar en sus costas una luz engañosa[70]*. Por inhóspitos confines fue entonces Menelao tristemente conducido lejos de su patria por el viento de tempestades, llevando sobre sus naves un trofeo que no es trofeo, sino discordia de los dánaos, una sacra imagen creada por Hera.*

Estrofa 2.ª.

Qué es lo divino, o qué no lo es, o qué es lo intermedio, ¿qué mortal que tratase de investigarlo podría afirmarlo, [1140] al ver a los dioses dar un salto primero aquí, luego allá, de nuevo aquí, con un modo de actuar contradictorio e inesperado? Tú eres hija de Zeus, Helena, pues tu padre, efectivamente, te engendró alado en las entrañas de Leda. Y luego se proclama a voz en grito por toda la Hélade que eres una traidora, desleal, inicua e impía. No sé yo qué puede ser cierto todavía en estos tiempos entre los mortales, [1150] mas la palabra de los dioses sí que la encuentro verdadera.

Antístrofa 2.ª.

¡Insensatos, todos aquellos que intentáis lograr la excelencia por medio de la guerra y de la punta de la fuerte lanza, con la necia intención de poner fin definitivamente a las fatigas de los mortales! Sí, pues si las luchas cruentas actúan de jueces, jamás la discordia dejará libres las ciudades de los hombres. Por su culpa obtuvieron como destino una tumba en tierra priámida, cuando les hubiese sido posible enderezar con palabras [1160] la discordia de la que tú fuiste origen, Helena. Ahora, en cambio, están al cuidado de Hades allá abajo, y el fuego se ha extendido velozmente por las

---

[70] Cfr. versos 766-7: «¿Para qué te iría a hablar del naufragio en el Egeo, y de las hogueras a modo de faro de Nauplio en Eubea?» Cuando el grueso del ejército griego, a su regreso de Troya, llegaba a la altura de las Giras (las Rocas Redondas, cerca del cabo Cafareo, al sur de Eubea), Nauplio encendió durante la noche una gran hoguera en los arrecifes. Los griegos, creyendo hallarse en las proximidades de un puerto, pusieron rumbo hacia el lugar donde brillaba la luz y sus barcos se estrellaron contra las rocas.

murallas, *ardiente como el de Zeus. Les has ocasionado más y más sufrimiento, fatigas, calamidades, gritos de angustia.*

(Entra en la escena TEOCLÍMENO. *Regresa de cazar, tal como se indicó en los versos 53 y siguientes, acompañado de sirvientes y de material de caza. No ve a* MENELAO, *escondido y acurrucado junto a la tumba.)*

TEOCLÍMENO.—¡Salve, tumba paterna! A las puertas de este palacio, sí, te enterré, Proteo, para poderte saludar, y este hijo tuyo, Teoclímeno, siempre te invoca, padre, al entrar y salir de casa. *(A sus esclavos.)* Bien. Vosotros, esclavos, llevad los perros y las trampas para animales [1170] dentro del palacio real.

Yo, por mi parte, ya me he hecho este reproche muchas veces: por qué no castigo a los criminales con la muerte, pues me acabo de enterar de que un griego ha llegado a este país a la vista de todos y que ha conseguido pasar inadvertido a mis centinelas. No cabe duda de que debe ser un espía o alguien que pretende cazar a Helena mediante hurto, pero morirá si es que resulta apresado.

(Se percata, sorprendido, de que HELENA *no está junto a la tumba de Proteo.)* ¡Eh! ¡Vaya! Por lo que se ve, me encuentro con que ya se ha hecho todo: la hija de Tindáreo ha dejado vacío el lugar del sepulcro. Ese hombre ya ha conseguido llevársela por mar fuera del país. [1180]

(Llamando a la puerta del palacio.) ¡Eh, eh! ¡Descorred los cerrojos! *(Se abren las puertas y aparecen algunos sirvientes a los que rápidamente da órdenes.)* ¡Soltad la caballería de las cuadras, sirvientes! ¡Sacad fuera los carros! ¡Que no sea por falta de esfuerzo por lo que logre marcharse del país y escapar de mí la esposa que deseo!

*(*HELENA *sale del palacio con las señales de luto que había acordado antes, en su plan de hacer creer a* TEOCLÍMENO *que* MENELAO *ha muerto en el mar.* TEOCLÍMENO *ordena suspender la persecución.)*

¡Suspended lo que estabais haciendo! Estoy viendo que la mujer a la que íbamos a perseguir se encuentra aquí presente, en el palacio, y que no ha huido.

(A Helena, *malhumorado.)* ¡Eh, tú! ¿Por qué te has cambiado de ropa y te has puesto sobre tu cuerpo esos vestidos negros en vez de los blancos? ¿Por qué has cogido la navaja y te has cortado tu hermosa cabellera?[71]. ¿Por qué lloras y humedeces tus mejillas con esas recientes lágrimas? [1190] ¿Te estás lamentando por haberte creído un sueño nocturno, o has oído algún rumor procedente de tu hogar que entristece tu corazón por la pena?

Helena.—¡Oh, señor mío, pues ya te llamo con ese nombre: muerta estoy! ¡Todo lo mío se ha desvanecido y yo ya no soy nada!

Teoclímeno.—¿En qué desgracia te encuentras, así de desanimada? ¿Qué es lo que ha pasado?

Helena.—Menelao —¡Ay de mí! ¿Cómo lo diría?— ha muerto.

Teoclímeno.—Nada me alegro por tus palabras, pero significan mi éxito. ¿Cómo lo sabes? ¿Acaso te lo ha dicho Teónoe?

Helena.—Sí, ella y un hombre que estuvo presente en el momento de su muerte.

Teoclímeno.—[1200] ¿Ha venido aquí, pues, alguien que te ha contado esta noticia con claridad?

Helena.—Sí, ha venido. ¡Así llegue adonde deseo yo que llegue![72].

Teoclímeno.—¿Quién es? ¿Dónde está? ¡Que me entere yo con más detalle!

Helena.—*(Señalando a* Menelao, *acurrucado, en quien* Teoclímeno *no había reparado todavía.)* Ése de ahí que está sentado y acurrucado junto a la tumba.

Teoclímeno.—¡Por Apolo! ¡Cómo destaca por sus horribles ropas!

Helena.—¡Ay de mí! Imagino que también mi esposo se encuentra en este estado.

Teoclímeno.—¿De qué país es este hombre? ¿De dónde ha alcanzado esta tierra?

---

[71] En señal de luto, como había acordado previamente con Menelao.

[72] Empiezan aquí una serie de ironías que el pobre Teoclímeno no percibe, pero de las que el público y los lectores están perfectamente enterados.

HELENA.—Es griego, uno de los aqueos que se embarcó con mi esposo.

TEOCLÍMENO.—¿Cómo dice que murió Menelao?

HELENA.—Del modo más penoso, entre las encrespadas y rugientes olas del mar.

TEOCLÍMENO.—[1210] ¿En qué parte del bárbaro mar se encontraba navegando?

HELENA.—Se estrelló contra las rocas de Libia, creyendo que eran un puerto que no eran[73].

TEOCLÍMENO.—¿Y cómo es que este hombre no se hundió junto con el resto de la nave?

HELENA.—Algunas veces los hombres humildes son más afortunados que los nobles.

TEOCLÍMENO.—¿Dónde están los restos de su nave abandonada?

HELENA.—Allí donde ojalá hubiese perecido él y no Menelao.

TEOCLÍMENO.—Menelao ha perecido. ¿Y en que clase de embarcación ha llegado?

HELENA.— Unos marineros lo encontraron y lo recogieron, según cuenta.

TEOCLÍMENO.—¿Y dónde está la calamidad enviada a Troya en tu lugar?

HELENA.—¿Te refieres a la imagen creada a partir de una nube? Se ha marchado al éter.

TEOCLÍMENO.—[1220] ¡Oh, Príamo, y tierra de Troya! ¡Qué fútilmente habéis desaparecido!

HELENA.—También yo he participado del infortunio de los priámidas.

TEOCLÍMENO.—Y a tu esposo, ¿lo dejó sin enterrar o lo cubrió bajo tierra?

HELENA.—Sin enterrar. ¡Ay de mí, desdichada, qué desgracias las mías!

TEOCLÍMENO.—¿Por su causa te has cortado esos rizos de tu rubia melena?

HELENA.—Sí, pues antes lo quería y ahora también.

---

[73] Se refiere al engaño de Nauplio, anteriormente citado, con el que atrajo a la flota griega contra unos arrecifes, engañada por la hoguera, a modo de señal portuaria, que Nauplio hizo arder sobre dichos arrecifes.

TEOCLÍMENO.—Con toda razón lloras este triste evento.

HELENA.— ¡Como si fuese fácil pasar inadvertida a tu hermana!

TEOCLÍMENO.—No, desde luego. Y, entonces, ¿qué vas a hacer? ¿Todavía quieres seguir estando junto a la tumba?

HELENA.—¿Por qué te burlas de mí y no dejas en paz al muerto?

TEOCLÍMENO.—[1230] Porque continúas siéndole fiel a tu esposo y huyes de mí.

HELENA.—Sí, pero ya no lo voy a hacer más. A partir de este momento tú mandas sobre mi boda.

TEOCLÍMENO.—Ha tardado tiempo en llegar, pero, con todo, apruebo tu decisión.

HELENA.—¿Sabes entonces lo que tienes que hacer? Vamos a olvidarnos del pasado.

TEOCLÍMENO.—¿A qué precio? Pues un favor se hace a cambio de otro favor.

HELENA.—Hagamos las paces y reconcíliate conmigo.

TEOCLÍMENO.—Abandono la disputa; ¡que se vaya volando!

HELENA.—(Echándose a sus rodillas en actitud de súplica.) ¡Pues por tus rodillas te lo suplico, si de verdad me quieres...!

TEOCLÍMENO.—¿Qué cosa pretendes obtener de mí con tus súplicas?

HELENA.—Quiero enterrar a mi difunto esposo.

TEOCLÍMENO.—[1240] ¿Por qué? ¿Hay sepultura para los ausentes? ¿O vas a enterrar una sombra?

HELENA.—Hay entre los griegos la costumbre de, a todo aquel que muere en el mar...

TEOCLÍMENO.—¿Qué es lo que se hace? Los pelópidas —déjame que te diga— son gente entendida en estos menesteres.

HELENA.—Enterrarlo entre los pliegues vacíos de una mortaja.

TEOCLÍMENO.—Entiérralo con los debidos honores. Erígele un túmulo funerario en el lugar del país que quieras.

HELENA.—No enterramos así a los marineros muertos.

TEOCLÍMENO.—¿Cómo, entonces? No estoy a la altura de las costumbres de los griegos.

HELENA.—Depositamos en el mar todo cuando hay que ofrendar a los cadáveres.

TEOCLÍMENO.—¿Qué es, entonces, lo que tengo que proporcionarte para el muerto?

HELENA.—*(Señalando a* MENELAO.) Éste de aquí lo sabe, pues yo, como en el pasado he sido dichosa, lo desconozco.

TEOCLÍMENO.—[1250] Extranjero, has traído una muy deseada noticia.

MENELAO.—Desde luego no para mí, al menos, ni tampoco para el difunto.

TEOCLÍMENO.—¿Cómo enterráis a los hombres que mueren en el mar?

MENELAO.—Según las riquezas que cada uno tenga.

TEOCLÍMENO.—Si se trata de riquezas, pide lo que quieres para satisfacer a esta mujer.

MENELAO.—A los muertos se les empieza por ofrecer, en primer lugar, sangre.

TEOCLÍMENO.—¿De qué? Tú indícamelo y yo te obedeceré.

MENELAO.—Decídelo tú mismo, que lo que des bastará.

TEOCLÍMENO.—Un caballo o un toro es costumbre entre los bárbaros.

MENELAO.—Des lo que des, que por lo menos no sea de mala raza.

TEOCLÍMENO.—[1260] No estamos faltos en nuestros ricos rebaños de animales de noble raza.

MENELAO.—También se llevan unas camas vacías, con sus ropas.

TEOCLÍMENO.—Las habrá. ¿Qué otra cosa es costumbre ofrecer?

MENELAO.—Armas forjadas de bronce, pues también era amigo de la lanza.

TEOCLÍMENO.—Digno será de los pelópidas lo que os voy a dar.

MENELAO.—Y todos los frutos que la tierra produce en perfecto estado.

TEOCLÍMENO.—¿Cómo, pues? ¿De qué manera los dejaréis caer al mar?

MENELAO.—Se necesita que haya un barco y hombres sentados a los remos.

TEOCLÍMENO.—¿A qué distancia se aleja la nave de tierra?

MENELAO.—Hasta que apenas pueda verse desde tierra firme el batir de los remos.

TEOCLÍMENO.—[1270] ¿Por qué, pues? ¿A raíz de qué la Hélade observa esta costumbre?

MENELAO.—A fin de que el oleaje no traiga de vuelta los restos de la ofrenda.

TEOCLÍMENO.—Tendréis veloces remos fenicios.

MENELAO.—Bien hecho. A Menelao le habría agradado.

TEOCLÍMENO.—¿Y no basta, entonces, con que lo hagas tú sin Helena?

MENELAO.—Esto es cosa de la madre, la esposa, o los hijos.

TEOCLÍMENO.—A ella le corresponde, según dices, el trabajo de enterrar a su esposo.

MENELAO.—Entre las normas de piedad figura, al menos, el no privar a los muertos de los ritos acostumbrados.

TEOCLÍMENO.—Que vaya. Por lo que a mí respecta, que mi esposa sea piadosa. Entra en el palacio y elige las ofrendas para el cadáver. [1280] No te he de despachar de mi país con las manos vacías, después de todo lo que estás haciendo para tenerla contenta. Por haberme traído buenas noticias, has de recibir a cambio de tu carencia de vestidos ropa y comida, de modo que puedas dirigirte a tu patria, porque, lo que es ahora, veo que te encuentras en un penoso estado.

(A HELENA.) Y tú, desdichada, no te aflijas inútilmente. Menelao ha recibido el destino que le correspondía y tu difunto esposo ya no puede seguir entre los vivos.

MENELAO.—(A HELENA.) Eso es lo que tienes que hacer, joven mujer: debes amar a tu presente esposo, y dejar pasar al que ya no vive, [1290] pues eso es lo mejor para ti en tu actual situación. Si llego a la Hélade y consigo salvarme, he de hacer cesar los reproches que recaían sobre ti en el pasado, siempre que seas para tu esposo una mujer como debes ser.

HELENA.—Así será. Mi esposo nunca tendrá queja de mí. Tú mismo en persona, por estar cerca, lo has de saber. En fin, desdichado, entra, date un baño y cámbiate de ropas. Sin demora he de mostrarte mi agradecimiento, pues ejecutarás con mejor disposición lo que mi amadísimo Menelao necesita [1300] si de mí obtienes lo que debes.

(TEOCLÍMENO, MENELAO y HELENA *entran en el palacio para disponer los preparativos.*)

CORO.
Estrofa 1.ª.

Un día la madre montaraz de los dioses[74] púsose a recorrer con pie veloz los valles boscosos, las corrientes de los ríos y las olas del mar, que gravemente braman, porque añoraba a su inefable hija ausente. Los crótalos elevaban estruendosamente su penetrante chasquido, [1310] cuando Ártemis con sus flechas, de un lado, y la diosa de fiera mirada con su lanza[75], de otro, en compañía de la diosa que lleva fieras uncidas a su carro, iniciaron con pies veloces como el viento la persecución en pos de la joven que había sido raptada de los coros circulares de doncellas. Pero Zeus, que lo veía perfectamente desde su sede celeste, decretó otro destino.

Antístrofa 1.ª.

Cuando la madre dejó la fatigosa labor de correr y vagar por todos los rincones, [1320] y puso fin a sus esfuerzos por tratar de recuperar a su hija robada mediante engaños, atravesó las nevadas cumbres de las ninfas ideas y se arrojó, en medio de su dolor, sobre unos roquedales en los que se había acumulado abundante nieve. Ya no hace fértiles con la labranza para provecho de los mortales las agostadas llanuras terrestres, carentes de verdor, y está asolando los pueblos. [1330] No deja crecer vigorosos los pastos de frondosa hierba que alimentan el ganado, y la vida está abandonando las ciudades. Tampoco se celebran sacrificios en honor de los dioses y las tortas no arden en los altares. Sin poder olvidar el dolor por su hija, ha hecho que las frescas fuentes dejen de manar sus aguas cristalinas.

---

[74] Rea. Cfr. Ar. *Av.*, 746. Aquí identificada también con Deméter que, como divinidad de la tierra cultivada, es esencialmente la diosa del trigo. Se alude en este pasaje al rapto de su hija Perséfone. Ésta crecía feliz entre las ninfas, en compañía de sus hermanas, las otras hijas de Zeus (su padre), Atenea y Ártemis, despreocupada del matrimonio. Pero Hades se enamoró de ella y, con la ayuda de Zeus, la raptó. A partir de aquí se inicia la desesperada búsqueda por parte de la madre.
[75] Se refiere a Atenea.

Estrofa 2.ª.

Mas, como había puesto fin a las solemnes celebraciones de los dio-
ses y del género humano, con intención de aplacar la terrible
[1340] cólera de la Madre, le dice estas palabras: «Marchad, ve-
nerables Gracias, id y mudad con vuestros gritos triunfales la pena
que siente Deo[76] en su corazón por su joven hija. Vosotras también,
Musas, con los cantos de vuestros coros.» Y Cipris, la más bella de
los bienaventurados, tomó entonces por primera vez entre sus manos
los tambores con membrana de cuero y el grave cantar del bronce.
Riose entonces la diosa [1350] y aceptó tomar entre sus manos la
flauta de graves sones, al tiempo que se divertía con el jolgorio.

Antístrofa 2.ª.

Quemaste en la morada de los dioses ofrendas que no eran lícitas
ni piadosas y te ganaste la cólera de la gran madre, hija, por no ob-
servar debidamente los sacrificios de la diosa. Grande es, en verdad,
el poder de las ricas y variopintas ropas de piel de cervatillo, [1360]
del verdor de la yedra que corona las sagradas férulas, de las sacudi-
das circulares girando en dirección al cielo del tamboril, de la melena
que ondea en báquico furor en honor a Bromio y de los festivales noc-
turnos de la diosa[77]. ¡Y tú te ufanabas sólo por tu belleza!

> (HELENA *y* MENELAO *salen del palacio preparados con lo*
> *necesario para tributar al supuesto difunto sus honras fúne-*
> *bres.* HELENA *se dirige al* CORO.)

HELENA.—Amigas, los asuntos de palacio nos han salido
bien, [1370] pues la hija de Proteo, que me está ayudando
a evadir sigilosamente a mi esposo, no le ha dicho nada a
su hermano cuando éste le ha preguntado por él, aunque él
estaba presente, sino que, para favorecerme, le ha contado
que había muerto y que ya no veía la luz en este mundo.
Mi esposo se ha alzado con los mejores trofeos de la fortuna. Las armas que debía arrojar al mar se las ha echado a sus
nobles brazos, asiéndolas por la embrazadura, y él mismo

---

[76] Deméter.
[77] Para los rituales báquicos, cfr. la tragedia *Las Bacantes*. Se enumeran
en estas líneas elementos que no faltan, desde luego, en las celebraciones
báquicas.

las lleva, tras empuñar también la lanza en el brazo derecho, como si me ayudase a tributar los honores al difunto. [1380] A tal fin, ha pertrechado su cuerpo de armas para el combate, para erigirse con sus brazos en vencedor sobre miles de bárbaros, cuando embarquemos en la nave equipada con remos. Le he adecentado de arriba abajo cambiándole sus ropas de náufrago por otros vestidos, y le he dado un baño a su cuerpo con agua pura y cristalina de río, después de tanto tiempo.

(Ve salir del palacio a TEOCLÍMENO.) ¡Eh! Ya sale el hombre que cree tener dispuesto en sus manos mi matrimonio. Tengo que guardar silencio. *(Al* CORIFEO.) Te pido que nos seas favorable y que contengas tu boca, por si podemos, una vez que nos hayamos salvado nosotros mismos, salvarte también a ti algún día.

TEOCLÍMENO.—[1390] *(A sus esclavos.)* Esclavos, llevad las ofrendas funerarias para el mar y marchad en fila, tal como os ha dispuesto el extranjero. *(A* HELENA.) Y tú, Helena, si crees que no hablo sin razón, hazme caso: quédate aquí, pues a tu marido le vas a tributar los mismos honores tanto si estás presente como si no. Lo cierto es que temo por ti, no sea que caiga sobre ti una cierta añoranza que te persuada a arrojar tu cuerpo a las aguas del mar, turbada en un momento de confusión por agradar a tu anterior marido, pues, aun sin estar presente, ya te estás lamentando más de la cuenta por él.

HELENA.—¡Oh, nuevo esposo mío! Es imposible [1400] no tener en estima mi primer matrimonio y nuestra vida marital. Por amar a mi marido sería capaz, incluso, de morir junto a él, pero, ¿qué favor le haría al difunto si muriese con él? Déjame, entonces, ir en persona a ofrecer al muerto sus exequias. ¡Que los dioses te concedan cuanto yo quiero para ti, y también a este hombre extranjero, por compartir las fatigas de estos trabajos! Has de tener en mí una esposa a la altura de la que te mereces en tu palacio, toda vez que estás siendo bondadoso con Menelao y conmigo. En verdad, esto se encamina a buen puerto. [1410] Da órdenes de que nos proporcionen una nave en la que poder transportar estas ofrendas, de modo que completes el favor que me estás prestando.

TEOCLÍMENO.—*(A uno de sus sirvientes.)* Ve tú y proporciónales una nave sidonia de cincuenta remos y hombres que se ocupen de los remos.

HELENA.—*(Señalando a* MENELAO.) ¿El capitán de la nave será el hombre que está disponiendo los funerales?

TEOCLÍMENO.—Sí, por supuesto. Mis marineros tienen que obedecerle.

HELENA.—Repíteles la orden, para que se enteren bien de lo que dices.

TEOCLÍMENO.—Repito la orden dos, e incluso tres veces, si tú lo quieres.

HELENA.—Que te aproveche, y a mí también, por los planes que albergo.

TEOCLÍMENO.—No consumas, pues, tu piel con excesivas lágrimas.

HELENA.—[1420] Este día de hoy te ha de mostrar mi gratitud.

TEOCLÍMENO.—Los funerales por los muertos no son nada, sino simple trabajo.

HELENA.—De aquéllos de lo que yo hablo hay algo aquí y allá.

TEOCLÍMENO.—En punto alguno vas a tener en mí a un esposo peor que Menelao.

HELENA.— En punto alguno te critico. Yo sólo necesito tener buena suerte.

TEOCLÍMENO.—Eso depende de ti, si me muestras tu buena disposición hacia mí.

HELENA.—No me van a enseñar ahora a querer a los seres queridos.

TEOCLÍMENO.—¿Quieres que os ayude y que haga yo personalmente salir el barco?

HELENA.—¡Ni hablar! No seas esclavo de tus esclavos, soberano.

TEOCLÍMENO.—¡Pues, hala! ¡Ya dejo en paz las costumbres de los pelópidas![78]. [1430] Mi casa está limpia, pues Menelao no exhaló aquí su espíritu.

---

[78] Tántalo es hijo de Zeus y padre de Pélope, que a su vez es padre de Atreo, que engendró a Menelao y a Agamenón. De este modo, a la familia de Menelao se le llama, en razón de la estirpe de sus antepasados, de varias maneras: atrida, pelópida, como en este caso, e incluso tantálida.

(A sus sirvientes.) Que vaya alguien y diga a mis lugartenientes que traigan a mi palacio las ofrendas votivas para la boda. Todo el país debe proclamar a voz en grito con cantos de felicidad y prosperidad mis nupcias y las de Helena, para que sean dignas de envidia.

(A MENELAO.) Y tú, extranjero, ve y entrega estas ofrendas a los brazos del mar en honor del que antes, en el pasado, era marido de esta mujer. Apresúrate luego a regresar a palacio trayendo a mi mujer, para que, una vez que hayas compartido conmigo la fiesta nupcial, [1440] pongas rumbo a tu casa o, si te quedas aquí, vivas feliz. *(Entra en el palacio.)*

MENELAO.—¡Oh, Zeus! ¡Dios padre y sensato te llaman! ¡Dirige tu mirada hacia nosotros y líbranos del mal! Asístenos presto a nosotros, que nuestras desgracias arrastramos por caminos rocosos. Si nos tocas con la punta de tu mano, alcanzaremos el punto de fortuna a que queremos llegar. ¡Bastantes fatigas hemos sufrido en el pasado! Os he llamado con muchos nombres, dioses, propicios unos, ofensivos otros, sí. No he de tener siempre mala suerte; antes bien, algún día he de dirigir mis pasos por una senda dichosa. Si me concedéis esta única gracia, [1450] de aquí en adelante haréis de mí un hombre feliz. (HELENA *y* MENELAO *se van a poner en práctica sus planes.)*

CORO.
Estrofa 1.ª.
¡Oh, remo fenicio de Sidón, veloz en el batir de las olas, madre querida de los remeros, a cuyo ritmo marcas la pauta a las bellas danzas de los delfines, cuando el mar queda sin viento en medio de una apacible y suave brisa! Galanea, la glauca hija del Mar, dice entonces: «Desplegad y largad las velas al viento, [1460] empuñad los remos de abeto, marineros, marineros, escoltad a Helena a las costas de las moradas perseas[79], tierra de buen puerto!»

---

[79] Con las moradas de Perseo se está refiriendo a Argos, toda vez que Perseo es un héroe de origen argivo. Respecto de la patria de Menelao, ya se ha hecho antes referencia a su reino de Argos: cfr. verso 124: «Lo cierto es que no está en Argos ni a las orillas del Eurotas.»

Antístrofa 1.ª.

Es posible que, junto a las aguas del río, veas a las hijas de Leuci-po[80], o que, ante el templo de Palas, participes, después de tanto tiempo, en las danzas y en las festivas procesiones nocturnas de Ja-cinto, [1470] a quien Febo, compitiendo por la mejor marca con la rueda del disco, dio muerte el día en que se celebran en tierras de Laconia los sacrificios de bueyes: el vástago de Zeus ordenó esta ce-lebración. Y verás también al retoño tuyo que dejaste en el hogar, a Hermíone, cuyas antorchas de boda jamás han brillado.

Estrofa 2.ª.

¡Ojalá fuésemos seres alados que surcan los aires, a la manera de las aves de Libia [1480] que, en fila, dejan atrás las lluvias del in-vierno y avanzan a las órdenes de los silbidos de la más vieja, la que las guía con sus graznidos sobrevolando las fértiles y secas lla-nuras de la tierra. ¡Oh, aves aladas de largo cuello, compañeras del curso de las nubes, marchad en el curso central de las Pléyades [1490] y del nocturno Orión! ¡Posaos junto al Eurotas y procla-mad la noticia de que Menelao, tras conquistar la ciudad de Dár-dano[81], va a regresar a su hogar!

Antístrofa 2.ª.

¡Avanzad presurosos a caballo por el aire, hijos de Tindáreo[82], que habitáis en el cielo, bajo el curso veloz de los brillantes astros! ¡Ve-nid, [1500] salvadores de Helena, al glauco mar, a la oscura su-perficie de las olas que braman y baten cana espuma! ¡Enviad a los navegantes procedentes de Zeus soplos de viento favorable! ¡Alejad de vuestra hermana el deshonor originado con aquellas bo-das bárbaras, que ella se ganó víctima de una venganza a raíz de

---

[80] Las leucípides son Hilaíra y Febe, hijas de Leucipo, hermano de Tindá-reo, con cuyos hijos se casaron ambas hermanas, los ya citados Cástor y Poli-deuces, hermanos a su vez de Helena y primos hermanos todos ellos de las hi-jas de este Leucipo.

[81] Dárdano es hijo de Zeus y progenitor de los troyanos. En consecuencia, la «ciudad de Dárdano» o la «ciudadela dárdana» es un modo de referirse a la ciudad de Troya, tal y como ya se ha hecho antes en el verso 384.

[82] Los dos famosos Dióscuros, Cástor y Polideuces. Aparecen en más de una ocasión velando por los navegantes. Cfr. *Electra*, versos 1241-1242: «Aca-bamos de detener el encrespado oleaje del mar, que abatía terroríficamente a un barco.»

*las querellas del Ida, [1510] sin haber ido jamás al país de Ilión
junto a las murallas febeas!*

(Llega corriendo, presa de una gran agitación, un MENSAJE-
RO *egipcio al mismo tiempo que* TEOCLÍMENO *sale por la
puerta del palacio.)*

MENSAJERO.—¡Soberano! ¡Te he encontrado en tu palacio
para lo peor de lo peor! ¡De inmediato vas a oír de mí la
noticia de una reciente calamidad!

TEOCLÍMENO.—Pero, ¿qué pasa?

MENSAJERO.—Prepárate para cortejar a otra mujer, pues Helena se ha marchado fuera del país.

TEOCLÍMENO.—*(Incrédulo.)* ¿Le han salido alas o va pisando
el suelo con los pies?

MENSAJERO.—Menelao se la ha llevado por mar del país, el
mismo hombre que llegó y te anunció que aquél había
muerto.

TEOCLÍMENO.—¡Qué terribles palabras acabas de decir! Pero,
¿qué barco [1520] se los ha llevado de esta tierra? ¡Estás
contando algo verdaderamentre increíble!

MENSAJERO.—El mismo barco que tú le diste al extranjero.
Se ha hecho dueño de tus marineros y se ha marchado,
para que te enteres en pocas palabras.

TEOCLÍMENO.—¿Cómo? Estoy ansioso por saberlo. No me
entra en los límites de lo esperable que un único brazo
haya ganado a un número tan grande de marineros como
te acompañaban en tu misión.

MENSAJERO.—Después que la hija de Zeus dejó el palacio
real para dirigirse al mar, al tiempo que caminaba graciosa-
mente íbase lamentando con la mayor de las habilidades
por su esposo, bien cerca y presente, en realidad, y no
muerto. [1530] Cuando llegamos al perímetro de tus arse-
nales, botamos al mar la nave sidonia que iba a navegar por
primera vez y que tenía una medida de cincuenta remos
con sus bancos[83]. A una faena le seguía otra faena: uno se

---

[83] Cfr. versos 1412-1413: «Ve tú y proporciónales una nave sidonia de cincuenta remos y hombres que se ocupen de los remos.»

ocupaba del mástil, otro colocaba los remos en su posición con la ayuda de sus brazos, se reunían las blancas velas, y se dejó caer el timón con la caña para manejarlo.

En medio de estas tareas, como quiera que hubiesen estado observando, pues, estas maniobras, unos hombres griegos, compañeros de viaje de Agamenón, se acercaron a la orilla vestidos [1540] con ropa de náufragos, de buen aspecto, sí, pero sucios. El hijo de Atreo, al ver que estaban allí, les dijo, mostrando a la vista de todos una dolosa compasión: «¡Oh, desdichados! ¿Cómo, a bordo de qué nave aquea habéis llegado hasta aquí tras naufragar vuestra embarcación? ¿Querríais, quizá, acompañarnos a tributar los honores funerarios al difunto hijo de Atreo, a quien la hija de Tindáreo se dispone a honrar, aun ausente, con un cenotafio?» Ellos, entonces, tras dejar caer unas lágrimas de modo fingido, trajeron unas ofrendas para arrojar al mar en honor de Agamenón y embarcaron en la nave. Nosotros, por nuestra parte, albergábamos nuestras sospechas [1550] y lo comentábamos los unos con los otros, la cantidad de pasajeros de más. Con todo, permanecimos en silencio para cumplir fielmente con tus palabras, ya que nos confundiste al ordenar que el extranjero estuviese al mando de la nave[84].

Como era ligera, depositamos casi toda la carga dentro de la nave con facilidad, pero las pezuñas del toro no querían ascender rectas a la cubierta del barco, sino que no dejaba de emitir fuertes mugidos girando sus ojos en círculo en todas direcciones y curvando los lomos con intención de embestir y, mirándonos torvamente por entre los cuernos, nos hacía desistir de tocarle. Entonces, el esposo de Helena [1560] les hizo este llamamiento: «¡Oh, vosotros que devastasteis la ciudad de Ilión! ¡Hala! ¿No vais a cargar, como acostumbran los helenos, el cuerpo de ese toro sobre vuestros jóvenes hombros y lo embarcaréis en proa, para que esta espada que está en mi mano se hunda en las entrañas de la víctima en honor del difunto?» Y ellos, respondiendo a su llamada, cargaron con el toro para llevárselo y lo subieron a la cubierta de la nave. Menelao, entonces,

---

[84] Cfr. verso 1415: «Mis marineros tienen que obedecerle.»

acariciando el cuello del animal (que no tenía compañero de yugo) y su frente, terminó de convencerle de que subiese a bordo del barco.

Finalmente, cuando todo estuvo cargado en la nave, [1570] Helena, tras subir los peldaños de la escalerilla con sus pies de hermosos tobillos, se sentó en medio de las filas de los remeros, cerca del que todavía no era Menelao, de palabra. Los demás hombres se colocaron en igual número a izquierda y derecha del barco, uno detrás de otro. Tenían espadas escondidas bajo sus mantos. Nuestros gritos, al punto que oímos la voz de mando del cómitre, ensordecían el ruido de las olas.

Entonces, cuando ya estábamos ni muy cerca ni muy lejos de tierra, preguntó el encargado del timón: «Extranjero, ¿seguimos navegando un poco más todavía, o ya está bien así? [1580] El mando de la nave está a tu cuidado.» Y él le respondió: «Me parece que ya es suficiente.» Entonces cogió su espada con la mano derecha, se dirigió a la proa y, plantándose firme en pie sobre el toro del sacrificio y sin hacer mención ni acordarse de ningún muerto, le seccionó el cuello y formuló esta plegaria: «¡Oh, tú, marino Posidón, que habitas en el mar, y vosotras, santas hijas de Nereo! ¡Conducidme sano y salvo a las costas de Nauplia[85], a mí y a mi mujer, fuera de esta tierra», y el flujo de sangre fue fluyendo al mar en sentido propicio al extranjero.

Pero alguien dijo estas palabras: «Lo del barco ha sido un engaño. [1590] Pongamos rumbo de regreso. Da tú las órdenes a la derecha, y tú da la vuelta al timón.» Entonces, el hijo de Atreo se puso firme en pie desde donde había hecho verter la sangre del toro y volvió a gritar a sus compañeros: «¡Oh, flor de la tierra helena! ¿Por qué vaciláis en degollar, asesinar y arrojar a estos bárbaros al mar fuera del barco?» Entre tanto, el cómitre grita a tus marineros unas palabras para hacer frente a aquéllas: «¡Hala! ¿No va uno a levantar su garfio como lanza, y otro —y otro más— a traer los bancos y a sacar los remos de los toletes para teñir de sangre las cabezas de estos extranjeros enemigos?»

---

[85] Nauplia está a corta distancia de Argos.

[1600] Entonces todos se levantaron, erguidos en pie: los unos tenían entre sus manos todo tipo de herramientas náuticas, y los otros sus espadas; del barco fluía un río de sangre. Helena desde la parte de popa añadió otra exhortación[86]: «¿Dónde está esa gloria ganada en Troya? ¡Mostrádsela a esos hombres bárbaros!» Unos iban cayendo con gran valor, otros se mantenían en pie, y a otros se les podía ver que yacían muertos sobre la cubierta. Menelao, que tenía bien cogidas sus armas, observaba atentamente dónde enflaquecían sus compañeros y allí acudía empuñando su espada en la mano derecha, hasta hacernos caer del barco al mar. Los remos quedaron desiertos, [1610] sin tus marineros. Entonces se encaminó al timón y dio orden al piloto de poner rumbo a la Hélade. Fueron izando las velas y al punto vinieron vientos favorables. Ya se han marchado del país.

Yo me dejé caer al mar junto al ancla para escapar de la muerte. Cuando ya estaba al borde de la muerte, un pescador me recogió y me bajó en tierra para que te transmitiese estas noticias. Para los mortales no hay nada más útil que un moderado escepticismo.

CORIFEO.—¡Jamás habría yo asegurado que Menelao se nos iba a pasar inadvertido a ti y a mí, [1620] soberano, como lo ha hecho delante de nosotros!

TEOCLÍMENO.—*(Muy irritado.)* ¡Oh, infeliz de mí, engañado por astutas armas de mujer! ¡Se me han escapado mis bodas! Si pudiese coger un barco para perseguir a los extranjeros, aun con esfuerzo los atraparía rápidamente. Pero ahora voy a vengarme de la mujer que me ha traicionado, mi hermana, que, aunque vio que Menelao se encontraba en

---

[86] Menelao se ha desplazado a la parte de popa, a partir del verso 1582, para proceder al degüello del toro, y desde allí ha pronunciado su arenga de los versos 1593-1595. Helena, por su parte, tras embarcar se ha sentado en lo que hemos traducido «en medio de las filas de los remeros» (verso 1571), en griego *hedolíois,* siguiendo las explicaciones que del término ofrecen Hesiquio y la *Suda.* Propiamente es una plataforma elevada en la parte de popa, donde ella se encuentra. Desde ahí emite sus arengas, que completan las de su marido.

el palacio, no me lo dijo. Bien, así no engañará nunca más a otro hombre con sus adivinaciones.

(Se dispone a buscar a su hermana, espada en mano, con manifiesta intención de matarla. En este momento irrumpe en la escena un SIRVIENTE DE TEÓNOE, *alertado por los gritos del soberano.)*

SIRVIENTE DE TEÓNOE.—*(A* TEOCLÍMENO.) ¡Eh, tú! ¿Adónde diriges tus pasos? ¿A quién vas a matar?

TEOCLÍMENO.—Adonde precisamente la justicia me hace ir. *(El* SIRVIENTE DE TEÓNOE *se interpone y le coge de los vestidos.)* ¡Venga! ¡Apártate de mi camino!

SIRVIENTE DE TEÓNOE.—No voy a soltar tus ropas, porque te estás empeñando en un error tremendo. *(La conversación va subiendo de todo agitadamente.)*

TEOCLÍMENO.—[1630] Pero, ¿es que, siendo un esclavo como eres, vas a ser dueño de tus señores?

SIRVIENTE DE TEÓNOE.—Sí, porque tengo razón.

TEOCLÍMENO.—¡Pues a mí desde luego no me lo parece, si no me vas a dejar...

SIRVIENTE DE TEÓNOE.—¡De ningún modo te lo voy a permitir!

TEOCLÍMENO.—... matar a mi hermana, esa malísima mujer ...

SIRVIENTE DE TEÓNOE.—¡La más piadosa de todas, más bien!

TEOCLÍMENO.—... que me ha traicionado...

SIRVIENTE DE TEÓNOE.—¡Hermosa traición! ¡Acción correcta!

TEOCLÍMENO.—... al entregarle mi lecho a otro!

SIRVIENTE DE TEÓNOE.—¡A quien tenía más derecho que nadie!

TEOCLÍMENO.—¿Quién tiene derecho sobre lo que es mío?

SIRVIENTE DE TEÓNOE.—¡El que la tomó de manos de su padre!

TEOCLÍMENO.—¡Pero el azar me la entregó a mí!

SIRVIENTE DE TEÓNOE.—¡Y el deber te la arrebató!

TEOCLÍMENO.—¡Tú no tienes por qué ser juez en mi causa!

SIRVIENTE DE TEÓNOE.—¡A no ser que diga lo mejor!

TEOCLÍMENO.—¡Luego soy un siervo, no un rey!

SIRVIENTE DE TEÓNOE.—Para obrar piadosamente, no injustamente.

TEOCLÍMENO.—Parece que quieres morir.

SIRVIENTE DE TEÓNOE.—¡Mátame! Pero a tu hermana no la matarás [1640] en la medida que de mí dependa. Antes bien, mátame a mí. Que, para los esclavos de noble espíritu, el acto más glorioso de todos es el morir en pro de sus señores.

(*Aparecen en lo alto del palacio los* DIÓSCUROS, CÁSTOR *y* POLIDEUCES. *Sólo habla* CÁSTOR *mientras su hermano permanece en silencio a su lado.*)

DIÓSCUROS.—Contén la cólera que por mal camino te lleva, Teoclímeno, soberano de esta tierra. Te lo decimos nosotros, los dos Dióscuros, a quienes Leda un día parió, y a Helena, la mujer que ha huido de tu palacio. En realidad, te estás encolerizando a causa de unas bodas que no te habían sido decretadas por el destino; tu hermana Teónoe, la muchacha descendiente de una nereida, no se ha portado mal contigo, toda vez que se ha limitado a respetar la voluntad de los dioses y las justas encomiendas de vuestro padre.

[1650] Hasta el día de hoy ella debía vivir en tu palacio, pero, puesto que los cimientos de Troya ya han sucumbido y ella ya ha prestado su nombre a los dioses, ya no ha de ser así por más tiempo. Tiene que unirse al yugo de sus bodas, regresar a su hogar y vivir allí en compañía de su esposo. ¡Ea! Mantén alejada esa negra espada de tu hermana y piensa que ella ha obrado así por prudencia. Nosotros ya habríamos protegido antes a nuestra hermana, hace tiempo, precisamente porque Zeus nos convirtió en dioses, [1660] pero éramos inferiores al destino y a los dioses que decidieron que las cosas se desarrollasen de este modo.

Esto es lo que a ti te digo, pero ahora le hablo a mi hermana: hazte a la mar con tu esposo, que tendréis viento favorable. Nosotros, tus dos hermanos salvadores, cabalgaremos sobre el mar y os escoltaremos hasta la patria. Cuando llegues al fin y término de tu vida, se te llamará diosa, recibirás libaciones junto con los Dióscuros y obtendrás de parte de los hombres dones de hospitalidad, pues así lo quiere Zeus[87]. [1670] Y el lugar en que el hijo de Maya marcó la primera etapa de su viaje por el cielo, cuando te cogió de Esparta y se llevó furtivamente tu cuerpo, para que Paris no se casase contigo —me refiero a la isla esa que se extiende frente al Ática como su guardiana—, de aquí en adelante entre los mortales se llamará Helena, puesto que te acogió raptada de tu casa. El errabundo Menelao, por su parte, tiene destinado de parte de los dioses habitar la isla de los bienaventurados, pues la divinidad no aborrece a los varones bien nacidos, si bien sus fatigas son más que las de un don nadie.

TEOCLÍMENO.—[1680] ¡Oh, hijos de Leda y de Zeus! Renunciaré a esta pasada querella respecto de vuestra hermana, y tampoco mataré a la mía. Que Helena marche a su casa, si así lo han decidido los dioses. Sabed, no obstante, que sois hermanos consanguíneos de la mujer más sobresaliente y moderada, y alegraos por Helena, la mujer de mejor y más noble corazón e inteligencia, cosa que no suele encontrarse en la mayor parte de las mujeres.

CORO.—*Muchas son las formas de lo divino, y muchas acciones ejecutan los dioses contra lo previsto: aquello que se esperaba no se cumple y de lo inesperado encuentra un dios la salida. Así ha resultado esta historia.*

(Salen todos.)

---

[87] Cfr. *Orestes*, versos 1683-1690: «Yo *(sc.* Apolo), por mi parte, conduciré a Helena a las moradas de Zeus, hasta llegar a la esfera celestial de las relucientes estrellas, donde junto a Hera y Hebe, la esposa de Heracles, tendrá su asiento como diosa, honrada por siempre entre los mortales con libaciones, junto con los tindáridas *(sc.* los dos Dióscuros), hijos de Zeus, dando su protección a los marineros en las aguas marinas.»

LAS FENICIAS

INTRODUCCIÓN

AL contrario que en el caso anterior de *Helena,* para el
que teníamos una fecha cierta de representación, al
tratar de *Las Fenicias* tenemos que contentarnos con
un abanico de fechas aproximadas. Sabemos, eso sí, que se sitúa entre una fecha posterior a su *Andrómeda,* drama hoy perdido, que data del año 412 a. C., al igual que *Helena,* y anterior
a la datación de *Orestes,* del año 408 a. C. Es, por tanto, ese
margen de años que van del 411 al 409, en torno al 410 a. C.,
donde tenemos que situar la pieza en cuestión.

El tema central del drama corresponde al ciclo tebano, en
concreto al asedio de la ciudad de Tebas por parte de los argivos y el encuentro de los dos hermanos enfrentados entre sí
por culpa de la maldición paterna de Edipo. Nos referimos a
Eteocles y Polinices. Esquilo trató este tema en su tragedia *Los
siete contra Tebas.* Los antecedentes son bien conocidos, si bien
Eurípides introduce numerosas innovaciones que tienden a
complicar extraordinariamente la trama, al tiempo que la en-
riquecen dramáticamente hasta el punto de obsequiarnos con
la magnífica pieza que el tiempo nos ha legado.

A la muerte de Edipo, sus dos hijos, Eteocles y Polinices,
llegan al siguiente acuerdo: cada uno de ellos reinaría por un
tiempo y, tras finalizar dicho período, el uno cedería el poder
al otro. Cuando a Eteocles, que reina el primero, le llega el
momento de traspasar el poder a su hermano Polinices, se
niega. El hermano ultrajado abandona, entonces, Tebas en dirección a Argos, donde se casa con una de las hijas del rey
Adrasto. Este monarca es quien, para satisfacer a su yerno, co-

manda la famosa expedición formada por los siete caudillos, que lucharán ante las otras tantas puertas de la fortaleza tebana. La expedición fracasa, los siete caudillos caen muertos y los vencedores, violando las leyes helenas, se niegan a entregar los cadáveres caídos para que se les tributen las debidas honras funerarias.

En la versión que nos presenta Eurípides de los hechos, Edipo no ha muerto en las fechas en que se propone la acción, sino que se halla recluido en el interior del palacio por obra de sus hijos que, tras conocer las oprobiosas bodas de su padre con su propia madre, optan por esta forzosa reclusión del ya anciano Edipo a fin de ocultar lo más celosamente posible semejante mancha para la familia. El pobre hombre, cegado por su propia mano, descarga entonces contra sus hijos feroces maldiciones que, tristemente, acabarán tomando cumplido cumplimiento. Asimismo continúa con vida la madre y esposa Yocasta, junto a su esposo e hijo, y será ella quien tratará de hacer lo imposible por lograr una reconciliación entre sus hijos, a fin de evitar el enfrentamiento en singular combate que, efectivamente, al final de la pieza acabará con la vida de ambos. Es en ese momento, sobre los cadáveres de sus dos hijos, cuando Yocasta suicidándose hunde una espada en sus entrañas para caer muerta junto a sus malditos hijos. En la versión sofoclea, sin embargo, Yocasta terminaba con su vida al enterarse de la auténtica identidad de su esposo Edipo, su hijo en realidad. Estos hechos, tal como los introduce Eurípides, son una importante innovación por su parte.

La pieza toma el nombre del Coro de mujeres procedentes de Fenicia, camino del santuario de Apolo en Delfos, adonde se dirigen para prestar sus servicios al dios. La procedencia de estas mujeres da, además, cierto toque de exotismo al drama. Al venir de Fenicia, se señala el parentesco existente entre los tebanos y estas mujeres, por cuanto Cadmo, fundador de la ciudad de Tebas e hijo de Agenor, procede de la ciudad de Sidón, en Fenicia. El Coro, por tanto, tiene establecido un vínculo fuerte de parentesco con los tebanos, pero al mismo tiempo puede permitirse el lujo de guardar ciertas distancias respecto de los personajes de la acción y sus actos. Por ejemplo, las mujeres del Coro se hallan dentro de la ciudad, pero no dudan en manifestar ciertas simpatías por la justa causa del agraviado hermano que viene en estos momentos del exterior, por más que les convendría no mostrarse displicentes con el actual gobernante de la ciudad. Por otra parte, se puede decir que algunos de sus cantos tienen incluso vida propia, como meros interludios musicales entre un episodio y otro, con un uso notable de una rica adjetivación pictórica y ornamental. Algunos de estos estásimos proporcionarían, sin duda alguna, ocasiones de lucimiento personal en la representación, dada su enorme dificultad. Evocan ciertamente un amplio panorama legendario que trata de cubrir sobradamente el amplio círculo de la saga que se traza de un modo muy eficaz en la pieza. Por otra parte, una cierta distanciación de la trama preludia el futuro devenir del Coro de la tragedia, cada vez más alejado de sus primitivas funciones.

Respecto del enfrentamiento entre Eteocles y Polinices hay que decir lo siguiente. Su madre ha conseguido convencerles de que, por medio de un salvoconducto, el hijo agraviado entre en la ciudad para tratar de solucionar amistosa y pacíficamente con su hermano Eteocles el litigio que ambos mantienen en torno al trono real de la ciudad. El encuentro entre los hermanos se produce pero no logran llegar a un acuerdo, sino que ambos mantienen sus posiciones iniciales. Eteocles se niega a abandonar la poltrona del poder una vez que ha probado la condición real y que se ha dejado seducir por lo que hoy día llamamos la erótica del poder. No le importan las consecuencias que pueda traer el enfrentamiento armado entre sus ejércitos, con tal de hacer todo lo posible por conservar la monarquía. En cuanto a Polinices, por más que le asiste todo el derecho en la cuestión planteada, tampoco está dispuesto a ceder en punto alguno, suceda lo que suceda. El enfrentamiento armado resulta, pues, inevitable. El episodio del encuentro entre Eteocles y Polinices nos proporciona uno de los mejores momentos del drama, con una sucesión de discursos magistralmente compuestos, a los que Eurípides nos tiene ya acostumbrados.

El enfrentamiento de los ejércitos tebano y argivo concluye con la derrota del segundo a manos del primero. Los hermanos Eteocles y Polinices se dan muerte el uno al otro en un combate singular, que conocemos a partir de un magnífico relato de un mensajero. La escena es narrada con un patetismo tremendo que nos describe cómo uno de los dos hermanos, ya moribundo por la herida mortal infligida por el otro, aún saca fuerzas para herir también mortalmente a su contrincante. El resultado no puede ser peor. Enteradas madre e hija, Yocasta y Antígona, de las intenciones de Eteocles y Polinices de combatir cuerpo a cuerpo hasta darse muerte, éstas se ponen rápidamente en camino en dirección al campo de batalla, por más que éste no sea un lugar adecuado para dos mujeres, pero llegan tarde, pues ya yacen muertos sus parientes. Yocasta no resiste el dolor y se suicida allí mismo sobre los cadáveres ensangrentados de sus hijos.

El desdichado Edipo recibirá de golpe esta acumulación de terribles noticias, la muerte de sus hijos y de su esposa y madre, y a ello se añadirá aún el cruel destierro que Creonte, el hermano de Yocasta, impondrá a un Edipo anciano y ciego. Creonte se muestra además inflexible en el cumplimiento de un ruego que le había formulado Eteocles cuando aún vivía: que no se diese sepultura al cadáver de su hermano Polinices. Antígona no podrá hacer nada por ello, a pesar de sus fuertes empeños. Es más, tendrá que asumir el destino de acompañar en el exilio a su desvalido padre. Ambos se dirigirán a la ciudad de Colono, en el Ática, donde Edipo al fin morirá.

Hemos comentado abundantes elementos de acción que se suceden de episodio en episodio, y aún faltan unos cuantos más, como la sacrificada y abnegada muerte del joven Meneceo, hijo de Creonte, a raíz de un oráculo que garantizaba en virtud de dicha muerte en pro de la ciudad la victoria posterior, como de hecho sucede. Poco tienen que ver los extraordinariamente egoístas Eteocles y Polinices con el generoso gesto de Meneceo, a quien sí preocupa realmente su patria. Es comparable en cierto sentido a la Ifigenia de la tragedia *Ifigenia en Áulide,* que también acepta al final el sacrificio de morir por el bien de la patria, si bien la actitud del joven Meneceo es aquí más resuelta que la de Ifigenia, por cuanto ésta ha de pasar por un largo proceso desde su resistencia inicial a la aceptación final del sacrificio.

También merece una mención el episodio en el que Antígona y su anciano pedagogo pasan revista a las tropas argivas acampadas en el exterior de la ciudad de Tebas. Son inevitables los ecos con la *teikhoskopia* del Canto III de la *Ilíada* homérica.

Uno de los argumentos conservados de esta pieza anota las siguiente palabras que reproducimos a continuación:

> El drama es hermoso por sus cuadros escénicos, aun cuando está colmado de elementos superfluos. Cuando Antígona está como espectadora desde las murallas, eso no es parte de la acción dramática; y cuando Polinices acude a la ciudad bajo la protección de un salvoconducto, eso tiene lugar a cuenta de nada; y los cantos líricos del destierro de Edipo están cosidos al final de la· pieza con una verbosidad excesiva, como si fuesen un remiendo.

Al margen del hecho de estar de acuerdo o no con estas afirmaciones, lo importante es señalar que, efectivamente, ya desde la Antigüedad se destacó la rica teatralidad de este drama y la abundancia de elementos episódicos. Hemos señalada y comentado algunos, pero la lectura del drama desvelará todavía unos cuantos más. *Las Fenicias* es la tragedia de mayor extensión de Eurípides y, en el conjunto de la tragedia griega antigua conservada, sólo le supera la pieza *Edipo en Colono* de Sófocles. Es indudable que el drama tiene abundantes añadidos que no han salido de la mente creadora de Eurípides, y a ese respecto hay estudios que se han dedicado a marcar los pasajes supuestamente añadidos. Aquí, no obstante, no vamos a conceder demasiada importancia a este hecho.

Aun aceptando, como de hecho hay que hacer, la existencia de algunos pasajes 'cosidos' a la pieza original, lo cierto es que Eurípides no ha querido trazar un cuadro limitado y bien definido de la leyenda de la saga, no ha optado por una sencilla estructura que resaltase únicamente el conflicto y enfrentamiento fratricida de Eteocles y Polinices, sino que ha dado un rumbo casi épico al drama por cuanto a su amplitud se refiere, colmándolo de una riqueza exuberante de episodios, escenas, motivos, personajes, que complican extraordinariamente la trama general de la acción, con vistas a alcanzar una gran teatralidad, efectista y espectacular, que llevan al autor de uno de los argumentos de esta tragedia a formular la siguiente afirmación: «*Las Fenicias* son muy apasionadas por su teatralidad.»

Ésta es una de las tragedias que de más éxito gozó en la Antigüedad, incluida junto con *Hécabe* y *Orestes* en la llamada *Tríada Bizantina*. Mucho más es lo que podría decirse de una composición tan rica y compleja como ésta, pero consideramos que es ya el momento oportuno de remitir al lector a su atenta lectura que, sin duda alguna, complacerá más que estas palabras introductorias.

NOTA BIBLIOGRÁFICA

DE ROMILLY, J., «Les Phéniciennes d'Euripide», *RPh*, 39 (1965), 28-47.
DOS SANTOS ALVES, M., *As Fenicias*, Coimbra, 1975.
FRAENKEL, E., «Zu den *Phoenissen* des Euripides», *SBAW*, 1, (1963).
KITTO, H. D. F., «The Final Scenes of the Phoenissae», *CR*, 53 (1939), 104-11.
RAWSON, E., «Family and Fatherland in Eurípides' *Phoenissae*», *GRBS*, 11 (1970), 109-27.
SCARCELLA, A. M., *Le Fenicie*, Roma, 1957.

SOBRE EL TEXTO

Nos hemos apartado de la edición oxoniense de J. Diggle en los siguientes versos: 235, 343, 983.

ARGUMENTO

Eteocles, tras recibir heredado el poder real de Tebas, defrauda su turno a su hermano Polinices. Éste, entonces, se dirigió en calidad de exiliado a Argos y contrajo matrimonio con la hija del rey Adrasto, toda vez que ambicionaba regresar a su patria. Convenció a su suegro y reunió un ejército considerable para dirigirlo a Tebas contra su hermano. Pero su madre Yocasta le convenció de que fuese, con la protección de un salvoconducto, a la ciudad y conversase antes con su hermano sobre la cuestión del poder. Pero, como quiera que Eteocles no pusiera buena cara en defensa de su monarquía, Yocasta no pudo reconciliar a sus hijos y Polinices se marchó de la ciudad, con la intención de aprestarse de aquí en adelante en orden de batalla.

Tiresias profetizó que la victoria sería para los tebanos, si Meneceo, el hijo de Creonte, era ofrecido en sacrificio a Ares. Creonte entonces se negó a contribuir con su hijo al éxito de la ciudad, pero el joven accedió, por más que su padre le ofrecía la posibilidad de escapar con dinero, a sacrificarse. Y, de hecho, lo hizo, y los tebanos mataron a los caudillos de los argivos. Eteocles y Polinices lucharon en un combate singular y se dieron muerte el uno al otro. Su madre, al encontrar los cadáveres de sus hijos, se dio muerte a sí misma y su hermano Creonte obtuvo así el poder real. Los argivos, vencidos, se retiraron de la batalla, pero Creonte, en un gesto de mala voluntad, no entregó a los enemigos muertos que habían caído al pie de Cadmo para que se les rindiesen honores funerales, arrojó insepulto a Polinices, y envió al exilio fuera del país a Edipo, sin observar, de un lado, la ley humana, y dando buena cuenta, de otro lado, de su enojo y sin dar muestras de piedad ante el infortunio.

Las Fenicias son muy apasionadas por su teatralidad. En efecto, el hijo de Creonte muere suicidándose en la muralla en beneficio de la ciudad; mueren también los dos hermanos el uno a manos del otro; su madre Yocasta se suicida sobre sus hijos; los capitanes argivos que han dirigido la expedición contra Tebas perecen también; Polinices yace muerto sin honores funerales; y Edipo es desterrado del país, y con él también su hija Antígona. El drama tiene muchos personajes y se encuentra repleto de sentencias, numerosas y hermosas.

El drama es hermoso por sus cuadros escénicos, aun cuando está colmado de elementos superfluos. Cuando Antígona está como espectadora desde las murallas, eso no es parte de la acción dramática; y cuando Polinices acude a la ciudad bajo la protección de un salvoconducto, eso tiene lugar a cuenta de nada; y los cantos líricos del destierro de Edipo están cosidos al final de la pieza con una verbosidad excesiva, como si fuesen un remiendo.

ORÁCULO

Labdácida Layo, de hijos pides prole dichosa. / Engendrarás, sí, un hijo amado, mas esto te habrá de acarrear una fatalidad: / dejar la vida a manos de tu hijo. Zeus el Cronida, en efecto, / su consentimiento ha dado atendiendo las odiosas imprecaciones de Pélope, / cuyo hijo tú le arrebataste. Él, a su vez, imploró para perjuicio tuyo todas estas maldiciones.

EL ENIGMA DE LA ESFINGE

Un ser bípedo hay sobre la tierra, y cuadrúpedo, cuya voz es única, / trípode también. Sólo él va cambiando su naturaleza, de entre cuantos seres vivientes hay sobre la tierra, / por el aire y bajo el mar. / Mas, cuando sus pasos da apoyado en más pies, más débil es entonces el vigor de sus miembros.

SOLUCIÓN AL ENIGMA

Escucha, aunque no quieras, musa de los muertos, de nefastos presagios, / mi voz, fin de tus extravíos. / Al hombre querías referirte, que cuando a la tierra llega / por vez primera cuadrúpedo nace recién alumbrado del seno de su madre, / mas cuando llega a viejo sobre un bastón se apoya, cual tercer pie, / según va encorvando el cuello, cargado por la vejez.

Layo, según venía de Tebas, vio por el camino a Crisipo, el hijo de Pélope. Se enamoró de él y pensó en llevárselo con él a Tebas. Pero, como éste no quería hacerlo, Layo lo raptó y se lo llevó a escondidas de su padre. Después de mucho lamentarse por la pérdida de su hijo, acabó enterándose de lo sucedido y, al enterarse, lanzó una maldición contra el raptor de su hijo, a saber, que no tuviese hijos, y que, si llegaba a tenerlos, que recibiese la muerte a manos del hijo engendrado.

ARGUMENTO
DEL GRAMÁTICO ARISTÓFANES

Expedición de Polinices con los argivos contra Tebas, destrucción de los hermanos Polinices y Eteocles, y muerte de Yocasta. El tema se encuentra en Esquilo, en *Los Siete contra Tebas,* a excepción de Yocasta (...) en el arcontado de Nausícrates (...) Eurípides el segundo (...) produjo un drama sobre este tema. También eso *Enómao* y *Crisipo* y (...) se conserva. El Coro se compone de mujeres fenicias. Yocasta pronuncia el prólogo.

PERSONAJES DEL DRAMA

YOCASTA, *esposa de Edipo, madre de Antígona, Eteocles y Polinices*
PEDAGOGO *de Antígona*
ANTÍGONA, *hija de Edipo, hermana de Eteocles y Polinices*
CORO DE MUJERES FENICIAS
POLINICES, *hermano de Antígona y Eteocles, hijo de Edipo*
ETEOCLES, *hermano de Antígona y Polinices, hijo de Edipo*
CREONTE, *hermano de Yocasta*
TIRESIAS, *adivino ciego*
MENECEO, *hijo de Creonte*
PRIMER MENSAJERO
SEGUNDO MENSAJERO
EDIPO, *padre de Antígona, Eteocles y Polinices, esposo de Yocasta*

(La acción transcurre en Tebas. Al fondo de la escena se encuentra el palacio real. En lo alto del palacio puede verse una terraza. La escena la completa un altar consagrado a Apolo, situado delante del palacio. En este momento sale por la puerta del palacio YOCASTA, *enlutada y con el pelo rapado, según la costumbre. Empieza a recitar el prólogo ante el público.)*

YOCASTA.—[1] ¡Oh, Helio, que surcas las sendas del cielo entre los astros y que, montado en tu carro engarzado en oro, sobre veloces corceles haces rodar tu llama! ¡Qué desdichados rayos de luz enviaste aquel día a los tebanos, cuando Cadmo llegó a esta tierra, tras dejar a sus espaldas las costeras tierras de Fenicia! Éste se casó en aquellos tiempos pasados con una hija de Cipris, Harmonía, y engendró a Polidoro, de quien cuentan que nació Lábdaco, y de éste Layo.

[10] Por lo que a mí respecta, me tienen por hija de Meneceo —mi hermano Creonte nació también de mi misma madre— y me llaman Yocasta, pues este nombre me puso mi padre. Layo me tomó por esposa, pero, como después de llevar mucho tiempo casado conmigo seguía sin hijos en nuestro palacio, va y le pregunta a Febo por esta cuestión al tiempo que le reclama descendencia de hijos varones que compartiesen nuestro hogar. Y el dios le dijo: «¡Oh, soberano de Tebas, tierra rica en caballos! No eches la filial simiente a la tierra forzando con ello a los dioses, pues, si engendras un hijo, el que nazca habrá de matarte, [20] y toda tu casa caminará entre ríos de sangre.» Pero él, entregándose al placer y cayendo en el delirio, sembró en mí la simiente de un hijo. Una vez engendrado el niño, al

adquirir conciencia de su error y de las palabras del dios, entregó el recién nacido a unos vaqueros para que lo expusiesen en el prado de Hera, en el monte Citerón, tras horadar la mitad de sus tobillos con unas puntas de hierro[1], motivo por el cual la Hélade le dio el nombre de Edipo[2].

Pero unos cuidadores de los caballos de Pólibo lo recogieron, lo llevaron a su casa y lo depositaron en los brazos de su señora[3]. [30] Ésta entonces arrimó junto a su pecho el fruto de los dolores de mi parto y convence a su esposo de que lo había parido ella.

Una vez que mi hijo se hizo ya un hombre y que a su barba asomaba ya una rubia pelusa, bien porque él mismo llegara a darse cuenta de algo, bien porque se enterase a través de alguien, se encaminó al santuario de Febo queriendo averiguar a fondo quiénes eran los padres que le habían engendrado. También acudió mi esposo, que pretendía averiguar si el hijo que había tenido ya no vivía. Entonces ambos juntaron sus pasos en el mismo lugar, en un camino que se bifurca en la Fócide, y el conductor del carro de Layo le ordena: [40] «¡Extranjero, retírate y deja el paso libre al rey!» Pero él siguió caminando sin decir palabra, con soberbia, y los caballos le abrieron heridas de sangre con sus cascos en los tendones de los pies. A raíz de tal hecho —¿qué necesidad hay de que cuente los sucesos que quedan fuera de estas desgracias?— el hijo mata al padre, coge su carruaje y se lo entrega a Pólibo, el hombre que le crió.

Como la Esfinge apesadumbraba a mi ciudad con sus raptos y mi esposo ya no vivía, mi hermano Creonte difun-

---

[1] Cfr. versos 801-805: «¡Oh, Citerón, boscoso valle de divino follaje, de rica caza, nivoso ojo de Ártemis! ¡Jamás debiste criar a quien a la muerte había sido expuesto, al fruto del parto de Yocasta, a Edipo, al niñito que recién nacido echaron de su casa, marcado con unos pasadores de oro!»

[2] «Pies hinchados.»

[3] Según la tradición recogida por Eurípides respecto de Edipo, el niño fue abandonado en el monte Citerón, cerca de Tebas, donde lo recogieron unos pastores corintios que se encontraban en la comarca con sus rebaños. Como sabían que su soberano Pólibo carecía de hijos y deseaba tener uno, se lo ofrecieron. Edipo pasó toda su infancia y adolescencia en la corte de Pólibo, quien creía sinceramente que era hijo suyo. El resto de la historia, la propia Yocasta nos lo va contando con cumplido detalle.

de una proclama a propósito de mis bodas: aquel que entendiese el enigma de la sabia muchacha, se uniría a mí en matrimonio. Entonces se da la casualidad [50] de que es mi hijo Edipo quien resuelve el acertijo de la Esfinge[4], a partir de lo cual se erige en monarca de esta tierra y recibe como premio el cetro del país. Así se casa él con la madre que lo parió, sin saberlo el pobre, y sin saber tampoco la madre que el hombre con quien se acuesta es hijo suyo.

Tengo, pues, con mi hijo dos hijos varones, Eteocles y el renombrado y fuerte Polinices, y dos chicas; a una su padre la llamó Ismene, y a la otra, la mayor, yo la llamé Antígona. Pero al enterarse Edipo, que ha soportado el peso de tantos padecimientos, de que se había casado y acostado con su propia madre, [60] carga contra sus propios ojos un horrendo crimen y tiñe de sangre sus pupilas con unos pasadores de oro. Cuando la sombra de la barba fue cubriendo las mejillas de mis hijos, éstos mantuvieron oculto a su padre bajo llave, a fin de que quedase en el olvido un azar que requería andarse con tantas sutilezas para poder explicarlo, así que él continúa vivo dentro del palacio. Y como sigue sufriendo a causa de este azar, lanza las más sacrílegas maldiciones contra sus hijos, a saber, que se repartirán esta casa por medio del afilado hierro[5].

Entonces les entró miedo a los dos, [70] no fuera que, si seguían viviendo bajo el mismo techo, los dioses diesen cumplimiento a unas maldiciones destinadas a consumarse, y se pusieron de acuerdo para disponer que el más joven de los dos, Polinices, abandonase voluntariamente el país, y que Eteocles se quedase y sostuviese entre sus manos el cetro del país, alternándose por períodos de un año. Pero, una vez que éste se ha acomodado en la poltrona del poder, ya no se retira del trono y envía al exilio, fuera del país,

---

[4] Esta esfinge es un monstruo femenino al que se atribuía rostro de mujer, y pecho, patas y cola de león, provisto de alas como a un ave de rapiña. Enviada para castigar a la ciudad de Tebas, devoraba a los seres humanos que pasaban a su alcance y proponía, sobre todo, enigmas a los viajeros que no podían resolver, y entonces los mataba. Edipo supo resolver el enigma propuesto.

[5] Ésta es la maldición de Edipo sobre sus hijos, que acabará tristemente cumpliéndose.

a Polinices. Entonces éste va a Argos, se casa con la hija de Adrasto, reúne una multitud enorme de tropas armadas argivas y se pone al frente de ellas. Ha llegado, en efecto, hasta las mismísimas murallas de las siete puertas, [80] y está reclamando que se le devuelvan el cetro de su padre y su parte de las tierras, que por derecho le corresponden.

Yo, por mi parte, con la intención de poner fin a estas discordias, he convencido a mi hijo de que, bajo la protección de un salvoconducto, se reúna con su hermano, antes de echar mano a las armas. El mensajero enviado afirma que él vendrá.

(*Invocando a Zeus.*) ¡Ea! ¡Oh, tú, Zeus, que habitas los resplandecientes repliegues del cielo! ¡Sálvanos! ¡Permíteles a mis hijos ponerse de acuerdo! ¡No has de consentir, si eres sensato, que un mismo mortal permanezca en un estado de permanente desdicha!

(YOCASTA *entra en el interior del palacio. Se asoma en la terraza que hay en lo alto del palacio el* PEDAGOGO. *Se dirige a* ANTÍGONA, *que le sigue por detrás y que todavía no ha terminado de subir la escalerilla que conduce a la terraza)*[6].

PEDAGOGO.—¡Antígona, ilustre retoño que vives en el palacio de tu padre! Como tu madre te ha dado permiso, gracias a tus ruegos, para dejar las estancias de las doncellas [90] y subir al piso superior del palacio, para poder ver el cuerpo expedicionario argivo, detente un momento, que voy a inspeccionar antes el camino, no sea que se nos aparezca algún ciudadano y caiga contra nosotros algún reproche desagradable, a mí como esclavo y a ti como princesa. Como yo lo he visto con detalle, te voy a contar todo lo que vi y oí de los argivos, cuando fui a llevar la propuesta

---

[6] Se inicia en este momento una escena, la de la contemplación por parte de Antígona y su pedagogo de las tropas enemigas y sus caudillos que asedian la ciudad, que no puede evitar traer al recuerdo la escena del canto III de la *Ilíada* de Homero, donde Helena va explicando al rey de Troya, Príamo, quiénes son cada uno de los caudillos griegos que van contemplando. Aquí es el viejo el que da las explicaciones a la joven muchacha.

del salvoconducto a tu hermano, primero de aquí a allá, y luego de allá hacia aquí de su parte.

(Comprueba que el camino está despejado.) ¡Bien! No hay ningún ciudadano cerca del palacio. [100] Sal paso a paso por esta vieja escalerilla de cedro. (ANTÍGONA *empieza a aparecer por la escalerilla. El* PEDAGOGO *le señala la vista que se extiende ante ellos.)* Observa la llanura y ahí, a lo largo de las aguas del Ismeno y del manantial Dirce[7], qué enorme es el contingente de tropas enemigas.

ANTÍGONA.—*Dale, pues, dale tu anciana mano a ésta mía, más joven, y haz subir mis pasos hasta ahí arriba por la escalerilla.*

PEDAGOGO.—*(Le tiende la mano.)* ¡Velay! ¡Agárrala, niña! Has llegado justo en el momento oportuno, pues has coincidido con los movimientos de tropas del ejército pelásgico[8]. Están tomando posiciones separando unos de otros sus batallones.

ANTÍGONA.—*(Ya ha aparecido del todo.)* ¡Oh, venerable hija [110] de Leto, Hécate![9]. ¡Toda la llanura lanza destellos de bronce!

PEDAGOGO.—Lo cierto es que no ha venido Polinices a su país sin pertrecharse convenientemente, sino con el estruendo de innúmeros caballos y miles de armas.

ANTÍGONA.—*¿Estarán asegurados los cerrojos de las puertas? ¿Estarán bien ensambladas las barras de bronce en la pétrea estructura de la muralla de Anfión?[10].*

PEDAGOGO.—Tranquila. El interior de la ciudad está bien asegurado. *(Señalando a un jefe argivo.)* ¡Eh! Fíjate primero en ése, si quieres enterarte.

ANTÍGONA.—*¿Quién es ese hombre del penacho blanco, [120] que va abriendo camino delante del ejército, embrazando con ligereza un escudo hecho todo de bronce?*

PEDAGOGO.—Un jefe de batallón, señora.

---

[7] El Ismeno y el Dirce son ríos que fluyen junto a Tebas. Se mencionarán repetidamente a lo largo de la pieza.

[8] Argivo.

[9] Ártemis, en realidad, a quien se identifica en este pasaje con Hécate.

[10] Anfión es hijo de Zeus y de Antíope, y hermano gemelo de Zeto. Su madre Antíope fue prisionera de su tío Lico mientras Dirce, esposa de éste, celosa de su belleza la trataba como a una esclava. Sus hijos, cuando lo descubrieron, la vengaron matando a Lico y a Dirce, con lo que ellos pasaron a reinar sobre Tebas. Ellos rodearon la ciudad de murallas.

ANTÍGONA.—*¿Quién es? ¿De dónde procede? Dime, anciano, cómo se llama.*

PEDAGOGO.—De ése dicen que es de origen miceneo, pero vive donde las pantanosas aguas de Lerna. Es el soberano Hipomedonte[11].

ANTÍGONA.—*¡Huy, huy! ¡Qué arrogante! ¡Qué miedo da verle! ¡Es idéntico a como pintan a los gigantes nacidos de la tierra! [130] ¡Cómo brilla! No parece de raza humana!*

PEDAGOGO.—¿Y no ves a aquél que está atravesando las aguas de Dirce?

ANTÍGONA.—*Su armadura es de otra clase. ¿Quién es ése?*

PEDAGOGO.—Ése es Tideo[12], el hijo de Eneo, y lleva en su pecho el Ares Etolo.

ANTÍGONA.—*¿Ése es, anciano, el hombre que está casado con una hermana de la mujer de Polinices? ¡Qué colorido más extraño le confieren esas armas! ¡Parece mitad griego, mitad bárbaro!*

PEDAGOGO.—Sí, pues todos los etolios llevan escudo grande, hija, [140] y son los hombres de mejor puntería en el lanzamiento de jabalina.

ANTÍGONA.—*Y tú, anciano, ¿cómo es que estás tan bien enterado de todo esto?*

PEDAGOGO.—He llegado a saberlo porque he visto las divisas de sus escudos cuando fui a llevarle a tu hermano la propuesta del salvoconducto[13]. Por eso, al volver a verlas, sé quiénes son los hombres armados.

---

[11] Cfr. *Las Suplicantes*, versos 881-887: «Por su parte, el tercero de éstos, Hipomedonte, era de esta naturaleza que ahora te voy a contar. Cuando era sólo un niño, tuvo el valor de no volcarse con todo su empeño hacia los placeres de las musas, a la vida muelle, sino que, viviendo en el campo y endureciendo su naturaleza, disfrutaba con la virilidad. Y cuando iba de caza, disfrutaba de los caballos y tensaba el arco con sus dos manos, porque quería ofrecer a la ciudad un cuerpo sano y robusto.»

[12] Cfr. *Las Suplicantes*, versos 901-908: «De Tideo haré un elogio en breves palabras, mas no por ello menos importante: por sus palabras no era un personaje brillante, pero con el escudo era un maestro formidable a la hora de trazar numerosos planes inteligentes. Inferior a su hermano Meleagro en sabiduría, se procuró un nombre igual gracias al arte de la guerra, al idear una ciencia perfecta con el escudo. De carácter muy ambicioso, su orgullo estaba a la par que sus hechos, no de sus palabras.»

[13] Cfr. versos 95-98: «Como yo lo he visto con detalle, te voy a contar todo lo que vi y oí de los argivos, cuando fui a llevar la propuesta del salvo

ANTÍGONA.—*¿Y quién es ése de ahí que está rodeando la tumba de Zeto*[14], *con la melena suelta, ese hombre de aspecto joven y de fiera mirada? Debe ser un jefe de batallón, a juzgar por la muchedumbre de tropa armada que va caminando detrás de él.*

PEDAGOGO.—[150] Ése es Partenopeo, del linaje de Atalanta[15].

ANTÍGONA.—*¡Pues que Ártemis, que los montes recorre en compañía de su madre, alcance con sus flechas y haga perecer a ese hombre que se encamina contra mi ciudad con intención de devastarla!*

PEDAGOGO.—¡Así sea, hija! No obstante, han venido a esta tierra con la justicia de su parte, y temo, asimismo, por esa razón, que los dioses lo consideren correcto.

ANTÍGONA.—*Pero, ¿dónde está el hombre que nació de mi misma madre, con un destino colmado de fatigas? Ay, queridísimo anciano, dime, ¿dónde está Polinices?*

PEDAGOGO.—*(Señalando a lo lejos.)* Allí, cerca de la tumba de las siete hijas de Níobe[16]. [160] Está junto a Adrasto. ¿Lo ves?

ANTÍGONA.—Lo veo, sí, no con claridad, pero veo una silueta y un tórax que más o menos se le parecen.

¡Ojalá pudiese correr con mis pies veloz como una nube a través del éter en dirección a mi hermano, pobre de él, exiliado tanto tiempo, y echarme alrededor de su amadísimo cuello con mis brazos! ¡Cómo se distingue entre todos con sus armas de oro, anciano, llameante como los rayos del sol al amanecer!

---

conducto a tu hermano, primero de aquí a allá, y luego de allá hacia aquí de su parte.»

[14] Zeto, el hermano gemelo de Anfión, mencionado poco antes. Ambos hermanos reinaron sobre Tebas y edificaron sus murallas.

[15] Cfr. *Las Suplicantes,* versos 888-900: «Y ese otro, el hijo de la cazadora Atalante, el joven Partenopeo, de aspecto el más guapo y sobresaliente, era arcadio, pero, como vino a las corrientes del Inaco, fue educado en Argos. Mientras se estuvo criando allí, según deben los extranjeros metecos, no fue molesto ni motivo de envidia para la ciudad, ni un testarudo agitador de disputas (por lo que incómodo en sumo grado sería tanto un ciudadano como un extranjero). Durante su incorporación a filas, defendía el territorio como si hubiese nacido en Argos y, cuando a la ciudad le iba bien, se alegraba, mas, si algo marchaba mal, lo soportaba con pena. Aunque podía disponer de muchos amantes y de cuantas mujeres desease, procuraba no cometer ninguna falta.»

[16] Níobe es hija de Tántalo y forma parte del cuadro de las heroínas tebanas por su matrimonio con el ya citado Anfión.

PEDAGOGO.—[170] Vendrá a este palacio bajo la protección de un salvoconducto, de modo que te colmes de alegría.

ANTÍGONA.—*¿Y quién es ése de ahí, anciano, que va subido a un carro blanco y lleva sus riendas?*

PEDAGOGO.—Ése de ahí, señora, es el adivino Anfiarao. A su lado están las víctimas sacrificiales, ríos de sangre que la tierra desea.

ANTÍGONA.—*¡Oh, hija de Helio de brillante aureola, Selene, resplandor de dorado contorno! ¡Con qué tranquilidad y qué temple arrea con el aguijón a los caballos para conducirlos derechamente!*[17]. *¿Y dónde está el hombre que contra esta ciudad dirige terribles insultos y bravatas?*

PEDAGOGO.—[180] ¿Capaneo? Está buscando el modo de escalar las torres midiendo las murallas de arriba abajo[18].

ANTÍGONA.—*¡Oh, Némesis! ¡Truenos de Zeus, que graves retumban! ¡Centelleante luz del rayo! ¡Tú, en verdad, sumes en profundo sueño las palabras subidas de tono por encima de toda medida hasta sofocarlas! ¡Éste es el que tiene intención de entregar las tebanas cautivas con su lanza a Micenas, reduciéndolas a la esclavitud, y a Lerna, donde Posidón con su tridente obsequió a Amímone con sus aguas! [190] ¡Que jamás, jamás haya de sufrir yo esta servidumbre, oh Ártemis, oh augusta, retoño de Zeus, de dorados bucles!*

PEDAGOGO.—Hija, entra en casa y aguarda bajo sus techos, en las estancias de las doncellas, en tus aposentos, pues ya has obtenido el placer de ver lo que deseabas. Como la confusión se ha apoderado de la ciudad, una muchedumbre de mujeres está encaminándose al palacio real. La naturaleza de las mujeres es muy propensa a criticar y, a nada que encuentren el más mínimo pretexto para ponerse a charlar, [200] de un tema pasan a otro sin dejar de aumen-

---

[17] Anfiarao es el único que se oponía a la expedición argiva contra Tebas. Aquí aparece además bien caracterizado por un temple sereno y moderado, que intensifica aún más, si cabe, la desmesura e incontinencia del individuo que se menciona a continuación, Capaneo.

[18] Cfr. *Las Suplicantes*, versos 496-499: «¿Acaso, pues, no fue justo que, fulminado por un rayo, ardiese hasta quedar reducido a cenizas el cuerpo de Capaneo que, lanzándose con una escala contra las puertas, juraba que iba a asolar la ciudad, tanto si lo querían los dioses como si no?»

tarlo. Para las mujeres es un placer el no decir nada bueno las unas de las otras[19].

> (ANTÍGONA *y el* PEDAGOGO *se retiran de la terraza y entran en el palacio. Tal como se acaba de decir, entra en la escena un grupo de mujeres. Es el* CORO DE MUJERES FENICIAS.)

CORO.
Estrofa 1.ª.

He dejado atrás la costa tiria y he venido, lejos de la isla fenicia, como primicia dedicada a Loxias, para ser esclava en el templo de Febo, allí donde él habita, al pie de las gargantas nevadas del Parnaso[20]*. A lo largo del mar jonio he navegado a golpe de remo, [210] por las estériles llanuras marinas que rodean Sicilia, gracias al Céfiro que galopa por el cielo cuando sopla, el más hermoso rumor.*

Antístrofa 1.ª.

Me han escogido en mi ciudad como la más bella ofrenda que puede dedicarse a Loxias y he venido al país de los cadmeos[21]*, ilustres descendientes de Agenor*[22]*, de mi mismo linaje, aquí enviada, a las torres de Layo. [220] Me he convertido en sierva de Febo, idén-*

---

[19] En las tragedias de Eurípides, las mujeres muestran en algunas ocasiones un gran recato a la hora de hablar ante los hombres. Así es, por ejemplo, en *Las Suplicantes,* 40-41 y 293-300; *Electra,* 900; *Heracles,* 279, y *Las Troyanas,* 654. En este pasaje, sin embargo, se pone de relieve su afición al chismorreo y a hablar mal unas de otras, cuando charlan entre ellas. Afirmaciones de este tipo puede que contribuyesen a forjar la imagen de un Eurípides misógino y enemigo de las mujeres. Así se justificaría la trama de la comedia de Aristófanes *Las Tesmoforiantes,* donde todas las mujeres se conjuran para dar muerte a Eurípides. Cfr. Aristófanes, *Las Tesmoforiantes,* 384-388: *(Habla una mujer.)* «Hace ya mucho tiempo que soporto con pesar, pobrecita de mí, el ver cómo nos arrastra por el fango el Eurípides ese, el hijo de la verdulera, y cómo cuenta de nosotras todo tipo de maldades sin número.» No obstante, la realidad es más compleja y no se ajusta a este tópico.
[20] Se dirigen, pues, al santuario de Apolo en Delfos. Éste es el escenario, por ejemplo, de la tragedia *Ión,* en el segundo volumen de esta serie. Loxias y Febo son diversas formas de llamar a Apolo.
[21] El país de los cadmeos es Tebas, por cuanto Cadmo es el fundador mítico de la ciudad.
[22] Cfr. *Las Bacantes,* versos 170-172: «Llama a Cadmo para que salga del palacio, al hijo de Agenor que dejó la ciudad de Sidón y fortificó con torres esta ciudadela de Tebas.»

tica a sus estatuas trabajadas en oro. Pero aún me aguarda el agua de Castalia²³, en la que humedeceré mi melena, orgullo de una doncella, cuando desempeñe mis funciones de sierva de Febo²⁴.

Epodo.
¡Oh, roca que resplandeces con dos picos bajo la luz llameante del fuego sobre las elevadas cimas, en los cortejos báquicos de Dioniso! ¡Cepa que a diario [230] destilas gota a gota el fecundo fruto de la vid florida! ¡Divinísimas grutas del dragón!²⁵. ¡Atalayas montañosas de los dioses! ¡Sagrada montaña revestida de nieve! ¡Ojalá llegue a ser el coro que da vueltas en torno al inmortal²⁶ dios, ajena al miedo, tras dejar el Dirce, en el templo de Febo, ombligo de la tierra!²⁷.

---

²³ Manantial de las Musas en el monte Parnaso, cerca del santuario de Apolo. Cfr. *Ifigenia entre los Tauros*, versos 1252-1257: «Tu pie plantaste *(sc.* Apolo) sobre los muy divinos oráculos y en el trípode de oro ahora te sientas, en trono que no miente, administrando entre los mortales oráculos determinados por los dioses al pie del sagrario, vecino a las corrientes de Castalia, ocupando una morada que es el centro de la tierra.» Cfr. también *Ión*, versos 94-101: «¡Ea! Sirvientes delfios de Febo, encaminaos a los argénteos remolinos de Castalia y, después de lavaros con las gotas de su puro rocío, enfilad vuestro camino hacia el templo. Guardad pío silencio con lengua de buen agüero. Buenas palabras a quienes quieren consultar el oráculo mostrad en vuestras bocas.»

²⁴ Sobre la satisfacción de estas funciones, cfr. las palabras de Ión, al servicio de Apolo en su santuario, en la tragedia que recibe su nombre: *Ión*, versos 128-135: «¡Bien hermosa es la labor, Febo, que a tu servicio delante de tu templo yo desempeño, honrando esta sede oracular! ¡Noble labor para mí, tener mano consagrada a los dioses, no a los mortales sino a los inmortales! ¡De esforzarme en pías labores yo no me canso!»

²⁵ Cfr. *Ifigenia entre los Tauros*, versos 1234-1252: «¡Oh bien nacido hijo de Leto, al que antaño en los fértiles valles de Delos dio a luz! Rubios son sus cabellos, diestro con la cítara, radiante de alegría por la certera puntería de sus flechas. Su madre lo llevó lejos del acantilado marino, cuando atrás dejó el ilustre lugar en el que lo había alumbrado, adonde las corrientes de agua manan sin cesar, a la cumbre del Parnaso que con Dioniso furor comparte. En ese lugar, una serpiente de lomos moteados color de vino, cubierta con escamas de umbrío laurel de tupido follaje, portento monstruoso de la tierra, custodiaba el oráculo del lugar. Todavía recién nacido, cuando aún te abalanzabas sobre los brazos de tu querida madre, le diste muerte, Febo.»

²⁶ Lectura de los manuscritos.

²⁷ El 'ombligo central' lo llama en el verso 5 de la tragedia *Ión*. Delfos era considerado el ombligo del mundo y en el templo que allí había, donde se desarrolla la acción de la mencionada tragedia, había efectivamente un ombligo de piedra. Al comienzo de la tragedia *Las Euménides*, de Esquilo, se traza una breve historia del oráculo de Delfos, que era el más famoso de Grecia.

Estrofa 2.ª.

Mas ahora, ante estos muros, [240] impetuoso ha venido Ares e inflama la sangre como llama que todo lo abrasa —¡que no tenga éxito!— para acabar con esta ciudad. No, pues el dolor de los seres queridos nos es común, común, si alguna desgracia llegase a padecer esta tierra de las siete puertas, con nuestro país de Fenicia. ¡Huy, huy! ¡Sangre común, hijos comunes nacieron de la cornígera Ío, cuyas fatigas yo comparto con ellos!

Antístrofa 2.ª.

[250] De la ciudad en rededor una nube de escudos extiende compacta su fulgor, imagen de una batalla cruenta, que Ares al punto va a estar contemplando, cargando sobre los hijos de Edipo la maldición de las Erinias[28]. ¡Oh, pelásgico Argos! ¡Temo tu potencial ofensivo y la intervención divina! La verdad es que no se lanza armado a este combate sin rectos motivos el hijo [260] que aspira a recuperar su casa.

(POLINICES *entra en la escena por un lateral. Viene con la garantía del salvoconducto para negociar con su hermano, como se ha dicho antes. No obstante, recela y no baja la guardia.*)

POLINICES.—Al venir, cerrojos y porteros me han recibido con facilidad dentro de los muros. Lo que temo es que me apresen dentro de sus redes y que no me dejen salir sin teñir mi cuerpo de sangre. Por eso mismo hay que recorrer con la mirada todos los rincones, aquí y allá, no sea que haya alguna trampa. *(Desenfunda su espada.)* Empuñaré en mi mano esta espada y me armaré de valor confiando en mí mismo.

---

[28] Personificación, en este caso, de la maldición paterna. En general, las Erinias son unas divinidades violentas y vengadoras, especialmente de los crímenes familiares, como protectoras del orden social. Tienen un importante papel en la pieza *Orestes*, en este mismo volumen, en cruel persecución acosando a Orestes, quien asesinó a su madre Clitemestra, que a su vez había dado muerte a su marido Agamenón. De esta manera, Orestes quería vengar la muerte de su padre descargando la venganza sobre su madre.

(Cree oír un ruido.) ¡Eh! ¿Quién anda ahí? ¿Es que me estoy amedrentando por un ruido? [270] La verdad es que a los audaces todo les parece que ofrece un aspecto inquietante, cuando introducen sus pies por territorio enemigo. En fin, confío y no confío, al mismo tiempo, en mi madre, que es quien me ha convencido para acudir aquí bajo la protección de un salvoconducto. Pero tengo cerca un recurso para defenderme del peligro, pues el fuego del altar se encuentra ahí al lado, y el palacio no está desierto. A ver, que envaine la espada en la oscuridad de su funda y les pregunte a estas mujeres quiénes son y qué hacen paradas junto al palacio. *(Al* CORO.*)* Extranjeras, decidme, ¿de qué país heleno habéis venido hasta estas moradas?

CORIFEO.—[280] Fenicia es la tierra patria que me ha criado y los hijos de los hijos de Agenor me han enviado aquí como primicia ganada con las armas en honor de Febo. Pero, cuando el ilustre hijo de Edipo se disponía a enviarme a la augusta sede del oráculo de Febo y a sus aras, entonces los argivos lanzaron sus ejércitos contra la ciudad. Y tú, a su vez, dime a mí quién eres y por qué has venido al baluarte amurallado de las siete puertas del país tebano.

POLINICES.—Mi padre es Edipo, el hijo de Layo, y me parió Yocasta, la hija de Meneceo. [290] El pueblo de Tebas me llama Polinices.

CORIFEO.—*¡Oh, pariente de los hijos de Agenor, mis soberanos, por quienes he salido de mi patria! Ante ti caigo postrándome de rodillas, mi señor, observando las costumbres de mi país. ¡Por fin has venido a tu tierra patria! (Llamando a gritos a* YOCASTA.*) ¡Eh, eh, señora! ¡Ven aquí, ante el palacio, abre las puertas! ¿Me estás oyendo tú, la madre de este hombre? ¿Por qué tardas en cruzar la casa [300] para tomar a tu hijo entre tus brazos?*

*(*YOCASTA *sale del palacio, respondiendo a las voces de las mujeres del* CORO.*)*

YOCASTA.—*Al oír este griterío fenicio, jóvenes mujeres, aquí vengo arrastrando mis ancianos pies con pasos temblorosos.*

(Ve a su hijo.) ¡Oh, hijo! ¡Al fin, después de incontables días, vuelvo a contemplar tu rostro! ¡Rodea con tus brazos el pecho de tu

madre! ¡Tiéndeme tus mejillas! ¡Que los morenos rizos de tu espesa melena den sombra a mi cuello! [310] ¡Ay, ay! ¡Ha costado que te dejases ver, contra toda previsión y esperanza, entre los brazos de tu madre! ¿Qué diré de ti? ¿Cómo voy a alcanzar por completo con mis manos y mis voces el placer de danzar dando vueltas y más vueltas, bailando a tu alrededor de aquí para allá? ¿Cómo voy a alcanzar el gozo de las antiguas alegrías? ¡Ay, hijo! ¡Dejaste desierta la casa de tu padre! ¡Marchaste al exilio por el ultraje de tu hermano! [320] ¡Tus seres queridos te echábamos mucho de menos! ¡Tebas te echaba mucho de menos! Por eso llevo rapadas mis canas[29]*, ofreciendo llorosa mi melena al luto, y ya no me visto con ropas blancas, sino que las he cambiado por estos sombríos andrajos negros.*

Y el anciano que permanece dentro de casa privado de sus ojos[30]*, después de ver desunirse del yugo familiar a los dos hermanos del mismo pelaje, [330] viene soportando una constante añoranza colmada de lágrimas. Ha tratado de quitarse él mismo la vida saltando sobre una espada y colgándose del techo con una soga, sin dejar de lamentarse por las maldiciones que pronunció contra sus hijos*[31]*. En medio de constantes gritos y 'ayes' de dolor, permanece escondido entre tinieblas.*

Y tú, hijo, he oído decir que ya te has uncido al yugo del matrimonio, que disfrutas del placer de tener hijos en casa extranjera [340] y que, por medio de tu matrimonio, has llegado a un acuerdo político con esos extranjeros[32]*. ¡Esto es algo que ni tu madre ni*

---

[29] En señal de luto. Idénticas muestras de dolor podemos encontrarlas, en este mismo volumen, en *Helena*, 372-74, 1054, 1089, 1124; *Las Fenicias*, 1350, 1524-5; *Orestes*, 96, 458, 961-63, 1467; *Ifigenia en Áulide*, 1437.

[30] Cfr. versos 59-62: «Pero al enterarse Edipo, que ha soportado el peso de tantos padecimientos, de que se había casado y acostado con su propia madre, carga contra sus propios ojos un horrendo crimen y tiñe de sangre sus pupilas con unos pasadores de oro.»

[31] Cfr. versos 63-68: «Cuando la sombra de la barba fue cubriendo las mejillas de mis hijos, éstos mantuvieron oculto a su padre bajo llave, a fin de que quedase en el olvido un azar que requería andarse con tantas sutilezas para poder explicarlo, así que él continúa vivo dentro del palacio. Y como sigue sufriendo a causa de este azar, lanza las más sacrílegas maldiciones contra sus hijos, a saber, que se repartirán esta casa por medio del afilado hierro.»

[32] Cfr. versos 77-78: «Entonces éste va a Argos, se casa con la hija de Adrasto, reúne una multitud enorme de tropas armadas argivas y se pone al frente

el viejo Layo podrán jamás olvidar y perdonarte! ¡Esta boda[33] *ex-*
tranjera es una calamidad!

Ni siquiera encendí yo en tu honor la luz de la antorcha ritual
de las bodas, como cuadra a una madre dichosa[34]. *Y el Ismeno ce-*
lebró esa unión sin cantos de boda y sin aportar el baño nupcial[35],
y a lo largo y ancho de la ciudad de Tebas la entrada de tu novia
en tu hogar fue recibida con silencio[36].

[350] ¡Ojalá perezca el causante de todo, sea el hierro, la discor-
dia, tu padre, o las fuerzas divinas que han irrumpido caótica-
mente en la morada de Edipo! Pues sobre mí cae el dolor por tan-
tas calamidades.

CORIFEO.—Engendrar hijos entre agudos dolores es algo portentoso que honra a las mujeres[37], y todo el género femenino quiere, de un modo u otro, a sus hijos.

POLINICES.—Madre, soy sensato y no lo soy, por haber venido a la casa de mis enemigos, pero, por fuerza, todo hombre ama a su patria, y el que diga otra cosa, [360] se divier-
te con sus palabras mas en ella tiene puesta su mente. Tan
asustado estaba y tal miedo me entró, no fuese que algún

---

de ellas.» Cfr. también *Las Suplicantes,* versos 133-138: «TESEO.—¿Y con quiénes de entre los argivos casaste a tus hijas? ADRASTO.—No las uní en matrimonio con maridos nacidos en mi propia patria. TESEO.—Entonces, ¿casaste
a tus hijas argivas con forasteros? ADRASTO.—Sí, con Tideo y con Polinices,
que en Tebas nació. TESEO.—¿Por qué llegaste a desear esta unión? ADRAS-
TO.—Me lo insinuó, con dudosas intenciones, un oráculo de Apolo, difícil de
interpretar.»

[33] Lectura de los manuscritos.

[34] Como dicen los escolios, «la costumbre era que la madre del hombre
que contraía matrimonio hiciese entrar a la novia con antorchas».

[35] Uno de los ritos fundamentales del matrimonio consistía en el baño de
la novia, con vistas a su purificación, pero el novio, a su vez, también debía
bañarse.

[36] En claro contraste a otras celebraciones nupciales, como la que nos cuenta Evadna con su marido Capaneo en la tragedia *Las Suplicantes,* versos 900-
999: «¡Con qué brillo y qué resplandor conducían en otro tiempo su carro a
lo largo y ancho del éter el sol y la luna, cuando las doncellas llevaban, como
quien velozmente cabalga, las teas a través de la nocturna oscuridad, cuando
la ciudad de Argos cantos por la felicidad de mis bodas y por mi esposo Capaneo, el de broncínea armadura, componía tan altivos como torres.» Las bodas de Polinices no fueron celebradas de este modo en su patria Tebas.

[37] Seguimos la interpretación que del texto ofrecen los escolios. En el original se define dicho acto con el calificativo *deinón.*

engaño de parte de mi hermano me condujese a la muerte, que empuñé en mi mano la espada y atravesé la ciudad sin dejar de mirar a mi alrededor. Una única cosa me está ayudando: la tregua y la confianza depositada en ti, que me ha llevado dentro de los muros patrios.

He derramado muchas lágrimas mientras venía, al ver, después de tanto tiempo, las vigas de mi casa, los altares de los dioses, los gimnasios en los que he crecido entrenándome, y el agua de Dirce. He sido injustamente apartado de todo esto y ahora habito una ciudad extranjera, [370] y de mis ojos mana una fuente de lágrimas. Y ahora, dolor tras dolor, te miro de nuevo y veo que llevas la cabeza rapada y unos vestidos negros. ¡Ay de mí! ¡Qué desgracias las mías! ¡Qué terrible es el odio, madre, entre los parientes de una misma familia! ¡Qué difícil llegar a una reconciliación!

¿Y qué hace, pues, mi anciano padre dentro del palacio, contemplando tinieblas? ¿Y mis dos hermanas? ¿Acaso, quizá, se lamentan, desdichadas, por mi exilio?

YOCASTA.—Algún dios está arruinando de mala manera la estirpe de Edipo. [380] Así, pues, dio comienzo a todo: que yo fuese madre en contra de lo debido, que me casase en mala hora con tu padre y que tú nacieses. Pero, ¿a qué viene esto? Hay que soportar la voluntad de los dioses.

Ahora temo cómo preguntarte lo que quiero, no sea que hiera tu sensibilidad, pero me invade un fuerte deseo.

POLINICES.—Pues pregunta, no te dejes nada de nada, pues lo que tú quieres, madre, también lo quiero yo.

YOCASTA.—Pues entonces te voy a preguntar lo primero que deseo saber. ¿Qué es el verse privado de la patria? ¿Es que es un gran mal?

POLINICES.—¡El mayor! Y de hecho es peor que de palabra.

YOCASTA.—[390] ¿Cómo es eso? ¿Qué dificultades atraviesa el exiliado?

POLINICES.—Sólo una es verdaderamente vital: no tiene libertad de expresión[38].

---

[38] Cfr. *Ión*, versos 673-675: «Cuando un extranjero se deja caer en una ciudad libre de mestizaje, aunque sea ciudadano de palabra tiene boca de esclavo y no tiene derecho a la libertad de expresión.»

YOCASTA.—¡De un esclavo es propio eso que has dicho, no decir lo que piensa!

POLINICES.—Hay que plegarse a la estupidez de los que tienen el poder.

YOCASTA.—Eso es penoso, sumarse a las tonterías de los tontos.

POLINICES.—Pero, al margen de lo que uno sea, hay que someterse a la esclavitud con vistas al propio interés.

YOCASTA.—Sí, pero las esperanzas alimentan a los exiliados, según dicen.

POLINICES.—Miran, sí, con buenos ojos, pero nunca acaban de verse cumplidas.

YOCASTA.—¿Y ni siquiera el tiempo transcurrido hace ver lo vanas que son?

POLINICES.—Encierran una cierta fascinación que suaviza los males.

YOCASTA.—[400] ¿Y de dónde obtenías tu alimento, antes de encontrar con tu matrimonio medios de vida?

POLINICES.—Unos días obtenía algo, y otros no.

YOCASTA.—¿Y los amigos y huéspedes de tu padre no te iban ayudando?

POLINICES.—Que te vaya bien, pues los amigos nada son si te falla la fortuna[39].

YOCASTA.—¿Ni siquiera la nobleza de tu familia te elevó a una gran altura?

POLINICES.—Ser un desposeído es malo. No me alimentaba mi linaje.

YOCASTA.—La patria, según parece, es lo más amado para los mortales.

POLINICES.—No podría expresar con palabras cuán amada es.

YOCASTA.—¿Cómo llegaste a Argos? ¿Qué era lo que pretendías?

---

[39] Cfr. *Electra*, 235-236: «ELECTRA.—¿No será que carece de los medios de vida para cada día? ORESTES.—Los tiene, sí, pero, como es bien sabido, el hombre desterrado no anda sobrado de recursos». *Heracles* 558-561: «HERACLES.—¿Tan escaso andaba de amigos al estar yo ausente? MÉGARA.—Sí. ¿Qué amigos tiene un hombre desafortunado? HERACLES.—Las batallas que mantuve con gran esfuerzo y valor contra los minias, ¿las han despreciado? MÉGARA.—Sin amigos, vuelvo a decírtelo, se encuentran los desafortunados.»

POLINICES.—Loxias le vaticinó a Adrasto cierto oráculo.

YOCASTA.—[410] ¿Qué clase de oráculo? ¿Qué has querido decir con eso? No puedo entenderlo.

POLINICES.—Que uniría a sus hijas en matrimonio con un león y un jabalí[40].

YOCASTA.—¿Y qué tienen que ver contigo, hijo, esas fieras?[41].

POLINICES.—No lo sé. El azar divino me llamó a ese destino.

YOCASTA.—Sabia es, en verdad, la divinidad. ¿Y de qué modo contrajiste matrimonio?

POLINICES.—Era de noche, y me dirigí al pórtico de Adrasto.

YOCASTA.—¿Tratabas de buscar un lugar para dormir, como un exiliado errante?

POLINICES.—Sí, eso es. Y luego vino a su vez otro exiliado.

YOCASTA.—¿Quién era ese individuo? Sin lugar a dudas, también él era un pobre hombre.

POLINICES.—Tideo, el que dicen que es hijo de Eneo.

YOCASTA.—[420] ¿Por qué, entonces, Adrasto os comparó a unas fieras?

POLINICES.—Porque nos enzarzamos en una pelea por culpa de la cama.

YOCASTA.—¿Entonces el hijo de Tálao se percató del significado del oráculo?

POLINICES.—Sí, y nos entregó sus dos jóvenes hijas a nosotros dos.

YOCASTA.—Entonces, ¿eres feliz o infeliz en tu matrimonio?

POLINICES.—Hasta el día de hoy no tengo queja alguna de mi boda.

---

[40] Cfr. para este pasaje, *Las Suplicantes*, 135-146: «TESEO.—Entonces, ¿casaste a tus hijas argivas con forasteros? ADRASTO.—Sí, con Tideo y con Polinices, que en Tebas nació. TESEO.—¿Por qué llegaste a desear esta unión? ADRASTO.—Me lo insinuó, con dudosas intenciones, un oráculo de Apolo, difícil de interpretar. TESEO.—Pues, ¿qué dijo Apolo al decretar las bodas de tus hijas? ADRASTO.—Que entregase mis dos hijas a un jabalí y a un león. TESEO.—Y tú, ¿cómo interpretaste las palabras del oráculo del dios? ADRASTO.—Dos fugitivos vinieron una noche a mi puerta. TESEO.—¿Quién es cada uno? Pues me estás hablando de dos al mismo tiempo. ADRASTO.—Tideo y Polinices. Entonces los dos trabaron combate a la vez. TESEO.—¿Es que les entregaste tus hijas como si ellos fuesen las fieras? ADRASTO.—Sí. Comparé su lucha a la de dos bestias salvajes.»

[41] Literalmente, «el nombre de las fieras».

YOCASTA.—¿Y cómo convenciste al ejército para que te siguiese hasta aquí?

POLINICES.—Adrasto nos hizo a sus dos yernos (a Tideo y a mí, pues se casó al mismo tiempo que yo) el siguiente juramento: que a ambos nos restituiría de nuevo en la patria, y a mí el primero[42]. [430] Por eso se encuentran aquí presentes gran multitud de sobresalientes hombres dánaos y miceneos, para hacerme este favor, penoso, sí, mas de obligado cumplimiento, pues estoy dirigiendo un ejército contra mi propia ciudad. Juro por los dioses que no alzo por propia voluntad mi lanza contra mis más queridos seres, que son quienes sí lo quieren.

Bien. De ti depende la solución a estas desgracias, madre, y, reconciliando a tus dos hijos, el fin de mis fatigas, de las tuyas y de las de toda la ciudad.

Si bien es cierto que se trata de algo muy conocido y celebrado desde antiguo, con todo lo voy a decir: «Las riquezas son lo que más aprecian los mortales, [440] y lo que más poder tiene entre los hombres.» En su busca he venido yo aquí, trayendo lanzas sin número, pues, en verdad, un hombre, aun de noble linaje, no es nadie, si es pobre.

(ETEOCLES *entra por un lateral. La mujer corifeo advierte su presencia.)*

CORIFEO.— Pues he aquí, por cierto, a Eteocles[43], que viene camino de la reconciliación. Es labor tuya, Yocasta, su madre, decirles palabras a la altura de las presentes circunstancias, de modo que reconcilies a tus hijos.

ETEOCLES.—Aquí estoy, madre. Ya te he hecho el favor de venir. ¿Qué hay que hacer? Que alguien tome ya la palabra.

---

[42] La historia de Polinices ya la conocemos. En cuanto a Tideo, cfr. *Las Suplicantes,* verso 148: «Tideo andaba huido del país por un asunto de sangre familiar.»

[43] Aunque las mujeres fenicias que componen el CORO se hallan de paso en Tebas, camino del santuario de Apolo en Delfos (cfr. versos 280 ss.), conocen perfectamente a Eteocles, a juzgar por el énfasis mostrado en la combinación de partículas del original griego, usadas para indicar la entrada en escena de un personaje cuya identidad se conoce bien. Por lo demás, el empleo de estas partículas es el completamente normal y esperado en estas situaciones.

Que he suspendido las operaciones de disponer los batallones en filas de a dos alrededor de las murallas de la ciudad, para escuchar [450] el arbitraje que nos propones a ambos, gracias al cual —y porque tú me convenciste— le dejé entrar a éste *(señalando a* POLINICES) dentro de las murallas con un salvoconducto.

YOCASTA.—Ten paciencia. Con prisas —fíjate bien— no se actúa correctamente, pero con palabras sosegadas se llega a un final más juicioso. Contén esa inquietante mirada y esos aires de cólera, que no estás contemplando la cabeza decapitada de Gorgona[44], sino a tu hermano que ha venido hasta aquí. *(A* POLINICES.) Y tú, Polinices, vuelve también el rostro hacia tu hermano, pues, si os miráis cara a cara, hablarás y recibirás mejor sus palabras. [460] Quiero daros a los dos un sabio consejo: cuando un amigo enfadado con otro amigo se encuentra con él en el mismo lugar y pone sus ojos en los del otro, sólo debe tener en consideración aquello por lo que ha venido, y no acordarse de ninguno de los daños de antes.

Por consiguiente, Polinices, hijo, tú tienes primero la palabra, pues eres tú el que hasta aquí ha venido trayendo un ejército de danaidas, con motivo de haber sufrido un trato injusto, según afirmas. Que alguno de los dioses actúe de juez y reconciliador de vuestros daños.

POLINICES.—La expresión de la verdad es de naturaleza sencilla [470] y lo legítimo no necesita de complejas explicaciones, pues tiene en sí la justa medida de los hechos. El discurso injusto, en cambio, está enfermo en sí mismo y se ve necesitado de habilidosas medicinas.

Como yo velaba por la herencia paterna y quería que mi hermano y yo escapásemos a las maldiciones que Edipo pronunció contra nosotros en el pasado, me exilié volunta-

---

[44] Cfr. *Heracles*, versos 880-883: «Gemebunda ya ha montado sobre su carruaje y a los caballos aplica el aguijón como si quisiera acabar con ellos, Gorgona, hija de la Noche, entre el siseo de cien cabezas de serpiente. Locura de ojos centelleantes.» La más famosa de las tres Gorgonas era Medusa, cuyos ojos echaban chispas y su mirada era tan penetrante que el que la sufría quedaba convertido en piedra. Perseo la degolló y le entregó su terrorífica cabeza a Atenea, quien la fijó en su escudo.

riamente fuera de esta tierra, dándole a mi hermano la facultad de reinar sobre la patria por un período de un año, a condición de que yo, a mi vez, la gobernase cuando me llegase el turno, con la intención de no llegar a una situación de enemistad y malquerencia contra él [480] y padecer yo o hacerle padecer a él algún mal, como acostumbra a suceder. Y aunque él estuvo de acuerdo en esto y lo juró por los dioses, luego no cumplió nada de lo que había prometido, sino que continúa reteniendo en sus manos el poder real y mi parte de la herencia.

Incluso ahora estoy dispuesto, si se me restituyen mis derechos, a llevarme mis tropas fuera de esta tierra y vivir en mi casa durante el turno que me corresponde, y devolvérselo a éste a su vez después que haya transcurrido el mismo lapso de tiempo, y no devastar el país ni arrimar a las murallas escalerillas bien armadas para escalarlas, [490] que es lo que voy a intentar hacer si no consigo una justa rectificación. A los dioses llamo como testigos de estos hechos, a saber, que en habiendo actuado en todo conforme a la justicia, sin justicia me veo despojado de mi patria del modo más sacrílego.

He referido los hechos, madre, palabra por palabra, ordenadamente, sin ir recolectando florituras retóricas, sino con la naturalidad que tanto los hombres sabios como los normales tienen derecho a esperar, según creo yo.

CORIFEO.—También yo, aunque no he sido criada en tierra helena, creo, no obstante, que has hablado de un modo perfectamente inteligible.

ETEOCLES.—Si lo mismo fuese bueno y sabio a la vez para todos, [500] no habría entre los hombres discordia ni disparidad de opiniones. En la actualidad, sin embargo, desde la perspectiva de los mortales, ni la justicia ni la realidad se perciben del mismo modo, excepto a la hora de conferirle un nombre, pero esto no es la realidad en sí misma.

Voy a hablar, pues, madre, sin tapujos. Al orto de las estrellas, del sol, iría yo, incluso a las profundidades subterráneas de la tierra, si fuese capaz de hacerlo, con tal de retener entre mis manos a la mayor de las divinidades: la Monarquía. Por consiguiente, siendo esto, como es, algo altamente beneficioso, no estoy dispuesto a cedérselo a otro, sino a conservarlo para mi propio provecho, pues es una falta de hombría renunciar a lo que es más por recibir lo que es menos. [510] Pero, además de esto, me avergüenza que éste, por el hecho de venir aquí con armas para devastar el país, obtenga lo que quiere. Lo cierto es que esto sería motivo de reproche para Tebas, a saber, que por temor a las lanzas de Micenas yo le entregase a éste el cetro real, que ahora me pertenece, para detentarlo él. No tendría que haber tratado de reconciliarse, madre, con la amenaza de las armas. Todo, en efecto, puede la palabra llevar a término, incluso aquello que el hierro de los enemigos también es capaz de hacer. Así que, si quiere vivir en esta tierra con otras condiciones, bien puede hacerlo, pero no estoy dispuesto a ceder voluntariamente aquello otro de lo que hablábamos[45]. [520] Siéndome posible ser el rey, ¿voy a someterme algún día a su esclavitud?

Contra esto, ¡venga el fuego, venga la espada, uncid los caballos al yugo, llenad la llanura de carros de combate! Que yo no pienso cederle a este individuo el poder de mi realeza. En efecto, si —como tiene que ser— hay que obrar injustamente, en defensa de la monarquía ese injusto obrar es un acto de la mayor belleza, si bien en lo demás hay que ser piadoso.

CORIFEO.—No hay que hablar bien a propósito de actos que no son nobles, pues eso a lo que te refieres no es algo noble, sino amargo para el recto obrar.

YOCASTA.—Hijo mío, Eteocles, no todo en la vejez es malo, sino que la experiencia [530] puede hablar con más sensatez que los jóvenes. ¿Por qué te rindes a la peor de las divinidades, hijo, a la Ambición? ¡No, no, tú no! ¡Esa diosa es injusta! En muchos hogares y ciudades dichosas entró y salió para ruina de quienes habían tenido algo que ver con ella. Estás enloquecido por su influjo. Mejor es, hijo, honrar a Equidad, que establece permanentes vínculos comunes de amigos con amigos, ciudades con ciudades y aliados con aliados. La equidad, en efecto, trae estabilidad a los

---

[45] La monarquía.

hombres; en cambio lo menor siempre acaba erigiéndose en enemigo de lo mayor [540] y da comienzo a una época de hostilidades. La equidad, asimismo, dispuso entre los hombres un sistema ordenado para las medidas y unidades de peso y definió el sistema de numeración. El ojo oscuro de la noche y la luz del sol van avanzando paso a paso, cada uno en igualdad de condiciones a lo largo de su ciclo anual, y ninguno de los dos, al verse vencido, mira con envidia al otro. En consecuencia, el sol y la luna son esclavos de las medidas. ¿Entonces tú no vas a contentarte con poseer tu parte proporcional de la herencia y compartirla con éste? Y entonces, pues, ¿dónde queda la justicia?

¿Por qué tienes en tan alta estima a la monarquía, una injusticia dichosa, y crees que es algo estupendo? [550] ¿Para ser el centro de atención de las miradas rodeado de honores? *(Enérgicamente.)* ¡No! ¡Eso es pura vanidad![46]. ¿O es que quieres trabajar mucho y duro para obtener muchas posesiones en tu palacio? Pero, ¿qué es más? Sólo es un nombre, porque a los hombres templados les basta con lo necesario[47]. Los mortales no son dueños de sus riquezas como bien propio, sino que tenemos lo que los dioses nos dan para administrarlo y reponsabilizarnos de ello, y cuando

---

[46] Yocasta habla como si estuviese manteniendo un diálogo en el que le corresponde el turno de las preguntas, pero ella misma va dando también las respuestas. En este caso, objeta contra sus propias e inmediatas palabras, como si, efectivamente, mantuviese un diálogo, ficticio en realidad. En griego esto se manifiesta a través de la combinación de partículas *mén oún*. Se trata de un elemento que constituirá, más adelante, uno de los rasgos de estilo del vigoroso Demóstenes.

[47] Cfr. las sensatas palabras de Ión sobre la vanidad de la monarquía y de la riqueza, en *Ión*, versos 621-632: «El aspecto superficial de la monarquía, de la que suele hablarse sin fundamento, es dulce, pero el interior de los palacios es fuente de penas. ¿Quién, efectivamente, puede ser feliz, quién puede ser dichoso, cuando va prolongando su existencia mirando la vida con recelo y temor? Preferiría vivir como un simple ciudadano afortunado, antes que ser un monarca que se complaciese en tener como amigos a hombres de las clases bajas y que odiase a los nobles por miedo a ser asesinado. Podrías replicar que el oro vence sobradamente estas dificultades y que ser rico es una alegría. No tengo por costumbre escuchar censuras ni soportar fatigas por conservar entre mis manos la riqueza. ¡Ojalá estuviese dentro de la media para no tener disgustos!»

ellos quieren, nos lo vuelven a quitar. La riqueza no es duradera, sino efímera.

A ver, si te pregunto y te pongo delante dos respuestas, [560] a saber, si quieres seguir siendo el rey o salvar a la ciudad, ¿vas a responder que seguir siendo el rey? ¿Y si él te venciera y las lanzas argivas capturasen la fortaleza cadmea? Verás sometida esta ciudad de Tebas, y verás a muchas muchachas cautivas forzadas contra su voluntad por los guerreros enemigos. Por tanto, esa riqueza que te andas afanando por poseer va a ser una fuente de dolor para Tebas, y tú un hombre ambicioso. Esto es lo que a ti te digo.

Ahora me dirijo a ti, Polinices. Adrasto te ha liado con unos favores desatinados[48] [570] y tú, igualmente necio, has venido con intenciones de devastar nuestra ciudad. A ver, si logras conquistar esta tierra —¡que no ocurra jamás!— ¿cómo, por los dioses, vas a erigirle trofeos a Zeus? ¿Cómo vas a iniciar los sacrificios por haber conquistado tu patria? ¿Qué inscripción vas a hacer grabar en los despojos capturados a las orillas del Inaco? «En habiendo incendiado esta ciudad de Tebas, Polinices a los dioses ofreció estos escudos.» ¡Jamás, hijo, te llegue a suceder recibir entre los griegos semejante gloria!

Pero, en caso contrario, si resultas vencido y las fuerzas de tu hermano os superan, ¿cómo vas a regresar a Argos habiendo dejado atrás miles de cadáveres? [580] Pues, entonces, sin lugar a dudas, alguien dirá: «¡Oh, funestos esponsales celebró Adrasto! ¡Estamos perdidos por el matrimonio de una sola novia!»

---

[48] En la tragedia *Las Suplicantes,* no obstante, son los jóvenes los que convencen al soberano Adrasto para iniciar la funesta expedición. Cfr. *Las Suplicantes,* versos 232-237: «Te dejaste arrastrar *(sc.* Adrasto) por unos jóvenes *(sc.* Tideo y Polinices) que se complacen con los honores, que multiplican las guerras desprovistas de justa causa, aunque provoquen la muerte de sus ciudadanos. Uno, con vistas a comandar ejércitos y porque al sentir el poder en sus manos se cree con derecho a ser insolente; otro, por afición a sus beneficios, y ninguna preocupación por la multitud y el daño que pueda sufrir con estas acciones.» Cfr. también *Las Suplicantes,* versos 131-132: «Teseo.—¿Y por qué lanzaste siete batallones contra Tebas? Adrasto.—Para hacer este favor a mis dos yernos.»

Te estás buscando con todas tus fuerzas, hijo, dos desgracias: quedarte sin los unos o caer muerto en medio de los otros.

¡Renunciad los dos a los excesos, renunciad a ellos! La estupidez de dos hombres, cuando ambos coinciden en la misma necedad, es el más aborrecible de los males.

CORIFEO.—¡Oh, dioses, alejad estos males y permitid que los hijos de Edipo caminen reconciliados por la misma senda!

ETEOCLES.—Madre, a estas alturas no es éste un certamen de discursos[49], sino que vamos a perder entretanto el tiempo en vano. Tu buena disposición no conduce a nada, [590] pues no podríamos reconciliarnos de otro modo que como ya ha quedado dicho antes: si sigo siendo yo el soberano de esta tierra conservando el cetro en mi poder. Déjame ya en paz con tus prolijas advertencias. (A POLINICES.) Y tú vete fuera de estas murallas, o vas a ser hombre muerto.

POLINICES.—¿A manos de quién? ¿Quién es tan invulnerable como para herirme de muerte con su espada y no recibir a su vez la misma suerte?[50].

ETEOCLES.—Cerca se encuentra, no lejos. ¿Ves mis manos?

POLINICES.—Sí, ya las estoy viendo, pero la riqueza es un mal cobarde y aferrado a la vida.

ETEOCLES.—¿Y has venido entonces acompañado de una multitud a presentar batalla a un don nadie?

POLINICES.—Es mejor ser un general precavido que confiado.

ETEOCLES.—[600] Te estás comportando como un fanfarrón, confiado en el salvoconducto que te guarda del peligro de morir.

POLINICES.—Y a ti. Por segunda vez te reclamo que me devuelvas el cetro y mi parte del país.

ETEOCLES.—No cedo a tus reclamaciones. Voy a seguir viviendo en mi casa.

POLINICES.—¿Siendo dueño y señor de más de lo que te corresponde?

---

[49] Cfr., sin embargo, sus anteriores palabras: versos 516-517: «Todo, en efecto, puede la palabra llevar a término, incluso aquello que el hierro de los enemigos también es capaz de hacer.»

[50] Funesto presagio de lo que justamente acabará ocurriendo.

ETEOCLES.—Sí. ¡Márchate del país!

POLINICES.—¡Oh, aras de los dioses patrios!

ETEOCLES.—Que tú vienes a arruinar.

POLINICES.—¡Escuchadme!

ETEOCLES.—Pero, ¿quién podría escucharte a ti, que has dirigido un ejército contra tu patria?

POLINICES.—¡Y moradas de los dioses de albos corceles!

ETEOCLES.—Que te aborrezcan.

POLINICES.—¡Me están desterrando de mi patria!

ETEOCLES.—La verdad es que tú también viniste a echarme a mí.

POLINICES.—¡Con injusticia, sí, oh dioses!

ETEOCLES.—Invoca a los dioses en Micenas[51], no aquí.

POLINICES.—¡Eres un hombre impío!

ETEOCLES.—Pero no, como tú, enemigo de la patria.

POLINICES.—[610] ¡Tú que me estás desterrando sin la parte que me corresponde!

ETEOCLES.—Y pienso matarte, además.

POLINICES.—¡Oh, padre! ¿Oyes lo que me está pasando?

ETEOCLES.—Sí, y también oye todo lo que estás haciendo.

POLINICES.—¿Y tú, madre?

ETEOCLES.—No te está permitido nombrar a tu madre.

POLINICES.—¡Oh, ciudad mía!

ETEOCLES.—Ve a Argos e invoca las aguas de Lerna.

POLINICES.—Ya me voy, no te preocupes. ¡Madre, gracias!

ETEOCLES.—¡Sal de esta tierra!

POLINICES.—Ya voy a salir, pero déjame ver a mi padre.

ETEOCLES.—No vas a poder hacerlo.

POLINICES.—Pues a mis jóvenes hermanas.

ETEOCLES.—Tampoco las vas a ver nunca.

POLINICES.—¡Oh, hermanas mías!

ETEOCLES.—¿Por qué las estás llamando, siendo, como eres, su peor enemigo?

POLINICES.—Pues bueno, al menos a ti, madre, puedo desearte que te vaya bien.

YOCASTA.—*(Con triste ironía sarcástica.)* ¡Motivos de gozo precisamente, sí, tengo yo, hijo!

---

51 No es infrecuente en estos textos el intercambio de Argos por Micenas.

POLINICES.—¡Yo ya no soy hijo tuyo!

YOCASTA.—¡He nacido para mucho sufrir!

POLINICES.—[620] Sí, porque éste nos está maltratando ahora.

ETEOCLES.—También yo estoy sufriendo, en respuesta, malos tratos.

POLINICES.—¿En qué lugar te vas a colocar luego, delante de las torres?

ETEOCLES.—¿Para qué me lo preguntas?

POLINICES.—Me voy a situar enfrente de ti para matarte.

ETEOCLES.—También a mí me invade ese deseo.

YOCASTA.—¡Oh, pobre de mí! ¿Qué es lo que vais a hacer, hijos míos?

POLINICES.—Los hechos mismos te lo indicarán.

YOCASTA.—¿No vais a escapar a la maldición de vuestro padre?

ETEOCLES.—¡Que la casa entera se vaya a...!

POLINICES.—¡Bien pronto mi espada va a dejar de estar inactiva, manchada con tu sangre! A la tierra que me ha criado y a los dioses pongo por testigos de que estoy siendo expulsado de mi patria con deshonor y recibiendo un trato lamentable, como un esclavo, y no como si hubiese nacido de Edipo, tu mismo padre. *(Invocando a la ciudad.)* Y si algo, ciudad, llegase a sucederte, no me responsabilices a mí, sino a este individuo, [630] pues no vine aquí por voluntad propia, aunque sí me están echando contra mi propia voluntad. ¡Soberano Febo, protector de calles y caminos[52], vigas de mi hogar, adiós! ¡También os lo digo a vosotros, camaradas míos y estatuas de los dioses, que recibís sacrificios! No sé si podré volver a dirigiros la palabra en el futuro, pero aún no duermen las esperanzas que me hacen confiar, con la ayuda de los dioses, en que, tras dar muerte a mi hermano, habré de gobernar esta tierra de Tebas.

ETEOCLES.—¡Sal fuera del país! ¡Verdad es que mi padre te puso el nombre de Polinices movido por una providencia

---

[52] El escoliasta comenta que delante de las puertas se erigían estatuas de Apolo, que vigilaban y protegían los caminos. De ahí el nombre de Apolo *Agyieús*.

divina, llamándote así en virtud de las querellas que promueves![53].

(POLINICES *se marcha por un lateral para reunirse con sus tropas.* ETEOCLES *y su madre* YOCASTA *entran en el palacio. Sólo queda en escena el* CORO DE MUJERES FENICIAS.)

CORO.
Estrofa.
Cadmo el tirio vino a esta tierra y en el lugar en el que una ternera [640] dejose caer libremente con sus cuatro patas para dar debido cumplimiento a un oráculo, allí la profecía le vaticinó que poblaría de casas las llanuras ricas en trigo, en las tierras por donde fluyen las bellas aguas de las corrientes de Dirce, tierras herbosas y fecundas. Allí a Bromio parió [650] su madre, fruto de sus relaciones con Zeus. Allí la yedra lo coronó con sus volutas, en seguida, cuando no era todavía más que un recién nacido, y su espalda cubrió dichosa con la sombra de sus herbosos retoños, motivo por el que las doncellas tebanas danzan en honor de Baco[54] y las mujeres gritan el evohé.

Antístrofa.
Allí estaba el sanguinario dragón de Ares, salvaje guardián, supervisando las corrientes de agua y los lechos verdosos del arroyo [660] con la atenta mirada de sus pupilas, que todos los rincones escrutaban. Cadmo fue allí a por agua lustral y lo mató con un bloque de piedra. Golpeó con él, lanzándolo con sus potentes brazos, la cabeza de la sanguinaria fiera y acabó con ella. Por indicación de Palas, la diosa que no nació de su madre, arrojó los dientes del dragón al suelo, y los enterró en sus fértiles tierras. [670] De ahí hizo brotar la tierra desde su misma superficie una aparición armada hasta los dientes. Pero la matanza habida entre ellos vol-

---

[53] Como bien dice el escoliasta, Eteocles alude a la etimología del nombre de Polinices, que viene a ser algo así como 'el que promueve muchas discordias'.
[54] Literalmente, «danza coral báquica para las doncellas tebanas». Seguimos al escoliasta que parafrasea del siguiente modo: «causa de que las mujeres bailen y celebren a Baco».

vió a enterrarlos con corazón de hierro en su amada tierra. Él entonces regó con su sangre la tierra que los había sacado a la luz de los soleados vientos del éter.

Epodo.

También a ti, Épafo, de la estirpe de Zeus y descendiente de Ío, nuestra abuela materna, te he invocado con bárbaro grito, [680] ¡ay!, con bárbaras súplicas. ¡Ven, ven a esta tierra! Tus descendientes la fundaron en tu honor, y se la apropiaron las diosas que juntas hay que nombrar, Perséfone y la amada diosa Deméter, soberana de todo y la Tierra, sustento de todos. ¡Envíanos a las diosas portadoras de antorchas, protege esta tierra! ¡Todo es fácil para los dioses!

(ETEOCLES *sale del palacio acompañado por un sirviente.*)

ETEOCLES.—[690] *(Al sirviente que le acompaña.)* Márchate y ve a por Creonte, el hijo de Meneceo y hermano de mi madre Yocasta, y dile que quiero consultar con él unas resoluciones que atañen a la familia y al interés común del país, antes de ponernos en orden de combate para la batalla. *(Ve llegar a* CREONTE.) Pero, mira, ya está aquí y te va a librar de fatigarte tus pies, pues estoy viendo que enfila sus pasos en dirección a mi palacio.

CREONTE.—He ido a muchos sitios —¡pero a muchos!— porque deseaba verte, soberano Eteocles, y he recorrido todos los alrededores de las puertas cadmeas y de los puestos de guardia tratando de dar contigo.

ETEOCLES.—[700] Pues también yo precisamente deseaba verte, Creonte, ya que me he encontrado con que va a ser muy complicado que lleguemos a una reconciliación, a juzgar por la conversación que he mantenido con Polinices.

CREONTE.—He oído que él se cree superior a Tebas, confiado en su parentesco político con Adrasto y en su ejército. No obstante, esto hay que dejar que dependa de los dioses. Yo he venido a contarte algo más inmediato.

ETEOCLES.—¿A qué demonios te refieres? No sé de qué me estás hablando.

CREONTE.—Hemos conseguido capturar a uno de los argivos.

ETEOCLES.—¿Y cuenta, pues, alguna novedad más reciente de allí?

CREONTE.—[710] Que el ejército argivo tiene intención de desplegarse en torno a la ciudad de un momento a otro con sus tropas armadas alrededor de las torres cadmeas.

ETEOCLES.—Entonces hay que hacer salir a las tropas cadmeas de la ciudad.

CREONTE.—¿Adónde? ¿Es que te comportas como un crío y no ves lo que tienes que ver?

ETEOCLES.—Fuera de estos fosos, para combatir cuanto antes.

CREONTE.—La población de esta tierra es pequeña, pero ellos son muchísimos.

ETEOCLES.—Yo sé que ellos son valientes sólo de palabra.

CREONTE.—Argos tiene cierto peso entre los griegos.

ETEOCLES.—Tranquilo. Al punto he de cubrir la llanura con la sangre de sus cadáveres.

CREONTE.—Sí, ya lo querría yo, pero veo que eso va a ser muy difícil.

ETEOCLES.—[720] ¡Pues no pienso retener el ejército dentro de las murallas!

CREONTE.—¡No, no hagas eso! Obtener la victoria es cuestión, ante todo, de ser razonable

ETEOCLES.—¿Quieres, entonces, que me incline por algún otro tipo de opción?

CREONTE.—Sí, por todas, menos la de enfrentarte al peligro de una vez por todas.

ETEOCLES.—¿Y si les lanzamos un ataque de noche en una emboscada?

CREONTE.—A condición de que, si fracasas, tú, por lo menos, regreses aquí de vuelta sano y salvo.

ETEOCLES.—La noche iguala a todos, pero a los audaces los hace valer más.

CREONTE.—Un descalabro sería algo terrible durante la oscuridad de la noche.

ETEOCLES.—Pues, entonces, ¿les lanzo un ataque mientras estén comiendo?

CREONTE.—Eso sería un ataque sorpresa, pero habría que vencer.

ETEOCLES.—[730] Sí, pues el Dirce es demasiado profundo para atravesarlo, en caso de retirada.

CREONTE.—No hay nada peor que no tomar las oportunas precauciones.

ETEOCLES.—¿Y qué pasaría si cargásemos con la caballería contra el ejército argivo?

CREONTE.—También allí los soldados de infantería están defendidos y cercados por sus carros de combate.

ETEOCLES.—¿Qué hago, entonces? ¿Entrego la ciudad a los enemigos?

CREONTE.—¡Desde luego que no! Piensa un plan, que tú eres un hombre inteligente.

ETEOCLES.—¿Cuál sería, pues, la precaución más sensata que habría que tomar?

CREONTE.—Dicen que siete hombres de entre ellos, según he oído...

ETEOCLES.—¿Qué se les ha ordenado hacer? La verdad es que su número es pequeño.

CREONTE.—Ponerse al frente de los batallones y situarse delante de las siete puertas.

ETEOCLES.—[740] ¿Qué vamos a hacer entonces? No voy a aguardar a que nos dejen sin salida.

CREONTE.—Escoge tú también siete hombres y apóstalos ante las puertas.

ETEOCLES.—¿Al frente de batallones o ellos solos con sus armas?[55].

CREONTE.—Con los batallones. Escoge a tus guerreros más bravos.

ETEOCLES.—Ya lo estoy entendiendo, para evitar que escalen las murallas.

CREONTE.—Y que compartan el mando. Un solo hombre no lo ve todo.

ETEOCLES.—¿Los escojo en función de su valor o de su buen juicio?

CREONTE.—Por ambas cosas. Lo uno sin lo otro no sirve de nada.

---

[55] Como explica el escoliasta, para luchar en combate singular los siete capitanes tebanos contra los siete capitanes argivos.

ETEOCLES.—Así ha de ser. Voy a ir junto a las siete puertas de la ciudad a apostar en orden de combate delante de las puertas a los capitanes de batallón, como dices, [750] para hacer que se enfrenten unos contra otros, con los enemigos, en igual número. Enumerar los nombres de cada uno sería una tremenda pérdida de tiempo, estando, como están, los enemigos situados al pie de los mismos muros[56].

En fin, me pondré en marcha de modo que mi brazo no esté por más tiempo inactivo. Ojalá pueda encontrarme a mi hermano cara a cara y, si se enfrenta conmigo en combate, hacerlo prisionero con mi lanza y matarlo por venir a destruir mi patria.

(*A su tío* CREONTE.) De la boda de mi hermana Antígona y de tu hijo Hemón, en caso de que yo no tenga éxito, habrás de ocuparte tú. El ofrecimiento de antes de entregarla en matrimonio [760] te lo confirmo ahora, a punto de salir. Eres el hermano de mi madre: ¿qué necesidad hay de largos discursos? Encárgate de cuidarla como se merece, por complacerme a mí y a ti. Nuestro padre es culpable de insensatez contra su propia persona, al cegar su vista. No me parece que haya obrado muy bien. Va a matarnos con sus maldiciones, si lo consigue.

Sólo nos falta por hacer una cosa: preguntarle al adivino Tiresias si puede revelarnos algún oráculo. Voy a enviar a tu hijo Meneceo, que tiene el mismo nombre que tu padre, [770] para que coja y traiga aquí a Tiresias, Creonte. Contigo, sin duda, tendrá el gusto de conversar, porque conmigo, como una vez critiqué el arte adivinatoria delante de él, estará disgustado.

A la ciudad y a ti, Creonte, os impongo el siguiente encargo: en caso de que mis fuerzas se impongan, que jamás el cadáver de Polinices en esta tierra de Tebas sea sepultado, y que quien sepultura le dé la muerte reciba, incluso si se trata de un ser querido. Esto es lo que a ti te digo.

---

[56] Posiblemente evita nombrarlos de modo nada casual, como observa el escoliasta, quien apunta, en claro contraste, que Esquilo en *Los Siete contra Tebas* sí ofrece estos detalles.

(A sus sirvientes.) Ahora me dirijo a mis sirvientes. Sacadme mi armadura con todas las piezas completas, [780] que ya me dispongo a partir en dirección al combate de lanza que se nos presenta, con la ayuda de la justicia, que nos traerá la victoria. Y a Precaución, la más servicial de las divinidades, supliquémosle que salve esta ciudad[57].

(ETEOCLES *y sus servidores se marchan.*)

CORO.
Estrofa.

¡Oh, Ares, fuente de mil fatigas! ¿Por qué en hora mala la sangre y la muerte te tienen en su poder, al margen de las fiestas de Bromio? No dejas ondear los rizos de tu melena en los bellos corros en que danza la juventud florida, ni al son de la flauta de loto dejas oír gozoso tus melodías, con las que las Gracias dirigen sus coros. Antes bien, te haces acompañar de una tropa de soldados armados para inflamar con tu aliento sanguinario al ejército argivo, [790] y dirigir un cortejo sin acompañamiento de flauta que ha de ser la destrucción de Tebas. No bailas bajo el delirio del tirso vestido con pieles de cervatillo, sino que subes sobre tu carro, al ritmo del cuádruple paso equino de las solípedas bestias que a tus riendas obedecen, para precipitarte en veloz carrera a las corrientes del Ismeno. También sobre la estirpe de los sembrados soplas tu hostil aliento contra los argivos, engalanando con bronce un séquito armado de escudos para que presente batalla al pie de las pétreas murallas. ¡Bien terrible, en verdad, es esta diosa, la Discordia, que estas calamidades ideó contra los reyes de esta tierra, [800] los muy sufridos labdácidas!

Antístrofa.

¡Oh, Citerón, boscoso valle de divino follaje, de rica caza, nivoso ojo de Ártemis! ¡Jamás debiste criar a quien a la muerte había sido expuesto, al fruto del parto de Yocasta, a Edipo, al niñito que recién nacido echaron de su casa, marcado con unos pasadores de

---

[57] Ya los atenienses, unos años antes, tuvieron ocasión de escuchar algo parecido, en la representación de una comedia: Aristófanes, *Las Aves,* 376: «La precaución, efectivamente, todo lo salva.»

oro![58]. *¡Ojalá tampoco la doncella alada, portento montaraz, hubiese aquí venido, dolor de esta tierra, acompañada de sus cantos carentes de armonía!*[59]. *Acercándose en el pasado hasta nuestras murallas, con sus cuadrúpedas garras se iba llevando hasta la inaccesible luz del éter al pueblo de Cadmo. [810] Hades subterráneo la envió para azote de los cadmeos. Mas otra discordia cobra ahora nuevo vigor, desafortunado vigor, entre los hijos de Edipo, en su casa y su ciudad. En verdad, nunca bueno puede ser lo que bueno no nació, ni tampoco lo que no se ajusta a la legalidad: él, los hijos engendrados con su madre, mancha para su padre; y ella, el matrimonio consanguíneo al que llegó.*

Epodo.

¡Engendraste, oh Tierra, engendraste un día, según un bárbaro rumor que escuché —sí, escuché— hace tiempo en mi casa, [820] a partir de un dragón de purpúrea cresta y devorador, una estirpe nacida de sus dientes, bellísima fuente de onerosa gloria para Tebas! Los hijos de Urano acudieron en su momento al himeneo de Armonía. Al son de la flauta y de la lira de Anfión[60], *alzáronse las murallas y torres de Tebas en medio del curso de los dos ríos que las rodean, donde Dirce riega la llanura frente al Ismeno dando vida a sus herbosos pastizales. Ío, la cornuda abuela, engendró a los reyes de los cadmeos. [830] Esta ciudad, intercambiando miles de venturas por otras tantas, se ha alzado sobre las más eminentes coronas de Ares.*

(*Llega el adivino* TIRESIAS, *acompañado de* MENECEO, *que lo ha hecho venir por orden de* ETEOCLES, *y de su joven hija.*)

---

[58] Cfr. versos 22-26: «Una vez engendrado el niño, al adquirir conciencia de su error y de las palabras del dios, entregó el recién nacido a unos vaqueros para que lo expusiesen en el prado de Hera, en el monte Citerón, tras horadar la mitad de sus tobillos con unas puntas de hierro.»

[59] El Coro de mujeres evoca a la terrible esfinge.

[60] Como ya se ha dicho antes, Anfión edificó las murallas de Tebas. La tradición cuenta que, durante la construcción de dichos baluartes, su hermano gemelo Zeto transportaba las piedras cargando con ellas a la espalda, mientras Anfión se limitaba a atraérselas a los sones de su lira, a la cual era muy aficionado, toda vez que había recibido una de Hermes como regalo.

TIRESIAS.—*(A su hija.)* Ve tú delante, hija, que tú eres el ojo de este pie ciego, como la estrella para los navegantes. Avanza tú primero y hazme pisar por terreno llano, no vaya a caerme. Tu padre no tiene fuerzas. Cuídame las suertes con tu virginal mano, las que obtuve de las aves descifrando sus augurios [840] en el sitial sagrado, donde doy a conocer mis oráculos.

(Al joven MENECEO.*)* ¡Meneceo, chico, hijo de Creonte! Dime cuánto camino por la ciudad falta todavía hasta llegar ante tu padre. Que mis rodillas se están cansando y avanzando a este paso ligero casi no voy a llegar[61].

CREONTE.—*(Saludando al anciano.)* Tranquilo, Tiresias, que ya has arribado a puerto[62], cerca de tus amigos. *(A* MENECEO.*)* Cógele, hijo mío, que el niño que aún no tiene alas y el pie del anciano gustan de esperar a que una mano se les tienda en la puerta para ayudarles en su caminar.

TIRESIAS.—Bien, ya estoy aquí. ¿Por qué me has hecho llamar con tantas prisas, Creonte?

CREONTE.—[850] Aún no me he olvidado de ello, pero haz acopio de fuerzas y recobra el aliento, para recuperarte de la fatiga de la subida.

TIRESIAS.—Pues sí, porque estoy abatido por el cansancio[63]. Me han traído aquí ayer los hijos de Erecteo, ya que había también allí una guerra contra el ejército de Eumolpo, y he dado la victoria en ella a los descendientes de Cécrope[64].

---

[61] Cfr. sus palabras, poco más adelante: verso 849: «Bien, ya estoy aquí. ¿Por qué me has hecho llamar con tantas prisas, Creonte?»

[62] Como explica el escoliasta, nos encontramos aquí con una expresión metafórica, la del barco que llega a puerto. En este caso, es el cansado anciano el que llega a su destino.

[63] Quejas similares escuchamos en boca del anciano ayo de Agamenón en la tragedia *Electra: Electra*, 489-492: «¡El acceso a esta casa, qué escarpado lo tienen para subirlo los pies de este arrugado anciano! Con todo, si es por los seres queridos, habré de arrastrar este arqueado espinazo mío y mis combadas rodillas.» Y en boca del anciano pedagogo del padre de Creúsa en la tragedia *Ión*, versos 738-740: «Tira, tira de mí y llévame hasta el templo. Cuesta arriba se me hace el oráculo este. Ayuda en su trabajo a los miembros de este anciano y sé mi cura.»

[64] Con los hijos de Erecteo y los descendientes de Cécrope alude directamente a la ciudad de Atenas, por cuanto Cécrope y Erecto forman parte de la lista de reyes míticos de Atenas.

Y ahora llevo esta corona de oro, tal como puedes ver, tras ganármela como primicia de los despojos enemigos.

CREONTE.—Me tomo tu corona triunfal como un presagio, pues nos hallamos inmersos en un mar, como tú ya sabes, [860] de lanzas danaidas, y el combate es crucial para Tebas. El rey Eteocles, por cierto, ya se ha puesto en camino pertrechado con sus armas para hacer frente a las fuerzas micénicas. A mí, mientras, me ha encomendado la misión de enterarme bien por ti de qué es lo que tendríamos que hacer antes que nada para salvar la ciudad.

TIRESIAS.—Si fuera por Eteocles, cerraría la boca y me abstendría de revelarle mis vaticinios, pero, como eres tú el que quiere conocerlos, te los contaré[65].

Lo cierto, Creonte, es que esta tierra está enferma ya de antiguo, desde que Layo tuvo hijos contra la voluntad de los dioses y engendró al desdichado Edipo, que iría a ser esposo de su madre. [870] Y la sangrienta pérdida de sus ojos fue una hábil y sutil maniobra de los dioses y un ejemplo para la Hélade. Los hijos de Edipo, al querer mantenerlo completamente oculto con el paso del tiempo, con la equivocada idea de que así escaparían de los dioses, han cometido un error de estupidez. Efectivamente, al no obsequiarle a su padre con los honores propios de la realeza ni dejarle salir, además de desgraciado lo convirtieron en un ser agresivo, y él exhaló sobre ellos el hálito de terribles maldiciones, enfermo y despojado, además, de sus prerrogativas. ¡Qué no haría, qué palabras no diría yo, hasta ganarme el rencor de los hijos de Edipo!

[880] Pero una muerte suicida, a sus propias manos, Creonte, tienen ellos cerca. Los incontables cadáveres caídos unos junto a otros, al enzarzarse argivos y cadmeos en el combate, llantos amargos han de procurar a la tierra tebana. Y tú, desdichada ciudad, te vas a hundir bajo tus ruinas, a no ser que alguien haga caso a mis palabras. ¡Eso, sí señor, eso tendría que haber sido lo primero, que de los hi-

---

[65] Cfr. las palabras de Eteocles a Creonte respecto de Tiresias en los versos 771-773: «Contigo, sin duda, tendrá el gusto de conversar, porque conmigo, como una vez critiqué el arte adivinatoria delante de él, estará disgustado.»

jos de Edipo ninguno fuese ni ciudadano ni soberano de esta tierra, porque están poseídos y se disponen a poner la ciudad patas arriba! Pero como el mal es más fuerte que el bien, [890] sólo queda otro camino para procurar la salvación.

Pero... como no es seguro para mí explicarlo y ha de resultar amargo para aquéllos de quienes depende actuar para ofrecer el remedio de su salvación a la ciudad... me voy. ¡Adiós! Si así ha de ser, sufriré como uno más de la mayoría lo que haya de pasar. ¿Qué le voy a hacer, pues?

CREONTE.—¡Espera aquí, anciano! *(Intenta evitar que* TIRESIAS *se marche.)*

TIRESIAS.—¡No intentes sujetarme!

CREONTE.—¡Aguarda! ¿Qué es lo que rehuyes?

TIRESIAS.—El azar de ti, pero no yo.

CREONTE.—Diles a los ciudadanos y a la ciudad cómo salvarse.

TIRESIAS.—Ahora lo quieres, sí, pero dentro de nada no lo vas a querer.

CREONTE.—[900] ¿Cómo no voy a querer salvar la tierra de mis padres?

TIRESIAS.—¿De verdad quieres escucharme y sigues conservando tu interés?

CREONTE.—¿Para qué otra cosa, pues, hay que estar con el ánimo mejor dispuesto?

TIRESIAS.—Ahora vas a oír mis vaticinos, pero primero quiero saber a ciencia cierta dónde está Meneceo, que me ha traído hasta aquí.

CREONTE.—No lo tienes lejos, sino aquí, cerca de ti.

TIRESIAS.—Pues que se aparte, que se aleje de lo que voy a vaticinar.

CREONTE.—Como hijo mío que es, guardará en silencio lo que deba.

TIRESIAS.—¿Quieres, entonces, que te hable delante de él?

CREONTE.—[910] Sí, pues se alegrará al escuchar cómo salvarnos.

TIRESIAS.—*(Nervioso.)* Bueno, bueno: escucha, pues[66], el ca-

---

[66] La combinación de partículas que acompañan al imperativo «escucha» *(ákoue dé nun,* en griego) intensifica vivamente la urgencia del mandato, muy

mino que proponen mis vaticinios. Si hacéis esto, salvaréis a la ciudad de los cadmeos: tienes que sacrificar a tu hijo Meneceo por el bien de la patria, puesto que tú mismo al azar invocas.

CREONTE.—¿Qué estás diciendo? ¿Qué es lo que quieres proponer, anciano, con esas palabras?

TIRESIAS.—Lo que tiene que ser, ni más ni menos[67]. Es forzoso que lo hagas.

CREONTE.—¡Ay! ¡Muchos males has dicho en breve tiempo!

TIRESIAS.—Para ti, sí; pero para la patria son vitales y salvíficos.

CREONTE.—¡No los he oído, no los he escuchado! ¡Que la ciudad se vaya a paseo!

TIRESIAS.—[920] ¡Este hombre ya no es el mismo! Ahora se niega y se echa atrás.

CREONTE.—¡Vete con viento fresco, que ya no necesito tus adivinaciones!

TIRESIAS.—¿Ha sucumbido la verdad, ahora que te hace ser desgraciado?

CREONTE.—*(Arrodillándose en señal de súplica.)* ¡Oh, por tus rodillas y tus ancianos cabellos...!

TIRESIAS.—¿Por qué te postras para suplicarme? Estás implorando por males muy difíciles de evitar.

CREONTE.—¡Mantenlo en silencio! ¡No le reveles a la ciudad tus palabras!

TIRESIAS.—Me estás pidiendo que obre de modo incorrecto. ¡No puedo guardar silencio!

CREONTE.—¿Qué me vas a hacer, entonces? ¿Vas a matar a mi hijo?

TIRESIAS.—De eso se ocuparán otros. A mí me incumbe sólo decirlo.

CREONTE.—¿De dónde nos ha venido a mí y a mi hijo esta desgracia?

---

de acuerdo con la tensa situación que está experimentando el viejo adivino, que se resiste a hablar en presencia de Meneceo, por motivos que pronto serán evidentes. Eurípides siente una especial predilección por esta fórmula, aprovechando las partículas y sus combinaciones para dar gran vigor a sus diálogos.

[67] «Lo que ha quedado decretado por el destino», parafrasea el escoliasta.

TIRESIAS.—[930] Correcta es tu pregunta y, ciertamente, estás provocando un debate de opiniones.

Tu hijo tiene que morir degollado y ofrecer con su sangre una libación a la tierra de Cadmo, en la guarida donde el dragón terrígeno ejercía de custodio de las aguas de Dirce, a raíz del antiguo resentimiento de Ares, que clama venganza por la muerte del dragón terrígeno[68]. Conque si lo hacéis, ganaréis a Ares como aliado vuestro. Si la tierra recibe un fruto a cambio de otro fruto y sangre mortal a cambio de sangre, propicio tendréis al territorio que en otro tiempo os hizo brotar una espiga de sembrados con áureo yelmo. La víctima ha de ser un joven de su estirpe, [940] que nació de la mandíbula del dragón.

En este momento tú eres el único descendiente directo que nos queda de la estirpe de los sembrados, por parte de madre y padre; y tus hijos. *(Matizando sus palabras.)* Ahora bien[69], el compromiso nupcial de Hemón le libra del degüello, ya que no está soltero (es decir, si bien no se ha unido todavía en matrimonio, tiene, no obstante, una esposa)[70]. *(Señalando a* MENECEO.*)* Pero este potrillo, si se con-

---

[68] Habla del dragón que Cadmo mató y cuyos dientes sembró en la tierra siguiendo las indicaciones de Atenea.

[69] Hay que imaginar aquí una actitud y una entonación con la que Creonte quiere introducir una leve objeción y matización a su inmediata afirmación («En este momento tú eres el único descendiente directo que nos queda de la estirpe de los sembrados, por parte de madre y padre; y tus hijos»). El sujeto que va a mencionar, Hemón, aunque hijo de Creonte, no sirve para el sacrificio, que tiene que provenir de su estirpe, como acaba de mencionar. El adivino habla, hace afirmaciones, y él mismo se responde y formula las oportunas objeciones, como si estuviese recreando un diálogo. En este caso se ha empleado la combinación de partículas *mén oûn*. Se trata de un elemento que constituirá, más adelante, uno de los rasgos de estilo del vigoroso Demóstenes. Cfr. también versos 549-551: «¿Por qué tienes en tan alta estima a la monarquía, una injusticia dichosa, y crees que es algo estupendo? ¿Para ser el centro de atención de las miradas rodeado de honores? *¡No!* ¡Eso es pura vanidad!»

[70] El verso que contiene esta explicación parentética ha sido eliminado por algunos editores (Valckenaer). Tiene, ciertamente, todo el aspecto de una glosa. Hemón es, según explica el escoliasta, el hijo mayor de Creonte. Algunas tradiciones nos cuentan que era el prometido de Antígona, tal como aquí se ha señalado antes: cfr. versos 757-759: «De la boda de mi hermana Antígona y de tu hijo Hemón, en caso de que yo no tenga éxito, habrás de ocuparte tú *(sc.* Creonte).»

sagrase por el bien de la ciudad, bien podría con su muerte salvar a la tierra de sus padres. Hará amargo el regreso de Adrasto[71] y los argivos, [950] arrojando un trágico destino de muerte ante sus ojos, y hará renombrada a Tebas. De estos dos destinos elige tú uno de los dos: salva, pues, a tu hijo, o a la ciudad.

Ya sabes todo lo que puedes obtener de mí. *(A su hija.)* Guíame, hija, hasta casa. Aquél que hace uso del arte adivinatoria a través del fuego pierde el tiempo. Si resulta que pronostica señales adversas, se vuelve amargo a ojos de los individuos para quienes obtiene su augurio; pero si cuenta mentiras a los auspiciados por compasión hacia ellos, obra de modo incorrecto contra lo divino. Sólo Febo debería recitar oráculos, porque no teme a nadie. *(El adivino* TIRESIAS *sale de la escena, guiado por su hija.)*

CORIFEO.—[960] Creonte, ¿por qué permaneces en silencio, sin pronunciar palabra? También yo, por cierto, me he quedado en un estado de *shock* no menor al tuyo[72].

CREONTE.—¿Y qué podría decir uno? Mi respuesta, desde luego, está bien clara: jamás he de hallarme yo en situación tan penosa que me haga ofrecer degollado en sacrificio a mi hijo para beneficio de la ciudad. Todos los hombres sienten a lo largo de su vida amor hacia sus hijos, y nadie ofrecería a su propio hijo para que lo matasen. Que nadie me elogie por entregar a mis hijos a la muerte. Yo mismo —ya que estoy en la sazón de la vida— me hallo dispuesto a morir como víctima expiatoria de la patria.

[970] *(A su hijo* MENECEO.*)* ¡Venga, hala! ¡Hijo, deja a un lado los disparatados augurios de ese adivino y escapa lo más rápidamente posible alejándote de esta tierra, antes

---

[71] Adrasto será, efectivamente, el único de los generales de la expedición que regrese a Argos. En la tragedia de Eurípides *Las Suplicantes,* el rey argivo marcha a Eleusis para suplicar a Etra, acompañado de las madres (que componen el Coro y dan nombre a la pieza) e hijos de los caudillos muertos, que interceda ante su hijo Teseo, rey de Atenas, a fin de que éste rescate los cadáveres de los caídos en la guerra. En dicha obra Adrasto se nos muestra, como aquí se nos anticipa, totalmente desconsolado.

[72] «También yo, por cierto, estoy conmocionado, no menos que tú.» Traducción alternativa para quienes aborrezcan la expresión 'estado de *shock*'.

de que se entere toda la ciudad! No cabe duda de que irá hasta las siete puertas y se lo contará todo a las autoridades, a los generales y a los jefes de batallón. Si le tomamos la delantera, hay salvación para ti, pero si te retrasas, estamos perdidos: tú morirás.

MENECEO.—¿Adónde voy a huir, entonces? ¿A qué ciudad? ¿Con qué huésped?

CREONTE.—Adonde estés lo más lejos posible de esta tierra.

MENECEO.—Entonces lo más razonable es que tú me lo vayas indicando y que yo siga tus consejos.

CREONTE.—[980] Pasa por Delfos.

MENECEO.—¿Adónde tengo que ir, padre?

CREONTE.—A tierra etolia.

MENECEO.—Y de ahí, ¿adónde me dirijo?

CREONTE.—A suelo de Tesprotia.

MENECEO.—¿A la santa sede de Dodona?

CREONTE.—Sí, justo.

MENECEO.—¿Qué protección, entonces, voy a tener?[73].

CREONTE.—La divinidad te acompañará.

MENECEO.—¿Y cómo me proveeré de dinero?

CREONTE.—Yo te iré suministrando oro.

MENECEO.—Tienes razón, padre. Márchate, pues, que yo mientras voy a ir a donde tu hermana, cuyo pecho yo mamé al principio —me estoy refiriendo a tu hermana, cuando me quedé huérfano y sin madre— para hablar con ella y luego salvar mi vida. [990] *(Le insiste con apremio.)* ¡Venga, hala, márchate! ¡No me estorbes! (CREONTE *se marcha.)*

(Al CORO.*)* ¡Mujeres, qué bien le he quitado a mi padre el miedo, engañándole con mis palabras, para alcanzar el propósito que quiero! Hace que me marche lejos, privando a la ciudad de un éxito seguro, y me entrega la cobardía. Si bien es comprensible en un anciano, en mí no tiene perdón el hecho de convertirme en traidor a la patria que me ha visto nacer. Como bien vais a tener ocasión de ver, voy a ir a salvar a la ciudad y a entregar mi alma por el bien de

---

[73] Lectura de los manuscritos.

este país, muriendo por él. Realmente vergonzoso: hombres desvinculados de oráculos [1000] y no forzados por los designios de la divinidad, aguantan a pie firme junto al escudo sin vacilar en morir combatiendo delante de las torres en defensa de su patria; yo, en cambio, a costa de traicionar a mi padre, a mi hermano y aun a mi propia ciudad, me marcho fuera del país como un cobarde. Dondequiera que viva, apareceré ante la opinión pública como un miserable.

¡No, por Zeus que habita entre los astros, ni por Ares sanguinario, que a los sembrados, nacidos antaño de la tierra, erigió en soberanos de este territorio! Antes bien, iré y, alzándome en pie en lo más alto de las almenas, [1010] me mataré vertiendo mi sangre sobre la honda negrura de la guarida del dragón, donde el adivino prescribió que se hiciese[74], y daré la libertad a mi país. Ya ha quedado dicho lo que tenía que decir.

Enfilaré, pues, mi camino, para obsequiar a la ciudad con el don nada vergonzoso de mi muerte y alejar la enfermedad de esta tierra. Lo cierto es que si cada individuo cogiese y llevase a término lo bueno de que fuese capaz, y lo aportase al interés común de la patria, las ciudades experimentarían menos desgracias y en lo restante alcanzarían la prosperidad.

(MENECEO *se va.*)

CORO.
Estrofa.
¡Viniste, oh, viniste, alado fruto del parto de la tierra [1020] y de la infernal Equidna, raptora de los cadmeos, causante de innúmeras calamidades, innúmeros lamentos, mujer a medias, portento de destrucción, con alas errante y garras devoradoras de carne![75].
Cuando antaño de las regiones de Dirce raptabas por los aires a los

---

[74] Cfr. versos 931-934: «Tu hijo tiene que morir degollado y ofrecer con su sangre una libación a la tierra de Cadmo, en la guarida donde el dragón terrígeno ejercía de custodio de las aguas de Dirce.»
[75] Nuevamente, la esfinge.

jóvenes, al son de tus cantos, que la lira no acompaña, y de la funesta Erinia [1030] traías, sí, traías sanguinarios dolores a este país. ¡Sanguinario de los dioses aquél que estos hechos llevó a efecto! ¡Ayes de madres y ayes de mozas se oían sin cesar en los hogares! ¡Un grito de dolor —ay, ay—, un canto de dolor —ay, ay—, unos y otros sucesivamente iban haciendo oír en un continuado clamor a lo largo y ancho de la ciudad! ¡Los lamentos resonaban como un trueno [1040] y el clamor era el mismo cada vez que de la ciudad hacía desaparecer la doncella alada a uno de sus hombres varones!

Antístrofa.

Mas, andando el tiempo, en virtud de una misión pítica, el desdichado Edipo vino a esta tierra de Tebas, una alegría en su día, pero un pesar más adelante. Sí; efectivamente, tras proclamarse vencedor al resolver el enigma, se une en matrimonio —¡funesto matrimonio!— con su madre [1050] y mancha a la ciudad. Y continúa recorriendo caminos de sangre al precipitar con sus maldiciones a sus hijos, pobre de él, a una infame contienda. ¡Te admiramos! ¡Admiramos a quien se encamina a la muerte en defensa de su tierra patria! ¡Deja los llantos para Creonte y erige en gloriosas vencedoras a estas siete torres, cerrojo de esta tierra! [1060] ¡Ojalá fuésemos sus madres, ojalá tuviésemos la bendición de semejantes hijos, querida Palas, que consumaste el derramamiento de sangre del dragón a golpe de piedra, al animar a la acción la preocupación de Cadmo[76]! A raíz de este hecho, una calamidad divina —la de los raptos— se abalanzó sobre esta tierra[77].

---

[76] «Por previsión de Atenea, Cadmo mató al dragón con una piedra», explica el escoliasta.

[77] Cfr. versos 931-935: «Tu hijo tiene que morir degollado y ofrecer con su sangre una libación a la tierra de Cadmo, en la guarida donde el dragón terrígeno ejercía de custodio de las aguas de Dirce, a raíz del antiguo resentimiento de Ares, que clama venganza por la muerte del dragón terrígeno.» Esta «calamidad divina» que centra la intervención del Coro es la famosa Esfinge. Como ya ha quedado dicho con anterioridad, esta esfinge es un monstruo femenino al que se atribuía rostro de mujer, y pecho, patas y cola de león, provisto de alas como un ave de rapiña. Enviada para castigar a la ciudad de Tebas, devoraba a los seres humanos que pasaban a su alcance y proponía, sobre todo, enigmas a los viajeros que no podían resolver, y entonces los mataba. Edipo supo resolver el enigma propuesto y así acabó casándose, sin saberlo, con su propia madre (cfr. versos 45 ss.).

(Entra por el lateral un MENSAJERO, *que se dirige presuroso a la puerta del palacio real.)*

MENSAJERO.—¡Eh! ¿Quién hay a las puertas de este palacio? *(Golpeando la puerta y llamando a los de adentro.)* ¡Abrid! ¡Haced que Yocasta salga de la casa! ¡Eh, eh, y más eh! ¡Sal de una vez, ilustre esposa de Edipo, por mucho que tardes! [1070] ¡Escucha! ¡Deja tus lamentos y tus llantos luctuosos!

(Se abre la puerta del palacio y sale YOCASTA.*)*

YOCASTA.—¡Querido amigo! ¿No será, quizá, que has venido a traerme la mala nueva de la muerte de Eteocles, tú que a su lado con tu escudo te hallabas rechazando sin descanso los proyectiles enemigos? ¿Qué nuevo asunto has venido a anunciarme? ¿Está vivo o muerto mi hijo? Dímelo.

MENSAJERO.—Vive, no temas por eso, que ya te libro del miedo.

YOCASTA.—Y qué, ¿cómo se encuentra el perímetro de las siete torres?

MENSAJERO.—Se tiene en pie sin brecha alguna, y la ciudad no ha sido tomada.

YOCASTA.—[1080] Pero, ¿se ha llegado a poner en peligro ante la lanza argiva?

MENSAJERO.—Sí, hasta una situación verdaderamente extrema, pero el Ares de los cadmeos se volvió más fuerte que la lanza micénica[78].

YOCASTA.—Dime una sola cosa, por los dioses, si sabes algo de Polinices. Que también esto me preocupa, si continúa viendo la luz.

MENSAJERO.—Tu par de hijos siguen vivos, hasta el día de hoy.

YOCASTA.—¡Bendito seas! ¿Cómo, entonces, si estabais cercados, habéis conseguido rechazar la lanza argiva de las puertas? Cuéntamelo, que voy a entrar bajo estos techos a darle al anciano ciego la alegría de que se ha salvado esta tierra.

---

[78] Nuevamente el intercambio entre Argos y Micenas.

MENSAJERO.—[1090] Cuando el hijo de Creonte, con intención de morir en pro de la patria, se alzó en pie en lo más alto de las torres y se atravesó la garganta con su espada de negra empuñadura, salvación de esta tierra, tu hijo distribuyó en cada una de las siete puertas siete batallones con sus respectivos capitanes, para permanecer atentos al ejército argivo[79]; y apostó más jinetes como fuerza de apoyo para los otros jinetes, y soldados de infantería detrás de los otros soldados portadores de escudos, a fin de que, allí donde enflaqueciesen las murallas, hubiese de inmediato un refuerzo de lanzas. Entonces desde la erguida ciudadela vemos que el ejército de los argivos, pertrechado de sus albos escudos, [1100] deja atrás Teumeso[80], y se lía a la carrera acercándose a los fosos contra la ciudad cadmea. Un potente clamor de gritos de guerra y trompetas fue elevándose al mismo tiempo de su parte y de la nuestra, desde las murallas.

El primero en hacer avanzar sus batallones, erizados con una masa compacta de escudos, contra la puerta Neista fue Partenopeo, el hijo de la cazadora[81], que tenía en medio de su enorme escudo la divisa familiar: Atalanta sometiendo al jabalí etolo con sus certeras flechas.

Hacia la puerta Prétide [1110] iba ganando terreno, llevando en su carro las víctimas sacrificiales, el adivino Anfiarao, que no llevaba divisas con marcas insultantemente ostentosas, sino armas prudentemente discretas[82].

---

[79] Cfr. versos 737-743: «CREONTE.—Dicen que siete hombres de entre ellos, según he oído... ETEOCLES.—¿Qué se les ha ordenado hacer? La verdad es que su número es pequeño. CREONTE.—Ponerse al frente de los batallones y situarse delante de las siete puertas. ETEOCLES.—¿Qué vamos a hacer entonces? No voy a aguardar a que nos dejen sin salida. CREONTE.—Escoge tú también siete hombres y apóstalos ante las puertas. ETEOCLES.—¿Al frente de batallones o ellos solos con sus armas? CREONTE.—Con los batallones. Escoge a tus guerreros más bravos.»

[80] Una colina cerca de la ciudadela de Tebas, al este. El escoliasta se pregunta, no sin justa razón, cómo podía verse desde Tebas al ejército argivo situado en Teumeso, toda vez que la citada colina distaba más de cien estadios (18 km.) de la ciudad. Esta razón llevó a Kirchhoff a eliminar este verso. Por otra parte, Eurípides no trata de ser aquí un profesor de geografía.

[81] Atalante.

[82] Ésta es la actitud, discreta, que define a Anfiarao en el tratamiento que recibe en esta pieza, en contraste con el incontrolado Capaneo. Cfr. versos 174-189:

El soberano Hipomedonte enfilaba su camino en dirección a los portones de Ogigia, llevando en medio de su enorme escudo la divisa del que todo lo ve[83], vigilando con ojos que recubren todo su cuerpo, unos mirando a la salida de las estrellas y otros ocultándose en el momento de ponerse, como más adelante, una vez muerto, pudo verse.

Tideo mantenía su formación junto a la puerta Homoloide. [1120] Sobre su escudo llevaba la piel de un león con la melena erizada, y el Titán Prometeo agitaba en su mano derecha una antorcha, como si fuese a incendiar la ciudad.

Tu hijo Polinices conducía a Ares hacia las puertas Creneas. Sobre su escudo, como divisa, las yeguas potniades brincaban sin parar, desbocadas por el pavor, que más o menos con facilidad se movían desde el interior girando sobre sus propios ejes, bajo la misma embrazadura, de modo que parecían estar enloquecidas.

Capaneo, albergando belicosos pensamientos no menos que Ares, condujo su batallón junto a la puerta Electra. [1130] Entre las figuras grabadas en relieve sobre su escudo de hierro había un gigante terrígeno que soportaba sobre sus hombros una ciudad entera, tras haberla arrancado de sus cimientos levantándola con palancas, sutil sugerencia de lo que le iba a pasar a nuestra ciudad.

Finalmente, Adrasto estaba en la séptima puerta. Empuñaba en el brazo izquierdo su escudo, que había hecho llenar con la pintura de las cien sierpes de la hidra, motivo de

---

«PEDAGOGO.—Ése de ahí, señora, es el adivino Anfiarao. A su lado están las víctimas sacrificiales, ríos de sangre que la tierra desea. ANTÍGONA.—*¡Oh, hija de Helio de brillante aureola, Selene, resplandor de dorado contorno! ¡Con qué tranquilidad y qué temple arrea con el aguijón a los caballos para conducirlos derechamente! ¿Y dónde está el hombre que contra esta ciudad dirige terribles insultos y bravatas?* PEDAGOGO.—¿Capaneo? Está buscando el modo de escalar las torres midiendo las murallas de arriba abajo. ANTÍGONA.—*¡Oh, Némesis! ¡Truenos de Zeus, que graves retumban! ¡Centelleante luz del rayo! ¡Tú, en verdad, sumes en profundo sueño las palabras subidas de tono por encima de toda medida hasta sofocarlas! ¡Éste es el que tiene intención de entregar las tebanas cautivas con su lanza a Micenas, reduciéndolas a la esclavitud, y a Lerna, donde Posidón con su tridente obsequió a Amímone con sus aguas.*»

[83] Argos.

orgullo para Argos; de la mitad de las murallas, las serpientes se iban llevando entre sus fauces a los hijos de los cadmeos. Tuve ocasión de contemplarlos a cada uno de ellos, [1140] mientras iba entregando la señal acordada para la batalla a los jefes de los batallones.

Primero estuvimos luchando con ayuda de flechas, jabalinas de correa, disparándoles certeramente con hondas y golpeándoles con una lluvia de piedras. Pero como nosotros íbamos ganando la batalla, Tideo y tu hijo dijeron de repente a voz en grito: «¡Oh, hijos de los dánaos! Antes de que os hagan pedazos con sus tiros, ¿a qué esperáis para caer todos —hasta el último de vosotros— sobre sus puertas, soldados ligeros, jinetes y conductores de los carros?» Y en cuanto oyeron sus voces, ya no hubo nadie inactivo. Muchos cayeron muertos con la cabeza ensangrentada, [1150] y de entre los nuestros habrías podido ver cómo una compacta multitud iba perdiendo la vida delante de las murallas estrellándose de cabeza contra el suelo. Con los ríos de su sangre iban regando la árida tierra.

Entonces un arcadio, no argivo, el hijo de Atalanta[84], se abalanza como un tifón sobre una de las puertas, al tiempo que pedía a gritos fuego y horquillas de dos puntas, como quien se dispone a no dejar piedra sobre piedra en la ciudad. Pero Periclímeno, el hijo del dios marino[85], contuvo su furor guerrero arrojándole sobre la cabeza una piedra, tan grande como para cargar un carro, procedente del alero de las almenas. Redujo a polvo su rubio craneo, le quebró las costuras de los huesos[86], [1160] y tiñó de sangre sus

---

[84] Partenopeo. Cfr. la tragedia de Eurípides *Las Suplicantes,* versos 888-891: «Y ese otro, el hijo de la cazadora Atalanta, el joven Partenopeo, de aspecto el más guapo y sobresaliente, era arcadio, pero, como vino a las corrientes del Inaco, fue educado en Argos.» Cfr., en esta misma tragedia, los versos 1104-1109 y 145-153.

[85] Este Periclímeno es hijo de Posidón, el dios marino, y de Cloris, hija de Tiresias. Mató, en efecto, a Partenopeo y posteriormente, en la persecución de los enemigos en su huida, se lanzó tras Anfiarao y le habría dado muerte si Zeus, con su rayo, no hubiese abierto la tierra que se tragó a Anfiarao y su carro.

[86] «Los médicos de la cabeza afirman que hay cinco costuras», señala el escoliasta, aclarando que se trata del conjunto de huesos que, ajustados unos a otros, conforman el cráneo.

mejillas, que al instante cobraron un tono vinoso. No ha de volver con vida junto a su madre, la del bello arco, la hija del Ménalo[87].

Después de ver que la situación en esta puerta se iba desarrollando con éxito, tu hijo se dirigió a otra, mientras yo le iba siguiendo. Entonces veo que Tideo y una compacta compañía de hombres armados disparan sus lanzas etolias contra lo más alto de la abertura de las torres, hasta quedar abandonada por efecto de la retirada la cima de las almenas. Pero tu hijo vuelve a buscar y a reunir a sus hombres, como un cazador, [1170] y nuevamente los coloca en sus puestos en las torres. Tras haber sanado este mal, vamos recorriendo las restantes puertas.

Pero, ¿cómo podría contar de qué modo enloqueció Capaneo? Venía avanzando, tras hacerse con una larga escalerilla para la ascensión, e iba diciendo bravatas tales como que ni el mismísimo fuego divino de Zeus le iba a impedir no conquistar la ciudad desde lo más alto de la fortaleza. Y al tiempo que iba diciendo estas palabras, reptaba muralla arriba, acurrucando su cuerpo bajo el escudo mientras no dejaban de atacarle con piedras, al tiempo que iba subiendo con firmeza los pulidos peldaños de la escalerilla. [1180] Pero cuando ya había alcanzado el alero de las almenas, Zeus lo hiere con un rayo[88]. En ese momento retumbó la tierra, hasta un punto que todos se estremecieron. De la escalerilla fueron cayendo, por separado unos de otros, como si los disparasen con una honda, sus miembros: sus cabellos en dirección al Olimpo, su sangre a tierra, sus manos y sus extremidades giraban como la rueda de Ixión[89]. Finalmente su cadáver cae a tierra envuelto en llamas.

---

[87] Su madre, como ya se ha repetido varias veces, es la cazadora Atalanta. Eurípides recoge una tradición que la hace hija de Ménalo, epónimo del monte Ménalo, un monte consagrado a Pan, en Arcadia.

[88] Cfr. *Las Suplicantes* de Eurípides, versos 496-499: «¿Acaso, pues, no fue justo que, fulminado por un rayo, ardiese hasta quedar reducido a cenizas el cuerpo de Capaneo que, lanzándose con una escala contra las puertas, juraba que iba a asolar la ciudad, tanto si lo querían los dioses como si no?»

[89] Zeus castigó a Ixión encadenándole a una rueda.

Cuando Adrasto vio que Zeus era hostil a su ejército, hizo colocarse al ejército argivo fuera del foso. Entonces, a su vez, algunos de entre nosotros, al ver que el presagio de Zeus era propicio, [1190] intentaban echar fuera a los carros de guerra, tanto jinetes como soldados de infantería, y se liaron a combatir en medio de las fuerzas armadas argivas. Todo era un desastre a la vez. Morían, caían fuera de los carros, saltaban las ruedas, se iban amontonando los ejes sobre los ejes y los cadáveres sobre los cadáveres, todos juntos.

Por consiguiente, pues, hasta el presente día hemos contenido la destrucción de los baluartes de esta tierra. La cuestión de si en lo restante este país va a seguir siendo próspero, a los dioses incumbe. Lo cierto es, en todo caso, que en el momento actual alguna divinidad lo ha salvado.

CORIFEO.—[1200] ¡Qué hermoso es vencer! ¡Y si los dioses proponen algo mejor, que yo sea dichosa!

YOCASTA.—Por lo que respecta a los dioses y al azar, la situación se ha resuelto favorablemente, pues mis hijos siguen vivos y el país ha conseguido escapar. Pero a Creonte parece que le ha tocado, el pobre, pagar los platos rotos por mi matrimonio y las desgracias de Edipo, privado de su hijo, felizmente para la ciudad, mas con gran pena para sí mismo.

Pero, retoma de nuevo el relato. ¿Qué se disponían a hacer mis dos hijos después de esto?

MENSAJERO.—Deja el resto, que hasta la fecha gozas de felicidad.

YOCASTA.—[1210] ¡Eso que has dicho suena sospechoso! ¡No lo voy a dejar!

MENSAJERO.—¿Qué deseas más que tener a tus hijos a salvo?

YOCASTA.—Saber si también en lo restante, al menos, me va bien.

MENSAJERO.—Déjame marcharme. Tu hijo está sin su escudero.

YOCASTA.—Estás tratando de ocultarme algo malo y lo andas encubriendo entre tinieblas.

MENSAJERO.—¡Pero es que yo no podría comunicarte algo malo, después de lo bueno que te he contado!

YOCASTA.—¡Lo harás —¡vaya que sí!— a no ser que huyas y te escapes por los aires!

MENSAJERO.—¡Ay, ay! ¿Por qué no me has dejado que me marche después de contarte las buenas noticias, en vez de anunciarte malas nuevas?

Tus dos hijos están a punto de —¡el más vergonzoso acto de osadía!— [1220] enfrentarse en un combate singular, aparte de todo el ejército, tras dirigirse el uno al otro delante de argivos y cadmeos palabras que jamás tendrían que haberse dicho.

Eteocles tomó la iniciativa y, plantado en pie en lo alto de una erguida torre, ordenó que se hiciese un llamamiento de silencio al ejército. Entonces dijo: «¡Oh generales de la tierra helena, la mejor de los dánaos, que hasta aquí habéis venido, y tú, pueblo de Cadmo! ¡No malvendáis vuestras almas ni por hacer un favor a Polinices, ni por defenderme a mí! Pues por ese motivo, para evitaros este peligro, [1230] yo en persona he de trabar singular combate con mi hermano. Y si le mato, sólo yo administraré mi casa; pero, si resulto vencido, sólo a él se la entregaré. Y vosotros, argivos, si dejáis la contienda, regresaréis a vuestro país sin dejaros aquí la vida. El pueblo de los sembrados ya tiene suficientes cadáveres.» Esto es lo que dijo.

Entonces tu hijo Polinices dio un salto fuera de las filas y aplaudió sus palabras. Todos los argivos y el pueblo de Cadmo elevaron un griterío de aprobación ante esto, en la creencia de que era justo. [1240] Concluyeron una tregua en estos términos y en medio del campo de batalla los generales se comprometieron con un juramento a mantenerla.

Entretanto, los dos jóvenes, hijos del viejo Edipo, iban ya cubriendo sus cuerpos con sus broncíneas armaduras. Sus amigos los iban equipando convenientemente, al jefe de esta tierra los mejores de entre los espartos, y al otro los hombres más destacados de entre los danaidas. Se pusieron firmes en pie, resplandecientes, sin cambiar de color y enloquecidos por blandir la lanza el uno contra el otro. Sus amigos, tanto de uno como de otro, pasando a su lado les iban infundiendo valor con sus palabras y se dirigían a ellos en estos términos: [1250] «Polinices, en tus manos está el erigir como trofeo una estatua a Zeus y el proporcionar a Argos renombrada fama.» Y, a su vez, a Eteocles: «Ahora vas a luchar en defensa de la ciudad; ahora, en cuanto obtengas una brillante victoria, vas a ser dueño y señor de su cetro.»

Estas palabras les iban diciendo, a fin de arengales para la lucha. Los adivinos, entretanto, iban degollando las reses y observando las llamas de la antorcha, según acababan en punta o se rompían[90], y sus ondulaciones[91] unas frente a otras o si se elevaban, lo cual tiene dos significados, uno es señal de victoria y otro de derrota.

(Apremiando a YOCASTA.*)* ¡Venga! Si tienes algún remedio, o hábiles argumentos, [1260] o filtros y encantamientos mágicos, acude cuanto antes, haz desistir a tus hijos de esa terrible pelea, que el peligro es inmenso. Las lágrimas serán tu terrible premio del combate, cuando te veas privada en este día de tus dos hijos.

(YOCASTA *llama angustiada a su hija* ANTÍGONA, *que está en el interior del palacio.*)

YOCASTA.—¡Oh, hija, sal fuera, Antígona, ante el palacio! Ni en corros de danza ni en pasatiempos de jovencitas han establecido los dioses que tú te entretengas en estos momentos; antes bien, debes evitar tú, con la ayuda de tu madre, que dos varones excelentes y hermanos tuyos se precipiten de cabeza a la muerte y se den muerte el uno al otro. (ANTÍGONA *aparece por la puerta del palacio.*)

ANTÍGONA.—[1270] ¿Con qué nueva conmoción, madre que me pariste, andas llamando a gritos a tus seres queridos para que salgan fuera de estas moradas?

YOCASTA.—¡Hija, la vida de tus hermanos se está consumiendo!

ANTÍGONA.—¿Cómo dices?

---

[90] Las primeras eran un buen augurio y las segundas no.

[91] Así se puede entender el término *hugrótes*, como la 'fluidez' y la 'ondulación' de las llamas del fuego. Algunos escolios, por su parte, apuntan al grado de humedad de las vísceras de los animales sacrificados, en oposición a la aridez del fuego. El pasaje presenta algún problema de interpretación.

Yocasta.—Se han alzado el uno contra el otro en un combate singular a punta de lanza.

Antígona.—¡Ay de mí! ¿Qué quieres decir con eso, madre?

Yocasta.—Nada agradable. ¡Venga! ¡Sígueme!

Antígona.—¿Adónde? ¿Salgo de los aposentos de las doncellas?

Yocasta.—A lo largo de todo el campamento.

Antígona.—Me avergüenza la multitud de la tropa.

Yocasta.—No tienes de qué avergonzarte.

Antígona.—¿Y qué voy a hacer entonces?

Yocasta.—Disiparás la discordia de tus hermanos.

Antígona.—¿Haciendo qué, madre?

Yocasta.—Echándote a sus rodillas conmigo, para suplicarles.

Antígona.—(Al Mensajero.) Ve tú delante hasta el centro del campo de batalla. No hay que demorarse.

Yocasta.—[1280] Date prisa, hija, date prisa, que si les tomo la delantera a mis hijos antes del combate, mi vida seguirá viendo la luz. Pero, si mueren, yo he de yacer muerta junto con ellos.

(Madre e hija salen apresuradamente por un lateral en dirección al campo de batalla, guiadas por el Mensajero, con intención de cumplir su propósito de impedir el combate de los dos hermanos. El Coro queda solo en la escena.)

Coro.
Estrofa.

¡Ay, ay! ¡Siento un estremecimiento en mis entrañas, un estremecimiento como de un escalofrío! ¡Recorre mis carnes un sentimiento de piedad, de piedad hacia esta desgraciada madre! ¿Cuál de los dos hijos, pues, teñirá de sangre [1290] —¡Ay, de mí! ¡Qué sufrimientos! ¡Ay, Zeus, ay, tierra!— la garganta fraterna, el alma fraterna, a través de los escudos, a través del fratricidio? ¡Pobre de mí, sí, pobre! ¿Por cuál de los dos, pues, difunto cadáver, proferiré mis ayes de dolor?

Antístrofa.

¡Huy, ay! ¡Huy, ay! ¡Fieras gemelas, espíritus sanguinarios blandiendo vigorosamente sus lanzas! ¡En breve sus cadáveres caídos

—sus miserables cadáveres— van a cubrir con su sangre! ¡Desdichados, que enhoramala en singular combate [1300] decidisteis enfrentaros! ¡Con grito bárbaro entonaré lúgubremente entre lágrimas mi elegía al servicio de los muertos! ¡Quizá el fatal desenlace de su homicida muerte ande cerca! ¡Este día de hoy decidirá el futuro! ¡Desdichado, desdichado es este crimen, cuyas causantes son las Erinias![92].

(CREONTE *entra por un lateral. En sus brazos lleva el cadáver de su hijo* MENECEO, *muerto en pro de la patria.*)

CORIFEO.—En fin, como estoy viendo que Creonte aquí se encamina con aire triste en dirección al palacio, pondré fin a mis presentes llantos.

CREONTE.—[1310] ¡Ay de mí! ¿Qué voy a hacer? ¿Acaso me lamento por mí mismo, entre sollozos, o por la ciudad[93], a la que un nubarrón tiene rodeada, tan espeso como para precipitarla por el Aqueronte?[94]. Mi hijo, sí, ha perdido su vida muriendo en pro de la patria, ganando un noble renombre, aunque doloroso para mí. Hace nada de los riscos del dragón recogí su cuerpo suicida y lo he traído aquí, entre mis brazos, pobre de mí, cuidando de él. Toda la casa anda voceando gritos de dolor.

He venido aquí, con todo lo viejo que soy, a buscar a mi anciana hermana, a Yocasta, para que lave y amortaje a mi hijo, que ya no vive, [1320] pues es preciso que quien no ha muerto dé culto al dios subterráneo rindiendo los debidos honores a los muertos.

CORIFEO.—Tu hermana ha salido de casa, Creonte, y también su hija Antígona, caminando juntas.

---

[92] Es decir, la maldición paterna que ha caído sobre ellos. Cfr. versos 250-255: «De la ciudad en rededor una nube de escudos extiende compacta su fulgor, imagen de una batalla cruenta, que Ares al punto va a estar contemplando, cargando sobre los hijos de Edipo la maldición de las Erinias.»

[93] «Para parecer amante de su patria, y no sólo de su hijo», comenta el escoliasta.

[94] El Aqueronte es el río que han de atravesar las almas para llegar al reino de los muertos. Así se explica que el escoliasta glose este verso del siguiente modo: «porque la ciudad se halla en medio de la muerte».

CREONTE.—¿Adónde? ¿Con motivo de qué suceso? Indíca-melo.

CORIFEO.—Oyó decir que sus hijos estaban a punto de llegar a las armas en singular combate por el palacio real.

CREONTE.—¿Qué estás diciendo? Como me encontraba ocupándome cariñosamente del cadáver de mi hijo —déja-me que te diga— no he llegado al punto de conocer esos sucesos.

CORIFEO.—Pues tu hermana hace ya un rato que se ha mar-chado, [1330] pero me imagino, Creonte, que el combate por su vida entre los hijos de Edipo ya habrá quedado re-suelto.

(Un MENSAJERO *entra por el lateral.* CREONTE *lo ve llegar.)*

CREONTE.—¡Ay de mí! ¡Ya estoy viendo una señal de lo que acabas de decir! ¡Los ojos y el sombrío semblante de un mensajero enfilando aquí su camino, que nos relatará todo lo sucedido![95].

MENSAJERO.—¡Oh, pobre de mí! ¿Qué palabras digo, qué llantos?

CREONTE.—¡Estamos perdidos! ¡No tiene buena cara el proe-mio con el que estás dando comienzo a tu relato!

MENSAJERO.—¡Oh, pobre! Dos veces lo digo, pues traigo grandes males.

CREONTE.—¡Además de las otras calamidades que ya nos han sucedido! Y, ¿qué es lo que quieres decirnos?

MENSAJERO.—Ya no ven la luz, Creonte, los hijos de tu her-mana.

CREONTE.—*[1340] ¡Ay, ay! ¡Grandes sufrimientos nos estás pro-clamando a voz en grito a la ciudad y a mí! ¡Oh, moradas de Edi-po! ¿Habéis oído esto, cómo sus hijos han perecido en una misma, desgraciada coyuntura?*

CORIFEO.—Sí, hasta el extremo de que derramarían lágrimas, si se diese el caso de que tuviesen corazón.

---

[95] «A partir del rostro del mensajero —sombrío— se conjetura lo que va a decir», comenta el escoliasta en este punto.

CREONTE.—¡Ay de mí! ¡Todo el peso del destino ha caído desgraciadamente sobre nosotros! ¡Ay de mí, desdichado! ¡Qué males! ¡Ay, pobre de mí!

MENSAJERO.—¡Pues si conocieses además los males que a éstos se suman!

CREONTE.—¿Y cómo podrían ser más infames que éstos de ahora?

MENSAJERO.—Tu hermana ha muerto junto con sus dos hijos.

CORIFEO.—*[1350] ¡Elevad, elevad vuestros lamentos! ¡Golpeaos sobre la cabeza con vuestros blancos brazos!*[96].

CREONTE.—¡Oh, sufrida Yocasta! ¡Qué término has osado poner a tu vida y a tu matrimonio, a raíz del enigma de la Esfinge! Pero, ¿cómo se ha consumado la sangrienta muerte de los dos hermanos y el cumplimiento de la maldición de Edipo? Indícamelo.

MENSAJERO.—Ya conoces los éxitos obtenidos delante de las torres del país, pues no está tan lejos el perímetro de las murallas, como para que no te hayas enterado de todos los hechos.

Cuando hubieron revestido sus cuerpos con las armaduras de bronce, [1360] los jóvenes hijos del anciano Edipo fueron al espacio que mediaba entre los dos ejércitos y se pusieron firmes, los dos generales y caudillos de las tropas, con intención de entrar a medir sus fuerzas en singular combate de lanza. Entonces Polinices, a la par que miraba a Argos, emitió las siguientes súplicas: «¡Oh, augusta Hera —pues tuyo soy, toda vez que con la hija de Adrasto me uní en matrimonio y su país habito—, concédeme dar muerte a mi hermano, y que mi diestra, que a él se enfrenta, se tiña con su sangre, trayéndome la victoria!» Como estaba pidiendo coronarse con una victoria de lo más infame —¡matar a alguien de su propia familia!— [1370] a muchos les venían las lágrimas al ver qué enorme era su infortunio, y se miraban intercambiándose miradas unos a otros. Eteocles, por su parte, volviendo sus ojos al templo de Palas, la

---

[96] En señal de luto. Idénticas muestras de dolor podemos encontrarlas, en este mismo volumen, en *Helena*, 372-74, 1054, 1089, 1124; *Las Fenicias*, 322-26, 1524-5; *Orestes*, 96, 458, 961-63, 1467; *Ifigenia en Áulide*, 1437.

del escudo de oro, así suplicó: «¡Oh, hija de Zeus, concéde-me hincar victoriosa por mi mano esta lanza en el pecho de mi hermano con mi brazo, y darle muerte por venir a mi patria con intención de devastarla.»

Cuando como una antorcha se dejó oír el sonido de la trompeta tirrénica, señal del cruento combate[97], se precipi-taron en feroz carrera uno contra otro. [1380] Se liaron como jabalíes que aguzan sus fieros colmillos, con el men-tón empapado en espuma. Iban atacándose con las lanzas, pero se acurrucaban debajo de los redondos escudos, de forma que el hierro chocaba y volvía a rebotar sin causar daño. Y si uno de los dos se percataba de que los ojos del otro sobresalían del brocal de su escudo, manejaba su lan-za con voluntad de atacarle el primero en el rostro. Pero arrimaban con habilidad el ojo a las miras del escudo, de modo que la lanza no llegaba a cumplir su cometido. A quienes los estábamos contemplando nos caía más sudor que a ellos, que eran quienes estaban moviéndose, de te-rror por las personas queridas.

[1390] Entonces Eteocles, al tratar de esquivar con su pie una roca con que se tropezó en su camino, deja una pierna fuera del escudo. Polinices le sale al paso con su lanza al ver que tenía oportunidad de propinarle un golpe y le atravie-sa la pantorrilla de parte a parte con su lanza argiva. Todo el ejército de los danaidas elevó un clamor de victoria. Pero el recientemente herido, al ver que en esta tarea el otro ha-bía dejado su hombro al descubierto, traspasó violenta-mente el pecho de Polinices con la punta de su lanza, y de-volvió la alegría a los ciudadanos de Cadmo, aunque se le desprendió al romperse el extremo de la lanza. [1400] Al

---

[97] Tradición e innovación —esto es literatura— se mezclan en este pasaje. El escoliasta nos aclara que, hasta los tiempos de la guerra de Troya, se emplea-ba el procedimiento de arrojar una antorcha para dar la señal del comienzo de un combate que, posteriormente, fue sustituida por una trompeta (que recibe su nombre porque eran los etruscos, los tirrenos, quienes la emplearon en las guerras itálicas), siempre en versión del escoliasta. Cfr. *Reso*, versos 986-989: «Marchad y dad orden a los aliados de armarse rápidamente y de guarnecer las cervices de los caballos. Hay que aguardar, sosteniendo las antorchas, al son de la trompeta tirrénica.»

verse en apuros sin su lanza, retrocede hacia atrás sobre su pierna, de frente. Entonces coge una roca de mármol, se la tira y le rompe el dardo por la mitad. Ya estaba Ares en igualdad de condiciones, toda vez que ambos no tenían en sus manos el mango de sus lanzas.

Pero a partir de este momento, asieron con fuerza la empuñadura de sus espadas, coincidieron en el mismo lugar y, golpeándose mutuamente con los escudos, prosiguieron acompañándose de un gran alboroto de lucha.

Entonces Eteocles pensó en introducir en el combate una técnica tesalia que conocía por haber visitado el país. Así pues, como si dejase la labor en que se encontraba, [1410] lleva hacia atrás el pie izquierdo, teniendo delante buen cuidado de la cavidad del estómago. A continuación da un paso adelante con el pie derecho, le traspasa con la espada por el ombligo y se la clava en las vértebras. Encorvando al mismo tiempo los costados y el vientre, el pobre Polinices cae en medio de un charco de sangre.

Entonces Eteocles, como si ya hubiese ganado y obtenido la victoria total en el combate, arrojó su espada al suelo e intentó despojarle, sin prestar atención a su hermano sino a esta otra tarea del despojo. Esto justamente causó su caída. Efectivamente, como quiera que aún le quedase un poco de aliento, [1420] y en habiendo conservado la espada en su funesta caída, si bien con gran dificultad, Polinices, que había caído primero, la tendió no obstante hasta clavársela en el hígado a Eteocles[98].

Ambos han caído muertos mordiendo el polvo, el uno cerca del otro, y no han dejado determinado de quién es el poder de la monarquía[99].

Corifeo.—¡Huy, huy! ¡Por ti, Edipo, por la magnitud de tus males me lamento! ¡Tus maldiciones parece haberlas consumado un dios!

---

[98] Cfr. versos 594-595: «¿Quién es tan invulnerable como para herirme de muerte con su espada y no recibir a su vez la misma suerte?» La advertencia de Polinices no ha quedado sin efectivo cumplimiento.

[99] «Y no han aclarado la victoria», glosa el escoliasta.

MENSAJERO.—Pues escucha también, ahora, los males que siguen a estos hechos. Cuando los dos hijos tras caer iban dejando la vida, en ese momento su desdichada madre llega a la escena de los hechos [1430] acompañada de su hija con presuroso pie. Al verlos heridos en partes vitales de su cuerpo, exclamó a gritos: «¡Oh hijos! ¡Tarde vengo a socorreros!» Primero a uno y luego a otro los iba abrazando, lloraba, gemía, lamentándose por las muchas fatigas de sus pechos maternales, y la hermana aguantando a su lado decía al mismo tiempo: «¡Oh, vosotros dos, que debíais cuidar de nuestra madre en su vejez, queridísimos hermanos míos que habéis traicionado el compromiso de concertar mi boda!»

Mientras de su pecho expelía jadeantes estertores de muerte, el soberano Eteocles escuchaba a su madre y, poniendo en alto lánguidamente su brazo, [1440] no emitió sonido alguno, pero con las lágrimas de sus ojos habló a su madre, para indicarle que la quería. Polinices también seguía respirando todavía y, mirando a su hermana y a su anciana madre, les dijo estas palabras: «¡Madre, me muero! Siento compasión de ti, de esta hermana mía y de mi hermano cadáver, pues fue un ser querido que se volvió enemigo mío, mas, con todo, querido. Dame sepultura, madre, y tú también, hermana mía, en suelo patrio[100]; y si la ciudad está airada, calmadla, para que alcanzar pueda por lo menos esta dicha [1450] de mi tierra patria, aunque haya causado la perdición de mi casa. Ciérrame los párpados con tu mano, madre» —y él mismo la pone sobre sus ojos— «y adiós, que ya la oscuridad me envuelve con sus tinieblas». Ambos entonces al mismo tiempo exhalaron el aliento de su esforzada vida.

Entonces su madre, al contemplar este desgraciado desenlace, sufriendo por encima de su límite, cogió precipita-

---

[100] Pesa, no obstante, sobre este hecho la prohibición de su hermano Eteocles, claramente encomendada a Creonte, en caso de morir el propio soberano. Cfr. versos 774-777: «A la ciudad y a ti, Creonte, os impongo el siguiente encargo: en caso de que mis fuerzas se impongan, que jamás el cadáver de Polinices en esta tierra de Tebas sea sepultado, y que quien sepultura le dé la muerte reciba, incluso si se trata de un ser querido. Esto es lo que a ti te digo.»

damente una espada de entre los cadáveres e hizo algo terrible: se atravesó la garganta por la mitad clavándose el hierro y yace muerta entre sus amados seres abrazándoles a ambos con sus manos.

[1460] Entonces la tropa se levantó, erguida en pie, para discutir con palabras: nosotros como si hubiese vencido mi señor, y ellos como si aquél. Había también una disputa entre los generales: según unos, Polinices le había golpeado antes con la lanza, y según otros, como los dos habían muerto, la victoria no era de ninguno. En esto, Antígona se fue retirando discretamente del ejército y los demás saltaron a las armas. Gracias a un buen cálculo de previsión, las tropas de Cadmo se mantuvieron en posición con los escudos. Entonces le tomamos la delantera al ejército argivo, que todavía no estaba preparado con sus armas, y caímos sobre ellos por sorpresa. [1470] Nadie nos hizo frente aguantando en su puesto, sino que llenaron huyendo la llanura, y corría la sangre de miles de cadáveres que caían bajo nuestras lanzas.

Cuando obtuvimos la victoria en la batalla, mientras unos erigían como trofeo una estatua de Zeus, otros despojábamos a los cadáveres argivos de sus escudos y los íbamos llevando dentro de las murallas en calidad de botín de guerra.

Entretanto, otros están trayendo aquí en compañía de Antígona los cadáveres muertos para que sus seres queridos los lloren. Para la ciudad muy afortunada ha resultado ser esta contienda, mas también muy desafortunada.

(El MENSAJERO *sale por un lateral. Por el otro lateral empieza a entrar el cortejo fúnebre, seguido de* ANTÍGONA.)

CORIFEO.—*[1480] La desgracia de esta casa no se presenta ya de oídas, pues posible es en estos momentos contemplar, efectivamente, el infortunio en que han caído estos tres cadáveres delante de su morada en muerte común, alcanzando las tinieblas para la eternidad.*

ANTÍGONA.—*Sin cubrir con nada mis mejillas, sobre las que tiernamente caen sólo unos rizos de mi cabello, y sin sentir vergüenza en mi virginidad de ese tono rojizo que asoma bajo mis párpados, rubor de mi rostro, un delirio me trae, bacante de los muertos, [1490] arrancándome los velos del cabello, soltándome las aza- franadas galas del vestido, con el muy triste cometido de guiar a es- tos cadáveres.*

¡Ay, ay,! ¡Ay de mí! ¡Oh, Polinices! ¡Qué justicia le haces a tu nombre![101]. *¡Ay de mí, Tebas! ¡Tu disputa —no sólo la disputa, sino muerte sobre muerte— ha sido la perdición de la casa de Edi- po, consumada en terrible crimen, cruento, luctuoso crimen!*

¿Qué lamentos melodiosos o armoniosos [1500] en medio de mis lágrimas, mis lágrimas, oh casa, oh casa mía, elevaré en mis invocaciones, mientras traigo estos tres cuerpos, cruentamente falle- cidos, de la misma familia, una madre y sus hijos, regocijo de una Erinia? Ella causó la completa destrucción de la casa de Edipo, cuando de la agreste Esfinge descifró inteligiblemente el ininteligible canto, dando muerte a su cuerpo canoro.

¡Ay de mí, ay, padre mío! ¿Quién heleno, o extranjero, [1510] o de entre los bien nacidos varones de antaño, ha sufrido en com- paración con estas inconmensurables desgracias dolores tan paten- tes para cualquiera?

¡Desgraciada! ¡Cómo se eleva mi trino! ¿Qué ave, posada sobre las frondosas ramas de la copa de una encina, o de un abeto, ar- monizaría el cantar de sus lamentos por la pérdida de su madre con mis penas? Esta elegía entre ayes de dolor anticipa mis lloros, [1520] cuando para siempre en soledad lleve una existencia en medio de un continuo derramar de lágrimas.·¿A quién le ofrendo primero estas primicias, el cabello que me estoy arrancando?[102]. *¿A los pechos de mi madre que me amamantaron con su leche, o a los mutilados cadáveres de mis difuntos hermanos?*

(Llamando a su padre EDIPO *para que salga al exterior.)* [1530] *¡Eh, eh, eh! ¡Sal de tu casa, aun llevando la carga de tus*

---

[101] Una vez más, como en el verso 636, se alude a la etimología del nom- bre de Polinices. Cfr. versos 636-637: «¡Verdad es que mi padre te puso el nombre de Polinices movido por una providencia divina, llamándote así en virtud de las querellas que promueves!» El escoliasta glosa así el verso en cues- tión: «Porque has promovido muchas querellas».

[102] En señal de luto. Idénticas muestras de dolor podemos encontrarlas, en este mismo volumen, en *Helena*, 372-74, 1054, 1089, 1124; *Las Fenicias*, 322- 26, 1350; *Orestes*, 96, 458, 961-63, 1467; *Ifigenia en Áulide*, 1437.

*ciegos ojos, anciano padre mío! ¡Muéstranos, Edipo, el triste trans-
curso de tu vida, tú que en tu palacio, con los ojos puestos en nebu-
losas tinieblas, arrastrando vienes una dilatada existencia! ¿Me
estás escuchando, oh tú, que por el patio de palacio caminas dando tumbos con pasos de anciano, y que tu cuerpo arrebujas entre
los pliegues de la cama, desdichado, mientras duermes?*

(El anciano EDIPO sale del palacio al oír la llamada de su
hija.)

EDIPO.—¿Por qué, muchacha, guiando mis ciegos pasos con el bastón, [1540] me has hecho salir a la luz, fuera de mis oscuras habi-
taciones, mientras me encontraba en la cama, a la llamada de esos
lamentos tuyos que inspiran la mayor de las compasiones, como
un invisible fantasma de éter, cano, o un muerto de ultratumba, o
alado sueño?

ANTÍGONA.—Vas a soportar el anuncio de una desdichada noticia,
padre. Tus hijos ya no contemplan la luz, ni tampoco tu esposa,
que siempre a tu lado, servicial como un bastón, tus pasos de hombre ciego se esforzaba por guiar. [1550] ¡Oh, padre, ay de mí!

EDIPO.—¡Ay de mí! ¡Qué sufrimientos los míos! ¡Es el momento de
llorar y lamentarse! ¡Tres vidas! ¿En qué desgraciado azar?
¿Cómo han perdido la vida? ¡Oh, hija, dímelo!

ANTÍGONA.—No te lo digo en tono de reproche ni con maliciosa alegría, sino con profundo dolor: tu sed de venganza, cargada con el
peso de espadas, fuego y horribles contiendas, ha marchado contra
tus hijos. ¡Ay, padre, ay de mí!

EDIPO.—[1560] ¡Ay, ay!

ANTÍGONA.—¿Por qué gimes con estos lamentos?

EDIPO.—¡Hijos!

ANTÍGONA.—¡Has caminado sin cesar entre dolores! ¡Y si contem-
plases todavía la cuadriga del sol y distinguir pudieses con los rayos de tus ojos estos difuntos cuerpos...!

EDIPO.—El mal de mis hijos ha quedado aclarado, pero, mi desdichada esposa, ¿bajo qué golpe de azar ha perecido?

ANTÍGONA.—Tras hacer visibles ante todos sus lágrimas y lamentos, marchó junto a sus hijos para ofrecerles su pecho, para que ellos
lo viesen, suplicante, y también a ella, igualmente suplicante.
[1570] Entonces en las puertas Electras, por el prado que produce

loto, la madre encontró a sus hijos, combatiendo con sus lanzas en lucha común, como leones en una gruta, con intención de matarse, libación criminal de sangre, ya fría, que Hades ganaba y Ares concedía. Cogió entonces de entre los cadáveres una espada trabajada en bronce y se la clavó en sus carnes y cayó junto a sus hijos, en torno de ellos, abatida por el dolor. En este día de hoy [1580] todos los dolores de nuestra casa ha reunido el dios que los está consumando.

CORIFEO.—¡De muchos infortunios es el día de hoy comienzo para la casa de Edipo! ¡Ojalá su vida fuese más dichosa!

CREONTE.—¡Dejaos ya de lamentos, que ya va siendo hora de acordarse de los funerales! Escucha ahora, Edipo, estas palabras: tu hijo Eteocles me entregó el gobierno de esta tierra, al concedérselo a Hemón en concepto de dote matrimonial, así como el lecho de tu hija Antígona[103]. Por tanto, no he de permitir que sigas viviendo por más tiempo en este país [1590], pues Tiresias dijo con toda claridad que, mientras tú vivieses en esta tierra, jamás la ciudad sería próspera. ¡Venga! ¡Márchate! Y esto no te lo estoy diciendo por insolencia o porque sea enemigo tuyo, sino porque temo por tu genio vengador, no sea que le pase algo malo a la ciudad.

EDIPO.—¡Oh, cruel destino! ¡Qué sufrido y desgraciado me has hecho desde el principio, más que a cualquier otro de entre los mortales! Antes incluso de que saliese a la luz del vientre de mi madre, sin nacer, Apolo le vaticinó a Layo que yo acabaría siendo el asesino de mi padre. ¡Oh, pobre de mí! [1600] Y en cuanto nací, el padre que me engendró intenta matarme, por creer que había nacido su enemigo, ya que el oráculo había revelado que moriría a mis manos. Entonces me echa, pobre de mí, que anhelaba el pecho de mi madre, como pasto para las fieras, de lo cual me salvé. ¡Ojalá el Citerón se hubiese hundido hasta las aberturas abisales del Tártaro, por no acabar conmigo, sino que... una di-

---

[103] Cfr. las palabras de Eteocles en los versos 757-760: «De la boda de mi hermana Antígona y de tu hijo Hemón, en caso de que yo no tenga éxito, habrás de ocuparte tú. El ofrecimiento de antes de entregarla en matrimonio te lo confirmo ahora, a punto de salir.»

vinidad me entregó a la corte del soberano Pólibo para ser su esclavo![104].

Tras matar a mi propio padre, desdichado de mí, contraje matrimonio con mi madre, la desgraciada, [1610] y engendré hijos —¡mis hermanos!— cuya perdición causé al heredar de Layo sus maldiciones y transmitírselas a mis hijos. La verdad es que yo no soy tan estúpido como para urdir semejantes estratagemas contra mis ojos y contra la vida de mis hijos, sin la intervención de alguno de los dioses.

Bien. ¿Qué voy a hacer entonces, desdichado de mí? ¿Quién caminará a mi lado para guiar mi ciego pie? *(Señalando el cadáver de su esposa.)* ¿Ésta que muerta aquí se halla? Si estuviese viva bien sé que lo haría. *(Señalando a los cadáveres de sus dos hijos.)* ¿Mis par de buenos chicos, quizá? Pero ya no los tengo. ¿Es que todavía soy joven como para buscarme el sustento yo mismo? [1620] ¿De dónde? ¿Por qué me matas, Creonte, de este modo, por completo? Porque me vas a matar, si me expulsas fuera del país.

Sin embargo, no me vas a ver actuando como un ser vil, abrazándome a tus rodillas con mis brazos, pues jamás traicionaría mi noble linaje, ni siquiera aunque me encontrase mal[105].

CREONTE.—Bien dicho ha quedado por tu parte eso de no tocar mis rodillas, pero no puedo permitir que sigas habitando este país. De estos cadáveres, a uno hay que conducirlo hasta el palacio para los funerales, pero al otro, al de quien vino en compañía de otros para devastar su ciudad patria, el cadáver de Polinices, [1630] echadlo insepulto fuera de los confines de este territorio. A todos los cadmeos se les anunciará la siguiente proclama: «Aquél que sea sorprendido coronando este cadáver o cubriéndolo de tierra,

---

[104] Según se dice en el verso 28 y siguientes, Pólibo acabó por encargarse de la crianza y educación de Edipo en su palacio; pero, desde luego, no como un esclavo, sino como si fuese auténticamente hijo suyo. El escoliasta dice, a propósito de estos versos, que se trata de una «tontería absurda» «porque Pólibo no lo hizo esclavo» y que «Eurípides ha tramado esto artísticamente para mover a la compasión a los espectadores».

[105] Cfr. las palabras de Menelao en *Helena*, versos 947-949: «No osaría yo arrojarme a tus rodillas ni a humedecer con lágrimas mis párpados, pues, si me convirtiese en un cobarde, deshonraría en sumo grado a Troya.»

habrá de enfrentarse a la pena de muerte.» Hay que dejárselo de pasto a las aves, sin que se le llore, sin sepultura.

(*A* ANTÍGONA.) Y tú, Antígona, deja atrás tus llantos por estos tres cadáveres y encamínate al interior del palacio. Lleva una vida como cuadra a una doncella mientras esperas al día de mañana, en que te aguarda el lecho de Hemón[106].

ANTÍGONA.—(*A su padre.*) ¡Oh, padre! ¡En qué terrible situación nos hallamos, pobres de nosotros! [1640] ¡Cómo me lamento por ti, infinitamente más que por los difuntos! Lo cierto es que no has cargado con desgracias unas veces sí y otra no, sino que en todo has sido desdichado, padre.

(*A* CREONTE.) Ahora, en cambio, a ti te pregunto, a mi recién proclamado rey. ¿Por qué sometes a mi padre al ultraje de desterrarlo lejos del país? (*Refiriéndose a la prohibición de enterrar el cadáver de* POLINICES.) ¿Por qué proclamas una ley contra un desdichado cadáver?

CREONTE.—Esto son resoluciones de Eteocles, no mías[107].

ANTÍGONA.—Carentes de sentido, desde luego, y tú eres un loco por obedecerlas.

CREONTE.—¿Cómo? ¿No es una acción justa llevar a término lo que se me ha encomendado?

ANTÍGONA.—No, si se trata de órdenes criminales y mal enunciadas.

CREONTE.—[1650] ¿Y qué? ¿No se ajusta a derecho que éste sea entregado a los perros?

ANTÍGONA.—No, porque le estáis exigiendo una pena que no es legal.

CREONTE.—Sí, si de hecho resulta que, aun no siendo enemigo de la ciudad, acaba siéndolo.

---

[106] Cfr. versos 757-762: «De la boda de mi hermana Antígona y de tu hijo Hemón, en caso de que yo no tenga éxito, habrás de ocuparte tú (*sc.* Creonte). El ofrecimiento de antes de entregarla en matrimonio te lo confirmo ahora, a punto de salir. Eres el hermano de mi madre: ¿qué necesidad hay de largos discursos? Encárgate de cuidarla como se merece, por complacerme a mí y a ti.»

[107] Cfr. el encargo de Eteocles a Creonte en los versos 774-777: «A la ciudad y a ti, Creonte, os impongo el siguiente encargo: en caso de que mis fuerzas se impongan, que jamás el cadáver de Polinices en esta tierra de Tebas sea sepultado, y que quien sepultura le dé la muerte reciba, incluso si se trata de un ser querido. Esto es lo que a ti te digo.»

ANTÍGONA.—Por eso entregó su espíritu maligno a la fortuna.

CREONTE.—Pues que reciba entonces su merecido con la sepultura.

ANTÍGONA.—¿Qué delito ha cometido, si venía a recuperar su parte del país?

CREONTE.—Este hombre, para que lo sepas, no va a recibir sepultura.

ANTÍGONA.—Yo voy a darle sepultura, incluso aunque me lo prohíba la ciudad.

CREONTE.—Pues entonces vas a compartir tú misma la sepultura con el cadáver, bien cerca de él.

ANTÍGONA.—Pues que dos seres queridos yazcan juntos cerca —entérate bien— es cosa gloriosa.

CREONTE.—[1660] *(A sus sirvientes.)* ¡Cogedla y escoltadla hasta el palacio!

ANTÍGONA.—¡Desde luego que no, porque no pienso abandonar este cadáver!

CREONTE.—La divinidad lo ha decretado, muchacha, aunque tú no lo quieras.

ANTÍGONA.—También esto está decretado: no someter a ultrajes a los cadáveres.

CREONTE.—De modo que nadie verterá sobre él polvo humedecido.

ANTÍGONA.—¡Sí, por nuestra madre Yocasta, aquí presente, Creonte!

CREONTE.—Te estás esforzando en vano, pues no vas a tener éxito.

ANTÍGONA.—Déjame por lo menos dar un baño al cadáver para lavarlo.

CREONTE.—Ésa es una de las cosas que tiene prohibidas la ciudad.

ANTÍGONA.—Pues aplicar unos vendajes sobre sus descarnadas heridas.

CREONTE.—[1670] ¡No hay modo de que honres este cadáver!

ANTÍGONA.—*(A su difunto hermano* POLINICES.*)* ¡Oh, queridísimo mío! ¡Por lo menos arrimaré tu boca a mis labios!

CREONTE.—*(Con fuerte tono de apremio.)* ¡No le acarrees alguna desgracia a tus bodas por culpa de esos llantos tuyos!

ANTÍGONA.—¿Pero es que voy a casarme con tu hijo algún día mientras viva?

CREONTE.—¡Es altamente necesario que lo hagas! ¿Adónde, pues, huirías de tu matrimonio?

ANTÍGONA.—Entonces esa noche me tendrá como a una de las hijas de Dánao[108].

CREONTE.—¿Has visto este atrevimiento, cómo nos lo ha arrojado a la cara?

ANTÍGONA.—¡Sépalo el hierro y la espada por la que estoy jurando!

CREONTE.—Pero, ¿por qué muestras tanto empeño en escapar de este matrimonio?

ANTÍGONA.—Marcharé al destierro en compañía de mi muy desgraciado padre.

CREONTE.—[1680] Noble acto por tu parte, pero hay en él algo de insensatez.

ANTÍGONA.—Y pienso morir junto a él, para que te enteres mejor.

CREONTE.—¡Vete! ¡No serás la asesina de mi hijo! ¡Abandona esta tierra!

EDIPO.—Hija, te doy las gracias, sí, por tu entereza de ánimo.

ANTÍGONA.—¿Pero es que, si me casase, podrías marchar tú solo al destierro, padre?

EDIPO.—Quédate aquí y sé feliz. Yo me resignaré a mis desgracias.

ANTÍGONA.—¿Y quién te va a atender, padre, si eres ciego?

EDIPO.—Me dejaré caer allí donde esté mi destino, y yaceré en el suelo.

ANTÍGONA.—El Edipo aquel, ¿dónde está? ¿Y aquellos famosos enigmas?

EDIPO.—Ha muerto. Un solo día me dio la felicidad y uno sólo ha causado mi perdición.

---

[108] Es decir, matará a su esposo esa noche. Dánao se estableció en Argos con las cincuenta hijas que había tenido de diferentes mujeres. Las casó con los cincuenta hijos de su hermano Egipto, a pesar de las diferencias habidas en el pasado, pero les ordenó que matasen a sus maridos durante la noche. Todas cumplieron el mandato excepto una, Hipermestra, que salvó a Linceo porque la había respetado. Más adelante este Linceo, en venganza por el asesinato de sus hermanos, mató a Dánao y a todas sus hijas.

ANTÍGONA.—[1690] ¿Y acaso no debo yo compartir también estos males tuyos?

EDIPO.—El destierro en compañía de su padre ciego es vergonzoso para una hija.

ANTÍGONA.—No, sino noble, padre, si ésta es mujer templada.

EDIPO.—Ahora guíame hasta tu madre, para que pueda tocarla.

ANTÍGONA.—*(Le acerca hasta donde yace el cadáver de* YOCASTA.*)* ¡Velay! Palpa con tus manos a esta anciana tan querida.

EDIPO.—¡Oh, madre! ¡Oh esposa desdichadísima!

ANTÍGONA.—Aquí yace muerta, tristemente, tras sufrir de una vez todos los males.

EDIPO.—Y los cuerpos caídos de Eteocles y Polinices, ¿dónde están?

ANTÍGONA.—Ambos yacen tendidos, cerca uno del otro.

EDIPO.—Arrima mi mano ciega sobre sus desgraciados rostros.

ANTÍGONA.—[1700] *(Lo hace.)* ¡Velay! Toca con tus manos a tus hijos muertos.

EDIPO.—¡Oh, amados cuerpos muertos, sufridos, de sufrido padre!

ANTÍGONA.—¡Oh, mi amadísimo, sí, nombre de Polinices!

EDIPO.—Ahora, hija, el oráculo de Loxias se está consumando.

ANTÍGONA.—¿Qué oráculo ni qué nada? ¿Es que acaso vas a añadir desgracia sobre desgracia?

EDIPO.—Que yo muera errante en Atenas.

ANTÍGONA.—¿Dónde? ¿Qué ciudad del Ática va a acogerte?

EDIPO.—La sagrada Colono, morada del dios de los caballos[109]. Pero, ¡venga!, ayuda a tu padre ciego, ya que te muestras decidida a compartir conmigo este destierro.

ANTÍGONA.—*[1710] ¡Parte para el desdichado destierro! ¡Tiéndeme tu mano amada, anciano padre! ¡Aquí me tienes a mí, que te guiaré, como dulce viento que guía los barcos!*

EDIPO.—*(Le tiende la mano.) ¡Ahí la tienes, ahí! ¡Ya voy! ¡Hija, sé tú mi guía, desgraciada!*

---

[109] Posidón, tal como nos lo explica el escoliasta. Hay una tragedia de Sófocles, *Edipo en Colono,* que cuenta la llegada y muerte de Edipo en esta ciudad del Ática, Colono.

ANTÍGONA.—¡Lo soy, sí, lo soy, desde luego, la más desgraciada de entre las jóvenes tebanas!

EDIPO.—¿Dónde pongo la anciana huella de mi pie? Arrímame el bastón, hija.

ANTÍGONA.—[1720] Camina por aquí, sí, por aquí, conmigo. Pon tus pies por aquí, por aquí, tan fuertes como un sueño.

EDIPO.—¡Ay, ay! ¡Qué destierro más desgraciado! ¡Echarme a mí, a un anciano, fuera de mi patria! ¡Ay, ay! ¡Terrible, terrible es lo que estoy teniendo que soportar!

ANTÍGONA.—¿Qué estás soportando? ¿Qué? ¡No ve la Justicia a los malvados, ni castiga la necedad de los mortales!

EDIPO.—Aquí estoy yo, que me alcé con el celeste premio de la feliz victoria, [1730] al descifrar el ininteligible enigma de la muchacha, mujer a medias.

ANTÍGONA.—Estás volviendo a referir la desgracia de la Esfinge. ¡Deja de proclamar tus éxitos del pasado! ¡Éstos son los tristes sufrimientos que te aguardaban, padre mío, para cuando te conviertas en exiliado de tu patria: morir en cualquier lugar!

Lágrimas llenas de nostalgia dejo atrás entre mis jóvenes amigas, mientras lejos de mi tierra patria marcho, en errante destierro, impropio para una joven mujer.

[1740] ¡Huy! La excelencia de mis mientes para con las desgracias de mi padre ha de hacerme, cuando menos, famosa. ¡Infeliz de mí! ¡Qué ultrajante trato está recibiendo mi hermano, que sale de casa cadáver, insepulto, pobre de él, a quien, incluso aunque tenga que morir, padre, he de cubrir con las tinieblas de la tierra!

EDIPO.—Preséntate ante tus compañeras.

ANTÍGONA.—¡Bastante se han lamentado ya por mí!

EDIPO.—Pues entonces ante los altares, para suplicar...

ANTÍGONA.—[1750] ¡Aburridos están ya de mis males!

EDIPO.—Ve entonces donde el santuario de Baco, en terreno vedado, en los montes de las ménades.

ANTÍGONA.—¿A aquél en cuyo honor yo me vestí en su día con la cadmea piel de cervatillo, bailando en el cortejo sagrado de Sémele[110], para ofrecer a los dioses una gracia cuya gratitud no me ha sido correspondida?

---

[110] Sémele es la madre de Dioniso. En repetidas ocasiones a lo largo de la obra se ha hecho alusión a los ritos y cortejos báquicos, así como a los elemen-

EDIPO.—*¡Oh, ciudadanos de una afamada patria! ¡Mirad! (Seña-
lándose.) ¡Éste de aquí es Edipo, que consiguió descifrar aquellos
famosos enigmas y fue el hombre más grande, [1760] el único que
dobló las fuerzas de la Esfinge asesina! Ahora, despojado de mis
reales prerrogativas, digno de lástima, me expulsan del país. Mas,
¿a qué viene lamentarse por estos hechos y llorar en vano? En verdad, quien es mortal ha de soportar los imperativos provenientes
de los dioses.*

CORO.—*¡Oh Victoria poderosa, venerable! ¡Así mi vida conserves
bajo tu diestra y no ceses de coronarme con el éxito!*

(Salen todos.)

---

tos que rodean estos rituales, como el tirso y las pieles de cervatillo con que se
cubrían los fieles de Baco. Para una cumplida exposición de todos estos rituales y sobre la relación entre la ciudad de Tebas y Dioniso recomendamos la
lectura de la tragedia *Las Bacantes,* en este mismo volumen.

ORESTES

INTRODUCCIÓN

E L año 408 a. C. fue el afortunado momento en que los atenienses vieron representada sobre la escena esta espectacular tragedia que, pese a lo novedoso de su composición escénica y teatral, traía a los espectadores un tema bien conocido por todos, tanto porque había sido profusamente tratado por otros trágicos como porque el propio Eurípides había presentado en la escena al personaje de Orestes en varias ocasiones no muy lejanas. Nos referimos, en concreto, a los dramas *Electra*, de entre los años 417 y 413 a. C., e *Ifigenia entre los Tauros*, de alrededor del 414 a. C., en cuya compañía especialmente hay que considerar la pieza que nos ocupa; por no hablar, también, de la tragedia *Ifigenia en Áulide*.

Orestes nos presenta al personaje homónimo ante el palacio de su padre, en un estado de total postración, enfermo, agotado y sufriendo constantes alucinaciones en las que unas diosas vengadoras de los crímenes familiares no cesan de perseguirlo a causa del matricidio cometido contra la persona de su madre Clitemestra. Su hermana Electra no se separa de él ni un momento, dispensándole todo tipo de atenciones y amorosos cuidados. Entretanto se ven forzados a esperar la decisión que tomen los habitantes de Argos respecto del matricidio, en el sentido de si van a poder conservar su vida o si van a ser condenados a la pena capital por tan horrendo crimen. Ésta es la situación inicial con que se abre la pieza.

Tal horrendo crimen, por otra parte, no es bien conocido por otros dramas. En concreto, *Las Coéforos* de Esquilo, la *Electra* de Sófocles y la *Electra* de Eurípides tratan el mismo tema, a saber, el regreso del desterrado Orestes a su patria para asesinar a su madre Clitemestra, al objeto de vengar de este modo el despiadado asesinato años atrás del padre de Orestes y Electra, el caudillo Agamenón, que a su regreso victorioso de la guerra de Troya fue víctima de una conspiración mortal a manos de su propia esposa, la desdichada Clitemestra, hermana de la famosa Helena, causante de todos los desastres de Troya, de acuerdo a la versión más tradicional del mito, y casada a su vez con el hermano del esposo de su hermana, es decir, su cuñado Menelao. El cuadro familiar es, pues, éste que acabamos de describir. En su tragedia *Electra*, Eurípides nos cuenta los antecedentes de la situación, el asesinato de Agamenón, y nos prepara para los sucesos que se desarrollan propiamente en el drama: la llegada de Orestes, el reconocimiento de los dos hermanos, el asesinato del amante de su madre, el encuentro de la madre con su hija, los discursos con que Electra acusa a su madre de la muerte de su padre y con que la madre se defiende e intenta justificarse, el brutal matricidio, el arrepentimiento posterior y el castigo impuesto a Orestes. Sobre todo ello flota un oráculo de Apolo que es el que ha impuesto a Orestes la obligación de vengar a su padre. Al final de la pieza aparecen los Dióscuros, Cástor y Polideuces, que ordenan a Orestes ir a Atenas para someterse a juicio y salir absuelto de él, por decirlo en pocas palabras. Pues bien, retomando la cuestión principal que nos ocupa, la tragedia *Orestes* nos sitúa en ese momento posterior al matricidio y anterior al viaje de Orestes a Atenas.

Las malvadas Erinias, diosas vengadoras especialmente de los crímenes familiares, comienzan a perseguir ferozmente a Orestes a partir del momento mismo de cometer su crimen pero, en el caso presente, estas furiosas vengadoras, bien representadas en la tradición mítica, cobran más bien la forma de una enfermedad delirante, interiorizada, que mantiene postrado a Orestes en un triste jergón, arrebujado entre mantas, ante el palacio paterno. A partir de este momento, muchos son los personajes, sucesos y episodios que se van sucediento hasta el final de la pieza, conformando este apasionante drama que de tanta fortuna gozó entre las generaciones posteriores a Eurípides. Veamos a continuación algunos de estos cuadros episódicos.

En escena aparecen Helena y su esposo Menelao. Ella ha sido la causante de infinitos males para griegos y troyanos. No hay que olvidar que, por culpa de la guerra de Troya, Agamenón tuvo que ausentarse muchos años de su hogar, en los cuales su esposa tramó su asesinato, y que en virtud de un despiadado oráculo Agamenón tuvo que sacrificar la vida de su hija Ifigenia con vistas a la obtención de la victoria en la guerra. Justamente la muerte de su hija Ifigenia y la amante que Agamenón se trajo de Troya a su regreso a Argos son los motivos que encuentra Clitemestra para acabar con la vida de su marido. Todavía podríamos enumerar muchos males más causados por Helena. Pues bien, finalmente ella regresa a su patria en compañía de su esposo y ambos podrán seguir disfrutando de la hija que tienen en común, la joven Hermíone. Ésta es la Helena que aparece después del triste prólogo de *Electra,* en un amargo contraste entre las diferentes situaciones por las que cada una de ellas está pasando. Menelao, por su parte, que hará su aparición más tarde, se presenta a los ojos de los desdichados hermanos como su última esperanza de salvación, en virtud de la mucha gratitud que éste debe al difunto Agamenón, pero estas expectativas se vienen abajo en el momento en que Menelao opta por no arriesgarse a asumir la defensa de sus sobrinos, por si eso pudiese traerle negativas consecuencias. Menelao se muestra como un completo cobarde que ni siquiera interviene en la asamblea en que se decide el destino de los dos jóvenes, que son finalmente condenados a muerte.

Ante el desamparo de su tío Menelao y tras enterarse de la fatal condena, Orestes y Electra, a los cuales se suma ahora su inseparable primo Pílades, amigo incondicional que nunca falla, deciden no resignarse a morir dócilmente y traman un conjunto de venganzas para, toda vez que no les queda más remedio que morir, llevarse por delante todo cuanto encuentren y morir matando. Planean así el asesinato de Helena, el incendio del palacio, y el rapto de Hermíone para usarla como rehén y darle muerte si así fuese necesario. Nada de todo esto estaba inicialmente pensado. Aquí nos encontramos con un grupo de jóvenes que, sometidos a un imprevisible azar, van pensando sobre la marcha cómo solucionar del

mejor modo posible su situación. Los vaivenes de ese imprevisible azar provocan que los personajes vayan modificando
sus actitudes y sus decisiones al mismo ritmo que ese azar, según avanza el curso de la acción.

Hasta este momento, los discursos mantenidos entre Orestes y Agamenón, entre Orestes y Tindáreo, padre de la difunta, y el relato del mensajero que narra el desarrollo de la asamblea en que se ha decidido el destino de los jóvenes, constituyen los momentos más destacados de la pieza. El anciano
Tindáreo se muestra como un personaje duro e inflexible que
ataca a Orestes con todo tipo de argumentos legales. Le asalta la piedad por su hija pero sobre todo un fuerte resentimiento que le da una inagotable energía. El relato de lo sucedido
en la asamblea nos informa muy bien del complejo debate
que concluye con la decisión inapelable de la condena a
muerte.

Ahora bien, a partir de aquí el drama cobra renovados
bríos, que no habían cesado, y opta, como ya hemos señalado, por un sorprendente final. Otro de los momentos mejor
logrados de la pieza lo constituye la escapada del frigio del palacio en el momento en que se está perpetrando el asesinato
de Helena, a quien los dioses rescatan, su relato de todo lo sucedido dentro, y el posterior diálogo mantenido con Orestes
que sale en su busca al exterior. Hay que hacer notar que el
postrado Orestes del comienzo de la obra es, desde el momento en que se deciden a obrar activamente, un hombre
que deja a un lado su enfermedad y que se comporta con más
vigor que cualquiera. El esclavo frigio que ha escapado a la
carnicería del palacio cuenta en un relato lleno de sabores
exóticos y de lirismo todo lo sucedido, en una escena de un
gran efectismo, recargada y barroca. El encuentro entre este
esclavo y Orestes que sale en su busca no está exento de guiños cómicos, por más que la situación sea desesperada. Los
propios escolios señalan estas ligeras concesiones a la comicidad, dentro del riguroso ambiente de tragedia.

La amenaza final de matar a Hermíone queda sin efecto,
toda vez que también Helena ha conseguido escapar tras un
oportuno rescate de los dioses y posterior divinización, y
Apolo consigue gracias a su aparición final imponer un final

de feliz reconciliación entre todos: Orestes se casará con Hermíone, Pílades con Electra, y Menelao podrá disfrutar de su
propio reino. Se repite el encargo a Orestes de encaminarse a
Atenas y someterse al tribunal del Areópago, donde ha de resultar absuelto y libre, por fin, del acoso de las Erinias vengadoras.

La pieza contiene casi tantos personajes como *Las Fenicias,*
la que más personajes saca a escena, y abundan los diálogos
entre tres personajes, que son los que más complicación técnica ofrecen, si bien el resultado es el de una gran viveza en la
acción. Eurípides maneja con gran soltura y habilidad este
tipo de situaciones y de técnicas dramáticas. El resumen de la
acción que apenas acabamos de esbozar pone en evidencia el
alto número de motivos y de episodios que se suceden inesperadamente uno a otro, de acuerdo al ritmo trepidante de
un imprevisible azar que condiciona todos los modos de
actuar. El Coro también contribuye en su medida, con su
pequeña participación en ella, al desarrollo trepidante de la
acción.

Concluimos con unas leves observaciones sobre los caracteres de la obra. El argumento del gramático Aristófanes deja
bien claro este aspecto al afirmar lo siguiente: «El drama es de
los que gozan de alta estima por su teatralidad, pero pésimo
por sus caracteres ya que, excepto Pílades, todos son inferiores a su condición.» El alto efectismo teatral es, en efecto, algo
ya notado desde la Antigüedad, del mismo modo en que desde siempre se ha observado que los caracteres que presenta
Eurípides en este drama no son lo que eran. Cualquier parecido entre los héroes de Sófocles, por ejemplo, y estos personajes euripideos está más allá, incluso, de la mera coinciden-
cia. Parecen demasiado humanos y han perdido toda estatura
heroica. El temor, el delirio, la vacilación, la desesperanza
ante el desamparo, el egoísmo, la fe en la dudosa reputación,
el resentimiento, la sed desmedida de venganza, etc. son algunos de los rasgos que configuran estos personajes de cuya he-
roicidad únicamente conservan sus propios nombres, pero
poco más. El propio dios Apolo, causante de todo el problema, tampoco es mucho mejor, aunque su figura no sale tan
malparada ni es tan ferozmente atacada como en otros dra-

mas de Eurípides, quizá también porque todo lo divino en esta pieza, incluidas las Erinias vengadoras, cobran una forma más difusa y un menor protagonismo.

Azar imprevisible, acción trepidante e inesperada, algún toque exótico, el humor y la ironía nunca ausentes en Eurípides, una complicada técnica dramática y escenas de gran efectismo, un final sorprendente para una trama igualmente sorprendente son quizá algunos de los ingredientes que hicieron de esta pieza una de las preferidas entre las generaciones posteriores al dramaturgo, como ya se ha señalado, incluida junto con *Hécabe* y *Las Fenicias* en la llamada *Tríada Bizantina*. Tenemos además, por fortuna, abundantes y excelentes comentarios antiguos recogidos en unos valiosísimos escolios que nos asisten magníficamente en la lectura de este drama.

NOTA BIBLIOGRÁFICA

BIEHL, W., *Euripides Orestes*, Berlín, 1965.

BURKERT, W., «Die Absurditat der Gewalt und das Ende der Tragödie. Euripides' *Orestes*», *A&A*, 20 (1974), 97-109.

DI BENEDETTO, V., *Euripide. Oreste*, Florencia, 1965.

GREENBERG, N. A., «Euripides' *Orestes*. An Interpretation», *HSCPh*, 66 (1962), 157-92.

OLIVEIRA E SILVA, A. F., *Euripides. Orestes*, Coimbra, 1982.

RAWSON, E., «Aspects of Euripides' *Orestes*», *Arethusa*, 5 (1972), 155-67.

WILLINK, C. W., *Euripides. Orestes*, Oxford, 1986.

SOBRE EL TEXTO

Nos hemos apartado de la edición oxoniense de J. Diggle en los siguientes versos: 693, 955, 988, 1302 ss., 1413, 1530.

ARGUMENTO

Orestes mató a Egisto y a Clitemestra con el fin de vengar el asesinato de su padre. Pero, al cometer la audacia de matar a su madre, al punto recibió su castigo y se volvió loco. Como Tindáreo, el padre de la difunta, encabezaba la acusación contra él, los argivos se disponían a extraer unánimemente un voto respecto de lo que debía sufrir por haber ejecutado semejante acto de impiedad.

Entonces, por azar, de regreso de su viaje, Menelao hizo desembarcar a Helena de noche y por el día llegó él en persona. Pero, por más que Orestes le rogaba que le ayudase, prefirió tomar sus precauciones ante Tindáreo, que había hablado en su contra. Cuando se hubieron pronunciado los discursos ante las masas, la plebe se dejó llevar a matar a Orestes... haciendo que se le notificase que iba a perder la vida.

Pílades, amigo suyo que estaba con ellos, les aconsejó que tomasen primero venganza de Menelao y que diesen muerte a Helena. Pero entonces, cuando ya iban con este plan, al raptar los dioses a Helena se vieron defraudados de sus expectativas. Pero Electra les entregó en sus manos a Hermíone, nada más aparecer ésta, y ellos iban a asesinarla. Entonces apareció Menelao y, al verse a sí mismo privado al mismo tiempo por obra de ellos de su mujer y de su hija, intentó destruir el palacio real, pero ellos se le adelantaron y amenazaron con prenderle fuego.

Entonces apareció Apolo, dijo que Helena había marchado con los dioses y ordenó a Orestes casarse con Hermíone y gobernar en Argos, tras la purificación de su asesinato, y a Pílades fundar una familia con Electra.

ARGUMENTO
DEL GRAMÁTICO ARISTÓFANES

Orestes, aterrorizado por las Erinias y condenado a muerte por los argivos a causa del asesinato de su madre, al disponerse a matar a Helena y a Hermíone en respuesta a la negativa de Menelao a prestarle su ayuda (aun encontrándose presente), se ve impedido en su empeño por Apolo. El tema no se encuentra en ningún otro autor.

La escena del drama se desarrolla en Argos. El coro está compuesto de mujeres argivas, de la misma edad que Electra, que vienen a enterarse de la desgracia de Orestes. Electra pronuncia el prólogo.

El drama tiene un desenlace bastante cómico. La puesta en escena es como sigue. Frente al palacio real de Agamenón yace Orestes, enfermo y recostado a causa de su locura sobre un pequeño lecho, a cuyos pies se halla sentada a su lado Electra. Es objeto de duda y de discusión por qué no se halla sentada junto a su cabeza. De este modo, en efecto, daría la impresión de que cuida más de su hermano, al estar sentada más cerca. Parece, por tanto, que fue a causa del coro por lo que el poeta dispuso la escena de este modo. Orestes, pues, se habría despertado, tras haber caído dormido poco antes y con dificultad, si las mujeres del coro se hubiesen presentado más cerca de él. Esto puede suponerse a partir de las palabras que dice Electra: «¡Silencio, silencio, posad con suavidad la suela de vuestro calzado!» Resulta convincente que éste fuese el motivo de semejante disposición.

El drama es de los que gozan de alta estima por su teatralidad, pero pésimo por sus caracteres ya que, excepto Pílades, todos son inferiores a su condición.

Orestes y Pílades.

PERSONAJES DEL DRAMA

ELECTRA, *hija de Agamenón*
HELENA, *esposa de Menelao*
CORO DE MUJERES ARGIVAS
ORESTES, *hijo de Agamenón*
MENELAO, *rey de Esparta, hermano del difunto Agamenón*
TINDÁREO, *padre de Helena*
PÍLADES, *primo e íntimo amigo de Orestes*
MENSAJERO
HERMÍONE, *hija de Helena*
FRIGIO, *siervo de Helena*
APOLO, *dios*

(La acción transcurre en Argos. Al fondo de la escena se sitúa el palacio real de los atridas. Delante, postrado sobre un pequeño lecho, yace ORESTES, *enfermo, desaliñado y arrebujado entre las mantas. La locura lo tiene en este momento sumido en un inquieto sueño. Su hermana* ELECTRA *se encuentra sentada junto a él, a sus pies, preocupada por su lamentable estado y su situación. Se levanta y comienza a recitar el prólogo ante el público.)*

ELECTRA.—[1] No hay ninguna palabra tan terrible para expresarlo, ni sufrimiento ni desgracia promovida por los dioses, cuya carga no penda en suspenso sobre el género humano. Así es, pues el dichoso Tántalo —y yo no le estoy reprochando su forma de actuar—, nacido de Zeus, según cuentan, anda revoloteando por los aires temiendo por la roca que gravita sobre su cabeza. Y paga tal pena[1], según cuentan, porque, al gozar del honor de compartir la mesa de igual a igual con los dioses, aun siendo mortal, [10] no refrenó su lengua, el más vergonzoso vicio.

Éste engendra a Pélope, y de él nace Atreo, a quien la diosa que va trenzando la trama de la vida le asignó en su urdimbre la discordia: entablar combate con Tiestes, aun siendo su hermano. ¿Qué necesidad tengo de volver a enumerar aquellos acontecimientos terribles de contar? El caso es que Atreo mató a sus hijos y se los sirvió en un banquete. Y de Atreo (los azares que transcurrieron entre medias

---

[1] Según la tradición que recoge Eurípides en estos versos, Tántalo estaba en los infiernos colocado bajo una piedra enorme siempre a punto de caer, pero que se mantenía en eterno equilibrio. También se decía que su suplicio consistía en pasar eternamente hambre y sed. También éste es el primer pasaje en el que Tántalo aparece como hijo de Zeus.

los guardo en silencio) nacieron el ilustre, si realmente fue ilustre, Agamenón y Menelao, engendrados con una mujer cretense, su madre Aérope[2]. Menelao se casa con esa mujer a la que los dioses aborrecen, con Helena, [20] y el soberano Agamenón se introduce en el lecho de Clitemestra, renombrado entre los griegos. A éste le nacimos de una sola mujer tres hijas, Crisótemis, Ifigenia y yo, Electra, y un hijo varón, Orestes, de la madre más impía, que mató a su esposo tendiéndole a su alrededor una red inextricable[3]. El porqué de estos hechos no es decoroso para una doncella el exponerlos. Así que dejo esos aspectos sin aclarar, para la consideración del público en general[4].

---

[2] Buena parte de los sucesos y lances que se prefieren silenciar se refieren a los dolos de Tiestes. Tiestes, hermano gemelo de Atreo, sedujo a su cuñada Aérope para que ésta le entregase el cordero de oro que aseguraba a su marido Atreo el poder real. Con todo, Atreo consiguió conservar la corona gracias a la intervención de Zeus. En el debate que se planteó a los habitantes de Micenas, Tiestes propuso que fuese elegido rey aquél que pudiese mostrar un vellón de oro. Atreo aceptó, ignorante del hurto, perdió y Tiestes fue proclamado rey. Pero Atreo argumentó, con ayuda de Zeus, que el verdadero soberano fuera designado a raíz de otro prodigio, a saber, invertir el curso del sol. Así sucedió, y Atreo recuperó el trono. Posteriormente Atreo, para vengarse de la conspiración de su mujer Aérope y de su hermano Tiestes, agasajó a éste con un banquete en el que le sirvió como manjar a sus hijos, previamente despedazados y cocidos.

[3] Al regreso de su esposo de la guerra de Troya, Clitemestra preparó a su marido un vestido con el cuello y las mangas cosidas. Esto dificultó que Agamenón pudiese ponérselo al salir del baño, momento que fue aprovechado para darle muerte.

[4] En la tragedia *Electra* se nos explican los motivos. De una parte, Clitemestra acusa a su marido de haber sacrificado a su hija Ifigenia en beneficio del éxito griego en la guerra de Troya, tal como había exigido el adivino Calcante (esta parte de la historia se desarrolla extensamente en la pieza *Ifigenia en Áulide,* en este mismo volumen); de otra parte, la esposa no aceptó el hecho de que su marido Agamenón se trajese una amante como botín de guerra (la tragedia *Las Troyanas,* en el segundo volumen de esta serie, recoge este hecho). Cfr. las palabras de Clitemestra en *Electra,* versos 1018-1034: «Tindáreo me entregó en matrimonio a tu padre no para que muriésemos yo o los hijos que engendrase. En cambio él, engañando a mi hija so pretexto de unas bodas con Aquiles, se marchó y se la llevó de nuestra casa rumbo a Áulide, el refugio de los barcos. Allí, tras ponerla bien extendida sobre una pira, desgarró las blancas mejillas de Ifigenia. (...) Pues bien, después de estos hechos, aunque yo había sufrido un trato injusto, no me enfurecí ni habría llegado al punto de matar a mi esposo, pero entonces él me vino con una ménade poseída, una muchacha; la trajo y la metió en su cama, así que éramos dos las mujeres que tenía a la vez en la misma casa.»

¿Y qué necesidad hay de hablar acusadoramente de las equivocadas acciones de Febo? Él convence a Orestes de matar a la madre que le trajo a la vida, [30] no procurándose con ello buena reputación a ojos de todos, si bien la mató para no desobedecer al dios. Y yo, en la medida de las posibilidades de una mujer, tomé parte en dicho asesinato, además de Pílades, que contribuyó a la consumación de estos hechos en nuestra compañía[5].

A partir de ese momento, el sufrido Orestes ha caído enfermo, consumido por una feroz enfermedad, y se encuentra aquí recostado en este lecho, mientras la sangre de su madre lo hace rodar de aquí para allá en medio de su delirio. Lo cierto es que me impone gran respeto nombrar a las diosas Euménides[6], que mantienen una dura contienda con él aterrorizándolo. Y éste de hoy es ya el sexto día desde que [40] el cadáver de mi difunta madre quedó purificado por gracia del fuego, por lo que ni ha tragado alimentos por su garganta ni ha lavado su cuerpo. Antes bien, arrebujado entre estas mantas, cuando su cuerpo siente algún alivio de la enfermedad, recupera la consciencia y llora, pero otras veces salta corriendo fuera de la cama, como un potro desbocado.

Esta ciudad de Argos ha decretado que ni se nos reciba bajo sus techos, ni se nos acoja junto al fuego, ni se nos dirija la palabra por ser matricidas. Hoy es el día decisivo en que la ciudad de los argivos va a emitir su voto, [50] a saber, si tenemos que morir los dos por lapidación, o atravesar nuestras gargantas con una afilada espada.

---

[5] Todos estos hechos constituyen la trama de la tragedia *Electra*.

[6] Sin embargo, acaba de nombrarlas, si bien es cierto que eufemísticamente. Directamente las nombra en los versos 237-238: «Escúchame, pues, ahora, hermano mío, mientras las Erinias te permitan seguir estando consciente.» Las Erinias son unas divinidades violentas y vengadoras, especialmente de los crímenes familiares como protectoras del orden social. Las Erinias son viejas, con serpientes por cabellera, cabezas de perro, cuerpos negros como el carbón, alas de murciélago y ojos inyectados en sangre. Llevan en sus manos azotes tachonados con bronce y sus víctimas mueren atormentadas. En esta tragedia, las Erinias cobran más un aspecto de locura y de feroz enfermedad, que los violentos seres que persiguen a Orestes en el drama *Ifigenia entre los Tauros*.

Pero todavía conservamos alguna esperanza de no morir, ya que Menelao ha llegado a esta tierra desde Troya. Ya ha llenado el puerto de Nauplia[7] con sus naves y se encuentra anclado en la costa, después de haber vagado por mil distintas rutas desde Troya durante muy largo tiempo. Y a Helena, que ya ha causado muchos lamentos, aguardando la noche, para evitar que alguno de cuyos hijos han perecido en Ilión, si la veía venir por el día, comenzase a arrojarle piedras, [60] la ha enviado por delante a nuestra casa. Está dentro, llorando a su hermana y la desgracia de su hogar. Tiene todavía, no obstante, un consuelo en medio de sus dolores, pues Menelao trajo de Esparta a Hermíone, la muchacha que dejó en casa cuando navegó rumbo a Troya confiándosela a mi madre para que la criase, y ahora ésta se regocija con ella y le hace olvidarse de sus desgracias.

Entretanto ando mirando a todos los puntos del camino. ¡Cuándo voy a ver llegar a Menelao! ¡Al menos en lo que respecta a todo lo demás, qué débiles son los apoyos a los que estamos amarrados, si no recibimos de él la ayuda para salvarnos! [70] ¡Cosa difícil, cuando una familia cae en desgracia!

(Sale HELENA *por la puerta del palacio. Entre sus manos lleva unas ofrendas votivas: unas libaciones y unos mechones de su cabello.)*

HELENA.—¡Oh, hija de Clitemestra y de Agamenón, Electra, doncella a estas alturas, después de tan largo lapso de tiempo! ¿Cómo estás, pobrecita? ¿Y tu hermano Orestes, ese desdichado, asesino de su madre? Por el hecho de hablarte no estoy incurriendo en mancha alguna, ya que a Febo remito vuestro yerro[8]. Pero, eso sí, me lamento por la muer-

---

[7] Nauplia está a corta distancia de Argos.

[8] Hablar a un homicida antes de su purificación era algo que la religión antigua prohibía, porque el crimen sin purificar podía contagiar de la mancha del criminal a quien le dirigiese la palabra o incluso sólo lo mirase. En la tragedia *Heracles,* el rey Teseo no duda en hablar y dejarse mirar por su amigo Heracles, después del horrendo crimen de éste, a saber, el asesinato de su esposa Alcmena y de sus tres hijos. Cfr. *Heracles,* versos 1214-1221: «Bien. A ti que es-

te de Clitemestra, mi hermana, a la que no he visto desde
que marché navegando a Troya, en el estado en que me
embarqué, impulsada por un loco destino decidido por los
dioses[9]. [80] Y ahora que me veo privada de ella, lloro con
ayes por su sino.

ELECTRA.—Helena, ¿para qué te voy a contar lo que tú misma, aquí presente, estás viendo? La casa de Agamenón está
sumida en una terrible situación. Yo, por lo que a mí se refiere, sentada aquí me hallo, sin apenas dormir, sin moverme del lado de un desdichado cadáver, pues éste de aquí
(Señalando a su hermano), a juzgar por su débil respiración,
es ya un cadáver. Pero no le reprocho sus males. Tú, en
cambio, eres feliz y feliz es también tu esposo. Juntos habéis llegado aquí, junto a nosotros, cuando en triste situación estamos.

HELENA.—¿Cuánto tiempo ha transcurrido desde que Orestes ha caído en cama?

ELECTRA.—Desde el instante mismo en que perpetró el crimen familiar.

HELENA.—[90] ¡Oh, pobre! Y vuestra madre, ¡qué modo de
perecer![10].

---

tás sentado en esa desdichada posición, a ti te digo que muestres el rostro a tus
amigos, pues no hay oscuridad que retenga una nube tan negra que pueda
ocultar la desdicha de tus males. (HERACLES *sigue guardando silencio y hace ges-
tos con la mano.*) ¿Por qué agitas la mano de modo amenazador contra mí y se-
ñalas la sangre derramada? ¿Para que no me hiera tu repugnante crimen por
dirigirte la palabra? No me importa tener mala suerte, siempre que sea contigo, pues también en otro tiempo contigo fui afortunado.»

[9] Cfr. las palabras de defensa de Helena ante su marido en *Las Troyanas,*
versos 938-950: «Dirás que no estoy contando nada sobre aquello con lo que
inevitablemente me tengo que tropezar pie con pie: cómo me escapé de tus
palacios a escondidas. El azote de esta mujer vino acompañado de una diosa
nada insignificante, tanto quieras llamarle Alejandro como Paris, y a éste tú,
malvado, lo dejaste en tus palacios mientras tú partías de Esparta en barco
rumbo al país de Creso. Bien. Sobre esta cuestión no a ti, sino a mí misma voy
a dirigir la siguiente pregunta: ¿cómo es que, si estaba en mi sano juicio, acom-
pañé fuera de la casa al forastero, traicionando patria y hogar? Castiga a esta
diosa *(sc.* Afrodita) y sé más poderoso que Zeus, que tiene poder sobre todas
las demás divinidades y sin embargo es esclavo de ella.» Helena, en todo caso,
descarga su propia responsabilidad sobre otros.

[10] Cfr. *Electra,* versos 1206-1226: «ORESTES.—¿No veías abajo en el suelo
cómo esa desgraciada *(sc.* su madre Clitemestra) se arrancaba el vestido y nos

ELECTRA.—Así está la situación, hasta el punto de que se ha venido abajo ante tantos males.

HELENA.—Por los dioses, ¿podrías, muchacha, hacerme un poco de caso en estos momentos?

ELECTRA.—Sí, si no me quita tiempo para seguir atendiendo a mi hermano sentada a su lado.

HELENA.—¿Quieres ir al sepulcro de mi hermana?

ELECTRA.—¿Al de mi madre quieres decir? ¿Con qué motivo?

HELENA.—Para que le ofrezcas libaciones y las primicias votivas de mi cabello[11].

ELECTRA.—¿Es que a ti no te está permitido ir al sepulcro de tus seres queridos?

HELENA.—Sí, pero me da vergüenza mostrar mi cuerpo a los argivos[12].

ELECTRA.—¡Bien tarde te muestras sensata, cuando en el pasado abandonaste tu hogar sin pudor alguno!

HELENA.—[100] Has dicho las palabras correctas, pero no me estás hablando con cariño.

ELECTRA.—¿Y qué reparos tienes, pues, ahora, ante la opinión de los miceneos?

HELENA.—Tengo miedo a los padres de quienes murieron al pie de Ilión.

---

enseñaba su pecho mientras moría, ay de mí, postrando sobre el suelo esos miembros de quien nacimos? Y yo del pelo... CORO.—Bien lo sé. Te traspasaría el dolor al oír los 'ayes' y lamentos de la madre que te parió. ORESTES.—En voz alta gritaba y arrimaba su mano a mi barbilla, "¡Hijo mío, te lo suplico!", y se colgaba suspendida de mis mejillas, hasta el punto que de mi mano se me fue el arma. CORO.—¡Infeliz! ¿Cómo es que te atreviste a contemplar con tus propios ojos la sangre de tu madre mientras exhalaba el espíritu? ORESTES.—Eché un manto sobre mis ojos y, con ayuda de una espada, di comienzo al sacrificio hundiéndosela en la garganta a mi madre. ELECTRA.—Y yo te animaba y empujaba la espada al mismo tiempo. He causado el más horrible de los sufrimientos.»

[11] En señal de luto. Idénticas muestras de dolor podemos encontrarlas, en este mismo volumen, en *Helena*, 372-74, 1054, 1089, 1124; *Las Fenicias*, 322-26, 1350, 1524-5; *Orestes*, 458, 961-63, 1467; *Ifigenia en Áulide*, 1437.

[12] Y para evitar, quizá, otros males. Cfr. versos 56-60: «Y a Helena, que ya ha causado muchos lamentos, aguardando la noche, para evitar que alguno de cuyos hijos han perecido en Ilión, si la veía venir por el día, comenzase a arrojarle piedras, la ha enviado (*sc.* su marido Menelao) por delante a nuestra casa.»

ELECTRA.—Sí, terrible, y en Argos tu nombre está en boca de todos, maldiciéndote.

HELENA.—Pues hazme el favor de disipar mi miedo.

ELECTRA.—No podría dirigir mis ojos al sepulcro de mi madre.

HELENA.—Pero sería una vergüenza que se lo llevasen las criadas.

ELECTRA.—¿Y por qué no envías a tu hija Hermíone?

HELENA.—No es decoroso para las doncellas mezclarse con la multitud.

ELECTRA.—Así desde luego, no cabe duda, pagaría sus cuidados a la difunta, cuando ésta la estuvo criando[13].

HELENA.—[110] Has dicho las palabras justas y te voy a hacer caso, jovencita. Voy a enviar a mi hija, sí señor. Has hablado bien.

(Llamando a su hija.) ¡Hija, sal fuera, Hermíone, delante de casa, y coge entre tus manos estas libaciones y estos cabellos míos! (HERMÍONE *sale por la puerta del palacio.*) Ve junto al sepulcro de Clitemestra y derrama esta bebida de leche y miel y esta espuma de vino[14]. *(Le entrega las ofrendas votivas.)* Luego te colocas en lo alto del túmulo y pronuncias estas palabras: «Helena, tu hermana, te obsequia con estas libaciones, con miedo de llegarse hasta tu monumento y temerosa del pueblo de Argos.» [120] Muévela a tener favorable ánimo para conmigo, contigo, mi esposo, y para con esos dos desgraciados cuya perdición un dios causó. Prométele todas las ofrendas debidas a los difuntos, que en justa y debida medida a una hermana he de procurarle yo.

¡Ve, hija mía! ¡Date prisa y, en cuanto hayas ofrendado las libaciones al sepulcro, acuérdate lo antes posible de regresar a casa!

---

[13] Cfr. versos 63-65: «Hermíone, la muchacha que dejó *(sc.* su padre Menelao) en casa cuando navegó rumbo a Troya confiándosela a mi madre *(sc.* Clitemestra) para que la criase.»

[14] Cfr. *Ifigenia entre los Tauros,* versos 159-166, respecto de las libaciones en honor de los muertos: «En su honor voy a verter estas libaciones sobre los lomos de la tierra, una copa por los muertos, leche de terneras salvajes, vino de Baco, el trabajo de las abejas zumbadoras, todo, en definitiva, lo que se ofrece en las libaciones a los muertos para aliviar su mal.»

(HERMÍONE *sale por un lateral a cumplir el encargo de su madre.* HELENA *entra en el palacio y* ELECTRA *queda momentáneamente sola en la escena, dirigiéndose al público.)*

ELECTRA.—¡Oh, genio y figura! ¡En los hombres, qué gran calamidad sois! ¡Y salvación de quienes os poseen honradamente!

¿Habéis visto cómo se ha cortado el cabello, sólo en las puntas, para preservar su hermosura?[15]. Sigue siendo la mujer de antes. [130] ¡Así los dioses te aborrezcan, por causar mi perdición, la de éste y la de toda la Hélade! *(Ve llegar a las mujeres del* CORO.*)*

¡Oh, pobre de mí! ¡Ya están otra vez aquí estas amigas mías, que vienen a cantar al unísono de mis lamentos! Ahora que estaba tranquilo, al punto van a sacarle del sueño y harán que me deshaga en lágrimas cuando vea a mi hermano enloquecido.

¡Oh, queridísimas mujeres! ¡Avanzad con paso lento, no arméis un escándalo! ¡Que no haya un solo ruido! Bien cierto es que gozo del favor de vuestra amistad, pero, si éste se despierta, se va a convertir en una desgracia para mí.

(Entra definitivamente el CORO.*)*

Estrofa 1.ª.

CORO.—*[140] ¡Silencio, silencio, posad con suavidad la suela de vuestro calzado! ¡No hagáis ruido!*
ELECTRA.—*¡Apartaos para allá! ¡Alejaos —hacedme este favor— de su lecho!*

---

[15] Ambas hermanas, Helena y Clitemestra, nunca pierden la elegancia y el *glamour*. Respecto de la primera, cfr. *Las Troyanas*, versos 1022-1028: «Y después de esto, sales aquí a lucir el palmito, bien ataviada, y contemplas el mismo cielo que tu esposo. ¡Habría que escupirte a la cara! Tendrías que haber venido en actitud humilde, con jirones de ropas, temblorosa entre escalofríos y con la cabeza afeitada como los escitas, haciendo gala de moderación más que de impudicia, después de todos tus errores del pasado.» Respecto de la segunda, cfr. *Electra*, verso 966: «¡Y bien que se rodea de brillo con sus carruajes y sus vestidos de gala!» Parece imperar en ellas la expresión popular de 'antes muerta que discreta'.

CORO.—*¡Velay! Ya te estoy obedeciendo.*

ELECTRA.—*Háblame, amiga mía, como un soplo de flauta de leve caña.*

CORO.—*Fíjate, mi voz susurra como si estuviese bajo techo.*

ELECTRA.—*Sí, así, bájala, bájala. Vete acercándote despacio, sí, muy despacio. [150] Dame una razón a propósito de por qué habéis venido en este momento. Hace ya mucho rato desde que ha caído rendido y sigue durmiendo en el lecho.*

Antístrofa 1.ª.

CORO.—*¿Cómo se encuentra? Comparte tus palabras con nosotras, amiga. ¿Qué buen azar referiré, y qué desgracia?*

ELECTRA.—*Todavía respira, pero sólo exhala cortos gemidos.*

CORO.—*¿Qué estás diciendo? ¡Oh, pobre!*

ELECTRA.—*¡Lo vas a matar, como sigas moviendo sus párpados, ahora que ha conseguido por fin dormirse apaciblemente.*

CORO.—*[160] ¡Pobre desgraciado, a raíz de los terriblemente aborrecibles empeños de un dios!*

ELECTRA.—*¡Huy! ¡Qué fatigas! Injustamente Loxias injustos oráculos proclamó aquel día, pues, cuando sobre el trípode de Temis le ordenó el nefando asesinato —sí, el asesinato— de mi madre*[16].

Estrofa 2.ª.

CORO.—*¿Lo estás viendo? Está revolviendo su cuerpo entre las ropas.*

ELECTRA.—*¡Claro que sí! Con tus gritos, desgraciada, le has sacado del sueño.*

CORO.—*Yo creía sin lugar a dudas que estaba durmiendo.*

ELECTRA.—*[170] ¿No irás a enredar tus pies lejos de nosotras, lejos de casa, para dejar de meter ruido?*[17].

---

[16] Cfr. *Electra*, versos 87-89: «He venido, a raíz de una revelación divina (*sc.* el oráculo de Apolo), a suelo argivo sin que nadie lo sepa, para devolver el asesinato de mi padre a su asesino.»

[17] Esta escena trae al recuerdo otra de la tragedia *Heracles*, entre los versos 1028-1088, en la que Anfitrión, padre de Heracles, trata de hacer que el Coro guarde silencio para no despertar a su enfurecido hijo. La escena contiene, pese a lo trágico de la situación, tintes cómicos a causa del propio exceso de celo. Algo parecido sucede aquí. Cfr. *Heracles*, versos 1042-1060: «ANFITRIÓN.—*(Completamente aterrorizado e intentando no despertar a su hijo.)* Ancianos

CORO.—*Sigue dormido.*

ELECTRA.—*Tienes razón.*

(*Empieza a cantar dirigiéndose al cielo.*) *¡Augusta, augusta noche que a los muy esforzados mortales el sueño traes! ¡Ven desde las penumbras infernales! ¡Ven a posarte alada sobre la morada de Agamenón!* [180] *Sí, que bajo el peso del dolor, bajo el peso del infortunio, hemos desaparecido por completo, sí, hemos desaparecido.*

(*Al* CORO.) *Habéis hecho ruido. ¿Es que no vais a ser capaces de contener el escándalo de vuestras bocas y de dejarle a éste dormir tranquilamente en paz, amigas mías?*

Antístrofa 2.ª.

CORO.—*Dinos qué fin a sus males le aguarda.*

ELECTRA.—*Morir, morir. ¿Qué otra cosa, si no? Sí, pues ni siquiera tiene ganas de comer.*

CORO.—[190] *Su destino, en verdad, se hace claro anticipadamente.*

ELECTRA.—*Febo nos causó la ruina al ordenarnos el nefando y triste derramamiento de sangre de nuestra madre parricida.*

CORO.—*Justo, no obstante.*

ELECTRA.—*Sí, mas no honroso. Has matado, has muerto, oh, madre que me pariste. Has destruido a nuestro padre y a estos hijos tuyos, sangre de tu sangre.* [200] *¡Estamos perdidos, somos ya más cadáveres que otra cosa, estamos perdidos!* (*A su hermano.*) *Sí, pues tú ya te hallas entre los muertos, y, en cuanto a mí, la mayor parte de mi vida se ha ido desvaneciendo entre lamentos, sollozos y lágrimas nocturnas. Se me está pasando la vida sin casarme, sin hijos, desgraciada para siempre.*

---

de Cadmo, ¿no vais a dejar, guardando silencio, que se entregue al sueño, para que se olvide completamente de sus males? CORO.—*Por ti con lágrimas sollozo, anciano, y por los niños y por el hombre de los bellos triunfos.* ANFITRIÓN.—*Apartaos más, no hagáis ruido, no gritéis, no lo despertéis ahora que duerme tranquilo y amodorrado.* CORO.—*¡Ay de mí! ¡Qué cantidad de sangre...! ANFITRIÓN.— ¡Eh, eh! ¡Vais a ser mi perdición!* CORO.—*... se ve ahí derramada!* ANFITRIÓN.—*Ancianos, ¿no vais a entonar vuestro treno de 'ayes' con menos ímpetu? En caso contrario, se despertará, soltará sus ataduras, destruirá la ciudad, luego a su padre, y hará añicos el palacio.* CORO.—*¡No puedo, no puedo!* ANFITRIÓN.—*¡Silencio! ¡Que pueda percibir su respiración! A ver, que acerque mi oído.*»

CORIFEO.—Mírale, joven Electra, y acércate; no sea que tu hermano haya muerto sin que te hayas dado cuenta. [210] Lo cierto es que no me está gustando nada ese prolongado abatimiento suyo.

(ORESTES *se despierta y empieza a hablar. Se encuentra muy débil y apenas se incorpora.*)

ORESTES.—¡Oh bendito bálsamo del sueño reparador, remedio de la enfermedad! ¡Qué dulce has acudido junto a mí, justo cuando te necesitaba! ¡Oh santo Olvido de los males! ¡Cuán sabio dios eres e implorado por los desdichados! ¿Desde dónde he llegado hasta aquí, enbuenahora? ¿Cómo he venido? La verdad es que he perdido la memoria y no recuerdo nada.

ELECTRA.—¡Oh queridísimo hermano! ¡Qué alegría me has dado al caer dormido! ¿Quieres que te agarre y te levante?

ORESTES.—Sí, sí, cógeme. Y límpiame con un pañuelo [220] los espumarajos de baba de mi pobre boca, y también mis ojos.

ELECTRA.—*(Lo hace.)* ¡Velay! Este servicio es agradable, y no me niego a cuidar los miembros de mi hermano con mano de hermana.

ORESTES.—Recuesta tu cuerpo junto a mi cuerpo, y quítame estos sucios pelos de la cara, que apenas puedo ver con mis ojos.

ELECTRA.—¡Qué grasientos tienes los mechones de pelo de la cabeza! ¡Qué descuidados están, después de tanto tiempo sin lavarlos!

ORESTES.—Reclíname otra vez sobre el lecho. Cuando remite la locura de mi enfermedad, me fallan las articulaciones y mis miembros se quedan sin fuerzas.

ELECTRA.—*(Lo hace.)* ¡Velay! La cama —déjame que te diga— es agradable para el enfermo; [230] aunque es molesta, es del todo necesaria.

ORESTES.—Vuelve a ponerme derecho. Gira mi cuerpo otra vez. Es difícil tener contento a un enfermo a causa de su malestar.

ELECTRA.—¿Acaso quieres apoyar los pies sobre el suelo, después de tanto tiempo sin caminar? Un cambio es agradable, después de todo.

ORESTES.—Sí, sí, que eso da una apariencia de salud. La mera apariencia es mejor, aunque esté lejos de la realidad de verdad.

ELECTRA.—Escúchame, pues, ahora, hermano mío, mientras las Erinias[18] te permitan seguir estando consciente.

ORESTES.—Vas a contarme alguna novedad. Pues si es buena, me haces un favor; [240] pero, si tiene algo que ver con alguna calamidad, ya tengo bastante con mi infortunio.

ELECTRA.—Ha venido Menelao, el hermano de tu padre, y tiene sus naves ancladas en Nauplia.

ORESTES.—¿Cómo dices? ¿Ha venido nuestro pariente, aquél que tiene débitos de gratitud con nuestro padre, trayéndonos una luz a tus males y los míos?

ELECTRA.—Ha venido —acepta la fidelidad de mis palabras— trayendo consigo a Helena desde las murallas de Troya.

ORESTES.—Si únicamente se hubiese salvado él, sería digno de mayor envidia, pero si se trae a su mujer, entonces ha regresado trayéndose una gran calamidad.

ELECTRA.—Célebre por sus reprobables conductas es la estirpe de las hijas que engendró Tindáreo, [250] e infame a lo largo y ancho de Grecia.

ORESTES.—(Con cierta agresividad.) Pues tú sé diferente de esas malvadas, ya que puedes. Y no te limites a decirlo, sino piensa también así. (Empieza a dar inequívocas muestras de volver a estar poseído por un ataque de locura. Sus movimientos lo delatan y su hermana se percata de ello.)

ELECTRA.—¡Ay de mí, hermano! ¡Tu rostro se está conmocionando! ¡Qué rápido has pasado de la cordura de hace un momento a la locura!

ORESTES.—(Ya completamente delirante, incluso viendo visiones.) Madre, te lo suplico, no azuces contra mí a esas doncellas sanguinarias y serpenteadas. (Totalmente aterrorizado.) ¡Ya están ahí, sí, ya están ahí! ¡Intentan atacarme saltando y acercándoseme! (Trata de levantarse para escapar.)

---

[18] Cfr. versos 37-38: «Lo cierto es que me impone gran respeto nombrar a las diosas Euménides.» A pesar de ello, las nombra, como puede verse, en el verso 38, y las vuelve a nombrar ahora.

ELECTRA.—*(Intentando sujetarle.)* ¡Desdichado! ¡Quédate quieto en la cama! ¡No estás viendo nada de lo que crees estar viendo con total claridad!

ORESTES.—[260] ¡Febo! ¡Esas terribles diosas con aspecto de perro y mirada centelleante quieren matarme, las sacerdotisas del infierno![19].

ELECTRA.—¡Entérate bien, no voy a soltarte! Voy a entrelazar tus brazos con los míos para retenerte e impedir que des esos desdichados saltos. *(Le abraza con fuerza.)*

ORESTES.—*(Sin reconocer a su hermana.)* ¡Suéltame! ¡Tú eres una de las Erinias que me está agarrando por la mitad de mi cuerpo con intención de arrojarme al Tártaro![20].

ELECTRA.—¡Ay, pobre de mí! ¿Qué auxilio puedo recibir, después de tener a los dioses mal dispuestos?

ORESTES.—Dame el arco de cuerno, regalo de Loxias, con el que me indicó que me defendiese de las diosas, [270] si éstas intentaban aterrorizarme con sus delirios de locura. *(Continuando con sus visiones.)* Alguna de las diosas resultará alcanzada y herida por mi mano mortal, si no se apartan lejos de mi vista. ¿No me estáis escuchando? ¿No veis las flechas, cómo salen disparadas de mi certero arco, surcando el aire? ¡Eh, eh! ¿Por qué seguís todavía demorándoos? ¡Remontad el vuelo hacia el éter! ¡Y haced responsable de ello a los oráculos de Febo!

(Vuelve en sí.) ¡Eh! ¿Por qué motivo estoy tan excitado, exhalando esta agitada respiración de mis pulmones? ¿Adónde, adónde, entonces, intentaba saltar fuera de la cama? Después de la tempestad ya vuelvo a ver la calma.

---

[19] Como ya se ha comentado anteriormente en otra nota, las Erinias son viejas, con serpientes por cabellera, cabezas de perro, cuerpos negros como el carbón, alas de murciélago y ojos inyectados en sangre. Llevan en sus manos azotes tachonados con bronce y sus víctimas mueren atormentadas. Orestes, delirante, cree sufrir su ataque.

[20] A los infiernos. En los poemas homéricos y en la *Teogonía* de Hesíodo, el Tártaro aparece como la región más profunda del mundo, situada debajo de los propios infiernos. La leyenda muestra que las distintas generaciones divinas encerraron sucesivamente allí a sus enemigos. Poco a poco, con el tiempo, el Tártaro fue confundiéndose con el infierno propiamente dicho, en la idea de 'mundo subterráneo', situándose generalmente en él el lugar donde eran atormentados los grandes criminales.

(Ve a su hermana llorando.) [280] Hermana, ¿por qué estás llorando poniendo tu cabeza dentro de las ropas? Siento vergüenza ante ti, por hacerte compañera de mis fatigas y por causarte estas molestias, siendo una doncella, por culpa de mi enfermedad. No te consumas a causa de mis males. Tú diste tu conformidad a estos planes —es cierto— pero el derramamiento de sangre de nuestra madre fue perpretado por mi mano. A Loxias dirijo mis críticas, quien, tras inducirme a cometer un acto de lo más impío, me ha animado con buenas palabras, pero no con hechos.

Y creo que mi padre, si le hubiese preguntado mirándole a los ojos si debía matar a nuestra madre, [290] me habría dirigido incontables súplicas tocando mi barbilla, a fin de que nunca jamás empuñase mi espada para degollar a la mujer que me engendró, toda vez que él ya no iba a volver a ver la luz de nuevo, y yo, desdichado, iba a alcanzar el colmo de la desgracia.

Así que, hermana mía, descubre ya tu cabeza, y deja de llorar, por más que estemos en una triste situación. Y cuando veas que caigo en el desánimo, opón tú resistencia a los temores destructivos de mi mente y dame tu consuelo. Por mi parte, cuando tú te lamentes, yo habré de estar a tu lado y te echaré una cariñosa reprimenda. [300] Éstas son, en efecto, las mejores formas de ayudarse entre seres queridos.

¡Hala, pobrecita! Ve dentro de casa y túmbate un poco para entregar al sueño esos párpados tuyos que están sin dormir. Toma algo de comer y date un baño. Lo cierto es que si me abandonas o si coges una enfermedad por culpa de estar aquí sentada junto a mí cuidándome, estamos perdidos, pues sólo a ti te tengo para ayudarme; de los demás, como estás viendo, no tengo a nadie.

ELECTRA.—No puede ser. He de elegir junto a ti o morir o vivir, pues me da lo mismo. Si tú mueres, ¿qué podré hacer yo como mujer? ¿Cómo podría salvarme yo sola, [310] sin hermanos, sin padre, sin amigos? Pero si tú lo quieres, tendré que hacerlo.

¡Hala! Reclínate en el lecho y no hagas demasiado caso de tus temores y de las fobias que te hacen saltar del lecho, y quédate acostado en la cama. Aunque no estés enfermo de verdad sino que sólo imaginas estarlo, eso se convierte para los mortales en angustia y ansiedad.

(ELECTRA *entra en el palacio, siguiendo las indicaciones de su hermano.* ORESTES, *entretanto, vuelve a recostarse en el lecho. El* CORO *empieza a cantar.*)

CORO.
Estrofa.

¡Ay, ay! ¡Oh, augustas diosas, aladas, veloces, cuyo destino es formar un coro ajeno a Baco, [320] entre lágrimas y sollozos! ¡Euménides de negra piel, que el anchuroso éter removéis en vuestro vuelo, exigiendo cumplida satisfacción por los crímenes cruentos, por los asesinatos! ¡Encarecidamente os lo ruego, encarecidamente, sí! ¡Dejad que el hijo de Agamenón se olvide de una vez por todas de este loco furor que lo tiene desesperado! ¡Huy! ¡Qué extenuantes fatigas, desdichado, han caído sobre tu persona! ¡Vas camino de la perdición por haber hecho caso de la profecía que Febo dejó oír desde su trípode, [330] en el lugar donde dícese que se encuentra, entre sus repliegues, el ombligo de la tierra![21].

Antístrofa.

¡Ay, Zeus! ¿Qué compasión? ¿Qué lucha es ésta que criminalmente avanza hacia ti, hostigándote, pobre de ti, con la que las lágrimas hace confluir sobre más lágrimas un genio vengador, al llevar hasta vuestra casa la sangre de tu madre, que te impulsa a esta locura? [340] La felicidad, ni aun grande, no es un estado duradero entre los mortales. Lloro, lloro, no puedo evitarlo. La divinidad la zarandea, como la vela de una veloz embarcación, y la anega entre terribles sufrimientos, como si la hundiese bajo el impetuoso y mortal oleaje del mar. En realidad, ¿a qué otra familia antes que a la que de Tántalo desciende, que tiene su origen en un matrimonio con dioses, he de venerar yo?

---

[21] El santuario de Apolo en Delfos. El 'ombligo central' lo llama en el verso 5 de la tragedia *Ión*. Delfos era considerado el ombligo del mundo y en el templo que allí había, donde se desarrolla la acción de la mencionada tragedia, había efectivamente un ombligo de piedra. Al comienzo de la tragedia *Las Euménides*, de Esquilo, se traza una breve historia del oráculo de Delfos, que era el más famoso de Grecia.

CORIFEO.—*(Viendo acercarse a* MENELAO *por un lateral.)* Por cierto, he ahí un rey que hacia aquí su camino enfila, el soberano Menelao. Por sus abundantes muestras de lujo [350] claramente puede verse que de la sangre de los tantálidas procede.

(A MENELAO, *que ya ha entrado definitivamente.)* ¡Oh tú, que una flota armada de mil naves a las tierras de Asia enviaste! ¡Salud! El éxito te acompaña, pues a término llevas aquello que de los dioses justamente solicitas.

MENELAO.—*(Hablando consigo mismo y sin divisar inicialmente ni a* ORESTES *ni a las mujeres del* CORO.*)* ¡Oh palacio! Por un lado con placer pongo en ti mis ojos, al regresar de Troya, mas, por otro lado, lloro al verte. Sí, pues nunca jamás he visto en mayor grado otro hogar sumido en una constante espiral de tristes acontecimientos desgraciados. [360] Me enteré, en efecto, del infortunio y muerte de Agamenón, cómo pereció a manos de su esposa, cuando dirigía mi proa rumbo al cabo Málea[22].

Glauco, el adivino de los navegantes e intérprete de Nereo, me dio la noticia, el dios que no miente, y me dijo estas palabras asomándose visiblemente fuera de las olas: «Menelao, tu hermano yace cadáver. Encontró la muerte en un baño, el último para él, que le preparó su esposa». El suceso nos llenó a mí y a mis marineros de lágrimas sin cuento. Y al tocar el puerto de Nauplia, [370] cuando mi esposa ya había desembarcado en dirección a aquí, cuando creía que iba a estrechar entre mis brazos a Orestes, el hijo de Agamenón, y a su madre, en la creencia de que se encontraban bien, oigo hablar a un pescador del impío asesinato de la hija de Tindáreo.

(A las mujeres del CORO.*)* Ahora, pues, decidme, jovencitas, dónde está el hijo de Agamenón, que ha osado cometer estos terribles crímenes. Era entonces un bebé en brazos de Clitemestra, cuando abandoné mi hogar para dirigirme a Troya, de modo que no lo reconocería si lo viese.

---

[22] El cabo Málea se encuentra situado en el extremo sur oriental de Laconia.

ORESTES.—[380] *(Levantándose del lecho para hablar a su tío* MENELAO.) Yo soy Orestes, Menelao, por el que estás preguntando. De buen grado yo te informaré de mis desdichas; *(echándose a sus rodillas para implorarle)* pero, como primer acto de mis súplicas, quiero tocar tus rodillas, dejando que de mi boca, aun sin los ramos de olivo que el ritual marca, caigan mis plegarias[23]. ¡Sálvame! Has llegado en un momento crítico para mis males.

MENELAO.—¡Oh dioses! ¿Qué estoy viendo? ¿Qué ser infernal estoy contemplando?

ORESTES.—Has hablado acertadamente, pues ya no vivo a causa de mis males, aunque siga viendo la luz.

MENELAO.—¡Qué salvaje aspecto ofrecen esos sucios cabellos, pobre!

ORESTES.—No me causa malestar el aspecto que ofrezco, sino mis actos.

MENELAO.—Tienes una mirada inquietante, con las pupilas secas.

ORESTES.—[390] Mi cuerpo se ha desvanecido, y únicamente me queda mi nombre.

MENELAO.—¡Qué aspecto más feo tienes, más allá de todo límite razonable!

ORESTES.—Aquí me tienes. Yo soy el asesino de mi pobre madre.

MENELAO.—Ya lo he oído, pero evita repetir tus males.

ORESTES.—Ya lo evito, pero mi destino es rico en males.

MENELAO.—¿Qué cosa sufres? ¿Qué enfermedad te aqueja?

ORESTES.—La conciencia, porque sé sin lugar a dudas que he cometido delitos terribles.

MENELAO.—¿Cómo dices? Sabio es —déjame que te diga— lo claro, no lo que no es claro.

ORESTES.—La pena es lo que más me está reconsumiendo.

MENELAO.—Terrible es, sí, esa divinidad, pero, sin embargo, puede curarse.

ORESTES.—[400] Y la locura, venganza por el derramamiento de sangre de mi madre.

---

[23] Se refiere a los ramos de olivo con que se acompañan los suplicantes. Sí cumple, al menos, con el gesto de echarse a sus rodillas.

MENELAO.—¿Y cuándo empezaste con tu locura? ¿Qué día era entonces?

ORESTES.—El día en que honraba a mi pobre madre erigiéndole un túmulo funerario.

MENELAO.—¿Y estabas en casa, o sentado junto a su pira?

ORESTES.—Era de noche, mientras aguardaba a recoger sus huesos.

MENELAO.—¿Se encontraba presente alguien más, que enderezase tu cuerpo?

ORESTES.—Pílades, coautor del asesinato y del derramamiento de sangre de mi madre

MENELAO.—Padeces una enfermedad con origen en fantasmas. ¿Bajo qué aspecto aparecen?

ORESTES.—Me parecía ver tres doncellas semejantes a la noche.

MENELAO.—Sé de quiénes hablas, pero prefiero no nombrarlas.

ORESTES.—[410] Sí, pues son santas. Es muestra de buena educación por tu parte abstenerse de hablar de ellas[24].

MENELAO.—¿Ellas causan tu delirio por derramar la sangre de un familiar?

ORESTES.—¡Ay de mí! ¡Qué persecución esta que me atormenta sin cesar, pobre!

MENELAO.—No es sorprendente que quien ha cometido delitos terribles terriblemente sufra.

ORESTES.—Pero tengo un remedio para mi desgracia.

MENELAO.—No hables de muerte, que eso no es en absoluto sensato.

ORESTES.—Es Febo, que me dio orden de consumar el asesinato de mi madre.

MENELAO.—¡Pues bien poco sabía de lo honrado y lo justo!

ORESTES.—Somos esclavos de los dioses, sean éstos quienesquiera que sean, enhorabuena.

MENELAO.—¿Y no te libra Loxias de tus desgracias?

ORESTES.—[420] No acaba de hacerlo. Lo divino es, por su naturaleza, de esta índole.

---

[24] Se repite la actitud de abstenerse de nombrar a las feroces Erinias, como modo de protegerse de ellas.

MENELAO.—¿Cuánto tiempo hace que se ha desvanecido la respiración de tu madre?

ORESTES.—Hoy hace seis días. La pira de su sepultura aún está caliente.

MENELAO.—¡Con qué rapidez te han hostigado las diosas en pos de la venganza por la sangre de tu madre!

ORESTES.—No he nacido sensato, pero sí amigo auténtico de mis amigos.

MENELAO.—Y, entonces, la venganza por tu padre, ¿te está reportando algún beneficio?

ORESTES.—Todavía no, y tener el propósito de actuar pero no hacerlo es lo mismo que no actuar.

MENELAO.—Y la ciudad, después de haber hecho esto, ¿qué disposición tiene hacia ti?

ORESTES.—Somos objeto de un odio tal que ni se nos habla.

MENELAO.—¿Y no has purificado la sangre de tus manos conforme a la ley?

ORESTES.—[430] Las puertas de las casas se me cierran allí adonde vaya.

MENELAO.—¿Qué ciudadanos están intentando echarte fuera del país?

ORESTES.—Éace, que carga contra mi padre su rencor a Troya.

MENELAO.—Ya entiendo. Pretende pagar contigo la muerte de Palamedes[25].

ORESTES.—Con la que yo, por cierto, no tengo nada que ver, pero estoy completamente perdido.

MENELAO.—¿Y quién más? ¿Acaso alguno de los amigos de Egisto?[26].

---

[25] Palamedes, hermano de este Éace mencionado, fue lapidado por los griegos acusado de traición durante la guerra de Troya. Dicha acusación era totalmente falsa y obedecía a los deseos del pérfido Odiseo por vengarse de Palamedes (sobre sus motivos, la tradición varía bastante). La muerte de Palamedes se haría con el tiempo proverbial, siendo considerada como la muerte injusta por excelencia, fruto de las intrigas de los malos contra alguien que vale más que ellos. Orestes, desde luego, no tenía nada que ver en ello; pero al ser Agamenón quien ordenó su detención, Éace ya ha encontrado un responsable para la muerte de su hermano Palamedes.

[26] Egisto era el amante de Clitemestra. También fue asesinado por Orestes, como se nos cuenta en *Electra*. Clitemestra acudió a él para ayudarse a asesinar

ORESTES.—Esos miserables no dejan de insultarme, y la ciudad en el momento presente les está prestando sus oídos.

MENELAO.—¿Y la ciudad deja que tú empuñes el cetro de Agamenón?

ORESTES.—¿Cómo, si ni siquiera nos dejan que sigamos con vida?

MENELAO.—¿Qué es lo que pretenden hacer? ¿Puedes decírmelo más claramente?

ORESTES.—[440] En el día de hoy va a emitirse un voto acusatorio contra nosotros.

MENELAO.—¿Para desterraros de la ciudad? ¿O sobre si tenéis que morir o no?

ORESTES.—Para morir a manos de los ciudadanos por lapidación.

MENELAO.—¿Y todavía no has traspasado las fronteras para escapar?

ORESTES.—No, pues sus armas de bronce nos tienen completamente cercados.

MENELAO.—¿Por iniciativa propia de enemigos vuestros, o por las fuerzas de Argos?

ORESTES.—Por todos los ciudadanos, para que yo muera, en pocas palabras.

MENELAO.—¡Oh, pobre de ti! ¡Has llegado al colmo de la desgracia!

ORESTES.—En ti están depositadas mis esperanzas de librarme de estos males. ¡Hala! Ahora que has venido con dicha, [450] haz partícipe de tu éxito a tus seres queridos, que en triste situación se hallan. Y no te reserves sus beneficios para ti solo, sino comparte también, por lo que a ti te toca, sus fatigas, de modo que pagues hasta el último de los favores de mi padre a aquéllos a quienes debes. Sólo de palabra, sí, mas no de hecho, son los amigos que, en difíciles coyunturas como ésta, no se portan como amigos.

---

a su esposo. Cfr. *Electra*, versos 1046-1048: «Lo maté *(sc.* a Agamenón), me dirigí hacia sus enemigos, la única vía posible. Pues, ¿quién de sus amigos habría tomado parte conmigo en el asesinato de tu padre?»

(El anciano TINDÁREO *entra por un lateral. La mujer* CO-RIFEO *es la primera en advertir su llegada.)*

CORIFEO.—He ahí, por cierto, al espartano Tindáreo que tenazmente hacia aquí avanza con paso de anciano. Lleva ropas negras y el pelo rapado en señal de luto[27] por su hija.

ORESTES.—¡Estoy perdido, Menelao! Ahí está Tindáreo [460] y se está acercando en dirección a nosotros. Después de los acontecimientos sucedidos, me da la mayor de las vergüenzas verme ante su mirada, pues él me crió cuando era pequeño y me cubría de besos sin número cada vez que me llevaba consigo entre sus brazos, al hijo de Agamenón, así como Leda, y no me tenían ambos por menos digno que a los dos Dióscuros. ¡Oh desdichado corazón y alma mía! ¡Nada honroso es el pago que a cambio les he devuelto! ¿Entre qué tinieblas ocultaría mi rostro? ¿Qué nube me pondría delante, para rehuir la mirada de las pupilas del anciano?

*(*TINDÁREO *entra definitivamente, acompañado de sus sirvientes. Al principio no ve a* ORESTES *y a* AGAMENÓN, *y se dirige al* CORO.*)*

TINDÁREO.—*(Al* CORO.*)* [470] ¿Dónde, dónde puedo encontrar al esposo de mi hija, a Menelao? Que mientras me hallaba vertiendo unas libaciones sobre el sepulcro de Clitemestra oí que había regresado a Nauplia en compañía de su esposa, sano y salvo después de muchos años. *(A sus servidores, tras ver a* MENELAO.*)* Llevadme hasta él, que deseo plantarme junto a su diestra y darle una calurosa bienvenida, después de volver a ver a un amigo tras tanto tiempo. *(Sus sirvientes le acercan hasta* MENELAO.*)*

MENELAO.—¡Salud, anciano, que con Zeus el mismo lecho compartiste!

---

[27] Como ya se ha visto en repetidas ocasiones. Idénticas muestras de dolor podemos encontrarlas, en este mismo volumen, en *Helena*, 372-74, 1054, 1089, 1124; *Las Fenicias*, 322-26, 1350, 1524-5; *Orestes*, 96, 961-63, 1467; *Ifigenia en Áulide*, 1437.

TINDÁREO.—También yo te saludo, Menelao, yerno mío. *(Reconociendo a* ORESTES, *con gran ira.)* ¡Eh! ¡El futuro, qué malo es no conocerlo! ¡El matricida ese de ahí, esa serpiente, [480] centellea delante de la casa un brillo morboso! ¡Objeto de mi odio! Menelao, ¿le diriges la palabra a ese individuo, a ese sacrílego personaje?

MENELAO.—¿Por qué no? Es el hijo de un ser querido para mí, su padre.

TINDÁREO.—¿Es que éste nació de aquél, siendo de semejante ralea?

MENELAO.—Sí, de él nació; y aunque es desdichado, hay que tenerle aprecio.

TINDÁREO.—Te has convertido en un bárbaro, después de estar tanto tiempo entre bárbaros.

MENELAO.—Propio de griegos es —para que te enteres— honrar siempre a un hermano.

TINDÁREO.—Sí, y también no querer ser superior a las leyes.

MENELAO.—Todo lo que proviene de la constricción es servidumbre entre los sabios.

TINDÁREO.—Mantén, pues, tú esa postura, pero yo no lo voy a hacer.

MENELAO.—[490] Pues esa combinación tuya de ira y vejez no es sensata.

TINDÁREO.—¡Ante este individuo viene ahora a cuento una discusión a propósito de la sensatez! Si lo que está bien y lo que no lo está es evidente para todo el mundo, ¿qué hombre ha llegado a ser más estúpido que él, toda vez que no observó la justicia ni se ajustó a la legislación común de los helenos? Efectivamente, cuando Agamenón dejó la vida a causa del golpe que le asestó mi hija en la cabeza, un acto de lo más ignominioso (ciertamente, nunca lo he de aprobar), [500] tendría él que haberse erigido en acusador legal de su madre e imponerle por su delito de sangre una pena ajustada a la ley divina, y echarla fuera de casa. Habría mantenido el control de sí mismo en respuesta a su desgracia, se habría mantenido dentro de la ley y habría sido un hombre piadoso. Ahora, en cambio, ha cometido el mismo delito que su madre, ya que, si creía con toda razón que su madre era malvada, él mismo al matarla se ha convertido en un individuo más malvado aún.

A ti, Menelao, voy a hacerte sólo esta pregunta. Si a éste, por ejemplo, le diese muerte la mujer con la que comparte la cama, y a su vez el hijo de éste matase a su madre en respuesta por su acción, [510] y luego el hijo que aquél tuviere resolviese un asesinato con un asesinato, ¿hasta cuándo, entonces, se continuaría prolongando el fin de estas desgracias? Bien legislaron a este respecto nuestros padres de antaño: a cualquier individuo que se hallase en situación de cargar con un crimen de sangre no le permitían dirigir la mirada a los ojos de la gente ni salir a su encuentro, sino que dejaban que se purificase mediante el destierro y no lo mataban, pues siempre iría a haber una persona sujeta al asesinato, aquélla que con sus manos se hiciese acreedora de la última mancha.

Por lo que a mí respecta, odio sin el menor resquicio de dudas a las mujeres impías, y a la primera a mi hija, que dio muerte a su marido[28]. [520] En cuanto a Helena, tu esposa, jamás he de darle mi aprobación ni podría dirigirle la palabra. Tampoco a ti te envidio por haber ido a la llanura de Troya por culpa de una mujer malvada. Y pienso defender la ley en la justa medida de mis posibilidades, poniendo fin a la barbarie y a los derramamientos de sangre, que siempre son la ruina de países y estados.

(A ORESTES, *que ha permanecido todo este tiempo en silencio.*) Porque tú, desgraciado, ¿qué corazón tenías en ese momento, cuando tu madre, suplicándote, sacó fuera su pecho? Yo, desde luego, aun no habiendo presenciado aquellas desgracias, entre lágrimas consumo ahora, pobre de mí, estos viejos ojos[29]. [530] Un único hecho, no cabe duda,

---

[28] No obstante, Clitemestra en *Electra* se defendía con convincentes argumentos. Cfr. *Electra*, versos 1035-1040: «No cabe duda, las mujeres somos un poco alocadas, no digo lo contrario, pero cuando, en tales circunstancias, el marido comete un desliz y deja a un lado la cama casera, imitar desea la mujer al marido, y hacerse con otro amante. ¡Y luego sobre nosotras brillan como luz del día los insultos, y los hombres, en cambio, responsables de esto, no oyen hablar mal de ellos!»

[29] Cfr. nota 10 a esta misma tragedia. La escena es, realmente, impresionante.

viene a corroborar mis palabras: eres objeto del odio de los dioses y estás expiando el crimen de tu madre atormentado por ataques de locura y de terror. ¿Qué necesidad hay de prestar oídos a otros testigos respecto de lo que es bien posible ver con mis ojos?

(*A* MENELAO.) Para que te enteres, Menelao, no actúes de modo contrario a los dioses por querer ayudarle. Antes bien, deja que sea ajusticiado con la pena de muerte a manos de los ciudadanos por lapidación o, de lo contrario, no intentes poner tus pies sobre tierra espartana. Mi hija recibió un trato justo al morir, pero no fue bueno que ella recibiese la muerte de él.

[540] Yo he sido un hombre bienaventurado en todo, excepto en lo que a mis hijas respecta. En ese aspecto no soy afortunado.

CORIFEO.—Digno de envidia es aquel individuo que dichoso ha sido respecto de sus hijos y que no se ha ganado desgracias memorables.

ORESTES.—Anciano, tengo miedo —no lo digo por decir— de hablarte, porque voy a causaros pena a ti y a tu corazón. Con todo, hágase a un lado el obstáculo de tu vejez, que me impide hablarte, [550] y proseguiré por mi camino, por más que incluso ahora siga sintiendo veneración ante tus canas.

¿Qué tendría que haber hecho? Pon frente a frente, pues, estos dos argumentos junto a otros dos. Mi padre me engendró, tu hija me alumbró tras recibir de otro la semilla, como la tierra de labor. Y sin el padre jamás habría existido el hijo. Por consiguiente, consideré que era preferible dar mi apoyo al autor de la progenie antes que proteger a la mujer que había sido únicamente soporte de la crianza. Soy impío por haber matado a mi madre, pero puede decirse que también soy pío, sí, por haber vengado a mi padre.

Por lo que respecta a tu hija (me da vergüenza decir 'mi madre'), arreglándose por su cuenta otras bodas —por cierto, nada púdicas— se fue al lecho de otro hombre. Contra mí mismo, si me refiero [560] a ella en malos términos, voy a hablar, pero aun así y todo lo voy a hacer. Egisto era el esposo que tenía oculto dentro de palacio. Yo le maté y luego sacrifiqué a mi madre. Por una parte obré de modo impío, pero por otra vengué a mi padre.

Y respecto de aquello por lo que me amenazas con que debo ser lapidado, escucha cómo estoy ayudando a la Hélade entera. Efectivamente, si las mujeres llegasen a semejante punto de audacia, a saber, asesinar a sus maridos y encontrar un refugio ante sus hijos por medio del hecho de procurarse la compasión de que me hablabas gracias a mostrarles sus pechos[30], acabar con sus esposos sería una nadería para ellas [570] cada vez que encontrasen el más mínimo pretexto[31]. Pero yo, al cometer este terrible crimen, como tú no dejas de vocear, puse fin a esta costumbre. Tenía yo, entonces, toda la razón para odiar y acabar con mi madre, una mujer que a su esposo, mientras éste se hallaba ausente fuera de su hogar, en armas en calidad de comandante en jefe de toda la tierra de la Hélade, lo traicionó sin preservar intacto su lecho conyugal.

Y cuando se percató de su error, no se impuso sobre sí misma la pena, sino que, a fin de no pagar a su esposo la condena por su conducta, castigó a mi padre y lo mató. Tú —para que te enteres de una vez— has sido la causa de mi perdición, anciano, al engendrar a una hija perversa, ya que, a causa de su audacia, tras verme privado de mi padre, he llegado a convertirme en matricida.

¡Por los dioses! —en mal momento, verdaderamente, me he acordado de los dioses, [580] al actuar de juez en un caso de asesinato—. Pero, si en aquella ocasión con mi silencio hubiese dado mi aprobación a las actuaciones de mi madre, ¿qué me habría hecho el difunto? ¿No me habría hecho bailar al son de las Erinias cargado de odio? ¿Acaso

---

[30] Cfr. versos 526-528: «Porque tú, desgraciado, ¿qué corazón tenías en ese momento, cuando tu madre, suplicándote, sacó fuera su pecho?»

[31] Cfr. *Ión*, versos 616-617: «¡Cuántos asesinatos —como es bien sabido— por medio de pócimas letales han tramado las mujeres para acabar con sus maridos!» Estos versos y la situación general parecen confirmar las palabras poco antes citadas de Clitemestra en *Electra*, a propósito de la condición femenina. Cfr. *Electra*, verso 1035: «No cabe duda, las mujeres somos un poco alocadas, no digo lo contrario.»

estas diosas le asisten a mi madre en calidad de aliadas, pero no a mi padre, que ha sido víctima de una injusticia aún mayor?[32]. ¿Te das cuenta? Telémaco no mató a la esposa de Odiseo. No, porque ella no se casó con un marido después de otro, [590] sino que su lecho conyugal sigue estando intacto.

¿Ves a Apolo? Habita la sede del ombligo central y habla a los mortales con clarísima voz[33]. Nosotros prestamos obediencia a todo cuanto él dice. Yo maté a la mujer que me parió por obedecerle. ¡Juzgadle a él impío y matadlo! Él fue quien se equivocó, no yo. ¿Qué podría haber hecho yo? ¿Es que el dios no es capaz de borrar esta mancha en defensa mía, toda vez que yo le hago a él responsable? ¿Adónde, pues, podría luego uno huir si quien me dio la orden no va a librarme de la muerte?

[600] Así que no digas que no está bien lo que he hecho, sino que no he sido afortunado al obrar así. Para aquéllos de entre los mortales a quienes su matrimonio les ha resultado bien, la vida es dichosa; pero para quienes no les sale bien la jugada, tanto lo de dentro como lo de puertas para afuera es una desgracia.

CORIFEO.—Las mujeres siempre han sido un obstáculo con el que uno se tropieza para aumentar los problemas de los hombres.

TINDÁREO.—*(Irritado e indignado por el dolor.)* Como te estás armando de valor y no tienes pelos en la lengua, y me an-

---

[32] Cfr. *Electra*, versos 973-984: «ELECTRA.—¿Pero en qué te perjudica vengar a tu padre? ORESTES.—Tendría que expatriarme entonces, siendo como soy inocente en este momento. ELECTRA.—Y si no prestas este servicio a tu padre has de ser un hombre impío. ORESTES.—Lo sé. Pero tendré que pagar la pena por el asesinato de nuestra madre. ELECTRA.—¿Y qué pasará si renuncias a la venganza por nuestro padre? ORESTES.—¿Y si fue un espíritu vengador el que hablaba, fingiendo ser un dios? ELECTRA.—¿Sentado sobre el trípode de sagrado? Yo, desde luego, no lo creo. ORESTES.—Pues yo no me dejaría convencer de que ese oráculo está bien revelado. ELECTRA.—No te acobardes y caigas en falta de hombría; antes bien, ve a tenderle el mismo engaño con el que destronó y mató a su marido, con la ayuda de Egisto.»

[33] Sin embargo, antes de cometer el matricidio no estaba Orestes tan seguro de la veracidad y autenticidad del oráculo. Cfr. *Electra*, verso 981: «Pues yo no me dejaría convencer de que ese oráculo está bien revelado.»

das contestando de estas maneras para que mi corazón se resienta de dolor, vas a incitarme aún más a llevar a término tu muerte. [610] Lo consideraré una buena faena adicional a la del esfuerzo por el que aquí acudí a honrar el sepulcro de mi hija. ¡Sí señor! Pienso dirigirme al comité de ciudadanos de Argos y, tanto si quiere como si no, conseguiré que la ciudad os condene a ti y a tu hermana a la pena de muerte por lapidación.

(Refiriéndose a ELECTRA, *todavía ausente.)* Y aún más que tú es la mujer esa la que merece morir, por lograr que te volvieses hostil a tu madre, por hacer llegar una y otra vez a tus oídos chismorreos para que te enfadases más, por contarte esos sueños de Agamenón y lo de que se acostaba con Egisto [620] —¡así los dioses de los infiernos lo aborrezcan, que también aquí era aborrecible!— hasta terminar incendiando este hogar con un fuego que no arde[34].

(A MENELAO.*)* Y a ti, Menelao, esto es lo que te digo y lo que pienso hacer además. Si en algo tienes en cuenta el sujeto al que odio y nuestro parentesco, no te erijas en defensor de su cruento crimen, contrario a los dioses. Antes bien, deja que sea ajusticiado con la pena de muerte a manos de los ciudadanos por lapidación o, de lo contrario, no intentes poner tus pies sobre tierra espartana[35]. Ya lo has oído, así que ya lo sabes. No tomes partido por unos seres queridos impíos, dejando a un lado a los que son más piadosos.

(A sus sirvientes.) En fin, sirvientes, llevadme lejos de esta casa.

(TINDÁREO *se aleja del palacio, ayudado por sus sirvientes.)*

---

[34] «Sirviéndose de una metáfora, se dice 'incendiar' por 'destruir'; y añade 'no con el fuego de Hefesto', es decir, que sin fuego destruyó la casa», dice el escoliasta a propósito de este verso, a fin de comentar la metáfora empleada.

[35] Cfr. versos 534-537: «Para que te enteres, Menelao, no actúes de modo contrario a los dioses por querer ayudarle. Antes bien, deja que sea ajusticiado con la pena de muerte a manos de los ciudadanos por lapidación o, de lo contrario, no intentes poner tus pies sobre tierra espartana.» Los versos 536 y 537 son idénticos a los versos 625 y 626.

ORESTES.—[630] *(A* TINDÁREO, *mientras se va alejando.)* ¡Márchate, para que mis próximas palabras, a salvo de tu vejez, le lleguen a éste sin tanto jaleo!

(A MENELAO, *observando su inquietud.)* Menelao, ¿adónde quieres ir a parar dándole vueltas a tus pensamientos? ¿Por qué vas de un lado para otro, debatiéndote inquieto entre dos opciones?

MENELAO.—¡Déjame! Por más que trato de darle vueltas en mi interior, no acabo de saber hacia qué dirección inclinarme en este trance.

ORESTES.—Pues no remates lo que estás pensando. Escucha antes mis palabras y toma luego una decisión.

MENELAO.—Habla, que tienes razón. Hay ocasiones en que callarse es mejor que hablar, pero las hay en que es mejor hablar que callarse.

ORESTES.—[640] Ya voy a hablar. Los discursos largos son mejores y más claros que los breves. No me des, Menelao, nada de lo tuyo, y devuélveme lo que recibiste de mi padre. No me refiero a riquezas; la riqueza más querida para mí ahora no sería otra sino que salvases mi vida.

Soy culpable ante la ley. En respuesta a mi delito, he de lograr de ti que cometas una mala acción. Lo cierto es que mi padre Agamenón congregó a la Hélade sin justo motivo y la condujo al pie de Ilión, no porque él hubiese cometido pecado alguno, sino para remediar [650] el pecado de tu mujer y su mala acción. Él se entregó completamente en cuerpo y alma, como deben los amigos con sus amigos, combatiendo escudo en mano por tu causa, a fin de que recobrases a tu esposa. Devuélveme, por tanto, el mismo pago que tú recibiste entonces esforzándote un solo día, erigiéndote en salvador en defensa de nuestra causa, sin emplear diez años en ello. Sólo tienes que darnos una cosa a cambio de otra.

Respecto del sacrificio de mi hermana que Áulide acogió[36], consiento en que las cosas sigan estando así; no ma-

---

[36] Para el asunto del sacrificio, por orden del adivino Calcante, de Ifigenia, hermana de Electra y Orestes, en el puerto de Áulide, donde se encontraba

tes a Hermíone. [660] Ciertamente, mientras a mí me vaya como me va en la actualidad, tú debes tener ventaja y yo comprenderlo.

Ofrécele mi vida a mi desdichado padre, y la de mi hermana, doncella durante largo tiempo, ya que, si muero, dejaré huérfana la casa de mi padre.

Puede que digas: «¡es imposible!». Eso es precisamente: los amigos deben ayudar a sus amigos en los malos momentos, porque, cuando la divinidad concede un buen destino, ¿qué necesidad hay de amigos? Lo cierto es que, cuando quieren ayudar, los dioses se bastan por sí solos. Todos los griegos creen que amas a tu esposa, [670] y no lo digo por darte coba con halagos. ¡Por ella te lo suplico!

(Aparte.) ¡Oh, pobre de mí! ¡A qué tamaño infortunio he llegado! ¿Y qué? He de hacer de tripas corazón, que estas súplicas las formulo por mi casa entera.

(Nuevamente a MENELAO.*)* ¡Oh tío, hermano de mi padre! Piensa que el difunto que yace bajo tierra está escuchando estas palabras mientras su alma revolotea sobre ti, y que dice lo que yo digo.

Con lágrimas, sollozos y penas te he dicho estas palabras y ya he dejado hecha mi reclamación, con la que pretendo desesperadamente alcanzar la salvación, cosa que todos, y no sólo yo, buscamos.

CORIFEO.—[680] También yo te ruego, a pesar de que no soy más que una mujer, que ayudes a los necesitados, pues en tu mano está el hacerlo.

MENELAO.—Orestes, tu persona —sábelo bien— me impone un enorme respeto y quisiera tomar parte en las fatigas de tus males, pues hay que contribuir de este modo a aliviar y soportar los males de los familiares, si la divinidad concede el poder para ello, aun muriendo y matando a los contrarios. ¡Pero por lo que se refiere a ese poder, eso es lo que de los dioses pido yo obtener! La realidad es que, por más que tenga esta lanza entre mis manos, he venido solo, sin guerreros alia-

---

congregada toda la flota griega a la espera de vientos favorables para navegar a Troya, cfr. la tragedia *Ifigenia en Áulide,* en este mismo volumen. Orestes no pide una compensación en este punto por el sacrificio de su hermana Ifigenia.

dos, tras errar por entre miles de penalidades, [690] con la reducida fuerza de los amigos que me quedaron.

En combate en modo alguno, desde luego, sobrepasaríamos al Argos pelásgico; pero si podemos hacerlo con palabras suaves, cerca nos hallamos[37], entonces, de la esperanza. ¿Cómo, pues, podría uno lograr grandes conquistas con pequeños medios de combate? Albergar esas intenciones es verdaderamente una insensatez. Lo cierto es que cuando el pueblo se deja llevar por la ira como un apasionado joven, es lo mismo que intentar sofocar un violento fuego; en cambio, si uno va cediendo ante él con calma y le va dando la razón mientras está en tensión, a la espera del momento oportuno, [700] quizá lleguen a calmarse sus ímpetus. Y en caso de remitir sus ímpetus, conseguirás de él con facilidad cuanto tú quieras. Hay en el pueblo compasión, y hay también una gran dosis de apasionamiento, preciosísimo tesoro para aquél que tiene paciencia.

Iré, entonces, y trataré por ti de convencer a Tindáreo y a la ciudad de que hagan buen uso de su exceso. Hasta un barco comienza a hacer agua cuando se atirantan a la fuerza sus velas con la escota[38], mientras que se endereza de nuevo si se afloja. La divinidad, sí, odia los excesos de celo, y la odian también los ciudadanos. Por eso yo debo —y no lo digo por decir— [710] salvarte por medio de la astucia, sin forzar a quienes son más fuertes que nosotros. Yo no podría salvarte por medio de la fuerza, como quizá andas tú imaginándote ahora, pues no sería fácil con una sola lanza erigir un trofeo por los males que ahora tienes. Nunca me he atraído a la tierra de Argos a un estado pacífico, mas ahora resulta preciso plegarse a las circunstancias, como cuadra a los hombres sensatos.

(MENELAO *sale por un lateral camino de la asamblea de los ciudadanos de Argos.* ORESTES *queda decepcionado e irritado ante la pasividad y falta de resolución de su tío.*)

---

[37] Lectura de los manuscritos.
[38] Cabo que sirve para cazar las velas, es decir, hasta que el puño de la vela quede lo más cerca posible de la borda.

ORESTES.—¿Es que a excepción de dirigir ejércitos por culpa de tu mujer no eres nada en todo lo demás, grandísimo cobarde a la hora de vengar a tus amigos, [720] y te escapas dándome la espalda? ¿La gratitud hacia Agamenón se ha esfumado? Por lo visto carecías de amigos, padre mío, al irte mal las cosas. ¡Ay de mí! He sido objeto de traición y ya no me quedan esperanzas a las que volverme para escapar de la muerte decretada por los argivos. ¡Él era mi refugio de salvación!

(Ve llegar a su primo y amigo PÍLADES.) Pero ahí estoy viendo llegar a la carrera desde Fócide al hombre que más quiero de entre los mortales, a Pílades, dulce visión. Un hombre leal en los malos momentos es más grato de ver que la calma para los navegantes.

PÍLADES.—*(Entrando definitivamente.)* He venido atravesando la ciudad de parte a parte más rápido de lo que debía [730] en cuanto he oído, como luego he podido ver claramente en persona, que se estaba celebrando una asamblea ciudadana contra ti y tu hermana, con vistas a daros muerte de inmediato. ¿Qué significa eso? ¿Cómo te encuentras? ¿En qué situación te hallas, mi más querido pariente y amigo mío de entre los de mi edad? Todo eso, sí, eres tú para mí.

ORESTES.—¡Perdido! Para indicarte en una palabra el estado de mis desgracias.

PÍLADES.—¡Me estás hundiendo contigo, que comunes son las cosas de los amigos!³⁹.

ORESTES.—Menelao es para mí y para mi hermana el hombre más cobarde.

PÍLADES.—Es natural que el marido de una mujer malvada llegue a ser malvado.

ORESTES.—Para mí, al menos, el hecho de que haya venido me reporta lo mismo que si no hubiese venido.

PÍLADES.—¿Es que, entonces, ha venido de verdad a este país?

ORESTES.—[740] Tarde, pero muy pronto se ha descubierto igualmente que es un malvado para sus amigos.

---

³⁹ Esto último, «comunes son las cosas de los amigos», es un antiguo refrán que Platón, por ejemplo, recuerda en varias ocasiones en sus obras.

PÍLADES.—¿Y ha venido trayendo en su barco a su esposa, a esa malísima mujer?

ORESTES.—No él, sino ella a él es quien lo ha traído aquí.

PÍLADES.—¿Dónde está la mujer que, siendo sólo una, ha hecho perecer a muchísimos aqueos?

ORESTES.—En mi palacio, si aún puedo llamarlo mío.

PÍLADES.—Y tú, ¿qué palabras le has dicho al hermano de tu padre?

ORESTES.—Que no observase impasible cómo mi hermana y yo morimos a manos de los ciudadanos.

PÍLADES.—¡Por los dioses! Y a eso, ¿qué dijo? Que quiero saberlo.

ORESTES.—Se mantuvo prudentemente al margen, para protegerse, como suelen hacer los malos amigos con sus amigos.

PÍLADES.—¿A qué excusa echó mano? Si sé esto, ya lo entiendo todo.

ORESTES.—[750] Entonces llegó el individuo ese, el padre que puso la semilla de aquellas sobresalientes hijas[40].

PÍLADES.—Te refieres a Tindáreo. Quizá estaba enfadado contigo por su hija.

ORESTES.—Sí, ya lo vas entendiendo. Menelao prefirió el parentesco de éste antes que a mi padre.

PÍLADES.—¿Y se atrevió a no ayudarte en tus penalidades, aun estando presente?

ORESTES.—Sí. No nació guerrero, aunque con las mujeres es valeroso.

PÍLADES.—Por lo visto te encuentras en gravísimos apuros. Pero, ¿es necesario que mueras?

ORESTES.—Los ciudadanos tienen que emitir su voto por el asesinato que perpetré.

PÍLADES.—Que juzga qué cosa, dímelo, que me está invadiendo el miedo.

ORESTES.—La vida o la muerte. Breve es la palabra para un largo asunto.

PÍLADES.—Deja, pues, el palacio y escapa junto con tu hermana.

---

[40] Observa acertadamente el escoliasta en esta referencia a Tindáreo, padre de Helena y Clitemestra, un tono de ironía.

ORESTES.—[760] ¿Es que no te das cuentas? Estamos custodiados por guardianes por todas partes[41].

PÍLADES.—He visto que las calles de la ciudad estaban vigiladas con armas.

ORESTES.—Nuestras personas están sitiadas, como una ciudad por obra de sus enemigos.

PÍLADES.—Fíjate ahora en lo que me está pasando a mí, pues también yo voy a perecer.

ORESTES.—¿Por obra de quién? Esta desgracia viene a añadirse a las mías.

PÍLADES.—Estrofio, mi padre[42], se ha encolerizado conmigo y me ha echado fuera de casa como a un desterrado.

ORESTES.—¿Cargando contra ti una acusación particular o pública contra tus conciudadanos?

PÍLADES.—Dice que soy un criminal por haberte ayudado en el asesinato de tu madre.

ORESTES.—¡Oh desdichado! Parece que también a ti van a causarte dolor mis penas.

PÍLADES.—No me estoy comportando como Menelao. Hay que afrontar estos hechos.

ORESTES.—[770] ¿No temes que Argos quiera condenarte a muerte al igual que a mí?

PÍLADES.—No les corresponde a ellos castigarme, sino al país de los focenses.

ORESTES.—El populacho es de temer cuando tiene por gobernantes a hombres malvados.

PÍLADES.—Sí, pero cuando los tiene buenos, siempre toma buenas decisiones.

ORESTES.—Bien. Hay que hablar en público.

PÍLADES.—¿De qué fatalidad?

ORESTES.—Si voy y les digo a los ciudadanos...

---

[41] Cfr. versos 443-444: «MENELAO.—¿Y todavía no has traspasado las fronteras para escapar? ORESTES.—No, pues sus armas de bronce nos tienen completamente cercados.»

[42] Estrofio es cuñado de Agamenón, y recibe el encargo de cuidar y educar a su sobrino Orestes. Asimismo es padre del Pílades, por lo que ambos son primos y muy buenos amigos. Continúan juntos sus andanzas en la tragedia *Ifigenia entre los Tauros*, pues Pílades se convierte en compañero fiel e inseparable de su primo y amigo.

PÍLADES.—¿Que actuaste dentro de los límites de la justicia?

ORESTES.—¿Por vengar a mi propio padre?

PÍLADES.—No les des el gusto de prenderte.

ORESTES.—¿Entonces he de morir acurrucándome en silencio?

PÍLADES.—Eso sería una cobardía.

ORESTES.—¿Cómo, pues, debería actuar?

PÍLADES.—¿Tienes alguna perspectiva de salvación si aguardas aquí?

ORESTES.—No, no la tengo.

PÍLADES.—Y si vas allí, ¿hay alguna esperanza de librarte de tus desgracias?

ORESTES.—[780] Podría ser, si tenemos éxito.

PÍLADES.—¿No es, entonces, mejor eso que aguardar aquí?

ORESTES.—Pero, ¿entonces voy?

PÍLADES.—Si es que llegases a morir, tu muerte será así más honrosa.

ORESTES.—Tienes razón. De esta forma rehuyo la cobardía.

PÍLADES.—Mejor que si aguardas aquí.

ORESTES.—¡Además, mi acto fue justo, sí señor!

PÍLADES.—Tú limítate sólo a que lo parezca.

ORESTES.—Y alguien podría, quizá, compadecerse de mí...

PÍLADES.—Sí, que grande es la nobleza de tu nacimiento.

ORESTES.—¡Dolido por la muerte de mi padre!

PÍLADES.—Todo eso lo tienen a la vista.

ORESTES.—Hay que ir, que morir sin gloria es una falta de hombría.

PÍLADES.—Apruebo tu decisión.

ORESTES.—Entonces, ¿se lo digo a mi hermana?

PÍLADES.—¡No, por los dioses!

ORESTES.—Es verdad; se echaría a llorar.

PÍLADES.—¿Y no sería eso, sin lugar a dudas, un enorme presagio para mal?

ORESTES.—Evidentemente es mejor guardar silencio.

PÍLADES.—Por lo menos ganarás tiempo.

ORESTES.—[790] Sólo tengo en contra...

PÍLADES.—¿A qué cosa nueva quieres referirte con eso?

ORESTES.—Que las diosas me detengan con su aguijón.

PÍLADES.—Pero yo voy a cuidar de ti.

ORESTES.—Es difícil manejar a un hombre enfermo.

PÍLADES.—Para mí, al menos, a ti no.

ORESTES.—Toma precauciones para no contagiarte de mi locura.

PÍLADES.—¡A paseo con eso!

ORESTES.—¿Es que no te van a entrar dudas de temor?

PÍLADES.—No, porque esas dudas, si se trata de amigos, son un gran mal.

ORESTES.—Sé, pues, el timón de mis pasos.

PÍLADES.—Grato me es, sí, este servicio.

ORESTES.—Y condúceme hasta la tumba de mi padre.

PÍLADES.—¿Para qué quieres eso?

ORESTES.—Para rogarle que me salve.

PÍLADES.—¡Esto es, desde luego, obrar bien!

ORESTES.—¡Y que no vea el monumento de mi madre!

PÍLADES.—No, que fue tu enemiga. ¡Venga! ¡Date prisa! Que no te declare culpable por adelantado el voto de los argivos. [800] Apoya sobre mis costados los tuyos, flojos por la enfermedad. Que te voy a llevar, sin avergonzarme por nada, por medio de la ciudad. ¡Bien poco me importa la gente! ¿De qué modo, pues, voy a demostrar que soy tu amigo, si no te ayudo ahora que te encuentras en una terrible situación?[43].

ORESTES.—¡Eso, eso es![44]. ¡Gana amigos, no sólo familiares! Que un hombre, si se funde en una unidad con nuestro carácter, por más que sea un extraño, es mejor como amigo que miles de parientes.

(PÍLADES y ORESTES *se marchan por un lateral. El* CORO *queda solo en la escena.*)

---

[43] Como ya ha manifestado él mismo en el verso 769, no se está comportando como Menelao. Pílades es el único personaje del drama que escapa al panorama de mezquindad general que domina sobre todos los demás. No está dispuesto a rehuir ningún peligro con tal de ayudar incondicionalmente a su amigo.

[44] Expresión de sabor coloquial en el original.

CORO.
Estrofa.

La gran felicidad y notable excelencia que, altaneramente, se paseaba a lo largo y ancho de la Hélade y cabe las aguas del Simunte, [810] de nuevo ascendió para precipitarse luego lejos de la dicha de los atridas, a raíz, de nuevo, de la antigua desgracia de esta casa, la de cuando la discordia por el cordero de oro trajo a los tantálidas aquellos lamentabilísimos festines y el degüello de sus nobles hijos[45]. Por ello, a una pena no deja de sucederle otra pena por caminos de sangre entre los dos atridas.

Antístrofa.

¡No es noble este noble acto! [820] ¡Atravesar con un arma forjada a fuego el cuerpo de los progenitores, y mostrar a los rayos de la luz solar la espada ennegrecida por la sangre del crimen! El cometer una maldad por mor del bien es una impiedad enrevesada y una locura propia de hombres de morbosa mente. Efectivamente, en medio de su miedo a la muerte, la pobre tindárida gritaba: «¡No es justo tu osado acto de matar a tu propia madre! ¡Por honrar agradecidamente a tu padre, [830] no te ligues a un mal nombre para siempre!»

Epodo.

¿Qué plaga, o qué lágrimas, incluso qué motivo de piedad hay sobre la tierra peor que derramar con manos asesinas la sangre de una madre? Tras haber consumado tamaño crimen el hijo de Aga-

---

[45] Tiestes, hermano gemelo de Atreo, sedujo a su cuñada Aérope para que ésta le entregase el cordero de oro que aseguraba a su marido Atreo el poder real. Con todo, Atreo consiguió conservar la corona gracias a la intervención de Zeus. En el debate que se planteó a los habitantes de Micenas, Tiestes propuso que fuese elegido rey aquél que pudiese mostrar un vellón de oro. Atreo aceptó, ignorante del hurto, perdió y Tiestes fue proclamado rey. Pero Atreo argumentó, con ayuda de Zeus, que el verdadero soberano fuera designado a raíz de otro prodigio, a saber, invertir el curso del sol. Así sucedió, y Atreo recuperó el trono.
Atreo, más adelante, fingiendo reconciliarse con Tiestes, volvió a llamarle a su reino. Entonces, tras matar a los hijos de Tiestes, los cocinó y se los ofreció a éste como manjar en un festín. Al terminar el banquete, Atreo reveló a Tiestes la naturaleza del manjar degustado y lo expulsó nuevamente del país. A toda esta serie de desgracias encadenadas alude el Coro.

menón, la locura lo ha sumido en un estado de frenesí, objeto de persecución por parte de las Erinias, mientras su mirada, con párpados temblorosos, se ha vuelto asustadiza.

¡Oh, pobre, cuando, [840] aun al ver asomar de entre los ropajes recamados en oro de su madre el pecho, muerte le dio, en pago a cambio de los padecimientos de su padre![46]

(ELECTRA *sale del palacio. Rápidamente se percata de que su hermano* ORESTES *no se encuentra en el lugar en el que ella, antes de entrar en el palacio, lo había dejado.*)

ELECTRA.—(*Angustiada.*) ¡Mujeres! ¿Acaso es que el desdichado Orestes se ha marchado de aquí, de casa, presa de un ataque de locura causada por los dioses?

CORIFEO.—No, no. Ha acudido ante la asamblea del pueblo argivo para intervenir en el debate que se ha entablado a propósito de su vida, en el que se dirime si vosotros vais a vivir o a morir.

ELECTRA.—¡Ay de mí! ¿Qué es lo que ha hecho? Pero, ¿quién le ha convencido para hacer eso?

CORIFEO.—[850] Pílades. (*Ve llegar a lo lejos a un mensajero.*) Pero parece que este mensajero va a poder contarnos no dentro de mucho lo sucedido allí respecto de tu hermano.

MENSAJERO.—(*Entrando definitivamente.*) ¡Oh pobre, desdichada hija del general Agamenón, mi señora Electra! Escucha las palabras que tristemente he venido a traerte.

ELECTRA.—¡Ay, ay! ¡Ahora sí que estamos perdidos sin remisión! Claro eres en tus palabras, pues, por lo que parece, has venido como mensajero de desgracias.

MENSAJERO.—El voto de los pelasgos ha decidido que en este día de hoy tú, desdichada, y tu hermano os encontréis con la muerte.

ELECTRA.—¡Ay de mí! Ya se ha cumplido la peor de las expectativas que yo me temía [860] hace tiempo que iba a su-

---

[46] Ya se ha aludido varias veces al enternecedor y crudo detalle de la madre mostrando sus pechos en el momento del degüello. Cfr. versos 526-528: «Tú, desgraciado, ¿qué corazón tenías en ese momento, cuando tu madre, suplicándote, sacó fuera su pecho?»

ceder y que me tenía consumida entre lamentos. Pero, ¿cuál fue el debate? ¿Qué razones argumentaron los argivos para decidir y ratificar nuestra condena a muerte? Dime, anciano, si he de desprenderme de la vida por medio de lapidación o a espada, toda vez que me he ganado con mi hermano un destino común.

MENSAJERO.—Resulta que iba yo caminando del campo al interior de las puertas de la ciudad con el propósito de enterarme de tu situación y la de Orestes, pues de siempre le he tenido yo simpatía a tu padre y porque tu casa me estuvo alimentando [870] como hombre pobre que soy, mas leal a la hora de tener trato con mis amigos.

Entonces veo a una muchedumbre que se encamina y toma posiciones en la cima de un monte, donde dicen que por primera vez Dánao congregó al pueblo en asamblea pública para pagar su pena a Egipto[47], y yo entonces, al ver esta congregación, le pregunté a uno de los ciudadanos: «¿Qué hay de nuevo en Argos? ¿Acaso alguna noticia referente a nuestros enemigos ha levantado este revuelo en la ciudad de los danaidas?» Y uno dijo: «¿No ves allá lejos a Orestes, cómo se está acercando hacia aquí, aun corriendo el riesgo de morir?» Y entonces veo una visión impensable, que ojalá nunca hubiese visto: [880] a Pílades y a tu hermano acercándose juntos. El uno cabizbajo y abatido por la enfermedad, y el otro resistiendo las mismas penas que su amigo, como un hermano, cuidando de sus afecciones como una enfermera.

Entonces, cuando estuvo completa la muchedumbre de los argivos, el heraldo se puso en pie y dijo: «¿Quién desea tomar la palabra sobre si Orestes debe morir o no por matricida?» Y a continuación se levanta Taltibio, el que ayudó

---

[47] Dánao se estableció en Argos con las cincuenta hijas que había tenido de diferentes mujeres. Las casó con los cincuenta hijos de su hermano Egipto, a pesar de las diferencias habidas en el pasado, pero les ordenó que matasen a sus maridos durante la noche. Todas cumplieron el mandato excepto una, Hipermestra, que salvó a Linceo porque la había respetado. Más adelante este Linceo, en venganza por el asesinato de sus hermanos, mató a Dánao y a todas sus hijas. Éste es el conflicto, como anota el escoliasta, al que se hace referencia.

a tu padre a devastar Frigia, y habló, siempre bajo el amparo de los poderosos, [890] con un doble lenguaje. Por una parte, mostraba su admiración hacia tu padre pero, por otra parte, no daba su aprobación a tu hermano, al tiempo que intentaba hacer pasar enrevesadamente malas razones por buenas, en el sentido de que había impuesto costumbres nada honradas con respecto a los progenitores, sin dejar ni un solo momento de ofrecer sonriente su cara a los amigos de Egisto. De semejante ralea, en efecto, suele ser esta especie: los heraldos saltan siempre al compás del hombre afortunado. Éste es para ellos su amigo, aquél que en la ciudad tenga algún poder y se encuentre entre los magistrados.

Pero a continuación de éste tomó la palabra el rey Diomedes. No dio su consentimiento a que os condenasen a muerte ni a ti ni a tu hermano, [900] sino que dijo que para actuar de modo piadoso había que castigaros con el exilio. Entonces rompieron en aplausos de aprobación aquéllos que creían que tenía razón, pero otros no estaban de acuerdo.

Seguido de éste se levanta también un hombre de ésos que no pueden estarse con la boca cerrada, fuerte por su insolente coraje, un argivo no argivo, colado de rondón, confiado en el alboroto y en la libertad de expresión de los ignorantes, capaz de convencerles de precipitarse a cualquier disparate. Lo cierto es que el hecho de que alguien, amable por sus palabra pero albergando malas intenciones, consiga convencer a la plebe, es un gran mal para el estado. En cambio, quienes con inteligencia toman siempre buenas y acertadas decisiones, [910] aunque quizá no de modo inmediato, sí son al final buenos para el estado. Desde este punto de vista hay que ver al gobernante, pues semejantes son las ocupaciones de quien pronuncia discursos y de quien desempeña los altos cargos públicos. El caso es que éste propuso condenaros a muerte a Orestes y a ti matándoos a pedradas, pero era Tindáreo quien en realidad le iba sugiriendo por lo bajo las palabras que os condenaban a ambos a morir.

Entonces otro individuo se puso en pie y dijo justamente lo contrario. Por el aspecto de su cuerpo no era un hombre agraciado a la vista, pero sí valeroso, de ésos que frecuentan poco la ciudad y la plaza pública, [920] un labrador, justo los que se bastan para salvar al país, inteligente cuando quiere entrar en conversación, que lleva una vida irreprochable e intachable. Propuso que se le concediese una corona a Orestes, el hijo de Agamenón, por haber querido vengar a su padre con la muerte de una mujer malvada y apartada de dios, que iba a ser un obstáculo para que nadie armase su brazo ni se alistase en el ejército al precio de dejar atrás su hogar, por si los que se quedaban iban a corromper a las mujeres que aguardaban en casa, intentándolas seducir al estar sin sus maridos. [930] Y al menos a las gentes de bien les pareció que tenía razón, y ya no habló nadie más.

Entonces tu hermano se adelantó para tomar la palabra y dijo: «¡Oh dueños de la tierra del Ínaco, primero pelasgios y luego danaidas! Maté a mi madre por protegeros a vosotros no menos que a mi padre. Lo cierto es que, como les llegue a estar permitido a las mujeres asesinar a los hombres con total impunidad, ya os podéis ir preparando para morir o, de lo contrario, tendréis que ser esclavos de vuestras mujeres. Vais a hacer lo opuesto a lo que tendrías que hacer. Ahora, efectivamente, ha muerto la mujer que traicionó el lecho de mi padre; [940] pero si me matáis a mí también, la ley deja el camino libre y ya se puede ir preparando todo el mundo para morir, que falta de coraje precisamente no van a tener.»

Con todo, no convenció a la multitud reunida, por más que parecía que tenía razón, sino que se impone el tipo ese que estaba en el grupo de los maleantes, el malvado que propuso mataros a ti y a tu hermano. Entonces el pobre Orestes consiguió convencerles a duras penas de no morir apedreado y se comprometió a abandonar la vida, degollándose con sus propias manos, en este día de hoy, contigo.

Ahora lo trae Pílades de la asamblea, [950] entre lágrimas, y sus amigos le vienen acompañando mientras lloran y se compadecen de él. Un amargo espectáculo y una triste visión vienen hacia ti. ¡Venga! ¡Ve preparando una espada o una soga para tu cuello, que tienes que dejar de contemplar la luz! ¡Nada te ha ayudado tu noble linaje! ¡Y tampoco el pítico[48] Febo, que en el trípode se sienta! Antes bien, él ha sido el causante de tu perdición. *(El* Men-sajero *se va.)*

Corifeo.—¡Oh desdichada doncella! ¡Qué silenciosa te has quedado, volviendo para ocultarlo tu rostro a tierra, como para romper en llanto y lágrimas!

Coro.
Estrofa.

[960] Doy comienzo a mis lamentos, ¡oh, tierra Pelasgia!, surcando las mejillas con mis blancas uñas, sangrienta herida, y dándome golpes en la cabeza[49], como corresponde a la diosa subterránea de los infiernos, la joven y bella Perséfone. ¡Clame la tierra ciclópea[50] con ayes de dolor afeitándose a hierro la cabeza, ante las miserias de esta casa! ¡Éstas, éstas son las muestras de piedad que aquí se manifiestan en favor de estos muertos [970] que un día fueron los comandantes supremos de Grecia!

Antístrofa.

¡Ya se ha ido, sí, ya se ha ido! ¡Ha desaparecido la estirpe toda de los hijos de Pélope[51] y los motivos de envidia que antaño caían so-

---

[48] Lectura de los manuscritos.

[49] En señal de luto. Idénticas muestras de dolor podemos encontrarlas, en este mismo volumen, en *Helena*, 372-74, 1054, 1089, 1124; *Las Fenicias*, 322-26, 1350, 1524-5; *Orestes*, 96, 458, 1467; *Ifigenia en Áulide*, 1437.

[50] A Micenas suele aplicarse el estilo de arquitectura ciclópea, consistente en grandes bloques de piedra que parecen desafiar las fuerzas humanas. Estas construcciones suelen atribuirse a los Cíclopes, caracterizados, entre otras cosas, por su fuerza y su habilidad manual. De modo frecuente se intercambian las referencias de Micenas por Argos. La «tierra pelasgia» mencionada pocos versos antes, es, justamente, Argos. En una misma estrofa, se produce este intercambio.

[51] Tántalo es hijo de Zeus y padre de Pélope, que a su vez es padre de Atreo, que engendró a Agamenón y a Menelao. De entre los hijos de Agamenón, Ifigenia ya murió —al menos eso se cree, aunque sigue viva en realidad (cfr. *Ifigenia entre los Tauros*)— en el sacrificio de Áulide, y Orestes y Electra lo harán próximamente. Por eso se dice que la estirpe de los hijos de Pélope se encuentra próxima a su extinción. Además, la sola muerte del descendiente varón es suficiente para expresar este tipo de afirmaciones.

bre este bienaventurado palacio! La malquerencia de los dioses ha acabado con ella y el voto hostil, condenatorio a muerte, de los ciudadanos. ¡Ay! ¡Oh infelicísima raza de efímeras criaturas que tanto os toca sufrir! ¡Ved cómo el destino camina ajeno a la esperanza! ¡A cada uno le va sucediendo una calamidad [980] en el prolongado curso del tiempo! La vida entera de los mortales es inestable.

ELECTRA.—*Ojalá alcanzase yo la roca tendida entre cielo y tierra, que cadenas de oro mantienen en suspenso, arrastrada por los torbellinos, terrón del Olimpo, para elevar con mi elegía un clamor al anciano padre, Tántalo, que engendró, sí, engendró a mis progenitores, que*[52] *las desgracias de esta casa han contemplado: aquella alada persecución de potros, [990] cuando junto al mar Pélope condujo su carro tirado por cuatro caballos y arrojó a las ondas del mar el cadáver de Mírtilo, en el momento en el que con su carro bordeaba las playas de Geresta, salpicadas por el blanco espumoso del batir de las olas del mar*[53]. *Desde aquel día en mi casa se instaló una lamentable maldición: aquel parto en los rebaños, obra del hijo de Maya, cuando nació el prodigio aquel del cordero de áureo vellón, perdición [1000] de Atreo, criador de caballos*[54]. *A raíz de aquello, la Discordia desvió de su habitual camino al alado carro del sol, alterando en el cielo su ordinario curso hacia occidente en dirección a la Aurora, que un único corcel posee. También Zeus desvió la carrera de las siete Pléyades en dirección a otros cursos. También respon-*

---

[52] Lectura de los manuscritos.

[53] Enómao, rey de Pisa, en Élide, Olimpia, tenía una hija a la que se resistía a dar en matrimonio. Por ese motivo, sometía a sus pretendientes a una carrera de carros en la que siempre ganaba él, ya que sus caballos eran divinos. Cuando un día se presentó Pélope, hijo de Tántalo, Hipodamía se enamoró de él y sobornó al auriga de su padre, Mírtilo, para que éste perdiese la carrera. De este modo, Pélope e Hipodamía se casaron. Entre los hijos que tuvieron, se cuenta Atreo. Como se cuenta aquí, Pélope mató a Mírtilo arrojándolo al mar. Al morir, Mírtilo maldijo a Pélope y a su raza.

[54] Cfr. *Electra*, versos 700-706: «Aún perdura en antiguos relatos la leyenda de que Pan, señor de los campos, al compás de una bella melodía inspirada en su bien trabada flauta, arrancó de su madre un hermoso cordero de áureo vellocino y que desde las montañas de Argos lo trajo.» Esta historia se ha recordado poco antes.

de a aquellas muertes con más muertes, y con el banquete de Ties-
tes, que de él recibe su nombre, y con la cretense Áérope, mujer
dolosa que en doloso adulterio con otro hombre se acostó[55]*.*
[1010] Y por último ya, a mí y mi progenitor nos alcanzó, tris-
tísimo sino de esta casa.

CORIFEO.—*(Viendo llegar a* ORESTES *y* PÍLADES.) Por cierto,
ahí está tu hermano, que viene tras haber sido condenado
a muerte como resultado de la votación, y Pílades, el hombre de más de fiar entre todos, igual que un hermano, que
intenta enderezar los enfermos miembros de Orestes al
tiempo que lo acompaña con paso firme.

(Entran definitivamente ORESTES *y* PÍLADES.)

ELECTRA.—¡Ay de mí, sí! Me lamento al verte ya delante de
la tumba, hermano, y ante la pira funeraria. [1020] ¡Ay de
mí, una vez más! ¡Que al contemplarte con mis ojos ante
mí por última vez, pierdo el sentido!
ORESTES.—¿No guardarás silencio y dejarás esos llantos de
mujer, y aceptarás con resignación los hechos consuma-
dos? Son dignos de lástima, desde luego, mas, con todo,
tienes el deber de soportar la situación que actualmente se
encuentra ante nosotros.
ELECTRA.—¿Y cómo me voy a callar? ¡No vamos a poder
contemplar por más tiempo la luz del sol, pobres de nosotros!
ORESTES.—¡No me mates tú también! ¡Bastante muerto estoy ya, desdichado, a manos de los argivos! Deja correr los
presentes males.
ELECTRA.—¡Oh pobre Orestes! ¡Qué juventud la tuya, y qué
destino, [1030] y qué prematura muerte! Tendrías que haber seguido viviendo, en vez de morir.
ORESTES.—¡Por los dioses! No me hagas un cobarde. No me
recuerdes desgracias para moverme a llanto.

---

[55] Un resumen de esta historia se encuentra en la nota 45 a esta misma
tragedia.

ELECTRA.—¡Vamos a morir! No se puede no lamentar las desgracias. Que para todos los mortales la amada vida es algo digno de compasión[56].

ORESTES.—Hoy es un día decisivo para nosotros. Hay que anudarse una soga al cuello para ahorcarse o aguzar el puñal.

ELECTRA.—Mátame tú ahora, hermano, para que no lo haga ningún argivo ultrajando la casa de Agamenón.

ORESTES.—¡Ya me basta con la sangre de nuestra madre! Yo no te he de matar. [1040] Muere tú por tu propia mano del modo que prefieras.

ELECTRA.—Así será. No pienso sobrevivir a tu espada. Pero quiero echar mis brazos alrededor de tu cuello.

ORESTES.—Disfruta de esa vana alegría, si es que eso es una alegría, abrazar a quienes se encuentran cerca de la muerte.

ELECTRA.—*(Abrazando a su hermano.)* ¡Oh queridísimo hermano mío, dueño del más deseado y agradabilísimo nombre para tu hermana, con quien compartes una única alma!

ORESTES.—Me has enternecido, de verdad. También yo quiero corresponderte con un abrazo. *(Abraza a su hermana.)* ¿De qué, pues, me voy a avergonzar, pobre de mí, a estas alturas? ¡Oh pecho de mi hermana, que abrazo con todo mi cariño! [1050] A cambio de hijos y de un lecho conyugal, esto es lo que nos queda, pobres de nosotros.

ELECTRA.—¡Huy! ¿Cómo nos podría, si estuviese permitido, matar a los dos la misma espada y acogernos un único sepulcro, en madera de cedro trabajado?[57].

ORESTES.—Eso sería lo más dulce del mundo, pero ya estás viendo qué carencia de amigos tenemos, como para compartir un enterramiento.

ELECTRA.—¿Es que el cobarde de Menelao, ese traidor a nuestro padre, no habló a favor de no condenarte a muerte con el debido empeño?

---

[56] «Todo el mundo, al morir, siente compasión ante su propia vida», explica el escoliasta.

[57] «Era costumbre —dice el escoliasta— hacer los ataúdes de madera de cedro.»

ORESTES.—Ni siquiera dio la cara[58], sino que, para seguir manteniendo sus expectativas en el cetro, tomó sus buenas precauciones para no salvar del peligro a sus amigos.

[1060] ¡Pero, venga! ¡Muramos haciendo algo noble y digno de Agamenón! Pienso demostrar a la ciudad la nobleza de mi linaje hiriéndome en el hígado con mi espada. Y tú, por tu parte, tienes que hacer algo a la altura de la audacia de mis actos. *(A* PÍLADES.*)* Y tú, Pílades, estate al cuidado de nuestro suicidio; y cuando hayamos muerto, amortaja debidamente nuestros cadáveres, llévanos junto al sepulcro de nuestro padre y entiérranos juntos. *(Preparándose a hacer cuanto dice.)* Bueno, adiós. Voy a pasar, como ves, a la acción.

PÍLADES.—¡Detente! Un solo reproche, nada más, tengo que hacerte primero, [1070] si te has creído que yo iba a querer seguir viviendo contigo muerto.

ORESTES.—¿Por qué vas a morir tú conmigo?

PÍLADES.—¿Y tú lo preguntas? ¿Y por qué iba a querer vivir yo sin tu amistad?

ORESTES.—Tú no mataste a tu madre, como yo, desgraciado.

PÍLADES.—Sí, contigo, en común[59], y tengo que pasar yo también por lo mismo que tú.

ORESTES.—Vuelve con tu padre[60]. No mueras conmigo. Tú todavía tienes una patria, pero yo ya no, y la casa de tu padre y el gran remanso de la riqueza. Has visto frustradas tus bodas con esta desgraciada *(señalando a* ELECTRA*)*, que yo te prometí en matrimonio para honrar nuestra amistad[61].

---

[58] «Ni siquiera apareció en la asamblea», parafrasea el escoliasta. Menelao ha dado muestras de una cobardía y egoísmo extraordinarios, desconociendo en todo punto el significado de las palabras lealtad y gratitud.

[59] Cfr. verso 767, en boca de Pílades: «Dice *(sc.* mi padre) que soy un criminal por haberte ayudado en el asesinato de tu madre.»

[60] Es extraño, como comenta el escoliasta, que Orestes le diga esto a Pílades, a tenor de lo dicho en el verso 765: «Estrofio, mi padre, se ha encolerizado conmigo y me ha echado fuera de casa como a un desterrado», acusado de criminal, tal como acabamos de recordar en la nota anterior, «a no ser que quiera dar a entender que podrá regresar tras la muerte de su padre», en palabras del escoliasta.

[61] Exactamente por encargo de los Dióscuros. Cfr. *Electra*, verso 249: «A Pílades entrégale a Electra en calidad de esposa para que la lleve a su casa.»

[1080] Contrae otras nupcias y ten hijos. Nuestros compromisos matrimoniales ya no existen. ¡En fin! ¡Cuánto voy a echar de menos tu trato de amigo! ¡Que te vaya bien! Ya que eso a nosotros no nos es posible, al menos que lo sea para ti, sí, pues los difuntos carecemos de alegrías.

PÍLADES.—¡Qué corto te has quedado respecto de lo que he planeado! ¡Que mi sangre no acoja el fértil suelo, ni el reluciente éter, si por liberarme yo te traiciono algún día y te dejo abandonado! Lo cierto es que yo también te ayudé a matar, y no voy a negarlo; [1090] y te aconsejé todo aquello por lo que tú ahora estás pagando esta condena. Por consiguiente, también yo he de morir contigo y con ella, a la vez, pues la considero mi esposa por haber aceptado sus nupcias. ¿Qué explicación digna, pues, podría dar entonces, cuando llegase a tierra délfica y a la acrópolis de los focenses, si antes de que cayeseis en desgracia era amigo tuyo, y ahora, en cambio, que eres desdichado, ya no soy tu amigo? No puede ser, ya que eso también me preocupa[62]. Y como vamos a morir, hablemos y pongámonos de acuerdo para hacer que Menelao también sufra con nosotros.

ORESTES.—[1100] ¡Oh queridísimo amigo! ¡Ojalá muriese viendo eso que dices!

PÍLADES.—Fíate de mí, pues, y deja para más tarde los golpes de espada.

ORESTES.—Lo haré, si así he de cobrarme la venganza de mi enemigo.

---

[62] Este mismo temor y pudor ante los posibles reproches se repite en otra situación en la que, aunque por distintos motivos, Orestes tiene igualmente que morir y Pílades no. Cfr. *Ifigenia entre los Tauros*, versos 674-686: «Es una vergüenza que, al tiempo que tú mueres, yo vea la luz. Como contigo me embarqué, debo también contigo morir. De otra manera, de vil y cobarde me tacharán en Argos y en los valles de Fócide. En efecto, la mayoría creerá, pues la mayoría es cobarde, que he regresado sano y salvo yo solo a casa a cambio de traicionarte, o incluso que yo te he asesinado y que, con la excusa de la desgracia que sacude tu familia, he tramado tu trágico destino, por causa de tu trono con intención de casarme con tu hermana, tu heredera a la sazón. Éste es, sin duda alguna, mi temor, y lo tengo por pudor, y no hay, por consiguiente, modo de que no deba yo compartir contigo el último suspiro, ir contigo al degollamiento, y que el fuego haga arder mi cuerpo, ya que que soy tu amigo y temo esos reproches.»

PÍLADES.—*(Observando la presencia de las mujeres del* CORO.)
Entonces calla, que confío poco en las mujeres.

ORESTES.—No temas nada de ellas, que las aquí presentes
son nuestras amigas.

PÍLADES.—Matemos a Helena. ¡Qué amarga pena para Menelao!

ORESTES.—¿Cómo? Estoy listo, desde luego, si la cosa va a
salir bien.

PÍLADES.—Degollándola. Permanece oculta en tu casa[63].

ORESTES.—¡Sí, y ya está poniéndole a todo su sello![64].

PÍLADES.—Pero ya no lo va a hacer más, cuando contraiga
nupcias con Hades.

ORESTES.—[1110] ¿Y cómo? Tiene unos sirvientes verdaderamente bárbaros.

PÍLADES.—¿Quiénes? Que de entre los frigios yo no temo a
nadie.

ORESTES.—De ésos que están a cargo de espejos y perfumes.

PÍLADES.—¿Es que ha regresado conservando sus lujos troyanos?

ORESTES.—Sí, hasta el punto de que la Hélade se le ha quedado pequeña para vivir[65].

PÍLADES.—Unos esclavos no son nada al lado de quienes no
son esclavos.

ORESTES.—Pues desde luego que si lo logramos, no temo
morir dos veces.

PÍLADES.—Ni yo tampoco, desde luego, si te consigo vengar.

---

[63] Cfr. versos 56-60: «Y a Helena, que ya ha causado muchos lamentos,
aguardando la noche, para evitar que alguno de cuyos hijos han perecido en
Ilión, si la veía venir por el día, comenzase a arrojarle piedras, la ha enviado
por delante a nuestra casa.»

[64] «Y está poniendo sellos, como si hubiese recibido la posesión de todos
mis bienes», parafrasea el escoliasta.

[65] Ya Hécabe le reprocha a Helena en *Las Troyanas* su afán desmedido por
el lujo y las riquezas. Cfr. *Las Troyanas,* versos 992-997: «En Argos vivías con
escasos recursos y, marchándote de Esparta, albergaste la esperanza de desbordar la ciudad de los frigios, donde corre el oro, a base de dispendios. Los palacios de Menelao no te bastaban para el alto nivel de vida al que querías entregarte con un total y completo desenfreno.» Helena a su regreso se trajo,
pues, algunos cuantos criados de la frigia Troya, a quienes tendremos ocasión
de conocer más tarde.

ORESTES.—Sigue revelando el asunto este y termina de contárnos qué quieres decir.

PÍLADES.—Entramos en casa así, como quien va a morir.

ORESTES.—[1120] Eso lo entiendo, pero lo demás no.

PÍLADES.—Lloraremos delante de ella por lo que nos está tocando pasar.

ORESTES.—Hasta que rompa a llorar, aunque por dentro esté llena de satisfacción.

PÍLADES.—Y nosotros haremos justamente lo mismo que ella en ese momento[66].

ORESTES.—¿Cómo lucharemos luego?

PÍLADES.—Llevaremos espadas ocultas entre nuestras ropas.

ORESTES.—¿Y cómo la mataremos delante de sus servidores?

PÍLADES.—Los encerraremos a cada uno en un sitio diferente de la casa.

ORESTES.—Y habrá que matar a quien no se esté en silencio.

PÍLADES.—Después los mismos hechos mostrarán por dónde hay que tirar.

ORESTES.—[1130] Asesinar a Helena. Comprendo la consigna.

PÍLADES.—Ya lo sabes. Escucha ahora qué bien lo tengo todo planeado. Efectivamente, si le clavásemos nuestra espada a una mujer más casta, el asesinato sería cosa infame, pero en este caso ella va a pagar su deuda con toda la Hélade por haber llevado a la muerte a sus padres, por haber sido la perdición de sus hijos, y por haber dejado viudas sin sus maridos a sus mujeres. Habrá un clamor general y las llamas de los fuegos sacrificiales se elevarán en honor de los dioses. Rogarán que tú y yo tengamos la dicha de alcanzar muchos beneficios por haber derramado la sangre de una mujer malvada. [1140] Y después de matar a esta mujer ya no te llamarán «el matricida», sino que dejarás atrás ese apodo, adoptarás otro mejor, y serás conocido como «el asesino de la criminal Helena».

---

[66] El escoliasta glosa esta escena del siguiente modo: «Ella fingirá que llora por nosotros mientras nos ve lamentarnos, pero se regocijará en su espíritu; y también así nosotros fingiremos estar apenados, al tiempo que por dentro nos alegraremos por nuestra futura intención de matarla.»

Jamás de los jamases deberá Menelao alcanzar el éxito y que tu padre, y tú y tu hermana muráis, y que tu madre... Eso lo dejo, que no es conveniente hablar de ello. Ni ha de poseer él tu casa tras haber recuperado a su esposa gracias a la lanza de Agamenón.

¡Que no siga yo vivo por más tiempo, no, si negra no desenvaino contra ella mi espada! Y en caso de que no consigamos llevar a efecto el asesinato de Helena, [1150] quemaremos estas mansiones y moriremos. Lo cierto es que tendremos gloria si en una cosa no fallamos[67], muriendo con honor o salvando nuestra vida con honor.

CORIFEO.—La hija de Tindáreo merece ser aborrecida entre todas las mujeres por haber deshonrado a su especie[68].

ORESTES.—¡Huy! No hay nada mejor que un amigo auténtico, ni la riqueza ni el poder. No tendría sentido, de verdad, cambiar a un amigo noble por toda una multitud. Tú tramaste, ciertamente, los males contra Egisto y estuviste a mi lado cerca del peligro, [1160] y ahora me das de nuevo la ocasión para vengarme de mis enemigos en vez de mantenerte apartado. Voy a dejar de alabarte, que incluso las excesivas alabanzas resultan algo pesado[69].

Toda vez que no me queda más remedio que exhalar mi espíritu, quiero que mis enemigos mueran, haciendo lo que sea, para devolver mal por mal a quienes me han traicionado y para que también lloren quienes me han hecho desgraciado.

Yo soy —fíjate bien— hijo de Agamenón, que fue caudillo de la Hélade porque así se lo pidieron, no su tirano,

---

[67] «En una de estas dos cosas: asesinar a Helena o quemar la casa», explica con más detalle el escoliasta.

[68] Apunta correctamente el escoliasta que puede aquí referirse tanto al género femenino como a su propia familia, aunque es preferible la primera opción y, entonces, traduciríamos así: «La hija de Tindáreo merece ser aborrecida entre todas las mujeres por haber deshonrado a nuestro sexo» —habla una mujer.

[69] Cfr. *Ifigenia en Áulide*, versos 977-980: «¿Cómo podría expresarte sin exageración mi aprobación y no echar a perder mi gratitud por quedarme corta? Pues, de algún modo, los hombres de pro, cuando son objeto de alabanzas, aborrecen a quienes les alaban si éstos les alaban excesivamente.»

aunque de todos modos tenía la fuerza de un dios[70]. No voy a deshonrarle [1170] permitiendo que me maten como a un esclavo, sino que pienso dejar la vida como un hombre libre y haciendo que Menelao pague su traición. Sólo con que alcanzásemos un objetivo, habríamos obtenido el éxito, si ojalá de alguna parte, matando sin morir, nos cayese inesperadamente el modo de salvarnos. Estas súplicas formulo.

¡Qué dulce es regocijar sin coste alguno, aunque sea de palabra, mi corazón con palabras aladas a propósito de lo que quiero!

ELECTRA.—Creo que sé, hermano, cómo lograrlo: salvarnos tú, éste y yo, en tercer lugar.

ORESTES.—Te estás refiriendo a una divina providencia. Pero, ¿cómo es eso posible? [1180] Que yo sé que sagacidad, desde luego, no le falta a tu mente.

ELECTRA.—*(A los dos.)* Escúchame, pues; y tú estate también atento.

ORESTES.—Habla. ¡Qué placer procuran estas buenas perspectivas de futuro!

ELECTRA.—¿Conoces a la hija de Helena? Te he preguntado cosas conocidas.

ORESTES.—Sí, la conozco, Hermíone, la niña que crió mi madre.

ELECTRA.—Se ha encaminado al sepulcro de Clitemestra.

ORESTES.—¿Para hacer qué cosa? ¿Qué esperanzas me estás haciendo concebir?

ELECTRA.—Para verter unas libaciones sobre el enterramiento de nuestra madre.

ORESTES.—Y entonces, ¿qué me quieres decir con esto, relacionado con nuestra salvación?

ELECTRA.—Cogedla como rehén, cuando enfile el camino de regreso.

---

[70] Cfr. *Helena*, versos 393-396: «Creo, en efecto —y no lo digo por jactancia—, que he sido yo *(sc.* Agamenón) el que ha conducido el mayor contingente de tropas por mar contra Troya, sin dar ninguna orden al ejército a la fuerza como un tirano, sino siendo el comandante en jefe de los jóvenes de la Hélade dispuestos por su propia voluntad.»

ORESTES.—[1190] ¿Con qué idea dices que eso va a sernos un remedio a nosotros tres?

ELECTRA.—Una vez que Helena haya muerto, si Menelao intenta hacernos algo a ti, a éste o a mí —porque esto forma una única amistad—, dile que matarás a Hermíone. Habrás de tener tu espada desenvainada junto al cuello de la joven. En caso de que salve tu vida por querer que su hija no muera, al ver el cadáver de Helena caído en un charco de sangre, dejas que el padre recobre el cuerpo de su hija; pero si no logra controlar la cólera de su corazón e intenta matarte, entonces tú degüellas a la joven.

[1200] Pero creo que, aunque al principio se muestre muy irritado, con el tiempo ablandará su corazón, ya que no es por naturaleza ni osado ni valiente. Ésta es la línea de defensa que tengo para salvarnos. Ya he expuesto mis argumentos.

ORESTES.—¡Oh tú, dueña de una mente varonil por más que tu cuerpo tenga aspecto a la vista de mujer! ¡Cuánto más mereces vivir que morir! ¡Pílades, de qué mujer, en verdad, te vas a ver privado, pobre, o qué dichosa esposa te vas a ganar, si sigues con vida!

PÍLADES.—¡Ojalá así alcance a suceder, y a la ciudad de los focenses llegase [1210] honrada con hermosos cantos de boda!

ORESTES.—¿Y en qué momento regresará a casa Hermíone? Que en todo lo demás, al menos, has hablado con excelentes razones, siempre que tengamos éxito en el momento de raptar al cachorro de ese impío padre.

ELECTRA.—Me imagino que se encontrará ya cerca de casa en este preciso momento, pues el lapso de tiempo transcurrido coincide con exactitud.

ORESTES.—Bien. Entonces tú, Electra, hermana mía, aguarda delante de palacio y espera los pasos de la muchacha. Vigila también por si, antes de que se consume el asesinato, algún aliado suyo o el hermano de nuestro padre [1220] se anticipa y llega antes al palacio. De ser así, hazte oír hasta dentro de la casa bien golpeando la puerta o bien echándonos unas voces al interior. En cuanto a nosotros, Pílades, como tú compartes conmigo todas mis fatigas, enfilemos dentro nuestro camino para el combate final, bien dispuestos con nuestras armas, espada en mano.

(Invocando solemnemente a su difunto padre.) ¡Oh padre que habitas la morada de la oscura noche! A ti te invoco yo, tu hijo Orestes, para que acudas en ayuda de los necesitados, pues por tu causa sufro, desdichado de mí, injusto trato y traicionado me veo por tu hermano, aun habiendo actuado rectamente. Por este motivo quiero apresar a su esposa [1230] y matarla. ¡Sé tú, pues, nuestro cómplice en este trance!

ELECTRA.—¡Oh padre! Ven aquí ahora, si es que oír puedes bajo tierra a tus hijos que te llaman en el momento en el que por ti van a morir.

PÍLADES.—¡Oh pariente de mi padre! ¡Escucha también, Agamenón, mis súplicas! ¡Salva a tus hijos de la muerte!

ORESTES.—Yo maté a mi madre...

ELECTRA.—Y yo empuñé la espada...

PÍLADES.—En cuanto a mí, yo le animé y le libré de sus recelos.

ORESTES.—Por socorrerte, padre.

ELECTRA.—Tampoco yo te he traicionado.

PÍLADES.—¿Es que ni aun escuchando estos reproches vas a amparar a tus hijos?

ORESTES.—Te honro con la ofrenda de mis lágrimas.

ELECTRA.—Y yo, al menos, con la de mis lamentos, sí.

PÍLADES.—[1240] Basta ya, y pongámonos manos a la obra. Que si en efecto, como así es, estas súplicas alcanzan como dardos el interior de la tierra, él las está oyendo[71].

---

[71] Para las súplicas que acabamos de presenciar, con invocación al difunto Agamenón, cfr. la que tiene lugar en *Electra* con ecos parecidos: *Electra*, versos 671-684: «ORESTES.—¡Oh Zeus paterno y garante de la victoria sobre mis enemigos! ELECTRA.—Compadécete de nosotros, que padecemos sufrimientos dignos de compasión. ANCIANO.—Compadécete de estos vástagos que de ti proceden. ORESTES.—Hera, tú que imperas sobre los altares de Micenas... ELECTRA.—... concédenos la victoria, si pretendemos un fin justo. ANCIANO.—Concédeles, sí, justicia vengadora por su padre. ORESTES.—Tú, padre, que bajo tierra habitas sin un funeral digno, víctima de una acción impía... ELECTRA.—... y Tierra soberana, a la que mis brazos entrego... ANCIANO.—... protege, protege a estos queridísimos hijos. ORESTES.—Ahora, ven tomando por aliados a todos los muertos... ELECTRA.—... que contigo a los frigios ma-

¡Y vosotros, tú Zeus, ancestro nuestro, y tú, venerable Justicia, concedednos la victoria a éste, a ésta y a mí, que a nosotros tres al completo, como amigos que somos, un solo combate, un solo veredicto, o vivir o morir, nos está destinado!

(ORESTES y PÍLADES *entran en el palacio para cumplir su objetivo de asesinar a* HELENA.)

Estrofa.

ELECTRA.—*¡Oh amigas de Micenas, que los primeros puestos ocupáis en la sede pelásgica de los argivos!*

CORO.—*¿Qué voces gritas, señora?* [1250] *Que esa denominación aún conservas en la ciudad de las danaides.*

ELECTRA.—*Colocaos algunas de vosotras ahí, junto a la carretera, y otras allí, en esta otra parte del camino, para vigilar la casa.*

CORO.—*¿Por qué me llamas para este menester? Dímelo, amiga mía.*

ELECTRA.—*Un temor me domina, no sea que alguien, al ver a mi hermano dispuesto para el cruento asesinato, añada dolor al dolor.*

(*El* CORO DE MUJERES ARGIVAS *se divide en dos semicoros, tal como se indica.*)

SEMICORO 1.º.—*¡Vayamos, démonos prisa! Bien, yo montaré guardia en este lado del camino, en el que da a los rayos del sol.*

SEMICORO 2.º.—[1260] *Pues yo en éste, que da a poniente.*

ELECTRA.—*Poned las pupilas de los ojos en todas partes.*

CORIFEO.—(*Junto a* ELECTRA.) *Tenemos vigilado este lado de aquí y también el de allí, como dices.*

Antístrofa.

ELECTRA.—*Pues entonces haced girar vuestros ojos, dirigid vuestras pupilas a todas partes entre vuestros rizos.*

---

taron a golpe de lanza... ANCIANO.—... y cuantos aborrecen a los impíos criminales. ORESTES.—¿Lo has oído, padre, que has padecido sufrimientos terribles por parte de mi madre? ANCIANO.—Todo —yo lo sé— lo oye tu padre. Pero ya es el momento justo de marchar.»

Semicoro 1.º.—*(Creyendo ver a alguien.) ¿Quién es ése de ahí que viene acercándose por el camino? [1270] ¿Quién podrá ser ese hombre que anda merodeando en las cercanías de tu casa? ¿Un labriego?*

Electra.—*¡Entonces estamos perdidas, amigas mías! Delatará al punto a nuestros enemigos la cacería con espada que teníamos oculta.*

Semicoro 1.º.—*Estate tranquila. El camino que creías que no estaba desierto, lo está, amiga mía.*

Electra.—*(Al Semicoro 1.º) ¿Entonces qué? ¿Tu lado sigue seguro? Dame una buena noticia, si permanece solitaria la parte de delante del vestíbulo.*

Semicoro 1.º.—*Sí, por aquí todo está bien. Pero vigila por tu lado. Que por aquí no se nos acerca ningún danaida.*

Semicoro 2.º.—*[1280] Igual que yo, que por aquí tampoco hay gente.*

Electra.—*A ver, pues, que arrime el oído a las puertas.*

Corifeo.—*¿Por qué tardan, tan tranquilos dentro de la casa, en teñir de sangre a la víctima?*

Electra.—*No oyen nada. ¡Oh, pobre de mí! ¡Qué contrariedad! ¿Acaso ante su belleza se les ha quedado la espada embotada?*[72]

Corifeo.—*Dentro de nada algún argivo presto en armas [1290] se acercará hasta el palacio con pie veloz para prestarle su ayuda a Helena.*

Electra.—*Vigilad aún con más atención. No es combate para estarse sentadas. ¡Venga! ¡Mirad unas por ahí y otras por allí!*

Corifeo.—*(Moviéndose, en respuesta a las órdenes de Electra.) Estoy cambiando de dirección para vigilar por todas partes.*

Helena.—*(Desde el interior.) ¡Oh, pelásgico Argos! ¡Perezco de mala muerte!*

---

[72] Ya advierte Hécabe en *Las Troyanas* la fuerza cautivadora de Helena y su enorme capacidad de seducción que enhechiza a los hombres. Cfr. *Las Troyanas*, versos 890-894: «Alabo, Menelao, que muerte des a tu esposa. Mas evita mirarla, no sea que te atrape su deseo, pues cautiva las miradas de los hombres, conquista ciudades y consume a las familias entre fuego y llamas. A tal extremo alcanza su fascinación. La conocemos tú, yo y quienes la han padecido.»

ELECTRA.—*¿Habéis oído? Nuestros guerreros se han puesto ya manos a la obra con el asesinato. Esos chillidos son de Helena, por lo que parece.*

CORIFEO.—*¡Oh sempiterno poder de Zeus, sí, de Zeus! [1300] ¡Acude de una vez por todas en auxilio de mis amigos!*

HELENA.—*(Desde el interior.) Menelao, muero. De nada me sirves ni aun estando presente.*

ELECTRA[73].—*¡Asesinadla, matadla, golpeadla, acabad con ella clavándole con vuestras manos las dos espadas de doble filo, acabad con esa mujer que abandonó a su padre, que abandonó su matrimonio, que mató a tantísimos helenos que perecieron víctimas de la lanza a las riberas del río, allá donde lágrimas han caído sobre lágrimas bajo los férreos [1310] proyectiles junto a los torbellinos del Escamandro!*

CORIFEO.—*(Escuchando ruido de pasos que se acercan.)* ¡Callad, callad! Me ha parecido oír un ruido como de alguien que dirige su camino hacia la casa.

ELECTRA.—*(Percatándose de que es* HERMÍONE *quien se aproxima.)* ¡Oh queridísimas mujeres! Aquí se nos presenta Hermíone en medio de la faena del asesinato. Pongamos fin a este griterío, que ya enfila aquí su camino para ir derecha a los lazos de nuestra red. Bonito trofeo de caza va a ser, si conseguimos atraparla. Volved a estaros tranquilas, con el rostro apacible y el color que no indique nada de cuanto está aconteciendo. También yo mantendré la mirada con aire compungido, [1320] como si no estuviese enterada de los hechos que estamos llevando a cabo.

(A HERMÍONE, *según entra.)* ¡Oh doncella! ¿Vienes de depositar una corona sobre el sepulcro de Clitemestra y de derramar unas libaciones por los difuntos?

HERMÍONE.—*(Entrando definitivamente.)* Vengo de procurarme su benevolencia. Pero me ha entrado miedo al oír no sé qué grito mientras estaba lejos de la casa.

ELECTRA.—¿Y qué? Se da el caso de que nuestra situación es digna de lamentos.

---

[73] Con los manuscritos, estas palabras corresponden sólo a Electra.

HERMÍONE.—¡Cállate eso! Pero, ¿a qué novedad te estás refiriendo?

ELECTRA.—Este país ha decretado que Orestes y yo muramos.

HERMÍONE.—¡No, de ningún modo! ¡Si sois parientes míos!

ELECTRA.—[1330] Ya está decidido. Estamos sujetos al yugo de la necesidad.

HERMÍONE.—¿Entonces ése era el motivo del griterío que había en casa?

ELECTRA.—Sí. Postrado como suplicante ante las rodillas de Helena clama a gritos...

HERMÍONE.—¿Quién? Yo no sé nada más, a no ser que me lo cuentes tú.

ELECTRA.—El desdichado Orestes, por no morir, y en mi favor.

HERMÍONE.—Por quienes justamente lo merecen eleva la casa su clamor luctuoso.

ELECTRA.—¿Por quién otro, pues, se podría alguien lamentar con más intensidad? ¡Venga! Ven y toma parte en nuestras súplicas en compañía de tus amigas, cayendo de rodillas ante tu madre, enormemente feliz, para que Menelao no permita nuestra muerte. [1340] ¡Por favor! ¡Oh criatura criada entre los brazos de mi madre! Ten compasión de nosotras y alivia la carga de nuestros males. Ven aquí, a nuestra lucha, y yo te guiaré, que tú, sólo tú, tienes la última palabra a propósito de nuestra salvación[74].

HERMÍONE.—Ya está, ya acelero mis pasos camino de casa. Estáis a salvo en la medida, al menos, de mis posibilidades. (HERMÍONE *entra en el interior del palacio.*)

ELECTRA.—(*Gritando hacia el interior de la casa, para hacerse oír por* ORESTES *y* PÍLADES.) ¡Oh mis amigos, los de la casa! ¿No vais a apresar a esta pieza con vuestras espadas?

HERMÍONE.—(*Desde el interior.*) ¡Ay de mí! ¿Quiénes son ésos que estoy viendo ahí?

ORESTES.— (*Desde el interior.*) ¡A callarse! Has llegado, sí, como salvación nuestra, aunque no tuya.

---

[74] Obsérvese la fuerte ironía que contienen estas palabras, al menos para quienes conocemos los planes que alberga Electra respecta de la ignorante Hermíone.

ELECTRA.—*(Oyendo desde el exterior las voces de dentro.)* ¡Sujetad-la, sujetadla! Ponedle una espada junto a la garganta [1350] y estaos tranquilos. Que Menelao se entere de que ha dado con unos hombres armados de valor, no con frigios cobardes, y que le va a pasar lo que les tiene que pasar a los malvados. *(*ELECTRA *entra también en el palacio.)*

CORO.
Estrofa.
¡Eh, eh, amigas mías! ¡Haced ruido y armad un escándalo delante del palacio, para que el delito perpetrado no levante inquietantes temores entre los argivos y corran éstos al palacio real al escuchar los gritos de ayuda, hasta que vea yo de verdad el cadáver de Helena yacente en un charco de sangre en el palacio, o hasta que nos enteremos de la noticia por uno de los sirvientes! [1360] Conozco con claridad, es cierto, una parte de la situación, pero la otra no. Con justicia contra Helena ha caído de los dioses su venganza. De lágrimas, en efecto, llenó la Hélade toda a causa de ese funesto, funesto ideo, Paris, que condujo a la Hélade contra Ilión.

> *(Las puertas del palacio chirrían y comienzan a abrirse. Sale entonces completamente aterrorizado uno de los esclavos frigios de* HELENA.*)*

CORIFEO.—¡Pero, chirrían, sí, los cerrojos del palacio real! ¡Callad, que está saliendo fuera un frigio! Por él podremos enterarnos de cómo está la situación dentro del palacio.

FRIGIO.—*¡He conseguido escapar a la muerte de argólica espada con estas sandalias bárbaras [1370] por encima de las vigas de cedro de los pórticos y de los triglifos dóricos! ¡Me falla, me falla el suelo, el suelo, en mi bárbaro modo de huir!*

> *(Al* CORO.*) ¡Ay, ay! ¿Por dónde huyo, extranjeras? ¿Escapo volando por el brillante éter, o por el mar, que Oceano, de cabeza de toro, arremolina al rodear con sus brazos la tierra?*[75]

---

[75] Oceano es la personificación del agua que, en las concepciones helénicas primitivas, rodea al mundo. Se le representa, por tanto, como un río que corre alrededor de la tierra. Como divinidad, es el padre de los ríos y, al igual que a éstos, se le representa a menudo en forma de toro.

CORIFEO.—[1380] Pero, ¿qué pasa, sirviente de Helena, hombre del Ida?

FRIGIO.—*¡Ilión, Ilión! ¡Ay de mí, ay! ¡Ciudad de Frigia y sagrada montaña del Ida de fértiles tierras! ¡Cómo lloro tu pérdida, en elegíaco canto, con bárbaro grito, por culpa de los hermosos ojos del retoño de Leda, nacida de un ave con alas de cisne, esa mujer de mala estrella, de mala estrella, destrucción de la pulida ciudadela de Apolo! ¡Ayayay! [1390] ¡Qué lamentos! ¡Qué lamentos! ¡Pobre Dardania, ecuestre patria de Ganimedes[76], que con Zeus comparte el lecho!*

CORIFEO.—Cuéntanos con claridad cada uno de los sucesos del palacio; que, si bien no acabo de estar enterada del todo, ya voy juntando las piezas.

FRIGIO.—*'¡Ay, Lino, ay Lino!' dicen los bárbaros como comienzo de sus elegías, ¡ay, ay!, en su asiática lengua, cuando de sus reyes la sangre se vierte a tierra por obra de las férreas espadas de Hades. [1400] Entraron en palacio —para contarte todos y cada uno de los sucesos— como leones gemelos dos helenos. El padre de uno de ellos es famoso por haber sido el comandante en jefe de Grecia, y el otro es hijo de Estrofio, un hombre de mente retorcida, como Odiseo, doloso en su silencio pero leal con sus amigos, valiente en el combate, inteligente para la guerra y un reptil sanguinario. ¡Así se vaya a... por su flema y su prudencia, el muy canalla!*

Entonces se acercaron al trono de la mujer con quien [1410] Paris el arquero se casó, con los ojos empapados en lágrimas, y se echaron al suelo, uno por aquí y el otro por allí, cercándola[77] cada uno por un lado, y le iban poniendo a Helena ambos dos en torno a las rodillas sus manos en actitud de súplica. Entonces sus criados frigios se levantaron de un salto acercándose a todo correr, y cada uno de ellos le decía al otro, llenos de pavor, [1420] si no sería un engaño. Y aunque a unos les parecía que no, otros, sin embargo,

---

[76] Ganimedes, perteneciente a la familia real troyana, fue raptado por Zeus para que le sirviese de copero, dada su extraordinaria y sobresaliente belleza. Al parecer, desempeñaba otras funciones, aparte de las de copero. La pobre Dardania es, asimismo, Troya, que recibe esta denominación a partir de Dárdano, hijo de Zeus y progenitor de los troyanos. El sirviente frigio evoca su patria troyana destruida.

[77] Lectura de los manuscritos.

creían que ese reptil matricida estaba enredando entre sus artima-
ñas de cazador a la hija de Tindáreo.

CORIFEO.—¿Y dónde estabas tú en ese momento? ¿O ya habías huido hacía rato por el miedo?[78].

FRIGIO.—*De acuerdo a nuestras costumbres frigias, me encontraba*
yo agitando una suave brisa hacia los bucles de la melena de Hele-
na, una suave brisa, cerca de sus mejillas, con un bien compacto
abanico de plumas redondo, [1430] de acuerdo a nuestras bárba-
ras costumbres. Ella, mientras, en la rueca iba haciendo girar la
trama de hilo con sus dedos, y el hilo corría por el suelo, porque, de
los despojos frigios, quería ella tejer con ese hilo un manto purpú-
reo, para ofrecérselo a Clitemestra sobre su tumba.

Entonces dijo Orestes a la muchacha lacena[79]: «¡Oh hija de
Zeus! [1440] Pon tus pies sobre el suelo, apártate de la litera y
acércate a la sede del antiguo altar de nuestro antepasado Pélope,
a fin de que conozcas mis palabras.» ¡Se la lleva, se la lleva, y ella
le sigue sin adivinar lo que se le está a punto de venir encima! Su
cómplice, entretanto, va y se encarga de otras labores, el malvado
focense ese: «¿No os quitaréis de en medio? ¡Qué cobardes son
siempre los frigios!» Y nos encerró a cada uno en un lugar de la
casa, a unos en las cuadras de los caballos, a otros en las estancias
exteriores, [1450] por aquí y por allá distribuyéndonos a cada
uno en un sitio lejos de nuestra señora[80].

CORIFEO.—¿Qué sucedió después de esto?

---

[78] Este sirviente aparece caracterizado en todo momento como un grandísimo cobarde, que no ha dudado en escapar en cuanto le ha sido posible. Su
relato está lleno de repeticiones de palabras, altas dosis de recurrencia poética
y de ecos exóticos de su patria extranjera, con continuas alusiones a los lujos
orientales de sus amos. Toda la escena combina hábilmente la alta poesía con
leves toques de hilarante prosaísmo. La dicción, en efecto, no deja nunca de
ser la propia y conveniente a la tragedia, si bien también es cierto que, aunque
no en la forma, el contenido apunta a veces a ingeniosos guiños de comicidad.
Todo esto que acabamos de decir se constatará definitivamente en el próximo
encuentro entre este sirviente y Orestes, pero es mejor no adelantar acontecimientos.
[79] De Laconia.
[80] Cfr. versos 1126-1128: «ORESTES.—¿Y cómo la mataremos *(sc.* a Helena) delante de sus servidores? PÍLADES.—Los encerraremos a cada uno en
un sitio diferente de la casa. ORESTES.—Y habrá que matar a quien no se
esté en silencio.»

FRIGIO.—*¡Madre del Ida, madre nuestra, poderosa, poderosa Antea![81]. ¡Qué cruentos sucesos y qué monstruosos actos criminales los que ni más ni menos he contemplado en el palacio de los monarcas! Sacando sus espadas entre sus manos de bajo la oscuridad de sus purpúreos ropajes, cada uno volvía sus ojos a una dirección, por si se daba el caso de que aún hubiese alguien presente. [1460] Entonces, se plantaron ante ella como jabalíes de monte y le dicen: «¡Vas a morir! ¡Vas a morir! El cobarde de tu esposo es el causante de tu muerte por entregar a traición al hijo de su hermano para que lo maten en Argos.» Y ella gritaba y gritaba: «¡Ay de mí, ay!» Y echándose al pecho sus blancos brazos se golpeaba la cabeza triste y sonoramente[82], y con paso fugitivo trataba de echar a correr con sus sandalias de oro. Pero Orestes, agarrándola del pelo con sus dedos[83] [1470] gracias a habérsele adelantado con los pasos de sus botas de Micenas, le dobló hacia atrás el cuello sobre el hombro izquierdo con la inmediata intención de atravesarle la garganta con su funesta espada.*

CORIFEO.—¿Y dónde estaban en ese momento para defenderla sus sirvientes frigios?

FRIGIO.—*A sus gritos, hacemos saltar con palancas los portones y las jambas de la casa en los lugares en los que nos encontrábamos, y cada uno desde un lugar diferente de la casa corre en su ayuda con piedras, jabalinas o espadas que algunos en sus manos empu-*

---

[81] Referencia a Rea, según el escoliasta, que lo explica del siguiente modo: «también se la llama 'Antea' (*Antaía* en griego), porque a los frigios *que se la encuentran* les inspira gran terror».

[82] En señal de luto. Idénticas muestras de dolor podemos encontrarlas, en este mismo volumen, en *Helena*, 372-74, 1054, 1089, 1124; *Las Fenicias*, 322-26, 1350, 1524-5; *Orestes*, 96, 458, 961-63; *Ifigenia en Áulide*, 1437.

[83] A la pobre Helena siempre la acaban cogiendo del pelo. Cfr. *Helena*, versos 115-116: «HELENA.—¿Y capturasteis también a la mujer espartana (*sc.* a Helena)? TEUCRO.—Menelao se la llevó arrastrándola del pelo.» Cfr. también *Las Troyanas*, versos 880-883: «¡Así que, ea! Entrad en las tiendas, compañeros de armas, traedla (*sc.* a Helena) arrastrándola de sus cabellos ávidos de sangre. Cuando lleguen favorables los vientos, la escoltaremos hasta la Hélade.» Cfr. también, en general, *Ifigenia en Áulide*, versos 791-793: «¿Quién, pues, de los cabellos de mi hermosa melena, haciendo mis lloros más intensos, me arrastrará lejos de mi patria destruida?»

ñaban. Entonces apareció de frente, impertérrito, Orestes, [1480] como Héctor, sí, como él, el frigio, o incluso como Áyax, el del triple penacho, a quien tuve ocasión de contemplar, sí, contemplar, ante las puertas de Príamo.

Trabamos a continuación combate a punta de espada. Entonces, sí, entonces, como es bien público y notorio, se puso en evidencia qué inferiores somos en ardor guerrero los frigios respecto de la lanza helena. Uno se marcha huyendo, otro es ya cadáver, otro sufre heridas, o se deshace en súplicas para defenderse de la muerte. Así unos caían muertos, otros estaban a punto de estarlo o yacían ya difuntos. Huimos aprovechando la oscuridad.

[1490] Entonces entró en casa la desdichada Hermíone, en el instante en que iba a caer derramada en tierra la sangre de la madre que la parió, desdichada. Corriendo tras ella como bacantes sin tirso apresaron conjuntamente a aquel salvaje cachorro, y de nuevo se entregaron al degüello de la hija de Zeus. Pero ella desapareció de la habitación de una parte a otra de la casa, se volvió invisible, ¡oh Zeus, y Tierra, y Luz y Noche!, bien por obra de drogas o de trucos mágicos, o bien porque los dioses se la llevasen a escondidas.

Los sucesos posteriores no los conozco, porque conduje a escondidas mis pasos fuera de la casa para huir de allí a todo correr. [1500] Después de soportar Menelao penosísimos sufrimientos, sí, muy penosos, en vano recobró de Troya, en vano, a su esposa Helena.

(Sale en este momento apresuradamente del palacio ORESTES.*)*

CORIFEO.—He aquí, por cierto, una novedad que sucede a las novedades anteriores, pues estoy viendo que Orestes se encamina armado de espada fuera del palacio con paso terriblemente agitado.

ORESTES.—*(Reclamando la presencia del esclavo frigio.)* ¿Dónde está el individuo ese que ha escapado a mi espada fuera del palacio?

FRIGIO.—*(Echándose a sus pies como un cobarde y vulgar adulador.)* Ante ti me postro, mi señor, cayendo de rodillas, según nuestras bárbaras costumbres.

ORESTES.—No estamos en Ilión, sino en tierra argiva.

FRIGIO.—*(Levantándose.)* En todas partes para el hombre prudente la vida es más dulce que la muerte.

ORESTES.—[1510] ¿Es que no te pusiste a chillar para que Menelao acudiese ante los gritos de socorro?

FRIGIO.—¡Sí, sí, pero para ayudarte a ti, nada más, porque lo mereces más!

ORESTES.—En conclusión: ¿la hija de Tindáreo ha muerto justamente?

FRIGIO.—¡Justísimamente! ¡Aunque tuviese tres gargantas por segar!

ORESTES.—Estás intentando agradarme de palabra por cobardía, sin pensar así por dentro.

FRIGIO.—¿Es que no fue ella la que arruinó a la Hélade junto con los frigios y todo?

ORESTES.—Júrame —y si no lo haces, te mataré— que no lo dices por ganarte mi favor.

FRIGIO.—¡Lo juro por mi alma, por la que no juraría yo en falso!

ORESTES.—*(Le acerca amenazadoramente la espada.)* ¿También en Troya el hierro os inspiraba tanto miedo a todos los frigios?

FRIGIO.—¡Aparta esa espada! Que de cerca tiene un inquietante brillo sanguinario.

ORESTES.—[1520] ¿Temes convertirte en piedra como al mirar a Gorgona?

FRIGIO.—No, no, sino en cadáver[84]. La cabeza de Gorgona yo ni la he visto ni la conozco.

ORESTES.—¿Aun siendo esclavo temes a Hades, que de los males te apartará?

FRIGIO.—Todo hombre, aunque sea un esclavo, se complace en contemplar la luz.

ORESTES.—Tienes razón. Tu sagacidad te salva. ¡Venga! ¡Entra en la casa!

FRIGIO.—Entonces, ¿no me vas a matar?

---

[84] «Estas palabras son cómicas y prosaicas», comenta el escoliasta a propósito de este verso.

ORESTES.—¡Eres libre!

FRIGIO.—¡Bonita palabra esa que dices!

ORESTES.—Pero puedo cambiar de parecer.

FRIGIO.—Eso que dices, sin embargo, ya no está bien. *(Entra dentro del palacio.)*

ORESTES.—*(Al* FRIGIO, *que ya no puede oírle.)* Estás loco si crees que yo me atrevería a mancharme de sangre con tu cuello. Pues ni has nacido mujer ni estás entre los hombres[85]. He salido del palacio para que no armases un escándalo, [1530] ya que Argos se despertaría[86] exasperada al oír tus agudos chillidos de socorro. En cuanto a Menelao, no me causa temor volver a tenerlo al alcance de mi espada. ¡Ea! ¡Ya puede venir, bien orgulloso de su rubia melena rizada sobre los hombros! Y si coge y trae argivos contra esta casa con intención de vengar el asesinato de Helena, y no quiere salvarnos a mí, a mi hermana y a Pílades, que ha colaborado conmigo en estos hechos, habrá de ver dos cadáveres, el de su hija y el de su esposa. *(Entra en el palacio.)*

CORO.
Antístrofa.

¡Ay, ay, qué sino! ¡En otro, en otro espantoso certamen vuelve a caer la casa de los atridas! ¿Qué hacemos? ¿Llevamos a la ciudad estas noticias o nos quedamos en silencio? [1540] Esta opción es más segura. ¡Mira, mira! ¡El humo que sale a toda velocidad de la casa arriba por los aires lo está proclamando! Están encendiendo antorchas con la intención de prender fuego a la casa de los descendientes de Tántalo, y no se desvían de sus sanguinarios planes[87]. La divinidad tiene cogido en sus manos el fin de los mortales y lo lleva por donde quiere. Inmenso es su poder a raíz de genios vengadores. Se ha venido abajo, se ha veni-

---

[85] Dice el escoliasta: «esto puede tomarse bien en el sentido de que sea eunuco, o también porque los frigios son afeminados».

[86] Weil.

[87] Quemar el palacio, en efecto, entraba dentro de sus planes. Cfr. versos 1149-1150: «Y en caso de que no consigamos llevar a efecto el asesinato de Helena, quemaremos estas mansiones.»

do abajo esta casa a causa de los crímenes de sangre, a causa de
la caída de Mírtilo del carro[88].

(Se ve llegar a MENELAO, *acompañado de sus sirvientes.)*

CORIFEO.—Pero, por cierto, ahí estoy viendo a Menelao, cerca del palacio, [1550] con paso presto. Probablemente se ha enterado de lo que está sucediendo en estos momentos. *(Gritando al interior del palacio.)* ¡No os precipitaríais demasiado si fueseis asegurando ya las puertas con los cerrojos, eh, atridas de dentro! Un hombre con éxito es terrible con quienes atraviesan una mala situación, como tú ahora, Orestes, que eres desdichado.

MENELAO.—*(Entrando definitivamente.)* He venido aquí nada más oír las terribles fechorías de estos dos leones, ya que no les doy la denominación de hombres. Pues resulta que he oído que mi esposa no ha muerto, sino que se ha desvanecido volviéndose invisible. He oído ese vano rumor que uno, muerto de miedo, me ha comunicado, [1560] pero eso no son más que los trucos del matricida ese y un motivo para reírse a carcajadas[89].

(A sus sirvientes.) ¡Que alguien abra la casa! Ordeno a mis sirvientes que empujen las hojas de las puertas, para que al menos libremos a mi hija de las manos de esos hombres criminales y recuperemos a mi pobre y desdichada esposa. Junto a ella han de morir a mis manos los individuos que han acabado con mi esposa.

---

[88] Enómao, rey de Pisa, en Élide, Olimpia, tenía una hija a la que se resistía a dar en matrimonio. Por ese motivo, sometía a sus pretendientes a una carrera de carros en la que siempre ganaba él, ya que sus caballos eran divinos. Cuando un día se presentó Pélope, hijo de Tántalo, Hipodamía se enamoró de él y sobornó al auriga de su padre, Mírtilo, para que éste perdiese la carrera. De este modo, Pélope e Hipodamía se casaron. Pélope mató a Mírtilo arrojándolo al mar. Al morir, Mírtilo maldijo a Pélope y a su raza. Cfr. versos 989-995: «Aquella alada persecución de potros, cuando junto al mar Pélope condujo su carro tirado por cuatro caballos y arrojó a las ondas del mar el cadáver de Mírtilo, en el momento en el que con su carro bordeaba las playas de Geresta, salpicadas por el blanco espumoso del batir de las olas del mar.»

[89] Agamenón cree, como acertadamente explica el escoliasta, que Orestes ha matado a Helena y que ha hecho correr ese rumor para ocultar su crimen.

(Aparecen en lo alto del palacio ORESTES, *sujetando a* HER-MÍONE *al tiempo que la amenaza con una espada junto a su cuello, y* PÍLADES. *Les acompaña también algún servidor con antorchas.)*

ORESTES.—¡Eh tú! ¡No toques con tus manos esos cerrojos! A ti te hablo, Menelao, que crecido estás como una torre en tu audacia. O, de lo contrario, haré añicos tu cabeza con esta cornisa, [1570] rompiendo en trozos este viejo alero, labor de los constructores. Los cerrojos están bien asegurados con palancas, para cerrar el paso a tu empeño de entrar en la casa.

MENELAO.—*(Sorprendido y alzando los ojos.)* ¡Eh! ¿Qué es esto? Estoy viendo el resplandor de unas antorchas y a los individuos esos acorazados en lo alto de la casa, y además una espada que pende sobre el cuello de mi hija para mantenerla vigilada.

ORESTES.—¿Quieres interrogarme o escucharme?

MENELAO.—¡Ninguna de las dos cosas! Pero, por lo que parece, es forzoso escucharte.

ORESTES.—Tengo intención de matar a tu hija, si es que quieres saberlo.

MENELAO.—Después de asesinar a Helena, ¿vas a sumar un crimen a otro crimen?

ORESTES.—[1580] ¡Ojalá la siguiese teniendo entre mis manos sin que me la hubiesen quitado los dioses!

MENELAO.—¿Niegas haberla matado y dices eso para ultrajarme?

ORESTES.—¡Penosa negación esa, sí! ¡Ojalá hubiese...!

MENELAO.—¿Hacer qué cosa? Que me estás dando miedo.

ORESTES.—¡Arrojar al Hades a esa canalla criminal que mancha a toda la Hélade!

MENELAO.—Devuélveme el cadáver de mi esposa para poder sepultarlo.

ORESTES.—Reclámaselo a los dioses, que yo voy a matar a tu hija.

MENELAO.—¿Vas a sumar un crimen a otro crimen, so matricida?

ORESTES.—¡Vengador de su padre! Aquél al que tú has traicionado.

MENELAO.—¿No te bastó la sangre de tu madre, que sigue presente?

ORESTES.—[1590] ¡Nunca me cansaría de seguir matando a mujeres malvadas!

MENELAO.—*(A* PÍLADES, *que permanece en silencio.)* ¿Acaso también tú, Pílades, tomas parte en este sanguinario crimen?

ORESTES.—El que calla, otorga. Pero basta con que hable yo.

MENELAO.—Pero en modo alguno te vas a ir tan contento, a no ser, eso sí, que huyas con alas.

ORESTES.—No vamos a huir, sino que vamos a prenderle fuego a la casa.

MENELAO.—¿Es que, entonces, vas a destruir la casa de tu padre?

ORESTES.—Sí, para que no te apoderes tú de ella *(señalando a* HERMÍONE*)*, y a ésta voy también a degollarla entre las llamas.

MENELAO.—Mátala, que si la matas habrás de rendirme cuentas por estos hechos.

ORESTES.—Así será. *(Hace ademán de cumplir su amenaza.)*

MENELAO.—*(Gritándole para impedir que lo haga.)* ¡Eh, eh! ¡No hagas eso de ninguna manera!

ORESTES.—[1599] Pues cállate y aguanta con justicia tu mala situación.

MENELAO.—Aleja la espada de mi hija.

ORESTES.—Eres un ser mentiroso.

MENELAO.—¿Es que vas a matar a mi hija?

ORESTES.—Ya no eres un mentiroso.

MENELAO.—¡Ay de mí! ¿Qué voy a hacer?

ORESTES.—Ve con los argivos y convénceles de...

MENELAO.—¿De qué les convenzo?

ORESTES.—De que no muramos. Pídeselo a la ciudad.

MENELAO.—¿De lo contrario asesinarás a mi hija?

ORESTES.—Así están las cosas.

MENELAO.—¿Es que es justo que tú sigas con vida?

ORESTES.—Sí, e incluso gobernar en este país.

MENELAO.—¿En cuál?

ORESTES.—Aquí, en Argos, el pelásgico.

MENELAO.—¿Y podrías tú celebrar píamente los sacrificios y las lustraciones?

ORESTES.—¿Y por qué no?

MENELAO.—¿E inmolarías a las víctimas sacrificiales antes de la batalla?

ORESTES.—¿Es que tú lo harías piadosamente?

MENELAO.—Sí, porque mis manos están limpias.

ORESTES.—Pero no tu corazón.

MENELAO.—¿Y quién te dirigirá la palabra?

ORESTES.—Todo aquel que quiera a su padre.

MENELAO.—¿Y el que honre a su madre?

ORESTES.—Ése es feliz.

MENELAO.—Por lo que a ti respecta, tú no, desde luego.

ORESTES.—No, porque no me agradan las mujeres malvadas.

MENELAO.—¡Oh desdichada Helena...!

ORESTES.—Y yo, ¿es que no soy desdichado?

MENELAO.—Te rescaté de los frigios para que fueses inmolada aquí.

ORESTES.—¡Ojalá fuese así!

MENELAO.—¡Tras arrostrar miles de fatigas!

ORESTES.—Excepto por mí.

MENELAO.—[1615] ¡He padecido terribles sufrimientos!

ORESTES.—Lo cierto es que antes no me servías de nada.

MENELAO.—Me tienes en tus manos.

ORESTES.—Tú mismo te has atrapado por ser un miserable. *(A sus compinches.)* ¡Venga, vamos! Tú, Electra, préndele fuego a la casa; y tú, Pílades, el más leal de mis amigos, [1620] incendia las cornisas de los muros.

MENELAO.—¡Oh tierra de los dánaos y habitantes de Argos ecuestre! ¿No vais a armaros y a acudir prestos a ayudarnos? Que este hombre impone por la fuerza a toda vuestra ciudad el seguir viviendo, después de perpetrar el abominable crimen de derramar la sangre de su madre.

(El dios APOLO *aparece en lo alto, acompañado de* HELENA.)

APOLO.—*(A* MENELAO.*)* Menelao, deja de estar con ese ánimo exasperado. Yo soy Febo, el hijo de Leto, y estoy aquí, cerca, llamándote. *(A* ORESTES.*)* Y tú, Orestes, que retienes

[245]

a esa muchacha armado de espada como prisionera, entérate de las palabras que he venido a traerte. Estabas ansioso por acabar con Helena [1630] porque estabas irritado con Menelao, pero has errado el tiro. *(Señalando a* HELENA, *que está a su lado.)* Aquí está; aquí podéis verla entre los repliegues del éter sana y salva y sin haber muerto a vuestras manos. Yo la rescaté con vida y me la llevé de bajo tu espada por orden proveniente de su padre Zeus. Siendo, como es, hija de Zeus, ha de seguir viviendo imperecederamente y se sentará entre los repliegues del éter en compañía de Cástor y Polideuces, salvación para los navegantes[90].

(A MENELAO.) Y tú, coge y toma otra esposa para tu hogar. Porque los dioses, disputando la belleza de esta mujer como trofeo, [1640] condujeron a la guerra a frigios y helenos y causaron sus muertes, con la intención de aliviar a la tierra de la excesiva e insoportable carga de mortales que la estaba superpoblando[91]. Las cosas, por lo que respecta a Helena, así están.

(Nuevamente a ORESTES.) Tú, Orestes, por tu parte, tienes que sobrepasar los límites de esta tierra y habitar el territorio parrasio por un período de un año. Los árcades y los azanes lo llamarán Oresteón, pues tomará su nombre a raíz de tu exilio. De ahí te dirigirás a la ciudad de los atenienses y y te someterás por el derramamiento de sangre de tu madre [1650] al dictamen de las tres Euménides. Los dioses actuarán de árbitros en tu proceso en la colina de Ares y emitirán su voto, su santo veredicto, donde tú tienes que resultar absuelto[92]. Y con la joven sobre cuyo cue-

---

[90] Sus hermanos, los dos Dióscuros.

[91] Cfr. *Helena*, versos 36-41: «Y las demás resoluciones de Zeus, por su parte, caminan parejas a estas desgracias, pues condujo a la guerra al país de los griegos y a los desgraciados frigios, para aligerar a la madre tierra de su gravosa carga tumultuosa de mortales y para dar a conocer al hombre más poderoso de la Hélade.»

[92] Cfr. *Electra*, versos 1258-1272: «Allí hay una colina de Ares, donde por primera vez los dioses se sentaron para juzgar por votación un delito de sangre, cuando Ares sin ninguna piedad mató a Halirrocio, hijo del señor de los mares, en venganza por las impías bodas de su hija. Por ese motivo allí la imposición del voto es la más pía y firme. También tú debes apresurarte a ir allí para ser juzgado por tu crimen. Los votos, depositados a partes iguales en el

llo tienes pendiente la espada, Orestes, el destino ha decretado que te cases, sí, con Hermíone. Neoptólemo, que cree que va a casarse con ella, no lo hará jamás. Lo cierto es que su destino es morir a manos de una espada délfica, por exigirme cuentas por la muerte de su padre Aquiles. Y a Pílades concédele la mano de tu hermana, que en su día le prometiste[93]. De aquí en adelante le aguarda una existencia feliz.

(A MENELAO.*)* [1660] Y tú, Menelao, deja que Orestes gobierne en Argos. Ve y sé soberano en tierra espartana, pues aún conservas la dote de tu esposa, que hasta el día de hoy no ha dejado de traerte miles de fatigas y disgustos.

Por lo que respecta a Orestes y su ciudad, yo, que no le dejé más remedio que asesinar a su madre, arreglaré la situación[94].

_____

proceso judicial, te absolverán de la pena capital, ya que Loxias atraerá sobre sí mismo la responsabilidad del crimen, por revelarte el oráculo del asesinato de tu madre. Y en los procesos restantes se establecerá esta norma de jurisprudencia, a saber, que en igualdad de votos el reo gane siempre la causa. Entonces, las diosas terribles, abatidas por este doloroso golpe, al pie de la colina misma se hundirán en las profundidades de ese lugar, venerable sede oracular para los hombres piadosos.»

Cfr. también *Ifigenia entre los Tauros,* versos 961-975: «Una vez que llegué a la colina de Ares, comparecí ante el tribunal. Yo ocupé uno de los dos bancos y la más anciana de las Erinias el otro. Después de pronunciar los alegatos y escuchar el crimen de sangre contra mi madre, Febo presentó las evidencias a mi favor y me salvó de la muerte. Palas con su mano contó los votos uno a uno, que resultaron estar igualados (lo cual me favoreció). Así gané y salí libre del juicio por asesinato. Cuantas Erinias se sometieron al resultado del juicio obtuvieron junto al mismo lugar de la votación un espacio delimitado como santuario; pero las que no se sometieron a la ley me iban persiguiendo en agobiante carrera, hasta que al sacro territorio de Febo regresé y, postrándome ante su templo, ayuno de alimentos, juré que allí mismo mi vida perdería muriendo si Febo, que causó mi ruina, no me salvaba.»

[93] Exactamente por encargo de los Dióscuros. Cfr. *Electra,* verso 249: «A Pílades entrégale a Electra en calidad de esposa para que la lleve a su casa.»

[94] Conociendo los antecedentes, este generoso gesto de Apolo es de temer. Y si no, véase el drama *Ifigenia entre los Tauros,* donde continúan las penalidades de Orestes. La tragedia *Ión* es otra buena muestra de la más que cuestionable habilidad de Apolo para manejar situaciones comprometidas, al menos desde el punto de vista de los dramas euripídeos.

Orestes.—¡Oh Loxias profético! ¡Qué oráculos los tuyos! ¡No eras, pues, un falso profeta, sino auténtico! Con todo, un temor me asaltaba, no fuese que al escuchar a algún genio vengador creyese yo estar oyendo tu voz[95]. [1670] Pero la situación va a llegar a buen término y voy a hacer caso a tus palabras. *(Soltando a* Hermíone.) Mira, ya libero a Hermíone del degüello y acepto gustoso su mano, tan pronto como me la conceda su padre.

Menelao.—¡Oh Helena, hija de Zeus! ¡Salud! Te envidio por habitar la dichosa morada de los dioses. Orestes, yo te entrego a mi hija en matrimonio, toda vez que Febo lo ordena. Que la dicha te acompañe, noble hombre hijo de noble linaje, en tu matrimonio, a ti y también a mí, que su mano te entrego.

Apolo.—Que cada uno, pues, marche adonde se lo hemos ordenado, y poned fin a vuestras querellas.

Menelao.—Hay que obedecer.

Orestes.—[1680] También yo pienso de ese modo, y hago las paces con nuestras desdichas, Menelao, y con tus oráculos, Loxias.

Apolo.—*Id, pues, por vuestros respectivos caminos, y honrad a la más hermosa de las diosas, a la Paz. Yo, por mi parte, conduciré a Helena a las moradas de Zeus, hasta llegar a la esfera celestial de las relucientes estrellas, donde junto a Hera y Hebe, la esposa de Heracles, tendrá su asiento como diosa, honrada por siempre entre los mortales con libaciones, junto con los tindáridas, hijos de Zeus, [1690] dando su protección a los marineros en las aguas marinas[96].*

---

[95] Cfr. *Electra*, versos 979-981: «Orestes.—¿Y si fue un espíritu vengador el que hablaba, fingiendo ser un dios? Electra.—¿Sentado sobre el trípode sagrado? Yo, desde luego, no lo creo. Orestes.—Pues yo no me dejaría convencer de que ese oráculo está bien revelado.»

[96] Se refiere nuevamente a los dos famosos Dióscuros, Cástor y Polideuces. Aparecen en más de una ocasión velando por los navegantes. Cfr. *Electra*, versos 1241-1242: «Acabamos de detener el encrespado oleaje del mar, que abatía terroríficamente a un barco.» Y aquí pocos versos antes, al comienzo de la intervención de Apolo, cfr. versos 1635-1637: «Siendo, como es, hija de Zeus, ha de seguir viviendo imperecederamente y se sentará entre los repliegues del éter en compañía de Cástor y Polideuces, salvación para los navegantes.»

Coro.—*¡Oh Victoria poderosa, venerable! ¡Así mi vida conserves bajo tu diestra y no ceses de coronarme con el éxito!*[97].

(Salen todos.)

---

[97] A propósito de esta estrofa final y de la reconciliación que se produce entre Orestes y Menelao gracias a la intervención divina de Apolo, el escoliasta comenta lo siguiente: «El final de la tragedia concluye con *thrénos* y con *páthos;* y el de la comedia con libaciones y reconciliaciones. Por eso se suele pensar que este drama hace uso de un final cómico, en función de la reconciliación entre Menelao y Orestes.» Pero, tras aducir unos cuantos ejemplos más, añade en conclusión que «en pocas palabras, tales elementos se encuentran muchas veces en la tragedia». En el argumento del gramático Aristófanes leemos también lo siguiente: «El drama tiene un desenlace bastante cómico.» La cuestión que plantea el escoliasta es de enorme interés pero, aparte de señalarla, no nos parece éste el lugar adecuado para tratarla. Existen tragedias de final armónico, feliz, sin dejar en punto alguno de ser fieles a lo que es una tragedia griega antigua. La vieja idea de que una tragedia representa un conflicto que no permite ninguna solución es, como bien puede verse, errónea. En palabras de José Alsina, «una tragedia griega puede tener un *final feliz* sin perder el sentido auténtico de lo trágico, por lo menos en el sentido de que, en toda tragedia, hay dolor, sufrimiento, enfrentamiento del hombre con su propio destino, grandeza moral y afirmación del yo humano» (José Alsina, «Tragedia», pág. 273, en J. A. López Férez, *Historia de la literatura griega,* Madrid, 1988, págs. 271-289).

LAS BACANTES

INTRODUCCIÓN

*L*AS *Bacantes* data del año 409 a. C., si bien fue representada póstumamente. Cuando Eurípides murió en el 406 a. C. en su retiro de Macedonia, dejó tres piezas para su póstuma representación, que corrió a cargo de su hijo, de nombre igual que el padre. Estas tres obras son *Alcmeón en Corinto, Ifigenia en Áulide* y el drama que nos interesa ahora, *Las Bacantes*.

La obra narra la epifanía del dios Dioniso que, tras cobrar forma mortal, se dirige a Tebas para restablecer una situación en la que se negaba su divinidad. Su propósito es, pues, corregir esa negación con la afirmación de su condición divina —en calidad de hijo de Zeus— e instaurar sus ritos. Como son las propias hermanas de su madre mortal, Sémele, las que le niegan su condición, es a ellas a las primeras que el dios hace entrar en un estado delirante, hasta el punto de enviarlas al monte Citerón enloquecidas a practicar sus ritos. Entretanto, en la ciudad, el anciano Cadmo y el ciego Tiresias se aprestan para reunirse con las demás bacantes del monte, mientras el rey Penteo, nieto de Cadmo e hijo de Ágave, enterado de la llegada del nuevo dios, hace todo lo posible por poner fin a estos desvaríos encerrando en prisión a las ménades que ha podido capturar y mandando, asimismo, apresar a Dioniso, quien dócilmente se deja coger y conducir a la presencia del iracundo rey. Contrasta así, como a lo largo de toda la pieza, la serena tranquilidad de Dioniso con la desmedida ira y seriedad de Penteo, que previamente se había enfrentado con el viejo y ciego Tiresias, calificado insistentemente como de hombre sabio, cuando éste defendía a toda costa los antiguos valores tradicionales que la razón nunca podrá derribar. Aquí se establece otra lucha que también planea por toda la obra, a saber, el conflicto entre los valores tradicionales, la antigua religión y el plegarse a pensamientos que no excedan de los límites y capacidades humanas, por una parte, y el desafío de la razón ambiciosa que pretende desentrañar todos los misterios de lo humano y lo divino, por otra parte. El conflicto real es, sin lugar a dudas, mucho más complejo que esta rápida simplificación de los hechos que acabamos de formular y sobre ellos volveremos brevemente más adelante.

En el encuentro entre Penteo y Dioniso late todo cuanto acabamos de mencionar. Dioniso no pierde la calma ni por un instante, mientras Penteo desafía cada vez con más energía al extranjero que ha venido para turbar la paz de la ciudad. Alaba su belleza y se burla de su aspecto afeminado, tradicional en Dioniso, al tiempo que señala la lascivia y el erotismo que despierta. Por supuesto, no logran ponerse de acuerdo, así que el rey ordena cargar de cadenas y meter en prisión al extranjero, pero éste avisa que se soltará en cuanto quiera, pues ése es el poder liberador del dios. Las prisioneras, efectivamente, que Penteo había encadenado con anterioridad, han conseguido liberarse porque sus cadenas y ataduras se soltaron por sí solas, pero en el caso del propio Dioniso la situación es más cruel. El propio Penteo se afana por atar a Dioniso, pero éste le engaña ilusoriamente mientras el descreído rey se agota tratando de encadenar a un toro, a la vista del sonriente Dioniso que contempla a su lado los esfuerzos del iracundo monarca. La enigmática sonrisa de Dioniso es varias veces evocada a lo largo de la obra. En casos como el que acabamos de ver y en otros más, Dioniso juega con Penteo, se burla de él, le hace creer cosas que no son engañándolo completamente para lograr sus fines.

El engaño y los juegos de Dioniso llegan al extremo de convencer a Penteo a travestirse e ir a espiar a las mujeres al monte. Los lectores y espectadores sabemos que se trata de una trampa porque el propio dios así lo ha declarado, por más que se muestre terriblemente atento con Penteo cuando le ayuda a ajustarse las ropas de mujer que le ha convencido para que lleve. Le arregla el tocado, la caída de la túnica, alaba su aspecto, mientras Penteo nos sorprende a todos mostrando de repente un inusitado y coqueto interés por este tipo de detalles, en una escena revestida de ciertos guiños cómicos, verdaderamente terribles al lado del trágico sarcasmo de la situación a la que se ve abocado Penteo. Éste irá vestido de mujer a espiar a las mujeres al monte Citerón, ellas lo descubrirán y su propia madre dará comienzo a un fiero descuartizamiento del hijo, seguida de todas las mujeres, hasta darle una espantosa muerte. Aún su madre será capaz de volver a la ciudad, a la escena, contenta por la cacería con la cabeza de su hijo hincada en el extremo de su tirso, la insignia de Dioniso. El horrorizado Cadmo, tras recoger los restos dispersos del cadáver por el monte, hará volver poco a poco a Ágave a la realidad y entonces el dolor será terrible. Aparece de nuevo Dioniso al final, esta vez mostrándose a todo el mundo en su calidad de dios, y establecerá el destierro inevitable de Cadmo. Este Dioniso de *Las Bacantes* se ha mostrado en todo momento inexorable: ésa es la palabra justa. A fin de llevar a cabo sus objetivos no ha reparado en los daños que pudiese causar a los pobres mortales. No ha tenido ni mostrado ninguna piedad a ese respecto, ni siquiera cuando al final se le implore desesperadamente que se muestre en este aspecto mejor que los mortales pero, por supuesto, no lo hace.

Las Bacantes es el único drama dionisíaco que se nos ha conservado y es, desde luego, el mayor retrato del espíritu dionisíaco de toda la literatura. Por este motivo, y por otros, nos encontramos con una tragedia auténticamente paradigmática. Desde el punto de vista formal no hay reproche que hacerle, ni en su estructura ni en punto alguno. La tensión dramática no cesa en ningún momento, sino que, manteniéndose constantemente presente, crece y asciende hasta la explosión final, en una apoteosis prodigiosa. El Coro está plenamente integrado en la acción dramática, cosa que no pasa de este modo en las restantes tragedias, al menos no como aquí. Esto le da, junto al tema tradicional y el alejamiento de las tendencias a lo melodramático y novelesco de otras composiciones euripideas, un cierto sabor arcaico que nos llega, curiosamente, en una de las últimas producciones dramáticas del más joven de los tres tragediógrafos llegado hasta nosotros. Hay buena y sincera poesía, de la mejor. Se nota en el lenguaje, se nota en la hondura emocional que emanan sus versos desde el primero hasta el último. Hay sinceridad religiosa y seriedad en los planteamientos. La trama composicional de todo aquello que configura y conforma un drama, desde la lengua hasta el último de los aspectos escénicos y teatrales, roza la perfección. No es de extrañar, pues, que el jurado le concediese el primer premio y que entre las generaciones posteriores se le considere el paradigma de lo que es una tragedia griega antigua.

Tienden a plantearse, inevitablemente, cuestiones sobre el sentido religioso de la obra y la posición espiritual del drama y aun del propio Eurípides. La cuestión es compleja, no hay que engañarse, porque surge en el drama con una fuerza a la que nadie puede sustraerse. Se defienden los valores y la religión tradicional, y el saber estar del hombre en su justa posición, venerando todo esto, sin mayores pretensiones de exceder con su razón los límites de lo meramente humano. Al mismo tiempo no faltan elementos que delatan el racionalismo sofístico de la época, la extensión de las artes retóricas y los constantes interrogantes sobre la indefinición de lo divino, sea lo que quiera y pueda ser. *Las Bacantes* es un drama en el que las cosas no son siempre lo que parecen y en el que cualquier afirmación demasiado tajante corre el riesgo de ser, simplemente, una falsedad. No cabe duda, pues, de que es un drama de Eurípides, muy de Eurípides, de los más suyos, ya que puede hablarse mucho de él y se pueden hacer muchas afirmaciones encontradas las unas respecto de las otras, y ninguna de ellas es ni enteramente falsa ni enteramente cierta. Quien esto escribe no encuentra, humildemente, mejor modo de interpretar y entender *Las Bacantes* que leer el drama, reflexionar sobre él y entenderlo de un modo; y leerlo posteriormente sucesivas veces y leer cada vez en él cosas nuevas. Lo único cierto que puede decirse es que nos encontramos ante una espléndida creación literaria que nos conduce por un amplio espectro de emociones y de sensaciones humanas, desde las primeras simpatías y comprensión hacia la causa de Dioniso —que quiere probar su divinidad y establecer sus ritos— hasta el horror que inspira el carácter extremo de su castigo sobre Penteo, quien al principio nos podía parecer que se empeñaba con un afán excesivo en combatir al dios, si bien luego lo que nos provoca es pena, lo mismo que su extraviada madre, pasando por los momentos en que nos maravillaban los milagros de la leche, la miel y el vino brotando espontáneamente de la naturaleza; o cuando no podíamos menos que esbozar una sonrisa, nada comparable al enigmático gesto sonriente de Dioniso, al ver a Penteo preocupado por la caída de la tela de su vestido o por saber en qué mano era mejor que empuñase el tirso, aunque supiésemos, olvidados por un momento, que el advenimiento de su desgracia y destrucción era más que inminente. El pulso de la acción dramática y su tensión nos ha zarandeado por donde ha querido y los espectadores no hemos podido menos que disfrutar ante tantas fuertes emociones, cada vez mayores, y tanta descarga de adrenalina, como se dice hoy día. Esto, como degustadores de una creación literaria, es lo que, a nuestro juicio, es más importante destacar, aunque ni mucho menos agota las posibilidades de enfoque y percepción del drama *Las Bacantes*.

NOTA BIBLIOGRÁFICA

DE ROMILLY, J., «Le thème du bonheur dans les *Bacchantes*», *REG*, 76 (1963), 361-80.

DILLER, H., *Die Bakchen und ihre Stellung im Spätwerk des Euripides,* Maguncia, 1955.

DODDS, E. R., *Euripides Bacchae,* Oxford, 1960².

DRANJE, H., *Euripides' Bacchae. The Play and its Audience,* Leiden, 1984.

LEINIEKS, V., *The City of Dionysos. A Study of Euripides' Bakchai,* Stuttgart, Leipzig, 1996.

SEGAL, C., *Dionysiac Poetics and Euripides' Bacchae,* Princeton, 1982.

WINNINGTON-INGRAM, R. P., *Euripides and Dionysus. An Interpretation of the Bacchae,* Cambridge, 1948.

SOBRE EL TEXTO

Nos hemos apartado de la edición oxoniense de J. Diggle en los siguientes versos: 327, 652, 1002-1004, 1005-1007, 1384.

ARGUMENTO

Los parientes de Dioniso en Tebas afirmaban que no era un dios. Él entonces les impuso el castigo adecuado. En efecto, hizo enloquecer a las mujeres de los tebanos, cuyos tíasos, marchando ellas las primeras, conducían las hijas de Cadmo hacia el Citerón. Cadmo era a la sazón un anciano bien entrado en canas y Penteo, el hijo de Ágave, que había heredado la monarquía, se enfadó ante estos hechos y tras arrestar a algunas de estas bacantes las encadenó; y envió a otros a por el dios en persona. Tras capturarlo porque él así lo quiso, lo condujeron ante Penteo y éste ordenó que lo atasen y lo custodiasen en el interior, no sólo diciendo que Dioniso no era un dios, sino atreviéndose a ejecutar todos estos actos como contra un hombre. Entonces él, causando un terremoto, derribó el palacio real y, para conducirlo al Citerón, convenció a Penteo de que se convirtiese en espía de las mujeres, después de tomar unas ropas de mujer. Pero ellas lo hicieron pedazos, siendo su madre la que comenzó el descuartizamiento. Cadmo, al punto que se percató de los hechos, reunió los miembros hechos pedazos y descubrió al final la cabeza de Penteo entre las manos de su madre. Entonces Dioniso, apareciendo ante ellos, les prescribió a todos unos preceptos y les aclaró a cada uno lo que querían decir tales acontecimientos, con vistas a no ser despreciado como hombre con palabras por alguien ajeno a ello.

ARGUMENTO
DEL GRAMÁTICO ARISTÓFANES

Dioniso, convertido en dios, como Penteo no quería adoptar sus ritos, arrastrando a la locura a las hermanas de su madre, las obligó a despedazar a Penteo. El argumento se encuentra en el *Penteo* de Esquilo.

PERSONAJES DEL DRAMA

DIONISO, *dios*
CORO DE BACANTES
TIRESIAS, *adivino ciego*
CADMO, *padre de Ágave*
PENTEO, *hijo de Ágave y rey de Tebas*
SIRVIENTE, *a las órdenes de Penteo*
MENSAJERO,
OTRO MENSAJERO,
ÁGAVE, *hija de Cadmo y madre del rey Penteo*

(La acción transcurre en Tebas. Al fondo de la escena se encuentra el palacio real de CADMO, *con una puerta en su parte central. Delante del palacio puede verse la tumba de Sémele y las ruinas de su casa.* DIONISO *recita el prólogo.)*

DIONISO.—[1] Aquí, a esta tierra tebana, he venido yo en calidad de hijo de Zeus, Dioniso, a quien antaño alumbró Sémele, la hija de Cadmo, en un parto asistido por la llama relampagueante. Y tras mudar de dios a esta figura mortal, aquí presente me hallo cabe la fuente de Dirce y las aguas del Ismeno[1]. *(Poniendo los ojos sobre la tumba de su madre, frente al palacio.)* Estoy viendo la tumba de mi madre, herida por el rayo, aquí cerca del palacio, y las ruinas caídas de su casa, humeantes por la llama aún viva del fuego de Zeus, muestra inmortal del ultraje de Hera hacia mi madre[2]. [10] Elogio a Cadmo por haber hecho intransi-

---

[1] El Ismeno y el Dirce son ríos que fluyen junto a Tebas.

[2] En la tradición tebana, Sémele es hija de Cadmo, como aquí ha quedado dicho, y de Harmonía. Zeus la amó y concibió a Dioniso. Entonces Hera, celosa, le sugirió que pidiese a su divino amante que se le apareciese en toda su gloria. Zeus, que imprudentemente había prometido a Sémele concederle cuanto pidiese, tuvo que acercarse a ella con sus rayos y Sémele murió al instante carbonizada. Sus hermanas propagaron el rumor de que había tenido un amante vulgar, pero que se había jactado de haber obtenido los favores de Zeus, por lo cual éste, para castigarla, la había fulminado (cfr. versos 26-34: «Como las hermanas de mi madre —¡precisamente quienes menos debían!— afirmaban reiteradamente que Dioniso no había nacido de Zeus, sino que Sémele, tras haber tenido relaciones con algún mortal, elevaba a Zeus la responsabilidad de su desliz en la cama, invenciones de Cadmo, por las que proclamaban deslenguadamente que Zeus la había matado, por haberse inventado tratos carnales con él, por todo ello, entonces, las he aguijoneado fuera de sus

table este lugar, recinto sagrado de su hija. De vid en rededor lo he cubierto, con el follaje verdeante de los racimos de uvas[3].

Tras dejar los campos ricos en oro de los lidios y los frigios, tras recorrer las soleadas llanuras de los persas, las ciudades amuralladas de Bactria, el crudo país de los medos, la dichosa Arabia y Asia entera[4], que junto al salino mar se va extendiendo con sus ciudades de hermosas torres colmadas de una mezcla de griegos y extranjeros al mismo tiempo, [20] ésta es la primera ciudad griega a la que he llegado, después de haber hecho bailar también allí mis danzas corales y de haber establecido mis ritos, a fin de ser divinidad visible a ojos de los mortales. Y por Tebas la primera de entre esta tierra helena extendí los gritos de mi ritual jubiloso, colgando de su cuerpo una piel de corzo y entregando en sus manos el tirso[5], dardo de yedra.

---

casas con inspirada locura y habitan el monte con mente enajenada, y las he obligado a llevar los atavíos de mis ritos»).

En todo caso podremos ser espectadores en esta tragedia de las consecuencias que puede tener calumniar a Dioniso. Se seguirán haciendo constantes alusiones a esta trágica muerte de la madre de Dioniso, Sémele, víctima del rayo de Zeus, y a las calumnias vertidas contra Dioniso por parte de quienes niegan su ascendencia divina.

[3] Este detalle de la vid que cubre el recinto sagrado le da la marca de identidad propia de Dioniso.

[4] En realidad se refiere únicamente a la zona más occidental de Asia Menor, que Eurípides presenta aquí como tierra ya colonizada por los griegos en los tiempos de Cadmo, lo cual supone un ligero anacronismo, bien perdonable, en todo caso, en una obra literaria.

[5] El tirso es un elemento que no falta en las bacantes ni en el propio Dioniso. Por lo que sabemos, se trata básicamente de una caña adornada con guirnaldas de yedra. Cfr. versos 941-944: «PENTEO.—¿De cuál de estas dos maneras me asemejaré más a una bacante? ¿Cogiendo el tirso con la mano derecha o con ésta? DIONISO.—Hay que cogerlo con la derecha y levantarlo al mismo tiempo que el pie derecho.» Pero no sólo es la herramienta que empuñan Dioniso y sus bacantes como su insignia ordinaria, sino que incluso puede servir como arma en alguna ocasión (cfr. *Ión*, versos 216-218: «¡También Bromio a otro de los hijos de Gea con su báculo inofensivo de yedra mata! ¡Nuestro Baco!»). Cfr. versos 762-764: «Ellas de sus manos les lanzaban los tirsos y les iban causando heridas y les hicieron volver a la fuga sus espaldas, las mujeres a los hombres, no sin la colaboración de algún dios.»

Como las hermanas de mi madre —¡precisamente quienes menos debían!— afirmaban reiteradamente que Dioniso no había nacido de Zeus, sino que Sémele, tras haber tenido relaciones con algún mortal, elevaba a Zeus la responsabilidad de su desliz en la cama, [30] invenciones de Cadmo, por las que proclamaban deslenguadamente que Zeus la había matado, por haberse inventado tratos carnales con él, por todo ello, entonces, las he aguijoneado fuera de sus casas con inspirada locura y habitan el monte con mente enajenada, y las he obligado a llevar los atavíos de mis ritos. Y a toda la generación femenina de los cadmeos, cuantas mujeres había, la he hecho salir enloquecida fuera de sus casas. Y entremezcladas juntamente con las hijas de Cadmo, bajo los verdes abetos, se sientan sobre las rocas a cielo abierto[6]. Lo cierto es que esta ciudad tiene que enterarse, aunque no quiera, [40] de que está sin iniciar en las fiestas de Baco y de que salgo en defensa de mi madre Sémele, al aparecerme a los mortales como divinidad que ella alumbró para Zeus.

El caso, en efecto, es que Cadmo ha entregado sus prerrogativas y la realeza a Penteo, por haber nacido de su hija[7], pero éste lucha contra los dioses sobre mi persona, me excluye de las libaciones y en sus plegarias no hace ninguna mención de mí. Por todo ello voy a demostrarles a él y a todos los tebanos que yo he nacido dios. Y una vez que haya dejado bien establecidos aquí mis ritos, dirigiré mis pasos a otro país [50] para ejercer mi revelación.

Y en el caso de que la ciudad de los tebanos intente traer del monte con cólera por la fuerza de las armas a mis bacantes, me uniré a mis ménades y las comandaré como su general. Con ese motivo he adoptado esta apariencia mor-

---

[6] El paisaje que se está describiendo es el monte Citerón, a pocos kilómetros de Tebas, citado más adelante en el verso 62, en el que se dice que habitan ahora las mujeres (verso 33, «habitan el monte con mente enajenada»). Es, en efecto, un paisaje poblado de abetos y rocoso en su cumbre. Nuevamente se acudirá de forma recurrente a estos elementos, así como a otros que ya hemos citado.

[7] La relación familiar queda, pues, así: Cadmo es padre de Ágave, y ésta es a su vez madre de Penteo, nieto del primero.

tal y he mudado mi figura por esta naturaleza corporal de hombre.

(Dirigiéndose en tono de llamada a su CORO DE BACANTES, *reclamando su presencia)* ¡Ea! ¡Mujeres que habéis dejado el Tmolo, baluarte de Lidia, cortejo mío[8], a quienes he traído de entre los bárbaros como compañeras mías para el viaje y el descanso! ¡Alzad los tambores típicos del país de los frigios, invención mía y de la madre Rea! [60] ¡Acudid en torno a estas mansiones reales de Penteo y hacedlos resonar, para que lo vea la ciudad de Cadmo! Yo, por mi parte, acudiré al encuentro de mis bacantes a los repliegues del Citerón, donde ellas están, y participaré con ellas en sus danzas.

*(*DIONISO *se retira, como ha dicho, al encuentro de las mujeres tebanas que se hallan en el monte Citerón. Hace su entrada, tras la invitación del dios, el* CORO DE BACANTES *que le acompaña, al son de flautas y tambores.)*

CORO.

Desde la tierra de Asia, tras haber dejado el sagrado Tmolo, me apresuro en las labores dulces a Bromio[9], fatigas gratamente fatigosas, al tiempo que entono el evohé[10] de Baco. ¿Quién hay en la calle? ¿Quién hay en la calle? ¿Quién hay en casa? ¡Que se aparte del camino [70] y que todo el mundo ofrezca píamente un silencio reverencial! Que sus himnos rituales siempre cantaré yo a Dioniso.

Estrofa 1.ª.

¡Oh, bienaventurado aquel que, dichoso conocedor de los ritos de los dioses, lleva una vida de pureza y su alma entrega en íntima unión a los cortejos de Baco, bailando en los montes con santas pu-

---

[8] Traducimos por «cortejo» la palabra griega *thíasos*, en el sentido de que éste efectivamente es el cortejo perteneciente al culto de un dios y, más en concreto, del dios Dioniso. Como puede verse aquí, se trata de un cortejo festivo que baila y canta acompañado de flautas y tambores.

[9] Bromio y, también, Baco son dos nombres por lo que oiremos en muchas ocasiones llamar al dios Dioniso, así como el dios Evio, a partir del grito ritual 'evohé', como luego se verá.

[10] Éste es uno de los gritos rituales asociados a este culto dionisíaco. No dejará de repetirse en toda la pieza.

rificaciones, observando los legítimos ritos de la gran madre Cibeles[11]*, [80] agitando arriba y abajo el tirso, y, coronado de yedra, a Dioniso presta su servicio! ¡Venid bacantes, venid bacantes, que a Bromio, dios hijo de dios, Dioniso, traéis bajándolo de los montes de Frigia a las espaciosas calles de la Hélade, a Bromio!*

Antístrofa 1.ª.

A quien antaño, cuando de él se encontraba embarazada, en medio de agudos dolores de parto, al alzar el vuelo el trueno de Zeus, [90] echándolo de su vientre antes de tiempo, alumbró su madre, al tiempo que perdía la vida ante el impacto del rayo. Pero al punto Zeus Cronida lo recogió en una recóndita cavidad para su gestación y, cubriéndolo bajo su muslo, lo sujeta firmemente con broches de oro, oculto lejos de Hera[12]*. Y alumbró, cuando la gestación llegó a su término, [100] al dios de cuernos de toro y lo coronó con coronas de serpientes. A raíz de este hecho las ménades cazan estas presas y las ciñen a su cabellera.*

Estrofa 2.ª.

¡Oh, Tebas, nodriza de Sémele! ¡Corónate de yedra! ¡Florece, florece de verde enredadera fecunda, y conságrate en báquico delirio [110] con ramas de encina o de abeto! ¡Y enfundada en moteadas pieles de corzo, corónate con vellones trenzados de blanca lana! ¡Mantente pura en torno a los violentos tirsos! Al punto toda la región ha de bailar, en cuanto Bromio conduzca sus cortejos al monte, al monte, donde aguarda una multitud de mujeres, lejos de los telares tras dejar las lanzaderas a un lado, aguijoneada por Dioniso.

---

[11] Hay aquí una estrecha asociación, si no identificación, entre los ritos de Dioniso y el culto a la diosa Cibeles, de origen minorasiático, que no llegó a introducirse en Grecia hasta el siglo v a. C. La importancia de Cibeles se debe principalmente al culto orgiástico que se desarrolló a su alrededor. Aunque por tradiciones inicialmente no conectadas entre sí, Cibeles y Dioniso parece ser que formaban parte de las distintas parejas de una Diosa Madre y un Dios Joven que en distintas regiones de Asia y Creta recibían diversos cultos. Estos aspectos mencionados, junto a otros elementos, parecen propiciar dicha asociación.

[12] A consecuencia de la ígnea muerte de Sémele, Zeus se cosió al niño en su muslo para completar su gestación. Por eso a veces se le llama «el dios nacido dos veces».

Antístrofa 2.ª.

[120] ¡Oh, secreta estancia de los Curetes y muy sacra guarida de Creta que nacimiento dio a Zeus![13]. *Allí mismo, en su gruta, los coribantes de triple penacho inventaron para mi disfrute este instrumento circular de cuero tensado. Y en un báquico delirio cargado de ímpetu, lo mezclaron con el armonioso soplo de las flautas frigias y lo depositaron en las manos de la madre Rea, para que acompasase los gritos de las bacantes*[14]. *[130] Entonces los locos sátiros lo obtuvieron de parte de la diosa madre y lo adscribieron a las danzas de las fiestas bienales con que Dioniso se regocija*[15].

Epodo.

¡Bienvenido él en los montes, cuando fuera del veloz cortejo cae al suelo, llevando puesto el sagrado vestido de la piel de corzo, con ansia de la sangre del cabrito sacrificado, la alegría de devorar su carne cruda, [140] lanzándose a los montes de Frigia, de Lidia! ¡Bromio es el líder del cortejo! ¡Evohé!

¡Mana leche el suelo, mana vino, mana de las abejas su néctar![16]. *Y como el humo de incienso de Siria, el Baco, sosteniendo en alto la llama foguera de su antorcha, la agita vivamente desde el pie de su soporte, anima a las mujeres errantes a correr y a danzar y las pone en movimiento con sus gritos, [150] soltando al viento su cuidada melena.*

---

[13] Cuando Rea, madre de Zeus, dio a luz al niño en una caverna del Ida en Creta, lo confió a la ninfa Amaltea. Pero para que la criatura no revelase con sus gritos su presencia a Crono, que quería devorarla, pidió a los Curetes que bailasen a su alrededor sus ruidosas danzas guerreras y así lo hicieron. También permitieron que el niño llegase a la edad viril.

[14] Son los tambores y las flautas que acompañan sus danzas. Cfr. versos 58-59: «¡Alzad los tambores típicos del país de los frigios, invención mía y de la madre Rea!»

[15] Se van citando en estos pasajes numerosos elementos que van describiendo la abigarrada procedencia de los variados elementos que conforman los rituales de Dioniso, tanto procedentes del interior de Grecia como de fuera de ella.

[16] Cfr. versos 704-711: «Entonces una cogió su tirso y dio un golpe en una piedra, y empezó a brotar de ella una corriente de agua fresca; otra dejó caer su vara en el suelo y en ese punto el dios hizo emerger una fuente de vino; todas aquellas a las que se les presentó un deseo por la blanca bebida, arañaban la tierra con la punta de sus dedos y obtenían ríos de leche. Y de sus tirsos de yedra iban destilándose gota a gota dulces torrentes de miel.»

Y al mismo tiempo que sus alaridos de bacanal, él va añadien-
do gritos como éstos: «¡Vamos, bacantes! ¡Vamos, bacantes, gala
del Tmolo de río de oro! ¡Celebrad a Dioniso con cantos al son de
vuestros tambores estridentes! ¡Exaltad con 'evohés' al dios del evo-
hé entre cantos y voces de Frigia, [160] cuando la flauta de loto sa-
grada sagrados sones entona melodiosos, en armonía con quienes
al monte acuden sin cesar, al monte!» Alegre entonces, como una
potrilla junto a su madre pastando en el prado, la bacante condu-
ce veloces sus miembros entre brincos.

(*Entra el adivino ciego* TIRESIAS, *con atavíos de bacante y el*
tirso en la mano, en dirección a la puerta del palacio.)

TIRESIAS.—[170] ¿Quién hay en las puertas? Llama a Cadmo para que salga del palacio, al hijo de Agenor que dejó
la ciudad de Sidón y fortificó con torres esta ciudadela de
Tebas[17]. Que vaya quien sea, que vaya dentro y le anuncie
que Tiresias le anda buscando, que él ya sabe a qué he venido, y lo que he concertado, aun siendo un anciano, hacer con uno más viejo, a saber, hacernos un tirso, llevar
pieles de corzo y coronar nuestras cabezas con brotes de
yedra[18].

(CADMO *sale por la puerta del palacio, con los mismos ata-*
víos de bacante que TIRESIAS.)

CADMO.—¡Querido amigo mío! Al punto que la he oído me
he percatado de que era tu voz, sabia de sabio varón, aun
estando dentro de casa. [180] Ya vengo preparado llevando

---

[17] Por eso el Coro de mujeres procedentes de Fenicia —que dan precisamente nombre a la pieza— se expresa en estos términos en la tragedia *Las Fe-*
nicias: versos 214-219: «Me han escogido en mi ciudad como la más bella
ofrenda que puede dedicarse a Loxias y he venido al país de los cadmeos, ilustres descendientes de Agenor, de mi mismo linaje, aquí enviada, a las torres de
Layo.»

[18] Ya hemos oído citar antes todos estos pertrechos con que se equipan los
seguidores de Dioniso. Cfr. versos 105-113: «¡Oh, Tebas, nodriza de Sémele!
¡Corónate de yedra! ¡Florece, florece de verde enredadera fecunda, y conságrate en báquico delirio con ramas de encina o de abeto! ¡Y enfundada en moteadas pieles de corzo, corónate con vellones trenzados de blanca lana!»

el atavío del dios; que, como es hijo de mi hija, hay que magnificar en su grandeza a Dioniso, que se ha manifestado a los hombres como dios, en toda la medida de nuestras fuerzas. ¿Adónde hay que ir a bailar? ¿Dónde hay que plantar nuestros pies y sacudir nuestras canas cabezas? Guíame tú a mí, Tiresias, un anciano a otro anciano, pues tú eres sabio; que yo no podría cansarme ni de día ni de noche de hacer resonar la tierra con mi tirso. Con gusto nos hemos olvidado de que somos ancianos.

TIRESIAS.—Te pasa entonces lo mismo que a mí, [190] porque también yo me siento un chaval y quiero ponerme a bailar.

CADMO.—¿No iremos, entonces, al monte en un carruaje?

TIRESIAS.—Pero en ese caso el dios no recibiría la misma honra.

CADMO.—¿Yo, un anciano, voy a llevarte a ti, otro anciano, como a los niños?

TIRESIAS.—El dios nos guiará a los dos hasta allí sin fatiga.

CADMO.—¿Y sólo nosotros, de toda la ciudad, bailaremos en honor de Baco?

TIRESIAS.—Sí, porque sólo nosotros pensamos bien y el resto mal.

CADMO.—Largo va siendo este demorarse. ¡Venga! ¡Cógete de mi mano!

TIRESIAS.—*(Le coge de la mano.)* Ya está. Agárremela y junta tu mano a la mía.

CADMO.—No desprecio yo a los dioses, como mortal que soy.

TIRESIAS.—[200] Ni nos andamos con sutilezas respecto de las divinidades. Las tradiciones de nuestros padres, que hemos recibido tan antiguas como el comienzo mismo de los tiempos, ningún razonamiento podrá abatirlas, ni siquiera aunque a través de mentes encumbradas llegue a ponerse al descubierto la sabiduría[19].

---

[19] Cfr. versos 890-896: «¡Que nada superior a las tradiciones se debe jamás reconocer o practicar! ¡Bien pequeño es el coste de creer que esto tiene fuerza, lo que quiera que sea en buena hora lo divino, lo conforme a la ley desde largo tiempo y lo que siempre ha sido así por naturaleza.» Este tipo de afirmaciones suenan, al menos en apariencia, a crítica de la razón y de los sofistas

CADMO.—¿Diría alguien que no siento vergüenza de mi vejez porque me dispongo a bailar y a ceñirme de yedra la cabeza?

TIRESIAS.—Lo cierto es que el dios no ha hecho distinciones entre si debe bailar el joven o el viejo, sino que quiere recibir honores en común de parte de todos y desea que se le magnifique sin poner a nadie en un grupo aparte.

CADMO.—[210] Como tú, Tiresias, no ves el resplandor del día, yo me convertiré con mis palabras en un intérprete a tu servicio. *(Ve llegar sofocado a* PENTEO *en dirección al palacio.)* Penteo está aquí aproximándose con prisas al palacio, el hijo de Equión[20], a quien yo he entregado el poder del país. ¡Qué alterado está! ¿Qué novedad irá a contarnos dentro de nada?

*(*PENTEO *entra en la escena, acompañado de unos sirvientes. Al principio su agitación alcanza tal grado que no ve a los dos ancianos.)*

PENTEO.—Resulta que me hallaba fuera del país, cuando he oído contar inesperados males que acontecen en esta ciudad, a saber, que nuestras mujeres han dejado abandonadas sus casas con el pretexto de un fingido delirio báquico, y que andan correteando en la umbría de los montes [220] para rendir honores con sus bailes al dios ese recién aparecido, a Dioniso, quienquiera que sea; y que en sus festejos las copas se alzan llenas de vino, y que cada una se va retirando disimuladamente a un lugar solitario para servir a los varones en el lecho, con la excusa —¡jajay!— de que son

_____

que pretendían atacar las añosas tradiciones religiosas de los ciudadanos, que son las que justamente aquí se quiere defender a toda costa. De todos modos, esto no es una declaración de principios y creencias del autor de la tragedia.

[20] Equión es uno de los supervivientes de los hombres que nacieron de los dientes del dragón que Cadmo sembró cuando fundó Tebas. Se casó con una de las hijas de Cadmo, con Ágave, y ambos engendraron a Penteo. En cuanto a la historia de los dientes del dragón, Cadmo, fundador de Tebas, dio muerte a un dragón y, siguiendo el consejo de Atenea, sembró los dientes de la bestia. Así lo hizo, y en seguida brotaron del suelo hombres armados, a los que se llamó *Spartoí*, «los sembrados», hombres prodigiosos de aspecto amenazador.

ménades consagradas al culto, pero le dan más prioridad a Afrodita que a Baco[21].

Pues bien, a cuantas he conseguido apresar, mis sirvientes las guardan con las manos atadas en la cárcel pública; y a las que me faltan, las iré cazando en el monte (a Ino, a Ágave que me alumbró para Equión, [230] a la madre de Acteón, a Autónoe me refiero) y en cuanto las encierre en mis redes de hierro, he de poner fin rápidamente a este criminal delirio báquico.

Pero dicen que ha llegado un extranjero, un hechicero, un encantador de la tierra de Lidia, con melena de agradable fragancia y rubios rizos, de color vino, poseedor de los encantos de Afrodita en sus ojos, que de día y de noche anda en compañía de las jóvenes tendiéndoles ante sí sus misterios del evohé[22]. Pero como llegue a apresarlo dentro de este territorio, [240] he de hacer que deje de dar sus sonoros golpes con el tirso y de agitar su melena al viento cortándole el cuello y separándoselo del cuerpo. Ése anda afirmando que Dioniso es dios, que estuvo cosido antaño en el muslo de Zeus y que quedó completamente abrasado por el resplandor del rayo junto con su madre, por haberse inventado tratos carnales con Zeus. ¿No es esto algo terrible y merecedor de la horca, cometer semejantes actos de insolencia, quienquiera que sea el extranjero ese?

(PENTEO *se percata de la presencia de los dos ancianos, inadvertida hasta este momento.*) ¡Por cierto, he aquí otro hecho sorprendente! Estoy viendo al adivino Tiresias con unas pieles de corzo de vistosas tonalidades [250] y al padre de mi madre —para reírse a carcajadas— comportándose

---

[21] Al final Penteo se pone al descubierto. Es el sexo y la continencia lo que más le preocupa.

[22] Cfr. versos 453-459: «Bien, bien, la verdad es que tu cuerpo no está nada mal de formas, extranjero, al menos para los gustos de las mujeres, que es por lo que precisamente has venido aquí a Tebas. Llevas melena larga y suelta, no acorde con la lucha, dejándose caer junto a las mejillas, rebosante de deseo. Y tienes una hermosa tez de blanco aspecto gracias a tus cuidados, ya que sueles andar a la caza de Afrodita con tu belleza sin exponerte a los rayos del sol, sino a la sombra.

como un loco delirante con su tirso[23]. *(Dirigiéndose directamente a* CADMO.*)* Me niego, abuelo, a presenciar la falta de cordura de vuestra vejez. ¿No vas a sacudirte la yedra? ¿No vas a dejar tu mano libre del tirso, padre de mi madre?

(A TIRESIAS.*)* Tú le has convencido de esto, Tiresias. Al introducir una nueva divinidad más entre los hombres, quieres observar las aves y cobrar de los sacrificios adivinatorios tu salario. Si tu cana vejez no te salvase, estarías inmóvil encadenado en medio de las bacantes, [260] por introducir esos ritos criminales.

Lo cierto es que desde el momento en el que se les da a las mujeres en un banquete la alegría de la vid, nada sano afirmo que hay entonces en sus misterios.

CORIFEO.—*(Increpando a* PENTEO.*)* ¡Qué impiedad! Extranjero, ¿no sientes respeto por los dioses y por Cadmo, que sembró la mies de la estirpe nacida de la tierra? ¿Y tú, que eres el hijo de Equión, afrentas a tu linaje?[24].

TIRESIAS.—Cuando un hombre sabio toma un buen punto de partida para sus argumentos[25], no es gran cosa hablar bien. Así, tú posees una lengua elocuente, como si tuvieses sentido común, pero en tus argumentos te falta todo sentido común. [270] Un hombre bien dispuesto por su valor y con capacidad de hablar en público es un mal ciudadano cuando no tiene cabeza.

Y en cuanto al dios ese —déjame que te diga— el recién llegado de quien tú te estás burlando, no podría yo explicar bien su grandeza, qué importante va a ser a todo lo lar-

---

[23] Nótese la renuncia de Penteo ante estas vestimentas y lo ridículas que a sus ojos aparecen. Esto tendrá su importancia más adelante.

[24] Cfr. nota 20 a esta misma tragedia.

[25] Que en esta pieza las cosas no son siempre lo que parecen y que bajo las apariencias pueden esconderse realidades más complejas queda, más o menos, puesto en evidencia en este discurso de Tiresias compuesto, desde luego, con bastante más arte retórica que el que le ha precedido en boca de su oponente Penteo. Por no hablar, para seguir en esta línea, del intento de racionalización del mito del nacimiento de Dioniso que poco más adelante podremos presenciar. Tiresias es, por tanto, defensor acérrimo de los valores tradicionales que se ven amenazados por los nuevos pensadores de la época y, al mismo tiempo, un fiel consumidor de los recursos y habilidades que dichos nuevos pensadores proponen e introducen.

go y ancho de Grecia. Dos cosas, en efecto, joven, son lo primero entre los hombres: la diosa Deméter —la Tierra, ¡vamos!, pero llámala con el nombre que quieras de los dos— que cría con alimentos secos a los mortales; y el que ha venido después con su complemento, el hijo de Sémele, que ha inventado la húmeda bebida del racimo y la introdujo [280] entre los mortales. Hace cesar las penas de los mortales desdichados cuando se sacían del zumo de la vid, les obsequia con el sueño y el olvido de los males diurnos, y no hay otro remedio para las fatigas. Aun siendo dios, se le derrama en libaciones en honor a los dioses, de suerte que los hombres obtienen sus bendiciones gracias a él. ¿Y te burlas de él por haber estado cosido en el muslo de Zeus? Voy a demostrarte qué bien se sostiene este aspecto.

Después de que Zeus lo sacase de entre el fuego del rayo, y se llevase al bebé recién nacido arriba, al Olimpo, [290] Hera quería arrojarlo lejos del cielo; pero Zeus tramó en respuesta a sus intenciones un plan verdaderamente digno de un dios. Rasgó una porción del éter que circunda la tierra y se la entregó como rehén para dejar a Dioniso fuera de los enojos de Hera. Con el tiempo, los mortales forjaron la leyenda y fueron diciendo que había estado cosido en el muslo de Zeus, a consecuencia de modificar la palabra[26],

---

[26] Se introduce aquí un juego de palabras en griego, imposible de traducir. Los términos involucrados son *hómeros* ('rehén'), *méros* ('porción') y *merós* ('muslo'). La explicación que se pretende dar aquí es que Zeus formó una imagen, un fantasma, un falso Dioniso, para entregárselo a Hera y engañarla de este modo, manteniendo a salvo al auténtico Dioniso. En la tragedia *Helena*, en este mismo volumen, nos encontramos con una estratagema muy similar, con la imagen falsa de Helena en Troya, mientras la auténtica permanecía en Egipto. Lo importante en el caso que nos ocupa es señalar el intento de Tiresias de ofrecer una explicación racional a un aspecto del mito de Dioniso que podía provocar la incredulidad. No se ataca la razón socavadora de los fundamentos de la tradición, sino que se acude a ella. Respecto de la incredulidad ante nacimientos portentosos, cfr. *Helena*, versos 256-260: «Lo cierto es que ninguna mujer, ni griega ni extranjera, da a luz un huevo, con el que dicen que Leda me parió a mí de Zeus. Mi vida y mis circunstancias son, efectivamente, un portento.» Este es el tipo de elementos que Tiresias quiere suavizar o incluso eliminar.

por el hecho de que el dios en el pasado había sido rehén de la diosa Hera.

Y este dios es adivino, ya que lo báquico y lo delirante tienen mucho de arte adivinatoria[27]. [300] Efectivamente, cuando el dios entra generosamente en el cuerpo, les hace a los individuos poseídos por su furor recitar el porvenir. Y participa en alguna medida de la condición de Ares. Por ejemplo, a un ejército armado y en formación el pánico lo sacude aun antes de tocar la lanza: pues también esto es locura que viene de parte de Dioniso. Es más, lo verías incluso sobre las rocas de Delfos, brincando con antorchas por las tierras altas de dos cimas[28], blandiendo y sacudiendo el ramo báquico, grande por toda Grecia.

¡Venga! ¡Hazme caso, Penteo! [310] No hagas alarde de que el poder regio controla las situaciones entre los hombres ni, si crees que sí, aunque tu creencia reposa sobre una débil base, creas que tienes una pizca de sentido común. Da la bienvenida al dios en nuestro país, haz libaciones en su honor, baila y corona tu cabeza.

Dioniso no obligará a las mujeres a practicar la continencia respecto de Cipris, sino que eso, el practicar la continencia, reside por lo que respecta siempre a todo en su propio talante natural. De esto hay que darse buena cuenta, ya que la mujer que de verdad sea continente no acabará pervirtiéndose ni siquiera en los festejos de Baco[29].

¿Lo ves? Tú te regocijas cuando ante tus puertas se presenta [320] la mayoría del pueblo y magnifica el nombre de Penteo. También él, creo, se alegra cuando se le tributan honores.

Por consiguiente, entonces, Cadmo, de quien te andas burlando, y yo nos vamos a coronar con yedra y vamos a bailar, un par de vejetes, pero aun así y todo hay que bailar;

---

[27] El poeta construye, siguiendo con este afán racionalizador, una etimología del 'arte adivinatoria', en griego *mantiké*, a partir de 'locura', en griego *manía*, como más tarde hará Platón en su diálogo *Fedro,* 244c.

[28] El Parnaso.

[29] No es, por lo tanto, culpa de los excesos de los rituales dionisíacos, sino del carácter de cada uno.

y no voy a luchar contra un dios por hacer caso de tus razones. Estás penosamente loco a más no poder y ni siquiera con fármacos podrías obtener la cura, ni sin ellos padeces esta enfermedad[30].

CORIFEO.—¡Anciano, a Febo no ultrajas con tus palabras y, al honrar a Bromio, te muestras sensato, como gran dios que es!

CADMO.—[330] *(Dirigiéndose a* PENTEO.*)* Hijo, Tiresias te ha dado un buen consejo. Vive con nosotros y no te sitúes al margen de las leyes. Es que ahora estás agitado y en tu sensatez no estás siendo nada sensato. Incluso aunque ése no sea un dios, como tú aseguras, que se diga que sí lo es en lo que de ti dependa. Miente, incluso, aunque sea por decoro: que es hijo de Sémele, para que se crea que ella alumbró a un dios y a toda la familia se nos sume ese honor.

¿Te das cuenta del trágico destino de Acteón, a quien despedazaron sus propios cachorros, devoradores de carne cruda, a los que él había criado, porque hacía alarde de ser mejor que Ártemis [340] en la caza por los prados y bosques?[31]. Que no te pase eso a ti. *(Intenta ponerle una corona de yedra.)* Ven aquí, que corone tu cabeza con yedra. Tributa junto con nosotros sus honores al dios.

PENTEO.—*(Impidiéndoselo iracundo.)* ¡No me acerques tu brazo! ¡Vete a bailar y no me salpiques con tu locura! De tu sinrazón voy a exigirle a este tu maestro su justo castigo.

(Dirigiéndose a sus sirvientes.) ¡Que alguien se ponga en marcha rápido y que vaya a la sede de este individuo, donde suele observar las aves y sus augurios, y que con las ba-

---

[30] Lectura de los manuscritos.

[31] Este Acteón es hijo de Autónoe, hija de Cadmo, como ya se ha indicado en el verso 230 (y volverá a hacerse mención de este parentesco en el verso 1291) y de Aristeo. Fue educado por el centauro Quirón, el más célebre, juicioso y sabio de los centauros, del cual aprendió el arte de la caza. Un día fue devorado en el Citerón por sus propios perros. Eurípides nos ofrece aquí un motivo para su muerte distinto de los que la tradición normalmente recoge. Aparte de la causa aquí señalada, se decía también que Zeus le infligió este castigo por haber tratado de robarle el amor de Sémele, o que el castigo se debe a la ira de Ártemis, irritada porque Acteón la había visto desnuda mientras ella se bañaba en un manantial.

rras de un tridente lo vuelva todo del revés, revolviendo todas sus cosas arriba y abajo a la vez! [350] ¡Y que deje sus ínfulas para los vientos y los vendavales! Si hago esto le heriré, sí, del modo más efectivo. Y vosotros, los demás, enfilad vuestro camino hacia la ciudad y seguir el rastro de ese extranjero con aspecto afeminado que a las mujeres trae una novedosa enfermedad y nuestros lechos corrompe. Y en caso de que lo apreséis, traedlo aquí encadenado, para que se encuentre con su castigo de lapidación y muera contemplando el amargo fin de sus ritos báquicos en Tebas. *(Los servidores de* PENTEO *salen de la escena a cumplir su cometido.)*

TIRESIAS.—¡Desdichado! ¡Que no sabes adónde vas en estos momentos con tus palabras! ¡Ya estás completamente loco, aunque ya antes habías perdido la cordura!

[360] Pongámonos nosotros en camino, Cadmo, y roguemos por él, aunque sea cruel, y por la ciudad, para que el dios no le haga nada raro[32]. ¡Venga! Sígueme con tu báculo de yedra. Intenta enderezar mi cuerpo y yo el tuyo. Sería feo que nos cayésemos los dos, unos viejos. Aun así y todo, vayamos, que hay que servir a Baco, hijo de Zeus. Y que Penteo no traiga el luto a tu casa[33], Cadmo. No estoy hablando por adivinación, sino ante los hechos, porque anda diciendo estupideces como un estúpido.

(Los ancianos CADMO *y* TIRESIAS *se marchan, tal como han dicho.* PENTEO, *por su parte, se retira en dirección al palacio, sin salir de la escena, pero aparte.)*

CORO.
Estrofa 1.ª.
[370] ¡Santidad, señora de los dioses! ¡Santidad a quien por la tierra llevan tus alas de oro! ¿Oyes las recientes palabras de Penteo? ¿Oyes su nada pío ultraje contra Bromio, el hijo de Sémele, dios el primero de los bienaventurados en las celebraciones festivas de her-

---

[32] Es decir, nada malo. Un eufemismo común.
[33] Nuevo juego de palabras en griego entre 'Penteo', *Pentheús*, y 'luto', *pénthos*.

mosas coronas? Él es el sustento de cosas como organizar sus cortejos para las danzas, [380] reír al compás de la flauta, poner fin a
las preocupaciones, alejándolas, en cuanto de la vid llega la alegría
al banquete de los dioses y, en medio de su fiesta coronada de yedra,
la copa deja caer sobre los hombres, envolviéndolos, un dulce sopor.

Antístrofa 1.ª.

¡De las bocas sin freno y de la insensatez sin ley, el fin es la desdicha! Por el contrario, la vida de tranquilidad [390] y el gozar de
sentido común se mantiene inconmoviblemente firme y mantiene
unida la familia. Ya que, aun habitando lejos el éter, contemplan
los seres celestes los asuntos de los mortales. Lo sabio no es sabiduría[34], ni discurrir pensamientos no propios de mortales. ¡La vida
es breve! Y así las cosas, ¿quién, por perseguir ambiciosos objetivos,
no se conformaría con lo presente? [400] De locos son propias esas
conductas, en mi opinión, y de individuos estúpidos.

Estrofa 2.ª.

¡Ay, si pudiese ir a Chipre, la isla de Afrodita, donde embelesado-
res del alma habitan en Pafos los amores, tierra que con cien bocas
las corrientes de un río bárbaro fertilizan sin lluvia, o a la hermosa [410] Pieria, sede de las musas, augusta ladera del Olimpo!
¡Llévame allí, Bromio, Bromio, dios del evohé, nuestro líder! ¡Allí
habitan las Gracias, allí habita el Deseo, allí se permite a las segui-
doras de Baco celebrar sus ritos![35].

Antístrofa 2.ª.

El dios hijo de Zeus se regocija con los festejos y se complace con la
Paz, fuente de riqueza, [420] diosa nodriza de los jóvenes. En
igual medida al rico y al pobre les ha concedido disponer del goce
inocente del vino. Odia a quien no se preocupa de llevar día a día

---

[34] Eurípides muestra una gran afición a este tipo de expresiones antitéticas
y responden, quizá, a una época en la que se produce una crisis de los valores tradicionales, transmutados por otros nuevos, que cambian a su vez con
gran rapidez. Ésta es la época que le ha tocado vivir a Eurípides, el final del
siglo V a. C. en Atenas, una época de crisis de valores tradicionales y de de-
rrumbamiento de antiguas creencias.
[35] Nótese el afán de evasión, lejos de los presentes pesares, que domina a
las mujeres del Coro.

y noche a noche, noche amiga, una vida placentera, y de mantener
con prudencia su mente y su corazón alejados de los individuos que
se exceden de lo normal y comúnmente aceptado[36]*. [430] Las cos-*
tumbres que la gente más sencilla practica y usa, ésas son las que yo
acepto.

(*Entran unos sirvientes de* PENTEO *con* DIONISO, *encade-*
nado y custodiado.)

SIRVIENTE.—Penteo, aquí estamos tras cazar la presa a por la
que nos mandaste, sin que hayan sido vanos nuestros esfuerzos. La fiera esta nos ha resultado mansa y no ha tratado de escabullirse, sino que nos ofreció sus manos voluntariamente. No estaba pálido ni mudó el tono vinoso de
sus mejillas, sino que sonriendo[37] incluso dejó que lo
arrestásemos, lo encadenásemos y nos lo llevásemos, [440]
mientras se estaba quieto, haciéndome fácil cumplir mi
cometido.

Y yo por pudor le dije: «Extranjero, no te llevo conmigo
por voluntad propia, sino por orden de Penteo, que me ha
enviado a por ti.» Por lo que respecta a las bacantes que tú
encerraste, las que cogiste, reuniste y encadenaste con cadenas en la cárcel pública[38], se han marchado tras haber conseguido desatarse y andan correteando y brincando por los
prados y los bosques invocando a Bromio como su dios.
Las cadenas se les soltaron por sí solas de los pies y los ce-

---

[36] Hasta un extremo excesivo. Se refiere a los hombres que, como Penteo,
se niegan a reconocer las limitaciones de la condición humana y a ceñir sus
pensamientos a asuntos propios de los mortales, de acuerdo a la medida humana. Cfr. versos 395-396: «Lo sabio no es sabiduría, ni discurrir pensamientos no propios de mortales.»

[37] La sonrisa de Dioniso es digna de temerse, por saber cuál es su verdadero sentido. No deja lugar a dudas, desde luego, en los versos 1020-1023: «¡Ven,
Baco! ¡Tú, la fiera, al cazador de las bacantes échale alrededor con rostro sonriente un lazo mortal, cuando caiga bajo el control del rebaño de tus ménades!», donde se manifiesta claramente como la sonrisa del destructor, de la fiera que atrapa a su cazador.

[38] Cfr. versos 226-228: «Pues bien, a cuantas he conseguido apresar, mis sirvientes las guardan con las manos atadas en la cárcel pública; y a las que me
faltan, las iré cazando en el monte.»

rrojos abrieron las puertas sin la intervención de mano mortal[39].

De maravillas sin número ha venido aquí a Tebas lleno este hombre. [450] Pero a ti te incumbe ocuparte de todo lo demás.

PENTEO.—*(Dirigiéndose a sus sirvientes.)* ¡Soltad sus manos! Que mientras esté en mis redes no puede ser tan rápido como para escapar de mí.

(Dirigiéndose ahora a DIONISO, *observándole.)* Bien, bien, la verdad es que tu cuerpo no está nada mal de formas, extranjero, al menos para los gustos de las mujeres, que es por lo que precisamente has venido aquí a Tebas. Llevas melena larga y suelta, no acorde con la lucha, dejándose caer junto a las mejillas, rebosante de deseo. Y tienes una hermosa tez de blanco aspecto gracias a tus cuidados, ya que sueles andar a la caza de Afrodita con tu belleza sin exponerte a los rayos del sol, sino a la sombra[40].

[460] Pero bueno, dime primero de qué familia eres.

DIONISO.—Sin vacilar un momento, es fácil decírtelo. Quizá conozcas de oídas el florido Tmolo.

PENTEO.—Conozco el que rodea en círculo la ciudadela de Sardes.

DIONISO.—Yo soy de allí, y Lidia es mi patria.

PENTEO.—¿Y cómo es que traes a Grecia estos ritos?

DIONISO.—Dioniso en persona hizo que me iniciase en ellos, el hijo de Zeus.

PENTEO.—¿Hay por allí algún Zeus que anda engendrando nuevos dioses?

---

[39] Éste es, en efecto, uno de los más característicos milagros de Dioniso, en su calidad principal de «liberador». Librarse de ataduras y cadenas no es ningún obstáculo para él, como más adelante se encargará él mismo de dejar bien claro (cfr. verso 498: «El dios en persona me desatará en cuanto yo quiera»).

[40] Penteo es quien, como hombre, sabe valorar y apreciar las cualidades de la belleza masculina. Cfr. versos 233-238: «Pero dicen que ha llegado un extranjero, un hechicero, un encantador de la tierra de Lidia, con melena de agradable fragancia y rubios rizos, de color vino, poseedor de los encantos de Afrodita en sus ojos, que de día y de noche anda en compañía de las jóvenes tendiéndoles ante sí sus misterios del evohé.»

DIONISO.—No, sino el mismo que se unió a Sémele aquí en trato carnal.

PENTEO.—¿Y te impuso estas obligaciones durante la noche o cara a cara?

DIONISO.—[470] Viéndome él a mí al tiempo que yo le veía a él, y me ha entregado sus ritos[41].

PENTEO.—Y esos ritos tuyos, ¿de qué clase son?

DIONISO.—Su conocimiento es inefable para los no iniciados en los ritos de Baco.

PENTEO.—¿Y qué beneficios tienen para quienes los celebran?

DIONISO.—No te está permitido oírlos, pero son dignos de saberse.

PENTEO.—Bien te ha salido ese apaño, para que yo sienta deseos de oírlo.

DIONISO.—Los ritos del dios aborrecen a quienes practican la impiedad.

PENTEO.—Este dios, ya que afirmas que lo has visto con claridad, ¿cómo era?

DIONISO.—Como él quería. Yo no dispuse este aspecto.

PENTEO.—Otra vez te has ido por la tangente. ¡Bravo por no decir nada!

DIONISO.—[480] Cualquiera que le diga palabras sabias a un ignorante parecerá que no está en su sano juicio.

PENTEO.—¿Y has venido aquí en primer lugar para traer esta divinidad?

DIONISO.—Todos los bárbaros andan celebrando con bailes estos ritos.

PENTEO.—Es que razonan mucho peor que los griegos.

DIONISO.—En esto, al menos, mucho mejor, pero sus costumbres son diferentes.

PENTEO.—Y los ritos sagrados, ¿los celebras durante la noche o por el día?

DIONISO.—La mayoría durante la noche. Las tinieblas gozan de solemnidad.

---

[41] Dioniso juega constantemente a este juego de desdoblar su personalidad entre el extranjero iniciado por Dioniso y el propio Dioniso, lo cual da lugar a jugosas ironías.

PENTEO.—¡Para las mujeres son engañosas y corruptoras![42].

DIONISO.—También por el día pueden encontrarse cosas bien feas.

PENTEO.—Tienes que cumplir un castigo por esas malvadas sutilezas.

DIONISO.—[490] ¡También tú por tu ignorancia —cuando menos— y por tu falta de piedad con el dios!

PENTEO.—¡Qué atrevido es este bacante! ¡Y nada inexperto en discusiones!

DIONISO.—Dime lo que tengo que sufrir. ¿Qué cosas terribles me vas a hacer?

PENTEO.—En primer lugar, voy a cortarte esos afeminados rizos[43].

DIONISO.—¡Mi melena es sagrada! La dejo crecer para el dios.

PENTEO.—Después, dame ese tirso de tus manos.

DIONISO.—¡Quítamelo tú mismo! Lo llevo para Dioniso.

PENTEO.—Y dentro, en prisión, custodiaremos tu cuerpo.

DIONISO.—El dios en persona me desatará en cuanto yo quiera[44].

---

[42] Penteo sigue preocupado por el mismo tema de la «corrupción» de las mujeres y su falta de continencia sexual. Cfr. versos 221-225: «y que en sus festejos las copas se alzan llenas de vino, y que cada una se va retirando disimuladamente a un lugar solitario para servir a los varones en el lecho, con la excusa —¡jajay!— de que son ménades consagradas al culto, pero le dan más prioridad a Afrodita que a Baco».

[43] Se ha insistido varias veces ya en el aspecto afeminado y rijoso de Dioniso, y se seguirá en esta línea. Se trata, en realidad, de un rasgo tradicional del Baco joven, efebo de tentadora apariencia, muy sensual y lascivo. Su larga, cuidada y suelta melena es repetidamente evocada como fuente de deseo y erotismo (cfr. versos 453-459: «Bien, bien, la verdad es que tu cuerpo no está nada mal de formas, extranjero, al menos para los gustos de las mujeres, que es por lo que precisamente has venido aquí a Tebas. Llevas melena larga y suelta, no acorde con la lucha, dejándose caer junto a las mejillas, rebosante de deseo. Y tienes una hermosa tez de blanco aspecto gracias a tus cuidados, ya que sueles andar a la caza de Afrodita con tu belleza sin exponerte a los rayos del sol, sino a la sombra») y eso es lo primero con lo que desea acabar Penteo, con los atractivos y sensuales rizos de la cabellera de Dioniso.

[44] De acuerdo a las propiedades liberadoras que acompañan al dios. Cfr. versos 443-448: «Por lo que respecta a las bacantes que tú encerraste, las que cogiste, reuniste y encadenaste con cadenas en la cárcel pública, se han marchado tras haber conseguido desatarse y andan correteando y brincando por

PENTEO.—En cuanto le llames, sí, alzado entre tus bacantes.

DIONISO.—[500] Incluso ahora él está viendo lo que me pasa, porque está aquí cerca.

PENTEO.—¿Y dónde está? Que al menos para mis ojos no resulta visible.

DIONISO.—Junto a mí, pero como tú eres un impío no lo estás viendo.

PENTEO.—¡Prendedlo! Este individuo nos está despreciando a Tebas y a mí.

DIONISO.—¡Os digo, insensatos, que no me encadenéis! ¡Yo estoy en mi sano juicio!

PENTEO.—¡Y yo les digo que sí te encadenen, porque tengo más autoridad que tú!

DIONISO.—¡No sabes qué es tu vida, ni lo que estás haciendo ni quién eres!

PENTEO.—Soy Penteo, hijo de Ágave, y mi padre es Equión[45].

DIONISO.—Estás hecho para ser un desgraciado, a juzgar por tu nombre[46].

PENTEO.—¡Adelante! *(Dirigiéndose a sus sirvientes.)* Encerradlo cerca, en las cuadras de los caballos, [510] para que vea las sombras de las tinieblas. *(Dirigiéndose ahora a* DIONISO.*)* ¡Baila allí! Y a estas mujeres que te has traído al presentarte aquí, cómplices de tus maldades, las iremos vendiendo por partes o, en cuanto haga que sus manos dejen de aporrear y golpear sus tambores de cuero, me las quedaré a mi servicio en los telares.

DIONISO.—Estoy listo para partir, que lo que no hay que sufrir, simplemente no hay que sufrirlo. Pero —¡entérate bien!— Dioniso, el que tú dices que no existe, habrá de exigirte un castigo en compensación por estas afrentas;

---

los prados y los bosques invocando a Bromio como su dios. Las cadenas se les soltaron por sí solas de los pies y los cerrojos abrieron las puertas sin la intervención de mano mortal.»

[45] Ya se ha señalado antes varias veces este linaje. Penteo no acaba de entender en toda su profundidad el sentido de la frase que Dioniso acaba de dirigirle y se ha quedado únicamente con una interpretación muy superficial.

[46] Nuevamente se hace un juego de palabras en griego entre 'Penteo', *Pentheús*, y 'luto', *pénthos*, como ya sucedía en los versos 367-368: «Y que Penteo no traiga el luto a tu casa.»

que al cometer esta injusticia contra mí, a él conduces a la cautividad.

(PENTEO *entra al interior del palacio, mientras sus servidores se llevan a* DIONISO *cubierto de cadenas.*)

CORO.
Estrofa.

¡Hija del Aqueloo! [520] ¡Augusta, dichosa doncella Dirce![47]. *Tú, sí, antaño en tus límpidas aguas al pequeñuelo de Zeus acogiste, cuando en su muslo Zeus su progenitor del fuego inmortal lo arrancó*[48], *al tiempo que elevaba estos gritos: «¡Vamos, Ditirambo!*[49] *¡Entra en este útero masculino mío que te ofrezco! ¡Así, con este nombre, Baco, a Tebas yo te revelo!» [530] Mas ahora tú, bienaventurada Dirce, me rechazas cuando intento guiar mis cortejos coronados de guirnaldas en tus riberas. ¿Por qué me rechazas? ¿Por qué huyes de mí? Aún —¡sí, por el supremo don de los racimos de la viña de Dioniso!— aún habrás de interesarte por Bromio!*

Antístrofa.

¡Qué furia, qué tremenda furia muestra la estirpe hija de la tierra antaño nacida del dragón! [540] ¡Equión, hijo de la tierra, engendró a Penteo, prodigioso monstruo de aspecto feroz, no mortal

---

[47] Dirce es un manantial de Tebas, como ya se ha señalado varias veces. Su paternidad se le atribuye al Aqueloo, el mayor río de Grecia. Se alude en esta estrofa a la fulminación por el rayo de Sémele, madre de Dioniso, y al rescate del mismo por parte de Zeus, que lo acogió en su muslo.

[48] Cfr. versos 88-98: «A quien antaño, cuando de él se encontraba embarazada, en medio de agudos dolores de parto, al alzar el vuelo el trueno de Zeus, echándolo de su vientre antes de tiempo, alumbró su madre, al tiempo que perdía la vida ante el impacto del rayo. Pero al punto Zeus Cronida lo recogió en una recóndita cavidad para su gestación y, cubriéndolo bajo su muslo, lo sujeta firmemente con broches de oro, oculto lejos de Hera.»

[49] Ésta es la primera vez que se llama «Ditirambo» a Dioniso. El ditirambo es una forma de canto coral con la que se pedía la llegada del dios Dioniso. Su evolución fue larga, desde los primitivos ditirambos originales rituales hasta los literarios. Hay que tener en cuenta, además, el hecho de que, en opinión del sabio Aristóteles, de aquí, del ditirambo, surgió la tragedia. Eurípides seguramente pensaba en este pasaje en la explicación etimológica que de esta palabra daban los antiguos estudiosos, en el sentido de «aquél que ha pasado dos veces por la puerta», en clara alusión a su doble nacimiento, del que ya se ha hablado.

hombre, sino sanguinario gigante que a los dioses combate opone![50]. A mí pronto habrá de atarme con cuerdas por ser del cortejo de Bromio, mientras que a mi compañero de procesión ya lo tiene dentro de palacio, encerrado en su tenebrosa prisión. [550] ¿Estás contemplando, Dioniso, hijo de Zeus, estos hechos, a tus testigos en lucha frente a la constricción? ¡Ven, señor, desciende del Olimpo blandiendo tu tirso reluciente de oro y contén los excesos de este hombre sanguinario!

Epodo.

¿Por qué lugares, pues, de Nisa, criadora de bestias salvajes, o por las cumbres coricias, guías Dioniso con el tirso a tus cortejos? [560] ¿Quizá en los frondosos sotos del Olimpo, donde Orfeo un día tañendo su lira reunía los árboles con su música, reunía a las fieras salvajes?[51]. ¡Dichosa tú, Pieria! Te venera Evio[52] y acudirá hasta ti a bailar junto con sus bacantes. Luego de vadear el Axio y sus veloces corrientes, [570] y al padre Lidias, dador de próspera dicha a los mortales, del que he oído contar que con sus muy puras y cristalinas aguas fertiliza una región de excelentes caballos, aquí traerá a sus ménades que de dar vueltas no cesan en sus bailes.

DIONISO.—*(Hablando desde el interior del palacio, sin ser visto desde el exterior.)* ¡Eh! ¡Bacantes, bacantes, escuchad, escuchad mi voz!

CORO.—¿Qué ha sido ese sonido? ¿Qué es, de dónde me ha llamado esa voz de Evio?

DIONISO.—*[580]* ¡Eh, eh! ¡Otra vez os llamo! ¡Soy el hijo de Sémele, el hijo de Zeus!

CORO.—¡Oh, oh, señor, señor nuestro! ¡Ven, pues, a nuestro cortejo, oh Bromio! ¡Bromio!

DIONISO.—¡Haz temblar el suelo de este país, Terremoto soberano!

CORO.—*(Se oye un estruendo terrible en el palacio.)* ¡Ay, ay! ¡Pronto las vigas del palacio de Penteo quedarán hechas pedazos por la sacudida hasta quedar derrumbadas! ¡Dioniso está en el palacio! *[590]* ¡Veneradle!

---

[50] Cfr. nota 20 a esta misma tragedia.
[51] Éste es el efecto, según cuentan, que tenían los melodiosos cantos de Orfeo.
[52] Un nombre de Dioniso, Baco, a partir del grito ritual 'evohé'.

—*¡Te veneramos, oh señor!*

—*(El palacio de* Penteo *amenaza con venirse abajo.) ¿Estáis viendo ahí las cornisas de piedra, a punto de derrumbarse junto con las columnas? ¡Bromio está elevando sus gritos rituales bajo estos techos!*

Dioniso—*¡Enciende la antorcha, chispeante como el rayo! ¡Extiende tu llama, extiéndela, por el palacio de Penteo, hasta dejarlo reducido a cenizas!*

Coro.—*(Ven un resplandor que viene de la tumba de Sémele.) ¡Ay, ay! ¡El fuego! ¿No lo estás viendo? ¿No te ilumina ahí, con su fulgor, junto al sagrado sepulcro de Sémele, la llama que antaño dejó fulminante el trueno de Zeus? [600] ¡Echad el cuerpo a tierra, echadlo temblorosas, ménades! ¡Que tras revolver de arriba abajo estas mansiones, a ellas aquí se dirige nuestro soberano, el hijo de Zeus!*

(Dioniso *sale del palacio. Las bacantes del* Coro *se echan al suelo.)*

Dioniso.—¡Mujeres bárbaras! ¿Tan fuera de sí os encontrabais por un golpe de terror, que habéis caído al suelo? Habéis sentido, al parecer, cómo Baco ha sacudido el palacio de Penteo hasta dejarlo reducido a unas ruinas. ¡Venga! ¡Poneos en pie, tranquilizaos y sacaos el miedo del cuerpo!

Corifeo.—¡Oh luz, la más grande a nuestros ojos en las celebraciones de Baco y del evohé! ¡Qué contenta estoy de verte, tras soportar en soledad tu ausencia!

Dioniso.—[610] ¿Caísteis en el desánimo cuando me escoltaron dentro y me echaron en los sombríos calabozos de Penteo?

Corifeo.—¿Pues cómo no? ¿Quién iba a ser mi protector si tú tropezabas con la desgracia? Pero, ¿cómo te has liberado tras tropezar con ese hombre impío?

Dioniso.—Yo mismo me salvé del peligro con facilidad, sin trabajo[53].

---

[53] Cfr. verso 498: «El dios en persona me desatará en cuanto yo quiera.» Este poder liberador del dios Dioniso aparece recurrentemente a lo largo de toda la pieza.

CORIFEO.—¿Es que no te ató de pies y manos con cuerdas y cadenas?

DIONISO.—Incluso en esto me burlé de él, porque, aunque él creía que me estaba cubriendo de cadenas, ni siquiera llegó a rozarme y a tocarme, sino que se alimentaba de esperanzas. Junto a las cuadras a las que me condujo para encerrarme, encontró un toro y fue sobre éste sobre quien echó los lazos, sobre sus rodillas y las pezuñas de sus patas, [620] echando exhalaciones coléricas, destilando gotas de sudor de su cuerpo, mordisqueándose los labios con los dientes. Yo, entretanto, lo iba contemplando allí cerca junto a él, sentado, tranquilo[54].

Y en este preciso momento, llegó Baco y sacudió arriba y abajo el palacio y prendió fuego al sepulcro de su madre[55]. Entonces él, al punto que dirigió allí su mirada, se imaginó que el palacio se estaba incendiando y se puso rápidamente en movimiento, primero en una dirección, luego en otra, ordenando a sus sirvientes que trajesen agua, pero, aunque todos sus esclavos se pusieron en acción, su esfuerzo resultó vano[56]. Entonces, ante el temor de que yo me hubiese fugado, deja este trabajo y se lanza al interior del palacio, luego de hacerse con su espada.

Y acto seguido Bromio, al menos según a mí me lo parece —me estoy refiriendo a una impresión[57]—, [630] creó

---

[54] Esta serenidad y tranquilidad es otra de las propiedades que, también recurrentemente, se deja ver por todo el drama asociada a Dioniso. Esta tranquilidad se contrapone, además, a la constante turbación, agitación e impetuosidad de Penteo, como aquí puede verse, entre otros muchos casos. Dioniso no deja de jugar con Penteo, quien cae cándidamente en todas sus trampas. Cfr. poco más adelante, versos 629-631: «Y acto seguido Bromio, al menos según a mí me lo parece —me estoy refiriendo a una impresión—, creó una aparición en el patio. Entonces Penteo se echó contra ella de un salto y se dedicó a fustigar el resplandeciente éter, con la equivocada idea de estar matándome.»

[55] Son los momentos a los que antes se referían, en boca del Coro, los versos 587-588: «¡Ay, ay! ¡Pronto las vigas del palacio de Penteo quedarán hechas pedazos por la sacudida hasta quedar derrumbadas!», y los versos 596-598: «¡Ay, ay! ¡El fuego! ¿No lo estás viendo? ¿No te ilumina ahí, con su fulgor, junto al sagrado sepulcro de Sémele, la llama que antaño dejó fulminante el trueno de Zeus?»

[56] El palacio, en efecto, no se había incendiado.

[57] 'Impresión', en el sentido de la opinión que le produce la primera sensación recibida, a partir de lo que a él le parece creer ver («al menos según a mí me lo parece»).

una aparición en el patio. Entonces Penteo se echó contra ella de un salto y se dedicó a fustigar el resplandeciente éter, con la equivocada idea de estar matándome.

Y además de estos hechos, Baco continuó infligiéndole estas otras ultrajantes burlas: ha destrozado su palacio, en ruinas por el suelo, y todo ha quedado en su conjunto hecho pedazos. En extremo amarga ha visto mi prisión. Ahora está abatido bajo estos golpes recibidos y ha soltado la espada. No es para menos: contra un dios, siendo un hombre como es, ha osado entrar en combate. En cuanto a mí, he salido tranquilo del palacio y aquí me presento ante vosotras, sin preocuparme de Penteo.

Pero, por lo que me parece (ruido, al menos, por cierto, meten sus botas dentro de la casa), va a llegar pronto aquí, enfrente del edificio. ¿Qué será, pues, lo que dirá ahora, después de estos acontecimientos? [640] Lo cierto es que le voy a tratar con afabilidad, aunque venga echando grandes exhalaciones. Que es propio de un varón sensato practicar un temperado sosiego[58].

(PENTEO *sale del palacio hablando consigo mismo y sin ver inicialmente a Dioniso.*)

PENTEO.—¡Me han pasado unas cosas tremendas! El extranjero que hace un rato estaba apresado bajo sus cadenas ha conseguido escapar de mí. *(Viendo sorprendido a* DIONISO.) ¡Eh, eh! ¡Aquí está el hombre este! ¿Qué es esto? ¿Cómo has conseguido salir fuera y aparecer aquí, a la entrada, delante de mi casa?

DIONISO.—¡Detén tus pasos! ¡Depón tu cólera y camina con paso sosegado!

PENTEO.—¿Cómo has escapado de tus cadenas y has salido fuera?

---

[58] Insistimos nuevamente en lo dicho poco antes a propósito de la tranquilidad de Dioniso, la impetuosidad de Penteo, y el modo en que el primero juega con el segundo.

DIONISO.—¿No dije yo —o es que no me escuchaste— que alguien me desataría?[59].

PENTEO.—[650] ¿Quién? Que siempre andas proponiéndome nuevas razones.

DIONISO.—El que produce la vid rica en racimos para beneficio de los mortales.

PENTEO.—Tus palabras son, más bien, un reproche a Dioniso, ¡un bonito reproche![60]. Ordeno bloquear todo el baluarte a la redonda.

DIONISO.—¿Y qué? ¿No rebasan los dioses incluso las murallas?

PENTEO.—¡Sabio, sí, sí, sabio eres tú, menos para lo que deberías serlo!

DIONISO.—Para aquello que es más necesario, para eso sí que soy sabio. (*Viendo llegar a un* MENSAJERO.) Pero escucha primero a este individuo que de los montes aquí acude para comunicarte alguna noticia y entérate de sus palabras. Yo, por mi parte, aguardaré aquí contigo, no voy a escapar[61].

(*El* MENSAJERO *entra por un lateral.*)

MENSAJERO.—[660] ¡Penteo, gobernante de esta tierra tebana! He venido dejando el Citerón, donde nunca jamás deja de caer resplandeciente la blanca nieve[62].

PENTEO.—¿A qué vienen estas prisas tuyas en traerme un mensaje?

---

[59] En efecto, cfr. verso 498: «El dios en persona me desatará en cuanto yo quiera.»

[60] Hermann. Atribuimos estas palabras a Penteo y no a Dioniso, siguiendo a Hermann.

[61] Dioniso, en efecto, no opone resistencia en este sentido, dentro de su constante línea de tranquilidad y sosiego. Cfr. versos 436-440: «La fiera esta (*sc.* Dioniso) nos ha resultado mansa y no ha tratado de escabullirse, sino que nos ofreció sus manos voluntariamente. No estaba pálido ni mudó el tono vinoso de sus mejillas, sino que sonriendo incluso dejó que lo arrestásemos, lo encadenásemos y nos lo llevásemos, mientras se estaba quieto, haciéndome fácil cumplir mi cometido.»

[62] Allí, en el monte Citerón, es donde se habían reunido las mujeres tebanas poseídas del furor báquico. Cfr. versos 62-63: «Yo, por mi parte, acudiré al encuentro de mis bacantes a los repliegues del Citerón, donde ellas están, y participaré con ellas en sus danzas.»

MENSAJERO.—Después de ver a las bacantes venerables que, a golpe de locura y frenesí, fuera de este país andan dispersando sus blancos miembros, vengo con la intención de contaros a ti y a la ciudad, soberano, qué extraños sucesos —superiores a milagros— andan ellas obrando.

Pero quiero oírte decir si puedo referirte con libertad de expresión los sucesos allí acaecidos, o si debo replegar mi discurso[63]. [670] Porque lo cierto es que temo, señor, la prontitud de tu ánimo, tu excitabilidad y la desmesurada altivez regia.

PENTEO.—Habla, que por mi parte vas a estar libre de todo castigo. No hay que enfadarse, ciertamente, con los individuos que obran rectamente. Cuantas más cosas terribles digas a propósito de las bacantes, tanto más a quien les insinuó a las mujeres estas artes *(señalando a* DIONISO), a este sujeto de aquí, lo pondré en manos de la justicia.

MENSAJERO.—Yo estaba conduciendo arriba, a la cumbre del monte, mis rebaños de vacas para que paciesen, cuando el sol dispara sus rayos y calienta la tierra. [680] Entonces veo tres procesiones de coros de mujeres. A uno de ellos lo mandaba Autónoe, al segundo tu madre Ágave y al tercer coro Ino. Todas estaban durmiendo, con sus cuerpos desfallecidos, unas apoyando su espalda en el follaje de un abeto, y otras sobre las hojas de una encina, apoyando la cabeza en el suelo, echadas al azar, con decoro, no como tú andas diciendo, en el sentido de que, ebrias de vino y del son de la flauta, se habían refugiado en la soledad de los bosques para dedicarse a perseguir a Cipris[64].

Tu madre se puso en pie en medio de las bacantes y dio un grito [690] para sacudir el sueño de sus cuerpos, así que oyó los mugidos de las cornudas vacas. Entonces ellas apartaron de sus ojos su profundo sueño y se colocaron de pie derechas de un salto —era increíble ver su ordenado modo

---

[63] Es ésta una metáfora tomada del mundo de la marinería, donde se decía esto de la acción de 'replegar las velas'.

[64] Cfr. versos 221-225: «y que en sus festejos las copas se alzan llenas de vino, y que cada una se va retirando disimuladamente a un lugar solitario para servir a los varones en el lecho, con la excusa —¡ajajá!— de que son ménades consagradas al culto, pero le dan más prioridad a Afrodita que a Baco».

de comportarse— jóvenes, ancianas y doncellas aún sin unir al yugo. Unas primero dejaron caer su melena sobre los hombros; todas aquellas a las que se les habían soltado los broches con las que se las sujetaban, volvieron a colocarse bien las pieles de corzo; y se ciñeron a modo de cinturón las pieles moteadas con serpientes que les lamían sus mejillas. Otras tenían entre sus brazos un corzo o fieros cachorrillos de lobos, [700] y las que acababan de dar a luz y tenían todavía su pecho a punto por haber dejado a sus bebés les daban de mamar blanca leche. Se pusieron coronas de yedra, de encina y de florida enredadera.

Entonces una cogió su tirso y dio un golpe en una piedra, y empezó a brotar de ella una corriente de agua fresca; otra dejó caer su vara en el suelo y en ese punto el dios hizo emerger una fuente de vino; todas aquellas a las que se les presentó un deseo por la blanca bebida, arañaban la tierra con la punta de sus dedos [710] y obtenían ríos de leche. Y de sus tirsos de yedra iban destilándose gota a gota dulces torrentes de miel[65].

Así que, si hubieses estado presente, irías entre ruegos al encuentro del dios al que ahora andas recriminando, tras haber visto estos hechos.

Nos juntamos boyeros y pastores a fin de intercambiar en común entre unos y otros las distintas opiniones, en el sentido de que estaban ejecutando actos extraños y dignos de nuestra mayor admiración. Y uno que acostumbraba a bajar a la ciudad y estaba curtido en la oratoria habló para todos nosotros: «¡Oh habitantes de las venerables altiplanicies de los montes! ¿Queréis que apresemos [720] a Ágave, la madre de Penteo, durante sus celebraciones báquicas, y nos ganemos la gratitud de nuestro soberano?» Y nos pareció que tenía razón y nos colocamos en posición de emboscada entre el follaje del soto, con intención de ocultarnos.

Entonces ellas, en el momento fijado, sacudían su tirso de acuerdo a los festejos báquicos, invocando con sus bo-

---

[65] Cfr. versos 142-143: «¡Mana leche el suelo, mana vino, mana de las abejas su néctar!» Son milagros asociados a Dioniso.

cas al unísono a Íaco[66], a Bromio el hijo de Zeus. Y todo el
monte se unió a sus celebraciones báquicas, y las bestias
salvajes, y nada permanecía inmóvil entre tanta carrera.
Y resulta entonces que Ágave estaba dando brincos cerca de
mí, y yo salto hacia afuera con voluntad de apresarla, [730]
dejando vacío el matorral donde habíamos estado ocultan-
do nuestra presencia. Pero ella gritó: «¡Eh, mis perras corre-
doras! ¡Aquí hay unos hombres que intentan cazarnos!
¡Venga! ¡Venid conmigo! ¡Seguidme armadas de vuestros
tirsos en las manos!» Nosotros al menos sí que conseguimos escapar y librarnos del descuartizamiento de las bacantes, pero ellas entonces con mano desprovista de arma se
echaron de repente sobre las vacas mientras pacían la hierba. Y a la una podrías haberla visto tirando de una ternera
de buenas ubres con sus dos brazos, entre mugidos, mientras las otras se dedicaban a hacer pedazos a las becerras a
fuerza de tirones. [740] Y hasta habrías podido ver un cos-
tillar o pezuñas hendidas arrojadas arriba y abajo. Y gotea-
ban sin parar colgadas de los abetos manchadas de sangre.
Los toros, altivos y descargando su furia en sus cuernos,
caían de frente con su cuerpo a tierra, empujados por miles
de manos de muchachas. Y la cobertura de sus carnes circu-
laba de un sitio para otro más rápido de lo que tardarías tú
en juntar los párpados de tus reales pupilas.

Ellas corrían como pájaros que se alzan en veloz vuelo
por las llanuras que, extendiéndose campo abajo, junto a
las corrientes del Asopo [750] producen las fértiles espigas
para los tebanos. E irrumpiendo violentamente como enemigas en Hisias y Eritras, que están situadas abajo, al pie
de las laderas del Citerón, lo hicieron todo pedazos de
arriba abajo. Raptaban a los niños de sus casas, y cuanto
ponían sobre sus hombros proseguía allí sujeto sin atadu-
ra alguna y no se les caía al sombrío suelo, ni el bronce ni
el hierro. Sobre sus cabelleras aguantaban fuego, pero no
las quemaba[67].

---

[66] Otro de los nombres de Dioniso, asociado a gritos rituales, como en el
caso de Evio en los versos 566 y 579.
[67] El mensajero sigue relatando los prodigios que han estado presenciando.

Los aldeanos del lugar fruto de su enojo corrieron a las armas al sufrir el saqueo de las bacantes. [760] Justo en ese momento fue terrible contemplar el espectáculo, soberano. Por lo que respecta a ellos, el caso es que sus proyectiles čon punta de lanza no provocaban la sangre, ni el bronce ni el hierro, pero ellas de sus manos les lanzaban los tirsos y les iban causando heridas y les hicieron volver a la fuga sus espaldas, las mujeres a los hombres, no sin la colaboración de algún dios.

Entonces regresaron al lugar desde el que habían puesto sus pies en movimiento, a las fuentes que para ellas había hecho brotar el dios. Mientras ellas se lavaban la sangre, las gotas de sus mejillas se las iban limpiando unas serpientes con su lengua hasta dejarles la piel reluciente.

Así que a este dios, quienquiera que sea[68], señor, [770] dale la bienvenida en esta ciudad[69], que es grande por otras muchas razones y dicen de él, según yo he oído contar, que obsequió a los mortales con la vid, que hace cesar las penas[70]. Y si ya no existe más el vino, tampoco les queda ya a los hombres ni Cipris ni ningún otro placer.

CORIFEO.—Me aterroriza, ciertamente, decirle al rey aquí presente libremente mis palabras pero, aun así y todo, han de decirse: Dioniso no es inferior a ningún dios.

PENTEO.—Ya aquí cerca como un fuego estalla la insolencia de las bacantes, una gran deshonra a ojos de los griegos. [780] Pero no hay que vacilar. *(Dirigiéndose al* MENSAJERO.) Corre y ve hasta la puerta Electra. Da orden de que

---

[68] Cfr. versos 218-220: «Andan *(sc.* las mujeres) correteando en la umbría de los montes para rendir honores con sus bailes al dios ese recién aparecido, a Dioniso, quienquiera que sea.»

[69] El viejo Tiresias le dio también estos mismos consejos. Cfr. versos 309-313: «¡Venga! ¡Hazme caso, Penteo! No hagas alarde de que el poder regio controla las situaciones entre los hombres ni, si crees que sí, aunque tu creencia reposa sobre una débil base, creas que tienes una pizca de sentido común. Da la bienvenida al dios en nuestro país, haz libaciones en su honor, baila y corona tu cabeza.»

[70] Cfr. versos 278-283: «El hijo de Sémele, que ha inventado la húmeda bebida del racimo y la introdujo entre los mortales. Hace cesar las penas de los mortales desdichados cuando se sacian del zumo de la vid, les obsequia con el sueño y el olvido de los males diurnos, y no hay otro remedio para las fatigas.»

acudan a nuestro encuentro los portadores de escudo de la
infantería pesada, los jinetes de caballos veloces, y cuantos
blanden la rodela y hacen vibrar al tensarlas las cuerdas del
arco con sus brazos, al objeto de marchar contra las bacantes.

(Con un tono que no puede ocultar su indignación.) ¡Es que
de verdad esto lo supera ya todo! ¡Que tengamos que sufrir
lo que estamos sufriendo de parte de nuestras mujeres! *(El*
MENSAJERO *se va a cumplir su cometido.)*

DIONISO.—No me estás haciendo ningún caso ni estás escuchando mis palabras, Penteo. Y aunque estoy recibiendo
un mal trato de tu parte, con todo te digo que no debes al-
zarte en armas contra el dios, [790] sino tranquilizarte. Bromio no tolerará que traslades a las bacantes lejos de los
montes del evohé[71].

PENTEO.—¡No me vengas con lecciones tú a mí y trata de
conservar tu libertad, después de haber escapado de tu cau-
tiverio![72]. ¿O tendré que volver a someterte a mi justicia?

DIONISO.—Yo ofrecería sacrificios en su honor, antes que en-
fadarme y cocear contra el aguijón, siendo un mortal contra un dios.

PENTEO.—Voy a ofrecerle sacrificios, ¡de sangre de mujeres,
sí!, justo como se merecen, promoviéndolos generosamente en los repliegues del Citerón.

DIONISO.—¡Todos vosotros habréis de salir huyendo! Y esto
sería cosa vergonzosa, el hecho de que unas bacantes con

---

[71] Cfr. versos 50-54: «Y en el caso de que la ciudad de los tebanos intente
traer del monte con cólera por la fuerza de las armas a mis bacantes, me uniré a mis ménades y las comandaré como su general. Con ese motivo he adoptado esta apariencia mortal y he mudado mi figura por esta naturaleza corporal de hombre.»

[72] En realidad, lo que hay en este punto en el texto griego son segundas personas de futuro precedidas de *ou mé* o de *ou* en oraciones interrogativas que,
en virtud de una entonación fuertemente apremiante, equivalen a una prohibición tajante —primer caso— y a un imperativo —segundo caso— (literalmente «¿No dejarás de venirme a mí con lecciones y tratarás de conservar tu
libertad?» = «¡No me vengas a mí con lecciones y trata de conservar tu libertad!»). Esto es propio del nivel coloquial o conversacional de la lengua. Con
sorpresa comprobamos que en la mayor parte de traducciones y comentarios
de este pasaje no se acaba de entender bien la construcción de estos versos.

sus tirsos os hiciesen dar la vuelta y forzar la fuga de vuestros escudos, forjados de bronce.

PENTEO.—[800] Me tiene bien enredado sin posibilidad alguna de escapatoria este extranjero, que no se calla haga lo que haga.

DIONISO.—Amigo, todavía se puede enderezar la situación.

PENTEO.—¿Haciendo qué? ¿Convirtiéndome en el esclavo de mis esclavos?

DIONISO.—Yo te traeré aquí a las mujeres sin necesidad de armas.

PENTEO.—¡Ay de mí! ¡Ya estás maquinando con eso algún engaño contra mí!

DIONISO.—¿Cuál, si quiero salvarte con mis artes?

PENTEO.—Eso lo habéis organizado en común, para seguir celebrando vuestros cultos báquicos para siempre.

DIONISO.—Efectivamente lo he organizado, sí, —¡entérate!— con el dios.

PENTEO.—¡Sacadme aquí las armas y tú para de hablar! *(Hace ademán de marcharse.)*

DIONISO.—[810] *(Llamando su atención con intención de detenerle.)* ¡Eh![73]. ¿Quieres verlas sentadas juntas en el monte?

PENTEO.—¡Sí, aunque tuviese que dar una cantidad inconmensurable de oro!

DIONISO.—¿Y por qué has caído en este fuerte deseo por ello?

PENTEO.—Podría verlas penosamente borrachas.

DIONISO.—¿Y a pesar de eso contemplarías con gusto lo que te resulta amargo?

PENTEO.—Que no te quepa duda, sentado bien en silencio bajo los abetos.

DIONISO.—Pero localizarán tu rastro, por más que vayas a escondidas.

---

[73] La interjección griega *á* cumple bien aquí su frecuente función de prohibición suspensiva. De este modo Dioniso trata de frenar la marcha de Penteo, llamar su atención y proponerle un giro en el desarrollo de la acción. A partir de este momento, en efecto, la actitud de Penteo cambia radicalmente, interesado en todo aquello que Dioniso le cuenta y aplaudiendo sus indicaciones. Dioniso sabe jugar muy hábil y acertadamente con el obsesivo deseo que corroe a Penteo por ver con sus propios ojos las desenfrenadas orgías en que cree entregadas a las mujeres, y así consigue atraer su voluntad.

PENTEO.—Pues a cara descubierta, que efectivamente tienes razón en esto.

DIONISO.—¿Estas dispuesto, entonces, a que te llevemos allí y a arriesgarte a nuestro plan?

PENTEO.—[820] Llévame cuanto antes. Con malos ojos te empiezo a mirar por tu tardanza.

DIONISO.—*(Ofreciéndole ropas de mujer.)* Ponte, pues, sobre tu cuerpo este vestido de lino.

PENTEO.—¿Qué significa esto en buena hora? ¿De hombre en mujer termino?

DIONISO.—Para que no te maten, si te ven allí como hombre.

PENTEO.—¡Qué requetebién has vuelto a hablar! ¡Sabio individuo estás siendo todo este rato!

DIONISO.—Dioniso me ha transmitido detalladamente estas enseñanzas.

PENTEO.—¿Cómo, entonces, va a suceder lo que tú me estás aconsejando con acierto?

DIONISO.—Iré dentro del palacio y te vestiré.

PENTEO.—¿Con qué vestido? ¿Acaso de mujer? Es que me da vergüenza[74].

DIONISO.—¿Ya no estás animado para contemplar a las ménades?

PENTEO.—[830] ¿Pero qué vestido dices que me eche sobre el cuerpo?

DIONISO.—Para empezar, te extenderé larga del todo la melena sobre tu cabeza.

PENTEO.—Y el segundo retoque de mi aspecto, ¿cuál va a ser?

DIONISO.—Un vestido que te llegue hasta los pies. Y sobre la cabeza una redecilla.

PENTEO.—¿Además de esto, vas a ponerme alguna otra cosa más?

DIONISO.—Sí, un tirso en la mano y una piel moteada de corzo.

PENTEO.—¡No voy a poder ponerme un vestido de mujer!

---

[74] La acción de travestirse los hombre con ropas de mujeres es algo frecuente en las celebraciones dionisíacas.

DIONISO.—Pues entonces vas a sangrar en cuanto entres en combate con las bacantes.

PENTEO.—Bien. Primero hay que ir a espiarlas.

DIONISO.—Más sensato, desde luego que sí, que perseguir mal con mal.

PENTEO.—[840] ¿Y cómo voy a ir a través de la ciudad pasando inadvertido a los cadmeos?

DIONISO.—Iremos por calles solitarias. Yo te guiaré.

PENTEO.—Todo es preferible a que las bacantes se rían de mí.

DIONISO.—Entremos los dos en tu palacio...

PENTEO.—... tomaré la decisión que me parezca.

DIONISO.—En tu mano está. A mí me tienes por completo a tu entera disposición.

PENTEO.—Voy a ponerme en camino, que o bien me abriré paso empuñando mis armas o bien me dejaré convencer por tus consejos. (PENTEO *entra en el palacio.*)

DIONISO.—*(Dirigiéndose al* CORO.) ¡Mujeres, este hombre cayendo está en la trampa que le hemos tendido! Se presentará ante las bacantes y pagará allí su pena con la muerte.

¡Dioniso! ¡Ahora es cosa tuya, que no estás lejos! [850] ¡Vamos a castigarle! Primero hazle perder la razón inspirándole una leve locura. Porque mientras esté en su sano juicio, no querrá ponerse un vestido de mujer pero, si se le empuja fuera de la cordura, se lo pondrá. Pretendo que sea el hazmerreír de los tebanos cuando le lleve con aspecto de mujer a través de la ciudad, después de las amenazas de antes, con las que se mostraba terrible. ¡Bueno! Voy a ir a ceñirle a Penteo el adorno que va a llevar cuando parta para el Hades, degollado por las manos de su madre. Va a darse buena cuenta de que el hijo de Zeus, [860] Dioniso, ha nacido dios, terribilísimo en parte, pero de suprema benevolencia para los hombres. (DIONISO *entra en el palacio a cumplir lo que acaba de decir.*)

CORO.
Estrofa.
¿Acaso en danzas a lo largo de la noche entera pondré algún día blanco mi pie en un estallido de báquico frenesí, volviendo mi cuello en dirección al éter húmedo de rocío, como la cervatilla que ju-

gueteando retoza en los verdes placeres de una pradera, cuando lo-
gra evitar la temerosa caza, lejos de los ojeadores, [870] más allá
de las redes bien trenzadas, mientras con sus gritos el cazador tra-
ta de azuzar la carrera de los perros y ella, entre veloces esfuerzos
por seguir corriendo, rápida como un huracán, corre a saltos por la
llanura junto al río, regocijándose en la soledad, lejos de los hom-
bres, en la umbría del bosque florido?

¿Qué es lo sabio? ¿O qué don es más hermoso recibir de parte de
los dioses entre los mortales, que sobre la cabeza de los enemigos
[880] imponer victoriosa con fuerza la mano? ¡Lo hermoso queri-
do es siempre!

Antístrofa.

¡A duras penas se pone en acción, mas, aun así y todo, el poder di-
vino sigue siendo seguro a fin de cuentas! Corrige de entre los mor-
tales a quienes rinden honores a la arrogancia y no magnifican lo
divino, víctimas de un loco parecer. Ocultan con mil artimañas el
paso lento del tiempo y [890] dan caza al impío. ¡Que nada supe-
rior a las tradiciones se debe jamás reconocer o practicar![75]. *¡Bien*
pequeño es el coste de creer que esto tiene fuerza, lo que quiera que
sea en buena hora lo divino, lo conforme a la ley desde largo tiem-
po y lo que siempre ha sido así por naturaleza.

¿Qué es lo sabio? ¿O qué don es más hermoso recibir de parte de
los dioses entre los mortales, que sobre la cabeza de los enemigos
[900] imponer victoriosa con fuerza la mano? ¡Lo hermoso queri-
do es siempre!

Epodo.

¡Feliz quien del mar escapa a la tormenta y arriba a puerto! ¡Feliz
quien de sus penas por encima se sitúa! Unos a otros, cada cual a su
manera, se aventajan en felicidad y fuerza. Y todavía hay miles de
expectativas para otros miles. Unas se consuman en felicidad [910]
para los mortales, y otras se desvanecen. A quienquiera que goce día
a día de una existencia dichosa, a ése considero yo un individuo feliz.

(DIONISO *sale del palacio.*)

---

[75] Cfr. las palabras del adivino Tiresias en los versos 201-202: «Las tradiciones de nuestros padres, que hemos recibido tan antiguas como el comienzo
mismo de los tiempos, ningún razonamiento podrá abatirlas.»

DIONISO.—*(Llamando a* PENTEO, *que todavía permanece en el interior del palacio.)* ¡Tú, que estás resuelto a ver lo que no debes y que pones todo tu empeño en algo que no deberías ni intentar, a ti me refiero, Penteo! ¡Sal fuera, delante del palacio, que yo te vea llevando los atuendos de mujer, de ménade bacante, espía de tu madre y su grupo!

(PENTEO *sale del palacio con atuendos de mujer, tal como lo ha preparado* DIONISO.) ¡Pero si tienes el aspecto de una de las hijas de Cadmo, a juzgar por tu apariencia!

PENTEO.—*(Ligeramente aturdido.)* ¡Oye! Que me parece que estoy viendo dos soles, y que veo doble a Tebas y la ciudad de las siete puertas![76]. [920] ¡Y tú me pareces un toro que me va guiando por delante[77], y que te han crecido unos cuernos sobre la cabeza! *(Sorprendido.)* ¿Pero es que antes ya eras una bestia salvaje? ¡La verdad es que ahora tienes la forma de un toro!

DIONISO.—El dios nos está acompañando; aunque antes no tenía una buena disposición, es nuestro aliado. Ahora sí que ves lo que tienes que ver.

PENTEO.—¿Qué aspecto tengo ahora, entonces? ¿No tengo la planta de Ino o la de Ágave, mi madre?

DIONISO.—A ellas en persona me parece estar contemplando al verte a ti. *(Observando un pequeño defecto en su tocado.)* Pero este rizo ha quedado salido de su sitio; no está como yo lo he fijado debajo de la redecilla.

---

[76] Penteo cree ver doble las cosas. Esto es señal de embriaguez, como bien saben quienes han pasado por dicho estado o, más bien en el caso que nos ocupa de Penteo, fruto de un estado mental alterado, que no es el normal. En efecto, Penteo se encuentra bajo los efectos de una 'leve locura' inspirada por el dios, que es el que provoca el estado descrito. Cfr. versos 850-851: «Primero hazle perder la razón inspirándole una leve locura.»

[77] Cfr. versos 1153-1159: «¡Alcemos nuestros pies danzando para Dioniso! ¡Alcemos nuestras voces por la desgracia de Penteo, el descendiente del dragón, que ropas de mujer tomó, y una caña —¡garantía de muerte!— hermosamente aprestada como tirso, teniendo a un toro por guía en el camino a su desgracia!» Estas referencias al toro que guía el camino no parecen gratuitas y no son inusitadas en el mundo de la mitología griega. En opinión de los estudiosos, es posible que remonten a una antigua concepción de Dioniso como el toro que guía a su manada. Cfr. versos 99-102: «Y alumbró (*sc.* Zeus), cuando la gestación llegó a su término, al dios de cuernos de toro y lo coronó con coronas de serpientes.»

PENTEO.—[930] Al moverlo dentro de casa para adelante y para atrás en los intentos de hacer de bacante lo he descolocado de su punto de sujección.

DIONISO.—Pero yo, que me ocupo de cuidarte, voy a volver a colocártelo bien. ¡Venga! ¡Levanta la cabeza!

PENTEO.—*(Obedece la orden.)* ¡Velay! ¡Arréglalo! Que por el momento dependo de ti.

DIONISO.—El cinturón se te está aflojando y los pliegues del vestido no caen bien repartidos por debajo de tus tobillos.

PENTEO.—También a mí me lo parece, justo donde el pie derecho. Pero por esta parte, donde el talón, el vestido tiene una posición correcta[78].

DIONISO.—Con toda seguridad me vas a tener como el primero de tus amigos [940] cuando veas que, contra lo que se dice, las bacantes son comedidas.

PENTEO.—¿De cuál de estas dos maneras me asemejaré más a una bacante? ¿Cogiendo el tirso con la mano derecha o con ésta?

DIONISO.—Hay que cogerlo con la derecha y levantarlo al mismo tiempo que el pie derecho. Apruebo que hayas cambiado de idea.

PENTEO.—¿Y podría llevar sobre mis hombros los repliegues del Citerón junto con las bacantes y todo?[79].

---

[78] Penteo está verdaderamente dentro de su papel de hombre travestido, sin faltarle siquiera los toques de coquetería femenina que le llevan a preocuparse por este tipo de cuidados detalles. Hay un cierto toque de humor, en virtud justamente de este exceso de sorprendente coquetería, que nos hace ver lo ciego que está Penteo en este momento, desconocedor del todo del trágico destino que le aguarda. Su estado no es, desde luego, el propio de la normal lucidez.

[79] Habíamos visto en el primer episodio que los dos ancianos Cadmo y Tiresias se habían sentido rejuvenecer hasta extremos insospechados gracias a los efectos del dios (cfr. las palabras de Tiresias a su compañero en edad Cadmo en los versos 189-190: «Te pasa entonces lo mismo que a mí, porque también yo me siento un chaval y quiero ponerme a bailar»). Penteo en esta escena se siente también enormemente fuerte, hasta extremos mucho mayores que los de los dos ancianos, pues se cree capaz de obrar lo que dice. Heracles también, en la tragedia que recibe su nombre, se cree igual de fuerte, bajo los efectos de la locura, como en el caso de Penteo: cfr. *Heracles*, versos 943-946: «Marcho en dirección a Micenas. Tengo que coger palancas y horquillas de dos puntas para hacer añicos con mi férreo y curvo instrumento las murallas ciclópeas, construidas con precisión con la ayuda de piquetas y la plomada púrpura.»

DIONISO.—Podrías si quisieras. Antes no tenías sana la mente, pero ahora la tienes como debes.

PENTEO.—¿Llevamos palancas o los rompo con mis dos manos [950] poniendo mi hombro o mi brazo bajo su cima?

DIONISO.—¡Hombre, no! No destruyas la morada de las ninfas ni la sede de Pan, donde habitan los sones de su flauta.

PENTEO.—Tienes razón. No hay que vencer a las mujeres con la fuerza bruta. Voy a esconder mi cuerpo bajo unos abetos.

DIONISO.—Escóndete en el escondrijo en que debes esconderte, ya que vas a traición como espía de las ménades.

PENTEO.—¡Es como si lo viera...! ¡Ya me imagino que andarán donde los matorrales, como pájaros, entretenidas entre las redes del amor que tanto les gustan!

DIONISO.—¿No vas justamente a por eso mismo en misión de guardián? [960] Quizá las sorprendas, si es que no te sorprenden a ti antes.

PENTEO.—Condúceme por mitad de la tierra tebana; que soy el único varón de entre ellos que se atreve a esta audacia.

DIONISO.—Sólo tú trabajas por esta ciudad, sólo tú. Bien cierto es que te aguardan combates que eran necesarios. ¡Sígueme! Yo voy a ir contigo como guía para que vayas seguro. Y de allí te traerá de regreso otra persona.

PENTEO.—¿Mi madre?

DIONISO.—Para que seas célebre a la vista de todos.

PENTEO.—A por eso voy.

DIONISO.—Regresarás llevado por otros.

PENTEO.—Te refieres a mis lujos.

DIONISO.—En brazos de tu madre.

PENTEO.—Incluso me obligarás a recibir mimos.

DIONISO.—[970] ¡Qué mimos, además!

PENTEO.—¡Alcanzo cosas verdaderamente merecidas! (PENTEO *va saliendo de la escena.*)

DIONISO.—¡Terrible eres, terrible, y a terribles padecimientos te encaminas, de suerte que una gloria has de hallar que el cielo alcanzará! ¡Extended vuestras manos, Ágave y vosotras sus hermanas, hijas de Cadmo! ¡A un gran combate conduzco a este joven y Bromio y yo habremos de ser los vencedores! El resto, los propios hechos lo irán indicando. *(Se retira también* DIONISO.)

CORO.
Estrofa.

¡Marchad rápidas perras de la Rabia[80], marchad al monte, donde celebran báquica reunión las hijas de Cadmo! ¡Aguijoneadlas hasta el delirio [980] contra el hombre vestido con ropas que remedan las femeninas, rabioso espía de las ménades! Su madre lo verá la primera espiando al acecho desde una lisa roca o en la copa de un árbol y llamará a gritos a las ménades: «¡Bacantes! ¿Quién es ese individuo de ahí, acechador de las montaraces carreras de las cadmeas, que al monte, al monte ha venido, ha venido? ¿Quién lo habrá parido? En verdad que de sangre de mujeres [990] no ha nacido, sino que de alguna leona o de las gorgonas de Libia su origen recibe.»

¡Que venga la justicia a la luz! ¡Que venga armada de espada a dar muerte de un tajo en derechura por la garganta a través al negador de los dioses, negador de las leyes, negador de la justicia: el hijo de Equión, de la tierra nacido![81].

Antístrofa.

Quien con injusta determinación y furor al margen de la ley, contra tus ritos báquicos y los de tu madre, con mente enloquecida [1000] y voluntad desvariada, en camino se pone, con afán de controlar por la violencia lo invencible. La muerte es un castigo por sus despropósitos. Aceptar sin remilgos lo que a los dioses atañe, en calidad de ser mortal, es vivir sin pena[82]. La sabiduría yo no la envidio. Disfruto persiguiendo esas otras cosas, grandes y claras, que hacia el bien conducen la vida[83]: día y noche ser piadoso, desterrar las leyes que quedan fuera de la justicia, [1010] honrar a los dioses[84].

---

[80] Ésta es la locura rabiosa que tiene poseído a Penteo. Cfr. versos 850-851: «Primero hazle perder la razón inspirándole una leve locura.»

[81] Se refiere a Penteo, cuyo linaje ya ha sido varias veces evocado.

[82] Éste es, textualmente, uno de los pasajes más complicados y que más dudas y complicaciones ofrecen de *Las Bacantes*. Acepto en estos versos, 1002-1004, las propuestas de Dodds, frente a la lectura de Diggle. Cfr. E. R. Dodds, *Euripides Bacchae*, Oxford-Nueva York, 1960, págs. 204-205.

[83] Nuevamente en estos versos, 1005-1007, aceptamos las propuestas de Dodds. Cfr. Dodds, *op. cit.*, pág. 205.

[84] Estas ideas ya han sido evocadas con anterioridad. Cfr. versos 386-401: «¡De las bocas sin freno y de la insensatez sin ley, el fin es la desdicha! Por el

¡Que venga la justicia a la luz! ¡Que venga armada de espada a dar muerte de un tajo en derechura por la garganta a través al negador de los dioses, negador de las leyes, negador de la justicia: el hijo de Equión, de la tierra nacido!

Epodo.
¡Aparécete como toro, o dragón de múltiples cabezas, o león llameante de fuego![85]. *[1020] ¡Ven, Baco! ¡Tú, la fiera, al cazador de las bacantes échale alrededor con rostro sonriente*[86] *un lazo mortal, cuando caiga bajo el control del rebaño de tus ménades!*

(Entra en la escena un Mensajero, *distinto del anterior.)*

Mensajero.—¡Oh, casa que antes en el pasado dichosa eras en Grecia, la del anciano de Sidón, que en la tierra sembró la cosecha terrígena del dragón![87]. ¡Cómo me lamento por ti, aun esclavo siendo, sí, mas aun así y todo! Las desgracias de los amos lo son también para los buenos esclavos.

Corifeo.—¿Qué pasa? ¿Anuncias alguna novedad procedente de las bacantes?

---

contrario, la vida de tranquilidad y el gozar de sentido común se mantiene inconmoviblemente firme y mantiene unida la familia. Ya que, aun habitando lejos el éter, contemplan los seres celestes los asuntos de los mortales. Lo sabio no es sabiduría, ni discurrir pensamientos no propios de mortales. ¡La vida es breve! Y así las cosas, ¿quién, por perseguir ambiciosos objetivos, no se conformaría con lo presente? De locos son propias esas conductas, en mi opinión, y de individuos estúpidos.»

[85] No son extrañas las formas de animales y bestias salvajes bajo las que se invoca a Dioniso, ya que estas transformaciones son bien conocidas en los cultos a Dioniso.

[86] No es la primera vez que aparece Dioniso sonriente, o que como tal se le invoca. Cfr. versos 438-440: «No estaba pálido ni mudó el tono vinoso de sus mejillas, sino que sonriendo incluso dejó que lo arrestásemos, lo encadenásemos y nos lo llevásemos, mientras se estaba quieto, haciéndome fácil cumplir mi cometido.» En el momento de su captura, en estos versos citados, la sonrisa de Dioniso era la propia del mártir, dentro de una ambigüedad difícil de definir, pero en el pasaje que ahora nos ocupa, en la del cazador cazado por su presa, es claramente la sonrisa del destructor. Dioniso está ganando su juego, sin perder nunca la calma ni su enigmática y ambigua sonrisa.

[87] Directa alusión a Cadmo y la estirpe de los sembrados, nacido de los dientes del dragón, como ya se ha evocado en repetidas ocasiones.

MENSAJERO.—[1030] Penteo ha muerto, el hijo de Equión, su padre.

CORIFEO.—*(Con gozo.) ¡Oh soberano Bromio! ¡Grande te has mostrado como dios!*

MENSAJERO.—¿Cómo dices? ¿Por qué has dicho eso? ¿Es que te alegras, mujer, de que mis amos atraviesen una mala situación?

CORIFEO.—*Grito evohé como extranjera, con cantos bárbaros. Que ya no me encojo de miedo por temor a las cadenas.*

MENSAJERO.—¿Así de cobarde crees a Tebas?

CORIFEO.—*¡Dioniso, Dioniso! ¡Tebas no tiene poder sobre mí!*

MENSAJERO.—Se te puede perdonar, desde luego, pero —¡alegrarse de las desgracias que han sucedido!— [1040] no está bien, mujeres.

CORIFEO.—*¡Dime, cuéntamelo, de qué muerte ha perecido ese hombre injusto y fraguador de injusticias!*

MENSAJERO.—Una vez que dejamos atrás los poblados de esta tierra tebana y rebasamos las corrientes del Asopo, entramos en la ladera del Citerón Penteo, yo (pues acompañaba a mi amo) y el extranjero que era el guía de la peregrinación. Pues bien, entonces primero nos apostamos en un herboso valle, guardando silencio de pies y lengua, [1050] para ver sin ser vistos.

Había un estrecho valle rodeado de riscos, bañado por arroyos, cubierto totalmente por la sombra de los pinos, donde las ménades yacían apaciblemente sentadas entreteniendo sus manos en agradables quehaceres. De entre ellas, pues, unas los tirsos estropeados los volvían a coronar con una larga cabellera de yedra; otras, como potrillas que se libran de sus coloridos yugos, cantaban a coro respondiéndose unas a otras una melodía báquica.

Entonces Penteo, el desdichado, como no veía la turba femenina, dijo estas palabras: «Extranjero, aquí justo desde donde estamos [1060] no alcanzo a ver con mis ojos a esas infames ménades. Pero sobre esas lomas, si me subiese a un abeto bien alto, vería perfectamente las vergonzosas fechorías de las ménades.»

A partir de este punto en ese momento contemplo las maravillas extraordinarias del extranjero. Cogió, en efecto, el extremo de la rama de un abeto que llegaba hasta los cielos y la fue bajando, bajando, bajando hasta el negro suelo. Y ésta fue curvándose como el arco o la rueda circular inscrita dentro de su llanta por movimientos circulares; así bajó con ambos brazos el extranjero el tallo del árbol y lo fue doblando hacia el suelo, ejecutando acciones impropias de un mortal.

[1070] Tras dejar a Penteo sentado sobre las ramas del abeto, iba soltando el tronco poco a poco derecho hacia arriba con sus manos, con cuidado de que no saliese despedido, y quedó firmemente enderezado derecho al cielo, aguantando sentado sobre sus lomos a mi amo.

Él, más que ver a las ménades, era visto por ellas; y apenas aún no había llegado a ser visible sentado arriba, cuando al extranjero ya no se le podía ver. Entonces una voz procedente del éter —Dioniso, muy probablemente— gritó: «¡Oh jóvenes muchachas! [1080] ¡Traigo al que burlas hacía de vosotras, de mí y de mis ritos! ¡Venga! ¡Exigidle cumplida venganza!» Y al mismo tiempo que iba pronunciando estas palabras, la luz de un augusto fuego fue quedándose fija en el cielo y en la tierra. Guardó silencio el éter y en silencio mantuvo su follaje el boscoso valle, y de las bestias salvajes no se escuchaba ni un murmullo.

Entonces ellas, como no habían recibido con claridad la voz en sus oídos, se pusieron derechas en pie y volvieron sus pupilas en todas las direcciones. Y él volvió a darles la orden con más fuerza. En cuanto reconocieron con claridad las hijas de Cadmo el mandato de Baco, [1090] se precipitaron no menos rápido que una paloma, entregándose con sus pies a una intensa carrera, Ágave la madre, sus hermanas y todas las bacantes. Iban dando saltos por las torrenteras del valle y los riscos, enloquecidas por la inspiración del dios.

Cuando vieron a mi amo sentado en el abeto, primero le estuvieron lanzando enormes pedruscos con todas sus fuerzas, subidas a una roca que les hacía las veces de torre, y le disparaban con ramas de abeto. Otras, en cambio, arrojaban sus tirsos por los aires [1100] contra Penteo, desdichado blanco, pero no conseguían su propósito, ya que estaba situado a una altura mayor que la que alcanzaban sus esfuerzos, el pobre, presa de la desesperación. Finalmente, quebrándolas con ramas de encina, intentaron arrancar las raíces con estas palancas que no eran de hierro; pero como sus esfuerzos no llegaban a su fin, Ágave dijo estas palabras: «¡Venga, ménades! ¡Colocaos en círculo a su alrededor y cogeos fuerte del tronco para que capturemos a esa fiera trepadora y no delate los coros secretos del dios!» [1110] Entonces arrimaron ellas al abeto miles de brazos y lo arrancaron de la tierra. Y arriba sentado se precipita de la cima al suelo y cae a tierra Penteo, entre innúmeros 'ayes' de dolor, pues comprendió entonces que se hallaba cerca de una desgracia.

Su madre, en calidad de sacerdotisa, dio comienzo la primera a la matanza y cae sobre él. Entonces él se arrancó la redecilla de la melena con intención de que la pobre Ágave lo reconociese y no lo matase, mientras le dice tocándole suavemente la mejilla: «¡Madre —¡escucha!—, soy yo, tu hijo, Penteo, a quien pariste en las moradas de Equión! [1120] ¡Compadécete de mí, madre, y no des muerte a tu hijo por culpa de mis errores!»[88].

Pero ella, echando espumarajos y haciendo girar desorbitadas sus pupilas, sin pensar lo que debía pensar, estaba sometida bajo la posesión de Baco y no le hacía caso[89]. Es

---

[88] Cuando Heracles, enfurecido y con la mente extraviada, persigue a sus hijos para darles muerte, también uno de ellos se abalanza sobre su padre tocándole la barbilla para implorarle por su vida y sacarle de su error. Cfr. *Heracles*, versos 984-989: «Dirige entonces su arco contra otro que se ha acurrucado junto al zócalo del altar, en la creencia de que pasa inadvertido. Toma el pequeño desgraciado la iniciativa cayendo a las rodillas de su padre y, tocándole con su mano la barba y el cuello, le dice: "Queridísimo padre, no me mates. ¡Soy yo, soy tu hijo!"»

[89] Similares síntomas experimenta Heracles en la escena que hemos tomado como ejemplo en la nota anterior. El hijo de Zeus y Alcmena también ha recibido momentáneamente el aguijón de la locura y sufre, como decimos, idénticos síntomas: cfr. *Heracles*, versos 928-935: «Cuando se disponía a coger la antorcha con su mano derecha para sumergirla en el agua lustral, el hijo de Alcmena se quedó en silencio. Como quiera que su padre estuviese así mucho tiempo, los niños volvieron sus ojos hacia él, pero ya no era el mismo, sino que, desencajado, girando los ojos y sacándolos de sus órbitas, inyectados en sangre, iba dejando caer de su barba gotas de espuma. Entonces habló con una risa desquiciada.»

más, le cogió el brazo izquierdo con los suyos y, plantando su pie sobre los costados del desdichado, le desgarró el hombro, no bajo el efecto de su fuerza física, sino porque el dios confirió a sus manos la facilidad para ejecutar tales actos[90].

Ino, por su parte, fue consumando la faena por el otro lado [1130] descuartizando su carne, mientras Autónoe y toda la muchedumbre de las bacantes se le iba echando encima. El alboroto era total: él gemía en la medida en que aún se encontraba con aliento y ellas daban gritos de victoria. Y llevaba la una un brazo, la otra un pie con su bota y todo. Sus costillas quedaron desnudas a fuerza de tirones. Todas ellas se echaban unas a otras con las manos manchadas de sangre la carne de Penteo, como si jugasen con una pelota[91].

Su cuerpo yace esparcido: una parte al pie de las ásperas rocas, otra entre el follaje densamente poblado del bosque, no es fácil su búsqueda. Y la desventurada cabeza, [1140] que su madre ha acertado a coger con sus manos, la ha clavado en el extremo de su tirso y la va llevando por medio del Citerón como a la de un león montaraz, tras dejar a sus hermanas con los coros de ménades. Ya está en camino, orgullosa de su malhadada presa, en dirección a estos muros, al tiempo que a Baco invoca como su compañero de caza, colaborador en la cacería, glorioso vencedor, si bien por estar a su servicio sólo lágrimas va a obtener como premio por la victoria.

Así que yo ahora me voy para no encontrarme al paso con esta desgracia, antes de que llegue Ágave al palacio. [1150] Ser prudente y honrar a los dioses es lo mejor. Es más, creo que ésa es también la más sensata posesión que pueden disfrutar los mortales. *(El* MENSAJERO *se va.)*

---

[90] Los fieles del dios son capaces de ejecutar, cuando se encuentran bajo su influencia, actos que un hombre no podría realizar en condiciones normales. A prodigios de este estilo se ha hecho referencia varias veces.

[91] Crea aquí Eurípides un verbo con el que da nombre a un morboso y cruento juego a partir de un elemento tan trivial como el juego de la pelota.

CORO.—*¡Alcemos nuestros pies danzando para Dioniso! ¡Alcemos nuestras voces por la desgracia de Penteo, el descendiente del dragón, que ropas de mujer tomó, y una caña —¡garantía de muerte!— hermosamente aprestada como tirso, teniendo a un toro por guía en el camino a su desgracia!*[92]. *[1160] ¡Bacantes cadmeas! ¡En llanto, en lágrimas habéis hecho terminar vuestro glorioso himno de victoria! ¡Bonita contienda, bañar en la sangre de un hijo la mano que aún gotea!*

CORIFEO.—*(Viendo a* ÁGAVE *acercándose, tal como se había anunciado.)* Por cierto, que ya veo a Agave, la madre de Penteo, acercándose al palacio con los ojos desorbitados. Recibidla en la comitiva del dios del evohé.

(Entra ÁGAVE *con los vestidos manchados de sangre y sosteniendo en su mano un tirso en cuyo extremo aparece hincada la lacerada cabeza de* PENTEO. *Durante estos primeros versos de su aparición no deja de bailar frenéticamente.)*

Estrofa.
ÁGAVE.—*¡Bacantes de Asia!*
CORO.—*¿Por qué me gritas, mujer?*
ÁGAVE.—*¡Traemos del monte [1170] recién cortada para casa una rama de yedra, caza bienaventurada!*
CORO.—*La estoy viendo y te voy a dar la bienvenida como compañera de nuestra comitiva.*
ÁGAVE.—*He apresado sin lazos este joven cachorro, como puedes ver.*
CORO.—*¿En qué solitario lugar?*
ÁGAVE.—*El Citerón...*

---

[92] No es la primera ocasión en que se asocia la figura de Dioniso a la de un toro. Primero ha sido en un canto coral, en los versos 99-102 («Y alumbró *(sc.* Zeus), cuando la gestación llegó a su término, al dios de cuernos de toro y lo coronó con coronas de serpientes»); y más tarde ha sido en los versos 920-922, donde se ha aludido directamente a esta función de guía del toro que, al parecer, entronca con algunas de las funciones de dicho animal en la mitología griega. Cfr. versos 920-922: «¡Y tú me pareces un toro que me va guiando por delante, y que te han crecido unos cuernos sobre la cabeza! *(Sorprendido.)* ¿Pero es que antes ya eras una bestia salvaje? ¡La verdad es que ahora tienes la forma de un toro!»

CORO.—¿El Citerón?

ÁGAVE.—... consumó su muerte.

CORO.—¿Quién fue la que lo hirió?

ÁGAVE.—Ese privilegio me cupo a mí en primer lugar. ¡Bienaventurada Ágave me llaman en los cortejos!

CORO.—[1180] ¿Quién más?

ÁGAVE.—De Cadmo...

CORO.—¿Qué de Cadmo?

ÁGAVE.—¡Sus hijas, después de mí, después de mí, tocaron la fiera! ¡Bien dichosa ha sido esta cacería!

Antístrofa.

ÁGAVE.—¡Toma parte, pues, en el banquete!

CORO.—¿Cómo voy a tomar parte, desdichada?[93].

ÁGAVE.—Joven es el ternero. Bien poco ha que su barba florece bajo su cabeza de suave melena con una fina pelusa.

CORO.—Con esa mata de pelo parece como una bestia salvaje que habita en el campo.

ÁGAVE.—Baco, cazador diestro, [1190] diestramente hostigó a las ménades contra esta fiera.

CORO.—¡Cazador es, en efecto, nuestro soberano!

ÁGAVE.—¿Me alabas?

CORO.—Te alabo.

ÁGAVE.—Al punto los cadmeos...

CORO.—Y también tu hijo Penteo...

ÁGAVE.—... a su madre alabarán por capturar esta presa de naturaleza leonina.

CORO.—¡Sobresaliente!

ÁGAVE.—¡Sobresalientemente capturada!

CORO.—¿Te sientes orgullosa?

ÁGAVE.—Estoy contenta. ¡Grandes, grandes y distinguidas acciones se han consumado con esta cacería!

---

[93] Al descuartizamiento seguía un banquete en el que se devoraba la carne cruda; pero las mujeres del Coro, que al menos hasta este momento han dado suficientes muestras de alegría y aquiescencia respecto de lo sucedido, se resisten y rompen la unidad de acción de las ménades enloquecidas, percatándose de la barbaridad del crimen cometido y echándose atrás en su apoyo incondicional.

CORIFEO.—[1200] Muestra a tus conciudanos, pues, desgraciada, esa victoriosa presa tuya que has venido trayendo.

ÁGAVE.—¡Oh habitantes de la ciudadela bien amurallada de esta tierra tebana! ¡Acudid aquí para contemplar la presa, este animal salvaje, que hemos cazado las hijas de Cadmo, no con las jabalinas de correa de los tesalios[94], no con redes, sino con la fuerza de nuestros blancos brazos! *(Con ironía.)* ¿Y luego hay que acertar en el blanco y adquirir las herramientas de los fabricantes de lanzas para nada? Pues, lo que es nosotras, a éste de aquí lo hemos capturado con nuestras propias manos [1210] y con ellas hemos despedazado los miembros del fiero animal.

¿Dónde está mi anciano padre? ¡Que venga aquí cerca! Y mi hijo Penteo, ¿dónde está? Que coja una sólida escalera y la levante junto a la casa, para que clave en los triglifos la cabeza de este león que vengo de cazar, aquí presente.

(Entra CADMO *acompañado de algunos sirvientes que traen los restos que han podido encontrar de* PENTEO.*)*

CADMO.—¡Seguidme trayendo la triste carga de Penteo! ¡Seguidme, sirvientes, delante del palacio, adonde traigo su cuerpo tras tomarme el esfuerzo de una búsqueda interminable! Lo he encontrado descuartizado en los repliegues del Citerón, [1220] sin recoger un solo pedazo en el mismo sitio del suelo, disperso en el bosque, difícil de encontrar.

El caso es que le oí contar a alguien las osadas andanzas de mis hijas, cuando yo ya me encontraba de regreso en la ciudad, dentro de las murallas, junto con el anciano Tiresias, procedente de las bacanales. Entonces volví de nuevo a los montes y aquí regreso trayéndome a este hijo, muerto a manos de las ménades. Y vi a la que antaño a Acteón parió para Aristeo, a Autónoe, y a Ino, juntas, todavía aguijo-

---

[94] Según un escolio al verso 221 de la tragedia *Hipólito* de Eurípides, la lanza pasaba por ser un invento de los tesalios. Aquí en concreto se refiere, al parecer, a una jabalina que tenía un lazo de cuero en su parte central por la que el lanzador introducía los dedos.

neadas por la locura entre los matorrales, las pobres; [1230] y alguien me dijo de Ágave que hacia aquí, con paso deli-rante, había enfilado su camino, *(Percatándose de la presencia de* ÁGAVE, *a quien todavía no había visto.)* y no lo oí contar en balde: que ya la estoy viendo, visión malaventurada.

ÁGAVE.—Padre, puedes estar enormemente orgulloso de ha-ber engendrado a las mejores hijas, con mucho, de entre todos los mortales. Me refiero a todas, pero a mí con no-table diferencia, que he dejado las lanzaderas junto al telar y he alcanzado más altas metas: cazar bestias salvajes con mis manos. Aquí traigo entre mis brazos, como ves, este premio que he ganado [1240] para que lo cuelgues en tu palacio.

Acéptalo tú, pues, padre, en tus manos e invita a tus ami-gos al banquete, orgulloso del resultado de mi cacería; que eres bienaventurado, ¡bienaventurado!, por haber nosotras consumado actos de semejante envergadura.

CADMO.—¡Oh dolor inconmensurable e imposible de con-templar! ¡Por haber consumado un asesinato con vuestras desdichadas manos![95]. ¡Bonita víctima has matado sacrifi-cándola en honor a los dioses, para invitarnos a mí y a Te-bas a un banquete! ¡Ay de mí, qué desgracias, primero tu-yas, luego mías! ¡Con cuánta justicia —sí— el dios, mas en exceso, [1250] ha causado nuestra perdición, Bromio sobe-rano, aun siendo de nuestra propia familia!

ÁGAVE.—¡Qué displicente es la vejez en los hombres y qué ceñuda es su mirada! ¡Ojalá mi hijo fuese buen cazador, pa-reciéndose a su madre en sus maneras, cuando entre los jó-venes tebanos trata de atrapar fieras junto a ellos! ¡Pero él sólo es capaz de luchar contra los dioses! Hay que repren-derle, padre, eso es cosa tuya. ¿Quién podría llamarle aquí, ante mi presencia, para que me vea feliz?

CADMO.—¡Huy, huy! Cuando entréis en razón a propósito de qué tipo de actos habéis cometido, [1260] sufriréis un

---

[95] El anciano Cadmo repite las últimas palabras de su desventurada hija, pero concreta el contenido de lo que, en palabras de su hija, son 'actos de se-mejante envergadura', por la realidad de dichos actos, a saber, el asesinato de su hijo consumado con sus propias manos.

tremendo dolor. Por el contrario, si continuáis permaneciendo hasta el final para siempre en este estado en que os encontráis, aun no siendo felices no creeréis que sois infelices.

ÁGAVE.—¿Qué no está bien de esto? ¿O qué es penoso?

CADMO.—Primero, antes que nada, dirige tus ojos al cielo.

ÁGAVE.—*(Haciéndolo.)* ¡Velay! ¿Por qué me aconsejas que lo mire?

CADMO.—¿Aún te sigue pareciendo el mismo o que tiene cambios?

ÁGAVE.—Más brillante que antes y más luminoso.

CADMO.—Ese aturdimiento, ¿todavía sigue estando en tu mente?

ÁGAVE.—No sé lo que quieres decir. Es como si recuperase la cordura [1270] tras abandonar mi estado mental de antes.

CADMO.—¿Podrías, entonces, escuchar una pregunta y responder de forma clara?

ÁGAVE.—¡Pero si me he olvidado por completo de lo que hablábamos antes, padre!

CADMO.—¿En qué familia entraste en el momento de tus bodas?

ÁGAVE.—Me entregaste en matrimonio a Equión, un sembrado, según cuentan[96].

CADMO.—¿Qué hijo, por tanto, le nació a tu esposo en vuestra casa?

---

[96] No es la primera vez en que en una tragedia euripidea se añade este matiz restrictivo, «según cuentan», respecto de algún relato de contenido mítico y extraordinario que se asienta en la transmisión de antiguas tradiciones, incluso en el caso de los propios interesados que serían, en principio, quienes más y mejor deberían conocer su propia historia. El caso más evidente es el de Helena a propósito de su propio nacimiento, tal como podemos leer al comienzo de la tragedia que recibe su nombre, en el momento de relatarnos su origen: cfr. *Helena,* versos 17-21: «Mi padre es Tindáreo, y circula cierta historia, como es bien sabido, a propósito de que Zeus voló hasta Leda, mi madre, tras adoptar la forma de un ave, un cisne, y que así, con el engaño de que estaba huyendo de una persecución a garras de un águila, consumó su unión, de ser cierta la historia esa» (cfr. también *Ifigenia en Áulide,* versos 794-800: «Por tu culpa, sí, hija del cisne de cuello alargado, de ser efectivamente verdadero el rumor de que te concibió Leda de un ave alada, en que el cuerpo de Zeus se había transformado, a no ser que las historias de las tablillas de Pieria hayan transmitido esta versión a los hombres inoportuna e inútilmente»).

ÁGAVE.—Penteo, de la unión de su padre y mía.

CADMO.—¿De quién es, entonces, la cabeza que sostienes entre los brazos

ÁGAVE.—De un león, según al menos decían una y otra vez las cazadoras.

CADMO.—Obsérvala bien, pues; poco esfuerzo cuesta mirarla.

ÁGAVE.—[1280] *(Sorprendida.)* ¡Eh! ¿Qué estoy contemplando? ¿Por qué me hacen llevar esto en mis manos?

CADMO.—Míralo bien y termina de comprenderlo con mayor claridad.

ÁGAVE.—¡Estoy viendo el dolor supremo, desdichada de mí!

CADMO.—¿Ya no te sigue pareciendo, pues, que se asemeja a un león?

ÁGAVE.—No, sino que estoy sosteniendo, desdichada de mí, la cabeza de Penteo[97].

CADMO.—¡Por ella justamente exhalaba yo 'ayes' de dolor antes de que la reconocieses!

ÁGAVE.—¿Quién le ha matado? ¿Cómo ha llegado a mis manos?

CADMO.—¡Infausta verdad! ¡En qué mal momento te presentas!

ÁGAVE.—¡Cuéntamelo! Que mi corazón salta de impaciencia ante lo que va a venir.

CADMO.—¡Tú lo mataste! ¡Y tus hermanas!

ÁGAVE.—[1290] ¿Pero dónde pereció? ¿Acaso en casa, o en qué sitio? ¿En cuál?

CADMO.—Justo donde antaño los perros se repartieron a Acteón[98].

ÁGAVE.—¿Y por qué fue al Citerón este desgraciado?

---

[97] Tras este proceso de recuperación de la lucidez y la cordura en el que Cadmo ha sabido asistir sabia y acertadamente a su hija Ágave, ésta sale al fin de su estado delirante y recupera la cabal percepción de la realidad.

[98] Haciéndolo pedazos y descuartizándolo, como ya se ha comentado con anterioridad (cfr. versos 337-340: «¿Te das cuenta del trágico destino de Acteón, a quien despedazaron sus propios cachorros, devoradores de carne cruda, a los que él había criado, porque hacía alarde de ser mejor que Ártemis en la caza por los prados y bosques?»). Nótese el sutil eufemismo y la delicada manera de Cadmo de indicar el descuartizamiento de Penteo.

CADMO.—Acudió para burlarse del dios y de tus celebraciones báquicas.

ÁGAVE.—Pero nosotras, ¿de qué manera caímos allí?

CADMO.—Estabais enloquecidas y toda la ciudad se encontraba poseída por un delirio báquico.

ÁGAVE.—Dioniso ha causado nuestra ruina. Acabo de darme cuenta.

CADMO.—Por ser objeto de ultraje, porque no creíais que era un dios[99].

ÁGAVE.—Y el queridísimo cadáver de mi hijo, padre, ¿dónde está?

CADMO.—Lo he encontrado tras una dura búsqueda y aquí cargo con él.

ÁGAVE.—[1300] ¿Y están todos sus miembros bien reunidos?[100]. Pero a Penteo, ¿qué parte de mi insensatez le atañía?

CADMO.—Al no honrar al dios, resultó ser igual a vosotras. En estricta consecuencia de estos hechos, os ligó a todos a una misma perdición, a vosotras y a este hombre, a fin de destruirnos a esta casa y a mí que, después de no haber tenido hijos varones[101], a este retoño tuyo de tu vientre, desdichada, veo muerto de la peor y más infame muerte.

(Dirigiéndose al cadáver de PENTEO.*)* ¡Hijo con quien mi casa la vista había recuperado, que las vigas de mi hogar

---

[99] Cfr. versos 26-34: «Como las hermanas de mi madre —¡precisamente quienes menos debían!— afirmaban reiteradamente que Dioniso no había nacido de Zeus, sino que Sémele, tras haber tenido relaciones con algún mortal, elevaba a Zeus la responsabilidad de su desliz en la cama, invenciones de Cadmo, por las que proclamaban deslenguadamente que Zeus la había matado, por haberse inventado tratos carnales con él, por todo ello, entonces, las he aguijoneado fuera de sus casas con inspirada locura y habitan el monte con mente enajenada, y las he obligado a llevar los atavíos de mis ritos.»

[100] En este punto se señala una laguna en el texto.

[101] No obstante, en el prólogo de *Las Fenicias* se asegura que tuvo un hijo varón, de nombre Polidoro, siguiendo una tradición que también recogen Hesíodo y Heródoto. Cfr. *Las Fenicias*, versos 4-9: «¡Qué desdichados rayos de luz enviaste aquel día a los tebanos, cuando Cadmo llegó a esta tierra, tras dejar a sus espaldas las costeras tierras de Fenicia! Éste se casó en aquellos tiempos pasados con una hija de Cipris, Harmonía, y engendró a Polidoro, de quien cuentan que nació Lábdaco, y de éste Layo.» El caso es que aquí este hijo queda totalmente ignorado.

unidas mantenías, de mi hija nacido, [1310] objeto de un
reverencial terror en la ciudad! A este anciano nadie era capaz de ultrajarle viéndote a ti, pues le habrías impuesto el
castigo merecido. Ahora, en cambio, de mi palacio seré expulsado sin honor, yo, Cadmo el grande, que sembré la estirpe de los tebanos y recogí la más hermosa cosecha. ¡Oh
el más querido de los varones —que aunque ya no existas,
con todo te seguiré contando, por lo que a mí respecta, entre el número de los más queridos, hijo—! ¡Ya no tocarás
con tu mano esta barbilla mía, ni te arrimarás a abrazar al
padre de tu madre, hijo, llamándome y diciéndome:
[1320] «¿Quién te ha tratado mal? ¿Quién te falta al respeto, anciano? ¿Quién anda turbando tu corazón, causándo-
te tristeza? ¡Dímelo, para que castigue a quien se ha portado mal contigo, padre!» Pero ahora yo soy un infeliz, tú un
desgraciado, tu madre una mujer digna de compasión y sus
hermanas unas desgraciadas.

Si hay alguien que desprecia a los dioses, que mire atentamente la muerte de este hombre y crea en los dioses.

CORIFEO.—Me duelo por tu situación, Cadmo, pero el hijo
de tu hija tiene el castigo que se merece, aun doloroso
para ti.

ÁGAVE.— Padre, ya estás viendo, en efecto, en qué medida ha
cambiado mi situación.

(Aparece el dios DIONISO *hablando desde el* theologeion, *o
lugar en lo alto de la escena desde el que hablan los dioses)*[102].

DIONISO.—[1330] Tú sufrirás una transformación y te con-
vertirás en dragón; y tu esposa cobrando aspecto animal

---

[102] Aquí se localiza una laguna en el texto de, por lo menos, 50 versos, según señala Dodds en su comentario a *Las Bacantes*. El contenido de dicha laguna se conoce gracias al rétor Apsines y a un autor bizantino del siglo XII, que
escribió un centón sobre la muerte de Cristo, denominado *Christus Patiens*. La
laguna comprende el final de la intervención de Ágave y el comienzo de la
alocución del dios Dioniso. Como en otras muchas de sus tragedias, Eurípides hace aparecer al final de la obra a un ser divino que acostumbra a enlazar
la acción de la obra con lo que sucederá en el futuro, arreglando o aclarando
diversos aspectos pendientes de la pieza.

mudará su forma por la de serpiente, Harmonía, la que recibiste de Ares aun siendo mortal.

Conducirás un carro de novillos, como dice un oráculo de Zeus, en compañía de tu esposa, al frente de bárbaros. Devastarás muchas ciudades con un ejército imposible de contar. Y cuando arramblen con la sede oracular de Loxias, obtendrán a su vez un triste regreso. Mas a ti y a Harmonía Ares os guardará y os llevará a vivir a la Tierra de los Bienaventurados para que os establezcáis allí.

[1340] Esto os digo yo, Dioniso, que de padre mortal no he nacido, sino de Zeus. Si hubieseis sabido ser cuerdos cuando no queríais serlo, os habríais ganado al hijo de Zeus como aliado vuestro y seríais felices.

CADMO.—¡Dioniso! ¡Te imploramos! ¡Hemos obrado incorrectamente!

DIONISO.—¡Tarde os habéis dado cuenta de quién soy! Pero, cuando debíais, me desconocisteis.

CADMO.—Nos hemos percatado de ello; pero estás yendo demasiado lejos con tu castigo.

DIONISO.—Porque a pesar de que era un dios he recibido un trato ultrajante por vuestra parte.

CADMO.—A los dioses cuadra no asemejarse a los mortales por lo que a la cólera respecta.

DIONISO.—Tiempo hace que mi padre Zeus dio su consentimiento a estos acontecimientos.

ÁGAVE.—[1350] ¡Ay, ay! ¡Ya está decidido, anciano! ¡Un desdichado exilio!

DIONISO.—¿Por qué, entonces, seguís demorando lo que es forzoso?

CADMO.—¡Hija! ¡En qué terrible desgracia hemos caído todos, tú, desgraciada, y tus hermanas, y yo, desdichado! Llegaré anciano a tierras bárbaras como extranjero y aún me está decretado además por un oráculo que habré de conducir a la Hélade un ejército formado por una mezcla de bárbaros.

Y a la hija de Ares, Harmonía, mi esposa, adoptando la figura de una feroz serpiente, serpiente yo también la habré de conducir contra las aras y los sepulcros helenos, [1360] al frente de mis lanzas. Y no pondré fin a mis desgracias, desdichado de mí, ni llegaré a alcanzar la tranquilidad descendiendo a navegar el Aqueronte.

ÁGAVE.—¡Padre! ¡Yo, por mi parte, al destierro marcharé de ti privada!

CADMO.—¿Por qué me rodeas con tus brazos, desdichada hija mía, como el cisne joven al anciano cano y que no puede valerse por sí mismo?

ÁGAVE.—¿Adónde, pues, me dirigiré, expulsada de mi patria?

CADMO.—No lo sé, hija. De poca ayuda te es tu padre.

ÁGAVE.—*¡Adiós, casa! ¡Adiós, ciudad patria! ¡Me marcho y te abandono en desafortunadas circunstancias, [1370] desterrada de mi casa!*

CADMO.—*Dirígete, pues, a la casa de Aristeo*[103].

ÁGAVE.—*Me lamento por ti, padre.*

CADMO.—*También yo por ti, hija; y he llorado por tus hermanas.*

ÁGAVE.—*¡En modo bien terrible, sí, el soberano Dioniso cargó esta brutalidad sobre tu casa!*

CADMO.—*Sí, y también a él le tocó pasar terribles padecimientos por vuestra parte, cuando su nombre no gozaba en Tebas de las debidas prerrogativas.*

ÁGAVE.—*¡Adiós, padre mío!*

CADMO.—*¡Que te vaya bien, [1380] pobre hija mía! ¡Aunque a duras penas podrás alcanzar esa situación!* (CADMO *abandona la escena.*)

ÁGAVE.—(*Dirigiéndose a las* MUJERES DEL CORO.) *¡Llevadme, compañeras, adonde mis hermanas, para recibirlas como mis tristes compañeras de exilio! Voy a ir adonde ni el infame Citerón pueda verme*[104] *ni yo al Citerón con mis ojos, y donde no haya nada que el tirso me haga recordar. ¡Que se ocupen de ello otras bacantes!*

CORO.—*Muchas son las formas de lo divino, y muchas acciones ejecutan los dioses contra lo previsto: aquello que se esperaba no se cumple y de lo inesperado encuentra un dios la salida. Así ha resultado esta historia.*

(*Salen todos.*)

---

[103] Sigue aquí una pequeña laguna en el texto.
[104] Kirchhoff.

IFIGENIA EN ÁULIDE

INTRODUCCIÓN

A L igual que *Las Bacantes,* la tragedia *Ifigenia en Áulide* data del año 409 a. C., y también del mismo modo se representó póstumamente a la muerte del poeta en el año 406 a. C.

La obra tiene como motivo central el sacrificio de Ifigenia, la hija de Agamenón, el comandante en jefe de todas las tropas griegas que se dirigen contra Troya, a instancias de un oráculo del adivino Calcante. Efectivamente, la armada griega se halla fondeada en Áulide, enfrente de Eubea y de Cálcide, de donde provienen las mujeres del Coro, que se han llegado hasta ahí a fin de poder contemplar por sí mismas todo el poderío del ejército griego. Pero la flota se encuentra detenida por falta de vientos favorables y es aquí donde interviene el oráculo de Calcante, que impone el sacrificio de Ifigenia como condición para obtener estos vientos favorables que les conduzcan hasta Troya. El compungido padre, entonces, hace llamar a su hija con el falso pretexto de casarla con Aquiles y es a partir de este momento cuando se empieza a desarrollar la acción del drama, a la espera de que Ifigenia arribe a Áulide.

Estamos acostumbrados a los prólogos monologantes de Eurípides en que un personaje nos habla de genealogías familiares, antecedentes de la acción y el actual estado de la cuestión a partir de la cual arranca la tragedia. Pues bien, en el caso de esta pieza, el drama arranca de un modo distinto: en la tranquilidad y quietud de la noche, en la que todo está en calma y todos duermen pacíficamente, dialogan un anciano esclavo y el soberano Agamenón. Éste lleva toda la noche en vela, angustiado en claro contraste con la calma nocturna, reescribiendo una y otra vez el mensaje que quiere hacer llegar a su esposa, tras pensar mejor las cosas, en que le da orden de no conducir a Ifigenia a Áulide, anulando por tanto la orden anterior. Agamenón se debate entre el amor de padre y las obligaciones militares de cara a la consecución de la victoria, y desearía con mucho ser un simple hombre corriente, libre de altas responsabilidades, con tal de no verse en semejantes aprietos. La escena, nocturna, entre el anciano y el caudillo tiene un sabor de recogimiento, de confianza confidente entre amo y esclavo en la que Agamenón se revela tal cual es. Finalmente el esclavo parte con la misiva que le ha dado su amo, pero por el camino lo intercepta el desconfiado Menelao, hermano de Agamenón y esposo burlado por culpa de cuya esposa —Helena— se han embarcado en esta expedición troyana. Menelao llega hecho una furia al encuentro de Agamenón y ambos mantienen una acalorada discusión en la que, para tratarse de héroes de leyenda, mantienen actitudes poco discretas que cuadran más bien poco a su estatura heroica. Pero lo cierto es que para estas alturas de la pieza ya se ha podido constatar que esto, estatura heroica, es justamente lo que les falta a estos personajes. No tienen reparo en echarse a la cara los trapos sucios, acusarse de modo infame y obrar de un modo inconstante e imprevisible. Agamenón no entiende que su hermano, después de haber tenido la suerte de librarse de una esposa como Helena, busque por todos los medios el modo de recuperarla. No obstante, cuando un mensajero relata la llegada de madre e hija para la supuesta boda, ante las crudas lágrimas del padre que se resiste a inmolar a su propia hija por una causa como la presente, Menelao se ablanda y exonera a Agamenón del sacrificio de su hija, aunque eso suponga no alcanzar la victoria, pero es Agamenón en ese momento el que, tras la firme resolución anterior de no entregar su hija a la muerte, se ve en la necesidad y obligación ante el ejército de proceder con el degüello. Se confirma, pues, lo dicho de los caracteres: dudan, vacilan, mantienen con total firmeza una postura para, acto seguido, modificarla radicalmente, etc. No están hechos, desde luego, de una pieza.

Madre e hija llegan finalmente al campamento y protagonizan un emotivo reencuentro con el padre y esposo; emotivo, sí, y cargado de una ambigua ironía en la conversación que mantienen padre e hija, pues ambos mantienen un mismo diálogo pero hablando —o pensando, mejor dicho— de cosas distintas. Los verdaderos planes de Agamenón se han mantenido en un riguroso secreto, hasta el punto de que el propio Aquiles, el supuesto prometido de Ifigenia, no sabe nada del asunto. Esto provoca una confusa situación en el primer encuentro, casual, entre Clitemestra, la madre, y Aquiles. Finalmente, gracias al fiel esclavo que aparecía al principio, todo se sabe y los planes secretos se ponen al descubierto. En ese momento, Aquiles se comporta como el héroe que es y propone ofrecer su ayuda a la desvalida e inocente joven, aunque lo que más le mueve a obrar no es la compasión por la chica, sino el hecho de que Agamenón no le hubiese pedido permiso para usar su convincente nombre. Clitemestra, por su parte, en cuanto tiene ocasión dirige una dura reprimenda a su esposo, procediendo con la misma falta de discreción que ya habíamos observado en la discusión entre los hermanos Agamenón y Menelao: de las oposiciones y encuentros de estos pares de personajes resulta un retrato carente de escrúpulos y moralmente mezquino. Todo el mundo al parecer tiene episodios de su pasado que es mejor mantener ocultos bajo el velo del olvido. Clitemestra se muestra como una mujer dura, de fuerte carácter y a la que conviene temer, como el propio Agamenón tendrá ocasión de comprobar desgraciadamente más tarde, cuando su esposa trame su asesinato en venganza por este hecho (cfr. la tragedia *Electra)*. En cuanto a Ifigenia, la joven se echa a llorar y se lamenta por su inmerecido destino, suplicando a su padre que la libre de semejante muerte, pero Agamenón se muestra terriblemente inflexible y abandona la escena sin dar lugar a una justa réplica. En este momento, a partir del verso 1280 y siguientes, la joven entona un monólogo lírico que se encuentra entre los momentos más logrados del drama. Más adelante, con todo, en un súbito cambio de parecer (que no es el primero de la obra, como ya hemos visto), la joven acepta el sacrificio y el hecho de morir por el bien de la Hélade. Aristóteles notó el carácter falto de consistencia de esta Ifigenia que primero se nos muestra suplicante y luego asume voluntariamente su muerte[1]. No es, ciertamente, el caso del joven Meneceo de *Las Fenicias* que, desde el primer momento, no duda en sacrificar su vida, pero en el caso de esta Ifigenia la evolución de su parecer tampoco está exenta de motivos; su padre ha expuesto unos cuantos, a propósito de la fidelidad debida al compromiso dado y a los beneficios que del sacrificio se esperan obtener y, por otra parte, en cuanto a Aquiles, éste se ha ofrecido a ayudar a la muchacha y a librarla del degüello, pero Ifigenia sabe, porque el propio Aquiles lo ha explicado antes, que esto le indispondría seriamente con el contigente de mirmidones que él comanda y que todo esto le colocaría en una situación altamente comprometida y delicada. Así las cosas, Ifigenia recapacita y cambia de parecer. La supuesta inconsistencia de su carácter encuentra así algún apoyo.

El final del drama nos ha llegado seriamente alterado, por decirlo del modo más amable posible. El relato de un mensajero nos informa de lo sucedido en el momento del sacrificio y de lo acaecido después de él. Hay serias inconsistencias formales, métricas y de contenido, como el hecho de que Aquiles, que se había comprometido a ayudar a la muchacha, participe cercana y activamente en el acto del degüello, a no ser que queramos pensar que había decidido hallarse cerca de la joven por si ésta cambiaba en el último momento su heroica decisión (es verdad que se había ofrecido a estar presente con algunos soldados fieles, por si acaso). En el último momento se produce un prodigio, a saber, la sustitución de la víctima por un ciervo, obra de la diosa Ártemis, a quien iba consagrado el sacrificio. Nadie sabe lo realmente sucedido. La tragedia *Ifigenia entre los Tauros,* en el segundo volumen de esta serie, nos relata lo sucedido: Ártemis ha sustituido a Ifigenia por un ciervo y a ésta se la ha llevado al país de los tauros para oficiar de cruel sacerdotisa en los bárbaros ritos que practican en ese país, consistentes en sacrificar a todo extranjero que arribase a sus costas. El azar, dado que todo queda en el entorno de

---

[1] Aristóteles, *Poética*, 1454a.

unas pocas familias, como dice Aristóteles en su *Poética,* hará que Orestes llegue a la tierra de los tauros perseguido por las vengadoras Erinias, tras el asesinato de su madre Clitemestra y que, tras un azaroso y logradísimo reconocimiento, ambos escapen con vida de allí rumbo a su patria, pero ésa es otra historia.

La contraposición de caracteres y su enfrentamiento, los debates internos de incisiva interiorización psicológica, sus dudas, sus vacilaciones, la oposición de los propios sentimientos y del deber, etc. nos dan el tono fundamental de la pieza y, entre todos ellos, es Agamenón el que más altura trágica alcanza porque suya es la decisión más compleja y difícil de tomar y asumir, y porque él es quien se tiene que ir enfrentando, sucesivamente, con los principales personajes del drama por la decisión que a él le incumbe. En todos estos aspectos Eurípides se nos revela como un consumado maestro que no defrauda y que nos obsequia con una de las piezas más interesantes de la última época de su producción dramática.

Nota bibliográfica

Goertz, D. Ch., *The Iphigenia at Aulis. A Critical Study,* Austin, 1972.
Criscuolo, U., *L'ultimo Euripide. L'Ifigenia in Aulide,* Nápoles, 1989.
Mellert-Hoffmann, G., *Untersuchungen zur Iphigenie in Aulis des Euripides,* Heidelberg, 1969.
Rabinowitz, N. S., «The strategy of inconsistency in Euripides' Iphigenia at Aulis», *CB,* LIX (1983), 21-26.
Ryzman, M., «The reversal of Agamemnon and Menelaus in Euripides' Iphigenia at Aulis», *Emerita,* LVII (1989), 111-118.
Siegel, H., *Euripides' Iphigenia at Aulis. Analysis and Critique,* Nueva York, 1978.

Sobre el texto

Nos hemos apartado de la edición oxoniense de J. Diggle en los siguientes versos: 7 y 8, 657, 711, 750, 824, 1013, 1028, 1151, 1168, 1494, 1516.

ARGUMENTO

No se ha conservado. En su lugar queda un espacio vacío, según indica uno de los manuscritos (L).

PERSONAJES DEL DRAMA

AGAMENÓN, *rey de Micenas*
ANCIANO, *sirviente de Agamenón y Clitemestra*
CORO DE MUCHACHAS DE CÁLCIDE
MENELAO, *hermano de Agamenón*
MENSAJERO 1.º
CLITEMESTRA, *esposa de Agamenón*
IFIGENIA, *hija de Agamenón y Clitemestra*
AQUILES, *hijo de Peleo*
MENSAJERO 2.º

(La acción se desarrolla en el campamento griego de Áulide, donde permanece amarrada la flota griega que se dispone a ir a combatir contra Troya. Al fondo de la escena se sitúa la gran tienda del rey AGAMENÓN, *comandante en jefe de todas las tropas griegas. Todavía es de noche, pero falta poco para el amanecer. Por un lateral se acerca un* ANCIANO, *sirviente del monarca, que se pasea insomne por las cercanías de la tienda de su amo. Se enciende entonces una luz en el interior de la tienda y se dedica a observar ante la puerta, con sorpresa y preocupación, los movimientos de su señor. Al percatarse de que el soberano se dispone a salir, se aparta algo de la tienda. El rey* AGAMENÓN *sale de su tienda y se dirige al* ANCIANO *sirviente.)*

AGAMENÓN.—[1] ¡Anciano! ¡Preséntate ante estas tiendas!

ANCIANO.—*(Acercándose.)* Ya voy. ¿Qué nuevo plan andas meditando, soberano Agamenón?

AGAMENÓN.—¡Date prisa!

ANCIANO.—Ya me doy prisa. Esta vejez mía, déjame que te diga, me tiene insomne y con los ojos bien abiertos y despejados.

AGAMENÓN.—¿Qué estrella es, pues, entonces, ésa que cruza el firmamento?

ANCIANO[2].—Sirio, que pasa cerca de la Pléyade de siete estrellas, ya en su cenit.

AGAMENÓN.—Por eso, entonces, no se oye ningún rumor ni de aves [10] ni del mar, sino que el silencio del viento se extiende por el Euripo[3].

---

[2] Según los manuscritos, los versos 7 y 8 los pronuncia el anciano.

[3] Cfr. *Ifigenia entre los Tauros,* versos 6-9: «Junto a los torbellinos que con frecuencia el Euripo hace refluir, cuando arremolina la mar azuloscura con com-

[329]

ANCIANO.—¿Y por qué sales fuera de la tienda con esa impaciencia, soberano Agamenón? Todavía reina la tranquilidad aquí en Áulide, y los centinelas de los muros continúan inmóviles. Vayamos dentro.

AGAMENÓN.—Te envidio, anciano, y envidio de entre los hombres a aquél que pasa por la vida libre de peligros, desconocido y sin gloria. Sin embargo, envidio menos a quienes ocupan altos cargos y responsabilidades.

ANCIANO.—[20] ¡Justamente ahí se halla la hermosura de la vida!

AGAMENÓN.—Pero esa hermosura es peligrosa y los honores de preferencia, si bien son dulces, apenan a quien los desempeña. Unas veces, el no llevar los asuntos divinos por el recto camino arruina una vida, y, otras veces, la hacen pedazos las múltiples e irreconciliables opiniones de los hombres.

ANCIANO.—No admiro esa postura en un sobresaliente varón. No te engendró para goces constantes [30] Atreo, Agamenón. Tienes que alegrarte y sentir el dolor en tus carnes, pues tu naturaleza es mortal. Y aunque tú no lo quieras, así será la voluntad de los dioses.

Has encendido la luz de un candil y andas escribiendo en esa tablilla que todavía sostienes entre tus manos. Y tan pronto emborronas las letras como les pones tu sello, para luego volver a abrirlo y arrojar al suelo la tablilla de madera, [40] mientras viertes abundantes lágrimas, sin que te falte nada de nada para estar loco. ¿Qué te está atormentando? ¿Qué novedad tienes, majestad? A ver, comparte tus palabras con nosotros. Se lo vas explicar a un hombre bueno y leal. Lo cierto es que Tindáreo me envió en su día con tu esposa dentro de su dote, como honrado servidor de la novia.

---

pactos vientos, allí mi padre me inmoló por causa de Helena, según cree él, en los ilustres valles de Áulide, en honor de Ártemis.» Se refiere al estrecho marino que se extiende entre la isla de Eubea y el continente, en Beocia, al norte del Ática. Allí está Áulide. Cfr. también versos 115-116, 119-121: «Te envío, oh retoño de Leda, además de la anterior, una tablilla, con el fin de que no mandes a tu hija a los repliegues de la costa sinuosa de Eubea, a Áulide, nunca batida por el mar.»

AGAMENÓN.—Leda, la hija de Testio, tuvo tres hijas: [50] Febe, Clitemestra, mi esposa, y Helena[4]. En calidad de pretendientes de ésta se presentaron los jóvenes de las principales fortunas de Grecia. Fueron entonces tomando cuerpo terribles amenazas y envidias mutuas de todo aquél que no iba a conseguir a la muchacha. El asunto tenía a su padre Tindáreo en una encrucijada, conceder su mano o no, por cómo podría aprovecharse mejor de la situación. Y le vino a la mente la siguiente idea: que los pretendientes se prestasen mutuos juramentos y que se diesen la mano unos con otros, y que con ofrendas pasadas por el fuego [60] vertiesen libaciones y formulasen el siguiente juramento: que juntos prestarían su ayuda a aquél que acabase convirtiéndose en el marido de la hija de Tindáreo, en el caso de que alguien la raptase de casa, se la llevase y desplazase del lecho a su legítimo esposo; y que marcharían contra su ciudad, tanto helena como bárbara, con sus armas y la destruirían por completo.

Y cuando se dieron las mutuas garantías de confianza (el anciano Tindáreo se las arregló para engatusarlos más o menos hábilmente con su aguda inteligencia) le deja a su hija elegir a uno de los pretendientes, adonde la llevasen las auras amables de Afrodita. [70] Y ella eligió a quien ojalá con ella jamás hubiese llegado a casarse: a Menelao.

Entonces llegó de Frigia a Lacedemonia un hombre que actuó de juez en el certamen de las diosas, según sostiene el relato de las gentes, exuberante por sus vestimentas y radiante de oro, con sus bárbaros refinamientos, y él, enamorado, la raptó a ella, enamorada, y se marchó con Helena a los apriscos del Ida, aprovechando que Menelao no se encontraba en casa[5]. Y él, entonces, recorre frenéticamente

---

[4] La explicación queda clara. Además de los dos Dióscuros, Castor y Polideuces, Leda tuvo con su marido Tindáreo varias hijas. Aquí se añade el nombre de Febe como hija de Leda pero, aparte de los citados Dióscuros, las dos hijas más famosas de Leda son Clitemestra y Helena, casadas ambas dos con dos caudillos griegos igualmente hermanos, Menelao y Agamenón, que es quien está contándonos la historia en este momento.
[5] Cfr. versos 573-589: «Viniste, oh Paris, de donde tú te criaste como boyero entre las albas terneras del Ida, tocando bárbaras melodías con el propósito

toda la Hélade invocando como testigos los antiguos juramentos de Tindáreo, de que había que socorrerle cuando sufriese una afrenta como ésta.

[80] Por consiguiente, a partir de ese momento los helenos se pusieron en marcha con sus lanzas y tomando sus armas aquí han acudido, a este estrecho rincón de Áulide, pertrechados de naves, escudos, muchos caballos y carros de combate. Y luego, además, me eligieron a mí como su comandante en jefe para atraerse el favor de Menelao, por ser yo su hermano, aunque ojalá hubiese recibido cualquier otro este honor, y no yo. Y una vez reunido y organizado el ejército, aquí seguimos acampados en Áulide, sujetos a la imposiblidad de navegar. Entonces el adivino Calcante, como quiera que no teníamos salida, [90] nos ordenó sacrificar a Ifigenia, la hija que yo engendré, en honor de Ártemis, que habita este territorio, y dijo que con este sacrificio podríamos navegar y derrotar a los frigios, pero que sin el sacrificio esto no sería posible[6].

---

de remedar a Olimpo con las cañas de las flautas frigias. Pacían las vacas de buenas ubres, donde el juicio te aguardaba de las diosas, que a la Hélade te envía. Puesto en pie ante el trono de Helena, decorado con incrustaciones de marfil, mirándola frente a frente le infundiste amor y también tú mismo te sentías excitado por el amor. Por eso la discordia, sí, la discordia conduce a la Hélade, acompañada de lanza y barcos, contra la ciudadela de Troya.» La propia Helena recrimina a su esposo su marcha, dejándole en compañía del extranjero: cfr. *Las Troyanas*, versos 940-944: «El azote de esta mujer vino acompañado de una diosa nada insignificante, tanto quieras llamarle Alejandro como Paris, y a éste tú, malvado, lo dejaste en tus palacios mientras tú partías de Esparta en barco rumbo al país de Creso.» También la madre del raptor, Hécabe, insiste en alguno de los aspectos aquí mencionados: cfr. *Las Troyanas*, versos 987-997: «Mi hijo era extraordinariamente guapo. Tu alma, así que lo vio, se convirtió en Cipris, pues todas las locuras son Afrodita con respecto a los mortales. Bien correcto es que el nombre de la diosa empiece por 'insensatez'. Al verlo con atuendos extranjeros y reluciente de oro, perdiste completamente el control y el juicio. En Argos vivías con escasos recursos y, marchándote de Esparta, albergaste la esperanza de desbordar la ciudad de los frigios, donde corre el oro, a base de dispendios. Los palacios de Menelao no te bastaban para el alto nivel de vida al que querías entregarte con un total y completo desenfreno.»

[6] Cfr. *Ifigenia entre los Tauros*, versos 10-25: «Hasta allí, como es bien sabido, el soberano Agamenón condujo una flota griega de mil navíos, porque quería tomar para gloria de los aqueos la bella corona del triunfo sobre Ilión, tratan

Yo, en cuanto escuché estas palabras, ordené a Taltibio que con una proclama en alta voz disolviese todo el ejército, porque jamás iba a tener yo —eso creía— el coraje de arrostrar una acción contraria a mis sentimientos y matar a mi hija. Entonces mi hermano me presentó argumentos de todo tipo y acabó convenciéndome de cometer esa terrible atrocidad. Escribí un mensaje en los pliegues de una tablilla y se lo envié a mi esposa [100] para que hiciese venir aquí a nuestra hija, con el falso pretexto de que la iba a casar con Aquiles. Le decía, para poner más de relieve la solemne categoría de este hombre, que él se negaba a hacerse a la mar junto con los argivos, si a Ftía no llega una esposa procedente de nuestro linaje. Éste era, en efecto, el pretexto que tenía para convencer a mi mujer, el de haber concertado un falso matrimonio para nuestra hija. Los únicos aqueos que sabemos qué es lo que pasa somos Calcante, Odiseo[7], Menelao y yo.

Y lo que no acerté entonces a decidir bien, vuelvo ahora a escribirlo de nuevo, bien esta vez, en estas tablillas que esta noche [110] me has visto romper y recomponer, anciano.

(Entregándole la tablilla.) ¡Venga, pues! Coge esta carta y dirígete a Argos. Y lo que mantiene oculto la tablilla entre sus repliegues, voy a decírtelo de palabra, todo lo que en ella está escrito, ya que eres hombre leal a mi esposa y a mi casa.

ANCIANO.—Léemela y cuéntamela, para que también de palabra hable concorde a cuanto has escrito.

---

do de vengar las oprobiosas bodas de Helena, y hacer un favor a Menelao. Pero, ante la imposibilidad de navegar y por no tener vientos favorables, acudió a los sacrificios. Entonces dice Calcante: "Agamenón, comandante en jefe de Grecia, no vas a hacer zarpar estos barcos del puerto hasta que Ártemis reciba inmolada a tu hija Ifigenia, pues prometiste sacrificar a la diosa portadora de la luz la criatura más hermosa que te naciese en un año. Pues bien, tu esposa Clitemestra ha dado a luz en casa a una niña (me ha traído una ofrenda por su excepcional belleza) a la que tú tienes que sacrificar." Entonces me llevaron, mediante intrigas de Odiseo, lejos de mi madre con idea de casarme con Aquiles.»

[7] Cfr. *Ifigenia entre los Tauros*, versos 24-25: «Entonces me llevaron, mediante intrigas de Odiseo, lejos de mi madre con idea de casarme con Aquiles.»

AGAMENÓN.—*(Leyendo la carta dirigida a su esposa* CLITEMES-
TRA.*)* «Te envío, oh retoño de Leda, además de la anterior,
una tablilla, con el fin de que no mandes a tu hija [120] a
los repliegues de la costa sinuosa de Eubea, a Áulide, nunca batida por el mar. Que en otro momento ya concedere-
mos la mano de nuestra hija en matrimonio.»
ANCIANO.—¿Y cómo harás para que Aquiles, en cuanto se
vea privado de sus bodas, no bufe como una bestia y se levante airado contra ti y tu esposa? Esto sería también algo
terrible. Cuéntame qué dices a esto.
AGAMENÓN.—Aquiles, que nos ha procurado su nombre,
pero no su participación, no está enterado de la boda, ni de
lo que estamos haciendo, [130] ni de que le he prometido
entregarle a mi hija en sus brazos en el lecho nupcial.
ANCIANO.—Corrías un riesgo verdaderamente terrible, soberano Agamenón: has conducido a tu hija al sacrificio de los
dánaos, prometiéndosela como esposa al hijo de la diosa[8].
AGAMENÓN.—¡Ay de mí! ¡Perdí la razón! ¡Ay, ay! ¡Caigo en
la confusión! *(Ordenando al* ANCIANO *que parta con la carta.)*
¡Venga, pues! ¡Apresura tus pasos, [140] sin concesiones a
tu vejez!
ANCIANO.—Ya me doy prisa, majestad.
AGAMENÓN.—No te sientes, pues, ni en las fuentes de los
bosques ni te dejes encantar por el sueño.
ANCIANO.—¡Evita decir esas palabras!
AGAMENÓN.—Y cuando pases por un cruce de caminos,
mira a todas partes, atento a que no se te pase por alto ningún carro que corra veloz junto a ti con sus ruedas llevando a mi hija adonde las naves de los dánaos.
ANCIANO.—Así será.
AGAMENÓN.—Y si ahora al salir [150] te encuentras de frente con la comitiva que la escolta, toma tú mismo sin demora las riendas de regreso, enviándola a las sagradas murallas
ciclópeas[9].

---

[8] A la diosa marina Tetis se refiere, madre de Aquiles.
[9] Así dicho, se refiere a Micenas, ya que a esta ciudad suele aplicarse el estilo de arquitectura ciclópea, consistente en grandes bloques de piedra que
parecen desafiar las fuerzas humanas. Estas construcciones suelen atribuirse a

ANCIANO.—Sí, pero dime cómo voy a hacer que me crean tu hija y tu esposa cuando les transmita estas palabras.

AGAMENÓN.—*(Mostrándole el sello que cierra la tablilla.)* Mantén a buen recaudo el sello que llevas sobre esta tablilla. ¡Vete ya! Ya hacen clarear la luz la radiante aurora y el fuego de la cuadriga solar. [160] Asísteme en mis desvelos. De entre los mortales, hasta el fin ninguno hay dichoso ni feliz, pues nadie está libre de dolor.

(Se retiran ambos: AGAMENÓN *entra en su tienda y el* ANCIANO *marcha a cumplir la misión encomendada. Aparece el* CORO DE MUCHACHAS DE CÁLCIDE, *que entra cantando.)*

CORO.
Estrofa 1.ª

Me he acercado a las arenosas playas del litoral de Áulide, arribando a través de las angostas corrientes del Euripo, abandonando mi ciudad de Cálcide[10], fuente de las costeras aguas [170] de la ilustre Aretusa, con intención de contemplar el ejército de los aqueos y los remos que hacen avanzar las naves de los aqueos semidioses, que rumbo a Troya a bordo de mil navíos conducen el rubio Menelao y aquél a quien muy noble señor llaman nuestros esposos, tras el rastro de Helena, a quien de los cañizales que riega el Eurotas[11] [180] raptó el boyero Paris, como un don de Afrodita, a raíz de cuando junto a las límpidas aguas de una fuente con Hera y con Palas sostuvo Cipris un conflicto de rivalidad por su belleza.

Estrofa 2.ª

Me puse en movimiento y atravesé el sagrado bosquecillo de Ártemis, que numerosos sacrificios acoge, y aunque mis mejillas enroje-

___

los Cíclopes, caracterizados, entre otras cosas, por su fuerza y su habilidad manual. De modo frecuente se intercambian las referencias de Micenas por Argos.

[10] Estas muchachas calcídicas han pasado al otro lado de la ribera del Euripo, de la isla de Eubea al continente, con intención de contemplar la armada griega congregada en Áulide y a los principales caudillos y guerreros helenos. El relato es soberbio.

[11] El Eurotas es uno de los principales ríos de Laconia, patria de Helena.

cían a causa de un recién florecido sentimiento de pudor, ver yo que-
ría el parapeto de los escudos, las tiendas do acampaban [190] los
dánaos con sus armas y la aglomeración de sus corceles. Y vi a los dos
Ayantes, compañeros de asiento en la asamblea, el hijo de Oileo y el
de Telamón, corona de Salamina; y en sus asientos a Protesilao y Pa-
lamedes, a quien engendró el hijo de Posidón, jugando con las varia-
das figuras del tablero de damas; y a Diomedes, [200] disfrutando
del juego del disco; y cerca también a Meriones, vástago de Ares,
asombro de los mortales; y al hijo de Laertes, engendrado en las islas
rocosas; y junto a ellos a Nireo, el más hermoso de los aqueos.

Epodo.
Y a Aquiles, cuyos pies corren a una velocidad pareja al viento,
aquél al que Tetis parió y a quien Quirón instruyó, [210] lo he vis-
to disputando una carrera con sus armas por la playa colmada de
guijarros. Competía esforzadamente con sus pies contra un carro
de cuatro caballos, tratando de hacerse con la victoria. Y el conduc-
tor de la cuadriga, Eumelo el feretiada, gritaba a sus potros, los
más hermosos que yo haya visto, con bellas bridas decoradas con
finos trabajos en oro, [220] fustigados por el aguijón. Los del cen-
tro del yugo tenían un pelaje de motas grises, y los del exterior, los
atados con bridas tirantes y opuestas para abordar los giros de la
carrera, eran de crines de fuego y de variado colorido bajo las solí-
pedas patas. A su lado iba el Pelida[12] avanzando a saltos junto al
pescante [230] y las ruedas del carro.

Estrofa 2.ª
Fui también adonde el conjunto de las naves, visión inefable, a fin
de colmar mis ojos con el femenino placer de contemplarlas. El ala
derecha de la armada la ocupaba el Ares mirmidón, ftiota, con
cincuenta impetuosos navíos. En su parte más alta, en la popa, re-
presentadas en estatuas de oro, [240] se erguían las diosas nerei-
des, blasón del ejército de Aquiles.

Antístrofa 2.ª
Con un número de remos igual al de éstas, cerca se hallaban las
naves de los argivos, de las que eran capitanes el hijo de Mecisteo,

---

[12] Aquiles, hijo de Peleo, además de la ya citada Tetis.

a quien Tálao crió como si fuese su padre, y Esténelo, el hijo de Ca-
paneo. A su lado fondeaba el hijo de Teseo, que aportaba sesenta
barcos del Ática, [250] con la diosa Palas montada en un carro
alado de solípedos corceles, visión, cuando menos, de buenos augu-
rios para los navegantes.

Estrofa 3.ª.
Luego vi la armada marina de los beocios, cincuenta naves pertre-
chadas de sus estandartes. Entre ellas, en el codaste de la nave, se
encontraba Cadmo con el dragón de oro. El terrígena Leito [260]
estaba al mando del escuadrón naval. También los había de la tie-
rra de Fócide. El locrio hijo de Oileo había dejado la ilustre ciudad
troniade y conducía igual número de naves.

Antístrofa 3.ª.
Desde la ciclópea Micenas, el hijo de Atreo reunió y envió un con-
tigente de marineros en cien embarcaciones. Su hermano compar-
tía con él el mando, como un amigo con su amigo, [270] a fin de
que la Hélade recibiese cumplida venganza por la mujer que huyó
de su casa porque le agradaba el matrimonio con un bárbaro. Y de
Pilo vi la flota de Néstor gerenio, en la que se divisa un emblema
de pezuñas de toro, el vecino Alfeo.

Estrofa 4.ª.
De los enianes había equipadas doce naves, que capitaneaba el so-
berano Guneo. A su vez, cerca de éstos [280] hallábanse los próce-
res de Élide, a quienes todo el mundo llamaba epeos. Éurito era su
rey. El Ares tafio de blancos remos lo conducía el que era su rey,
Meges, hijo de Fileo, en habiendo dejado atrás las islas Equinas,
de peligroso acceso para los navegantes.

Antístrofa 4.ª.
Ayante, que vive en Salamina, [290] reunía los extremos del ala
derecha con la izquierda, actuando de enlace entre las embarcacio-
nes junto a las que se hallaba fondeado con sus doce naves de gran
maniobrabilidad. Así oí y vi a la armada. Todo aquel que se acer-
que con sus bárbaras embarcaciones no habrá de regresar. Aquí he
visto de qué magnitud [300] es esta flota. Después de haber oído

hablar en mi casa de estos acontecimientos, ahora conservo el re-
cuerdo del ejército aquí reunido.

(Ya se ha hecho finalmente de día. Entra MENELAO, *tras ha-*
ber interceptado la carta de AGAMENÓN, *seguido por el* AN-
CIANO, *nervioso y excitado.)*

ANCIANO.—Menelao, estás cometiendo un terrible atropello
que no deberías cometer.

MENELAO.—¡Vete! Eres demasiado leal con tus señores.

ANCIANO.—¡Bonito reproche, sí señor, me acabas de hacer!

MENELAO.—Vas a llorar, como sigas haciendo lo que no tienes que hacer.

ANCIANO.—No deberías haber abierto la carta que yo llevaba.

MENELAO.—Ni tú tampoco llevar a todos los griegos malas
noticias.

ANCIANO.—Discute eso con otros, y a mí devuélveme esa tablilla.

MENELAO.—[310] No la pienso soltar.

ANCIANO.—Ni yo tampoco voy a ceder.

MENELAO.—*(Alzando el cetro que empuña.)* Pues ahora mismo
voy a ensangrentar tu cabeza con mi cetro.

ANCIANO.—¡Gloriosa acción es morir, para que te enteres, en
pro de los señores!

MENELAO.—¡Suelta! Que para ser un sirviente, hablas largo y
tendido.

ANCIANO.—*(Gritando en dirección a la tienda de su amo* AGAME-
NÓN, *para que le oiga y salga.)* ¡Oh, mi señor! ¡Me están maltratando! Este hombre de aquí me ha robado tu carta a la fuerza
de mis manos, Agamenón, y no quiere someterse a la justicia.

AGAMENÓN.—*(Saliendo de su tienda, sorprendido.)* ¡Eh! ¿Qué
significa, en buena hora, este alboroto ante mi puerta y esta
algarabía de voces?

MENELAO.—Mi palabra tiene más autoridad que la de éste a
la hora de responder.

AGAMENÓN.—Pero, ¿por qué has entrado en discordia con
este hombre, Menelao, y lo arrastras a la fuerza?

MENELAO.—[320] Mírame a mí, para que pueda dar comienzo a mis razones.

AGAMENÓN.—¿Acaso tiemblo y no doy abiertamente la cara, yo, que he nacido de Atreo?

MENELAO.—*(Señalando la carta que tiene en sus manos.)* ¿Ves esta tablilla, al servicio de infames escritos?

AGAMENÓN.—Sí, la veo. Y, antes que nada, aparta tus manos de ella.

MENELAO.—No, por lo menos antes de que les muestre a todos los dánaos lo que hay escrito en ella.

AGAMENÓN.—¿Es que acaso soltaste el sello y conoces lo que no era todavía momento oportuno para que tú lo supieses?

MENELAO.—Sí, para desgracia tuya he descubierto los perversos planes que tú has tratado de ejecutar en secreto.

AGAMENÓN.—¿Y dónde, dónde la interceptaste? ¡Oh dioses! ¡Qué desvergonzado corazón tienes!

MENELAO.—Mientras esperaba a que tu hija llegase de Argos al campamento.

AGAMENÓN.—¿Y por qué tienes tú que andar espiando mis asuntos? ¿No es eso propio de un sinvergüenza?

MENELAO.—[330] Porque me picaba la curiosidad; y yo no soy tu esclavo.

AGAMENÓN.—¿No es verdadermente terrible? ¿No se me va a pemitir mandar en mi propia casa?

MENELAO.—Lo cierto es que tus pensamientos son retorcidos, ahora, antes y después.

AGAMENÓN.—¡Qué bien te las arreglas para presentar ingeniosamente tus maldades! Una lengua hábil es algo odioso.

MENELAO.—¡Tener una mente que no se mantiene firme sí que es injusto y desleal para con los amigos! Y quiero probártelo, así que no le des la espalda a la verdad por ira, y yo no insistiré demasiado.

¿Te acuerdas de cuando estabas impaciente por comandar a los dánaos contra Ilión, si bien en apariencia no lo querías, por más que lo deseabas con todas tus ganas?[13].

---

[13] Sin embargo Agamenón ha expresado antes las cosas de modo diferente. Cfr. versos 84-86: «Y luego, además, me eligieron a mí como su comandante en jefe para atraerse el favor de Menelao, por ser yo su hermano, aunque ojalá hubiese recibido cualquier otro este honor, y no yo.»

¡Qué humilde eras, estrechando la mano a todo el mundo [340] y teniendo las puertas abiertas para todo aquel de entre los ciudadanos que lo quisiese, y entablando conversación con todos, uno tras otro, aunque no quisieran, y buscando de buenas maneras comprar lo que quiso tu ambición; y luego, cuando ya tenías el poder en tus manos, cambiaste tus modales por otros y ya no eras con tus antiguos amigos el amigo que antes eras, inaccesible y rara vez visible, encerrado dentro de casa. Pero el hombre de bien, al atravesar una situación de enorme envergadura, no debe alterar sus modales, sino que en esos momentos tiene que ser incluso el mejor amigo de sus amigos, toda vez que al ser dichoso tiene la capacidad de prestarles más y mejor ayuda. Éste es el primer punto en el que te repruebo, donde he descubierto que eres un malvado.

[350] Luego, cuando llegaste a Áulide, y contigo el ejército de todos los griegos, no eras ya nadie, sino que te quedaste pasmado ante la reacción de los dioses, al carecer de vientos favorables que te diesen escolta. Entonces los danaidas te enviaron mensajes para que licenciases la flota y no sufrir inútilmente en Áulide. ¡Qué compungido tenías el semblante y qué confusión, por si ni aun comandando una expedición de mil. navíos no conseguías llenar por completo con tus lanzas la llanura de Príamo. Y me interpelabas: «¿Qué hago? ¿Qué salida podría encontrar, por dónde?», de modo que no perdieses el mando y arruinases una excelente ocasión de gloria.

Y más adelante, cuando Calcante dijo que sacrificases a tu hija entre las ofrendas en honor a Ártemis, y que así podrían hacerse a la mar los danaidas, [360] con gozo y alegría en tu corazón diste tu consentimiento para que tu hija fuese sacrificada, y le enviaste a tu esposa voluntariamente y no a la fuerza —¡no vayas a decir eso!— la orden de que aquí mandase a tu hija, so pretexto de que se iba a casar con Aquiles[14]. ¿Y luego vuelves sobre tus pasos y resultas

---

[14] Nuevamente difiere la versión de los hechos: cfr. versos 94-98 «Yo, en cuanto escuché estas palabras *(sc.* el oráculo de Calcante a propósito del sacrificio de Ifigenia), ordené a Taltibio que con una proclama en alta voz disolvie-

sorprendido enviando otra carta con intenciones radicalmente distintas, para no ser ya el asesino de tu hija? *(Sarcásticamente.)* ¡Por supuesto que sí! ¡Éste, éste es el mismo aire que escuchó de ti aquellas promesas!

A muchos les ha pasado lo mismo, para que te enteres: se afanan por el poder, por retenerlo, pero luego ceden de mala manera, unas veces bajo la torpe voluntad de los ciudadanos, y otras veces con justa razón, porque se muestran incapaces por sí mismos de custodiar debidamente la ciudad. [370]

Por Grecia más que nada me lamento, pobre de ella, que, aun queriendo obrar con nobleza, va a dejar marchar a unos bárbaros de nada carcajeándose a nuestra costa por tu culpa y la de tu hija[15]. A nadie le pondría yo de gobernante de un país a raíz de su valor, ni de comandante de su ejército. Inteligencia es lo que tiene que tener el general del ejército de una ciudad. Con tal de que resulte tener capacidad de comprender rápidamente las cosas, cualquier hombre sirve para el cargo.

CORIFEO.—Es terrible que entre hermanos llegue a haber reproches y peleas cada vez que entre ellos hay una discusión.

AGAMENÓN.—Quiero, por mi parte, en un breve discurso, proclamar tu maldad, sin levantar demasiado mis párpados ante tus procacidades, sino con un ánimo más templado, [380] en consideración de que eres mi hermano, ya que un hombre noble no gusta de perder las formas.

Dime, ¿por qué bufas de ese modo inquietante con los ojos inyectados en sangre? ¿Quién te está injuriando? ¿Qué quieres? ¿Deseas recuperar a una esposa honrada? Yo no

---

se todo el ejército, porque jamás iba a tener yo —eso creía— el coraje de arrostrar una acción contraria a mis sentimientos y matar a mi hija. Entonces mi hermano me presentó argumentos de todo tipo y acabó convenciéndome de cometer esa terrible atrocidad.»

[15] Las burlas por la cobardía son frecuentes y altamente hirientes, como deja ver el troyano Héctor en una situación planteada por distintos motivos pero con idéntico resultado en la pieza *Reso*, versos 814-815: «Se han marchado sin recibir un golpe, haciendo mofa entre muchas risas de la cobardía de los frigios y de mí *(sc.* Héctor), su general.»

puedo darte eso, pues mal gobernaste tú a la mujer que te procuraste. ¿Y luego tengo que cargar yo con las culpas por tus errores, cuando yo soy inocente? Mi ambición no te duele, pero tú quieres seguir teniendo entre tus brazos, aun dejando de lado la razón y la honra, a una bella esposa. Los placeres perversos son propios de un individuo ruin. Y si yo, que no acerté antes a tomar una buena decisión, cambio mis intenciones anteriores por otras mejores, ¿es que estoy loco? Más bien lo estás tú que, tras perder una mala esposa, [390] pretendes recobrarla, aun cuando la divinidad te concede a bien esa suerte[16].

Como ansiaban casarse y eran unos insensatos, sus pretendientes consintieron al juramento de Tindáreo —pero la diosa Esperanza, creo yo, y no otra cosa, pudo con aquello más que tú y tu fuerza—. Cógelos y ve con tu ejército a la guerra. Listos están ellos para semejante disparate. La divinidad no carece de entendimiento, sino que tiene la capacidad de percatarse de cuándo los juramentos están mal establecidos e impuestos por la fuerza.

Por lo que a mí respecta, no voy a matar a mis hijos. Tus planes no van a salirte bien, por vengar al margen de la justicia a una pérfida mujer, y yo no me consumiré las noches y los días entre lágrimas por dar a los hijos que engendré un trato injusto e inicuo.

[400] Ya está dicho lo que tenía que decirte, sin complicaciones, brevemente y con claridad. Y si no quieres entrar en razón, yo dispondré bien lo mío.

CORIFEO.—Estas palabras, por lo que a su vez les atañe, son diferentes respecto de las que antes se han pronunciado, pero se sostienen bien, pues tienen a los hijos en consideración.

MENELAO.—¡Ay, ay! ¡Pobre de mí, que no tengo amigos!

AGAMENÓN.—Sí, cuando no quieres acabar con ellos.

---

[16] Todo el mundo está de acuerdo en que para Menelao ha sido una auténtica suerte desprenderse de su esposa y no se comprende su afán por recuperarla. Cfr. las palabras de su sobrino Orestes en la tragedia del mismo nombre, *Orestes*, versos 247-248: «Si únicamente se hubiese salvado él *(sc.* Menelao), sería digno de mayor envidia, pero si se trae a su mujer, entonces ha regresado trayéndose una gran calamidad.»

MENELAO.—¿Pero cuándo me vas a mostrar que has nacido de mi mismo padre?

AGAMENÓN.—Tu cordura quiero yo compartir contigo, mas no tu delirio.

MENELAO.—Los amigos han de sufrir con sus amigos en común.

AGAMENÓN.—Pídeme eso con nobles acciones, pero no causándome pena.

MENELAO.—[410] ¿Es que no te parece bien compartir estas fatigas con la Hélade?

AGAMENÓN.—Pero es que la Hélade por voluntad divina padece alguna enfermedad.

MENELAO.—Gloríate, pues, de tu cetro traicionando a tu hermano. Yo, por mi parte, recurriré a otros recursos y a otros amigos.

(Aparece súbitamente un MENSAJERO.)

MENSAJERO.—¡Oh Agamenón, soberano de todos los helenos! He venido trayéndote a tu hija, a la que en palacio dabas el nombre de Ifigenia. La acompaña asimismo su madre, tu esposa Clitemestra en persona, y tu hijo Orestes, para que te alegrases de verlos después de estar ausente de palacio durante tanto tiempo. [420] No obstante, como han recorrido un largo camino, se encuentran refrescando las plantas de sus femeninos pies en las cristalinas aguas de una fuente, ellas y los potros. A éstos los hemos soltado en la hierba de las praderas para que disfruten del pasto. Y yo he venido adelantándome a la carrera para que te fueses preparando.

El ejército, por cierto, ya está enterado de que tu hija ha venido, pues el rumor se ha extendido rápidamente. Toda la tropa se apresura para presenciar el espectáculo, con el propósito de ver a tu hija: los ricos y famosos suelen ser el centro de atención de las miradas de todos los mortales. [430] Y, entretanto, van diciendo: «¿Se va a celebrar un himeneo o qué? ¿Acaso el soberano Agamenón sentía añoranza por su hija y la ha hecho venir aquí?» Y a otros les oirías decir esto: «A Ártemis, soberana de Áulide, consagran a la joven con los ceremoniales previos al matrimonio. ¿Quién, en buena hora, la desposará?»

¡Venga, pues! ¡Comienza a preparar los cestillos propios de estas ocasiones, coronad vuestras cabezas! Y tú, soberano Menelao, dispón los preparativos del himeneo. Que resuene, asimismo, la flauta de loto bajo la techumbre de las tiendas, y se levante un estruendo de pies al bailar. ¡Colmado de felicidad, en verdad, llega este día de hoy para la muchacha!

AGAMENÓN.—[440] Gracias, pero ve dentro de las tiendas, que el resto, si la suerte nos acompaña, resultará bien. *(El* MENSAJERO *entra en el campamento, saliendo de escena por un lateral.)*

¡Ay de mí! ¿Qué decir, pobre de mí? ¿Por dónde empezar? ¡En qué inexorable coyuntura estamos inmersos, atados de pies y manos! La divinidad me ha engatusado hasta el extremo de llegar a ser, con mucho, más astuta que todas mis estratagemas. ¡Qué ventajas tiene, en cierto sentido, la pertenencia a una familia de bajo linaje! Estos individuos pueden, en efecto, llorar sin complicaciones y decir de todo, mientras que en un hombre noble estos comportamientos, respecto de su condición, no se consideran afortunados. El orgullo preside nuestras vidas [450] y somos esclavos de la plebe. A mí ahora, por ejemplo, me da vergüenza derramar lágrimas, pero el no derramarlas me da asimismo vergüenza, pobre de mí, toda vez que he llegado al mayor grado de infortunio. *(No puede evitar derramar unas lágrimas, que acaban contagiando a su hermano* MENELAO.)

Bien. ¿Qué le voy a decir a mi esposa? ¿Cómo voy a recibirla? ¿Con qué cara voy a poner mis ojos en los suyos? Lo cierto es que al venir sin haberla llamado me ha matado un poco más, por si fueran pocas las desgracias con que ya cuento. Por otra parte, es natural que haya acompañado a su hija en el momento de casarla y de entregar su más preciado bien. Aquí se encontrará con que somos unos malvados.

[460] ¡Y a esta pobre doncella —¿Qué doncella? Pronto Hades, por lo que parece, va a desposarla— cómo la compadezco! Creo, sí, que me suplicará así: «¡Oh padre! ¿Me

vas a matar? ¡Así contraigas bodas como éstas tú y quienquiera que te sea amado!» Y Orestes allí presente, de cerca, gritará voces ininteligibles, al tiempo que bien comprensibles, pues todavía es un niño balbuciente.

¡Ay, ay! ¡Cómo me ha arruinado el hijo de Príamo, Paris, que estos acontecimientos ha provocado al casarse con Helena!

CORIFEO.—También yo me compadezco profundamente, en la medida en que debe una mujer extranjera [470] lamentar la desgracia de los monarcas.

MENELAO.—Hermano, permíteme coger tu diestra.

AGAMENÓN.—Te lo permito, pues tuyo es el poder y la gloria, y mía la desdicha.

MENELAO.—Juro por Pélope, que padre fue de mi padre y el tuyo, y por Atreo, que nos engendró, que en verdad voy a hablarte de todo corazón, con claridad, y en términos en absoluto engañosos, sino simplemente tal y como pienso.

Al verte yo cómo de tus ojos derramabas lágrimas, he sentido compasión y también yo mismo las he derramado a mi vez, y me retracto ahora de mis anteriores palabras. [480] Ya no debo inspirarte miedo, pues me hallo en la misma situación en que justamente tú te hallas ahora. Te exhorto, por ello, a que ni des muerte a tu hija ni antepongas mi interés al tuyo, pues no sería justo que tú te estuvieses lamentando y que yo, en cambio, me hallase en una posición cómoda, y que muriesen los tuyos y los míos continuasen contemplando la luz del día.

Entonces, ¿qué es lo que quiero? ¿No puedo, si es que deseo casarme, contraer otro matrimonio selecto? ¿Es que voy a causarle la perdición a mi hermano, con quien menos debería comportarme así, y preferir a Helena, mal por bien? He sido un insensato y un irresponsable, hasta ver el problema de cerca [490] y comprender qué cosa es matar a un hijo. Y, además, me ha entrado un sentimiento de compasión por la pobre muchacha, al reflexionar en mi interior sobre el parentesco que nos une, y que a punto se encuentra de ser sacrificado por culpa de mi matrimonio. En cambio, ¿qué tiene que ver Helena con tu joven hija?

¡Que se disuelvan y se marchen de Áulide nuestras fuerzas expedicionarias! Y tú, hermano mío, deja de humedecer tu rostro con lágrimas y de hacerme llorar también a mí. Que no sea yo parte interesada en los oráculos sobre tu hija, aunque lo seas tú. Pongo mi parte en tus manos.

[500] A ver, ¿he llegado a una conclusión distinta, lejos de mis terribles argumentos de antes? Me pasa algo natural: cambio de parecer porque siento amor por mi hermano. Así es el modo de obrar de un hombre, siempre que no sea un canalla: acudir siempre a lo que mejor resulta.

CORIFEO.—Nobles palabras has dicho y dignas de Tántalo, el hijo de Zeus. No eres una deshonra para tus antepasados.

AGAMENÓN.—Gracias, Menelao, porque, más allá de lo que yo creía, has corregido tus palabras de un modo digno de ti. Los problemas entre hermanos suelen surgir a causa del amor y de la primacía en la casa. Escupo con desprecio [510] sobre un parentesco que así de amargo resulta para unos y otros[17].

¡Venga! Que hemos llegado a un punto en el que el trance de consumar el cruento asesinato de mi hija es ya inexorable.

MENELAO.—¿Cómo? ¿Pero quién te va a forzar a matarla?

AGAMENÓN.—Toda la concurrencia del ejército de los aqueos.

MENELAO.—No, si la envías de nuevo de regreso a Argos.

AGAMENÓN.—Esto podría ocultarlo, pero aquello otro no conseguiremos ocultarlo.

MENELAO.—¿El qué? No hay que temer en exceso a la multitud.

AGAMENÓN.—Calcante revelará al ejército argivo los oráculos[18].

---

[17] Con intención de alejar de sí cualquier mancha o desgracia. En griego propiamente hay una forma de aoristo. Escupir era para los antiguos un modo de rechazar un mal agüero, como puede verse en el verso 1161 de la tragedia *Ifigenia entre los Tauros*: «Escupo. A la piedad imputo esta palabra.» Cfr. *Helena,* versos 74-75: «Que los dioses escupan y renieguen de ti. ¡Qué parecido tienes con Helena!» *Ifigenia en Áulide,* verso 874: «¿Cómo? Escupo con desprecio sobre ese cuento, anciano, pues no estás en tu sano juicio.»

[18] Calcante, en efecto, es el autor del oráculo. Cfr. versos 89-93: «Entonces el adivino Calcante, como quiera que no teníamos salida, nos ordenó sacrifi-

MENELAO.—No, siempre que muera antes, y eso es fácil de llevar a cabo.

AGAMENÓN.—[520] Ambiciosos y perversos son los adivinos todos.

MENELAO.—No son ni útiles ni inútiles cuando se presentan.

AGAMENÓN.—¿Y no tienes miedo de lo que me acaba de venir a la mente?

MENELAO.—Si no me lo dices, ¿cómo voy a interpretar tus palabras en ese sentido?

AGAMENÓN.—El hijo de Sísifo conoce todos estos planes.

MENELAO.—No es Odiseo[19] lo que a ti y a mí nos va a hacer daño.

AGAMENÓN.—Siempre ha sido de naturaleza retorcida y tiene relaciones con la multitud[20].

MENELAO.—Está poseído, no cabe duda de ello, por la ambición, un defecto terrible.

AGAMENÓN.—¿Y no crees, entonces, que se alzará en medio de los argivos y relatará los oráculos que Calcante interpretó, [530] y que yo di mi consentimiento al sacrificio y que luego mentí respecto de que la sacrificaría a Ártemis? ¿No

---

car a Ifigenia, la hija que yo engendré, en honor de Ártemis, que habita este territorio, y dijo que con este sacrificio podríamos navegar y derrotar a los frigios, pero que sin el sacrificio esto no sería posible.»

[19] Cfr. versos 106-107: «Los únicos aqueos que sabemos qué es lo que pasa somos Calcante, Odiseo, Menelao y yo.»

En la epopeya homérica, tal como aparece en la *Odisea,* Odiseo es hijo de Laertes, pero los trágicos recogen una tradición diferente según la cual su madre Anticlea, antes de casarse con Laertes, habría amado a Sísifo, y Odiseo sería en realidad hijo de éste.

[20] Sobre el carácter de Odiseo, las palabras de Hécabe, esposa del rey Príamo, son altamente elocuentes en el drama *Las Troyanas,* en el momento de enterarse de que le ha tocado en suerte ser esclava de Odiseo. Cfr. *Las Troyanas,* versos 279-292: «¡Ah, ah! ¡Golpea la cabeza mocha, araña con las uñas una y otra mejilla! ¡Ay de mí infelice! ¡Me ha tocado en suerte ser la esclava de un hombre abominable, doloso, enemigo de la justicia, bestia al margen de la ley, que a todo le da la vuelta, lo de aquí allá, y luego otra vez allá lo de aquí, de lengua bífida, que lo que amigo primero era, en enemigo trastoca! ¡Llorad, oh troyanas, por mí! ¡He alcanzado el mayor infortunio, estoy perdida, desgraciada, he ido a caer en el más desventurado de los lotes!» En la tragedia *Reso,* última de este volumen, se puede ver perfectamente en acción a este personaje y su modo de ser aquí descrito.

se las arreglaría para hacerse con el ejército y daría orden a los argivos, luego de matarnos a ti y a mí, de degollar a la muchacha? Y aunque yo escape a Argos, ellos irán hasta las murallas ciclópeas[21] mismas y saquearán y arrasarán el país. Este cariz presentan mis penas. ¡Oh, pobre de mí! ¡En qué apuros me encuentro actualmente por obra de los dioses!

De una única cosa, Menelao, cuídate por mí cuando acudas al campamento: de que Clitemestra no se entere de estos hechos [540] hasta que coja yo a mi hija y se la entregue a Hades por esposa, de modo que atraviese así ese mal trago con las menos lágrimas posibles. (*Al* CORO.) Y vosotras, extranjeras, guardad silencio.

(*Salen ambos y se van los dos a sus respectivas tiendas.*)

CORO.
Estrofa.

¡Bienaventurados los que con mesurada castidad participan de los lechos de la diosa Afrodita, con tranquilidad, lejos de sus locos aguijones, porque Eros, el de dorada melena, tensa su arco y dispara dos tipos de flechas con sus dones: [550] unas deparan un feliz sino en la vida, otras traen su destrucción! A ésta yo la despido, oh hermosísima Cipris, fuera de nuestros tálamos. ¡Así sea moderada mi gracia y pía mi pasión, y participe yo de Afrodita, mas de sus excesos me mantenga alejada!

Antístrofa.

¡Diferentes son las clases de mortales, y diferentes asimismo sus modos de actuar! [560] ¡Mas lo correctamente noble siempre resulta evidente! La educación disciplinada mucho aporta a la virtud. Albergar sentimientos de pudor es sabiduría y tiene como inusual recompensa ver la obligación bajo el prisma de la razón, por cuanto una buena reputación procura gloria imperecedera en la

---

[21] A Micenas suele aplicarse el estilo de arquitectura ciclópea, consistente en grandes bloques de piedra que parecen desafiar las fuerzas humanas. Estas construcciones suelen atribuirse a los Cíclopes, caracterizados, entre otras cosas, por su fuerza y su habilidad manual. De modo frecuente se intercambian las referencias de Micenas por Argos.

vida. Es importante perseguir la virtud. Para las mujeres, en todo cuanto atañe a la Cipris furtiva; [570] y entre los hombres, a su vez, su orden y decoro interior, manifestado en multitud de formas, engrandecerá la ciudad.

Epodo.
Viniste, oh Paris, de donde tú te criaste como boyero entre las albas terneras del Ida, tocando bárbaras melodías con el propósito de remedar a Olimpo con las cañas de las flautas frigias. Pacían las vacas de buenas ubres, [580] donde el juicio te aguardaba de las diosas, que a la Hélade te envía. Puesto en pie ante el trono de Helena, decorado con incrustaciones de marfil, mirándola frente a frente le infundiste amor y también tú mismo te sentías excitado por el amor. Por eso la discordia²², sí, la discordia conduce²³ a la Hélade, acompañada de lanza y barcos, contra la ciudadela de Troya.

> (Entra por el lateral un carro en el que viajan CLITEMESTRA, con el niño ORESTES en brazos, e IFIGENIA. A pie les acompañan algunos servidores.)

CORIFEO.—[590] ¡Eh, eh! ¡Grande es de los grandes la buena fortuna! Ved ahí a Ifigenia, la hija del rey, mi señora, y a la hija de Tindáreo, a Clitemestra. ¡De qué ilustres padres han nacido y a qué muy considerable dicha han llegado! ¡Como dioses, ni más ni menos, son los ricos y poderosos a los ojos de quienes, de entre los mortales, no gozan de dicha!

¡Sigamos aquí, criaturas de Cálcide! Demos la bienvenida a la reina, [600] tendiéndole amablemente la mano para que descienda del carro a tierra sin resbalar, con buenas intenciones, para que no se atemorice nada más venir a nosotras la ilustre hija de Agamenón. Y tampoco armemos un escándalo que asustar pueda a las extranjeras argivas, que también nosotras somos extranjeras.

---

²² Lectura de los manuscritos.
²³ Lectura de los manuscritos.

CLITEMESTRA.—Nos tomamos esta señal como un augurio favorable: tu bondad y tus auspiciosas palabras. Albergo entonces una cierta esperanza de que con vistas a unas nobles bodas [610] hasta aquí he venido escoltando a la novia.

(A sus sirvientes.) ¡Venga! Bajad del carruaje la dote que aporto con mi hija y llevadla con cuidado hasta la tienda. *(A su hija* IFIGENIA.*)* Y tú, hija mía, deja el carro de caballos y posa sobre el suelo tu tierno y delicado pie. *(Al* CORO.*)* Y vosotras, jovencitas, cogedla en brazos y bajadla del carruaje. Y que alguien me preste también a mí su mano para apoyarme, para que abandone con aire de nobleza el asiento del carro[24]. Poneos otras de vosotras por delante del yugo de los caballos, [620] que los ojos de los caballos son asustadizos y son difíciles de aquietar. *(Bajan del carro* CLITEMESTRA *e* IFIGENIA. *El niño* ORESTES *duerme apaciblemente en el carro.)* Y coged también de ahí al niño, al hijo de Agamenón, Orestes, que todavía es un bebé. *(A su hijo.)* Hijo, ¿sigues durmiendo, vencido por el carro de caballos? Despierta en el feliz himeneo de tu hermana. Tú, que ya eres noble, vas a alcanzar un parentesco con un hombre de pro, de la estirpe divina de la hija de Nereo[25]. *(A su hija* IFIGENIA.*)* Colócate aquí, hija, aquí al lado de mis pies, junto a tu madre, Ifigenia. Estate de pie aquí cerca y dame la oportunidad de que estas extranjeras puedan considerarme una mujer dichosa.

*(*AGAMENÓN *sale de su tienda y se presenta en la escena.)* [630] ¡Saluda ya a tu querido padre! *(A su esposo.)* ¡Oh mi muy venerado soberano Agamenón! ¡Ya hemos venido, sin faltar lealmente a las órdenes que de ti procedían![26].

---

[24] Tales formas cuadran bien, en efecto, a la regia Clitemestra. Cfr. *Electra*, versos 998-999: «Bajad del carro, troyanas, y tomadme de la mano para que pueda asentar mis pies fuera de este carruaje.»

[25] Tetis, hija efectivamente de Nereo y madre de Aquiles, el supuesto pretendiente de Ifigenia.

[26] Nótese cómo Clitemestra a lo largo de este breve parlamento suyo no ha dejado de dirigir la palabra absolutamente a todos los personajes presentes, bien dando órdenes, bien comentando aspectos diversos, o bien, como ahora, para saludar a su esposo. Se nos muestra, pues, como una mujer de vivo carácter, enérgica y muy autoritaria.

IFIGENIA.—*(Abalanzándose sobre su padre.)* ¡Oh madre, me adelanto a ti —pero no te enfades— para estrechar mi pecho contra el pecho de mi padre! Que quiero, padre mío, adelantarme y estrechar tu pecho después de tanto tiempo, porque echo de menos tu rostro, pero no te enfades.

CLITEMESTRA.—Debes, hija, debes. Que de los hijos que yo he engendrado con mi marido, tú siempre has sido la que más quiere a su padre.

IFIGENIA.—[640] ¡Oh padre! ¡Qué contenta estoy de verte después de tanto tiempo!

AGAMENÓN.—Y también yo a ti, sí, tu padre. Has dicho esas palabras igual para ambos.

IFIGENIA.—Salud. Has hecho bien, padre, al traerme aquí junto a ti.

AGAMENÓN.—No sé, hija, cómo afirmar eso y negarlo[27].

IFIGENIA.—*(Sorprendida.)* ¡Eh! ¡Qué inquieta mirada tienes, aun contento de verme!

AGAMENÓN.—Un hombre, rey y general del ejército, tiene que ocuparse de muchos asuntos.

IFIGENIA.—Estate ahora a mi lado, no pienses en tus preocupaciones.

AGAMENÓN.—¡Venga! Ya estoy contigo ahora del todo y no en otra parte.

IFIGENIA.—Desfrunce, pues, las cejas y obséquiame con una mirada amable.

AGAMENÓN.—*(Forzando una sonrisa, pero sin poder evitar ni ocultar el inminente llanto.)* ¡Velay! ¡Ya estoy todo lo contento que puedo estar al verte!

IFIGENIA.—[650] ¿Y por eso derramas esas lágrimas de tus ojos?

AGAMENÓN.—Sí, porque larga va a ser la ausencia que se cierne sobre nosotros.

---

[27] Ya en estos momentos, y aún más en los versos siguientes, la ambigüedad tiene un importante papel a propósito de las palabras de cada personaje y las intenciones que se esconden detrás, dando lugar a una escena en la que se producen muchas situaciones trágicamente irónicas. Nosotros, como público o lectores, alcanzamos el verdadero sentido de cuanto se dice, no así la desdichada e ignorante Ifigenia, que desconoce aún la realidad del destino que le está aguardando. La hija percibe, no obstante, señales de inquietud en su padre, pero desconoce su auténtico origen.

IFIGENIA.—¡No sé qué estás diciendo, no lo sé, queridísimo padre mío! ¿Dónde se dice que habitan los frigios, padre?

AGAMENÓN.—Allí donde ojalá jamás hubiese vivido Paris, el hijo de Príamo.

IFIGENIA.—Emprendes lejos una larga travesía, padre, dejándome atrás.

AGAMENÓN.—Al mismo sitio que tu padre vas a ir, hija mía. Cada vez que dices palabras sensatas, más me incitas a lamentarme.

IFIGENIA.—Diré, pues, cosas sin sentido, por si así te doy una alegría.

AGAMENÓN.—¡Ay! ¡Ay! No tengo fuerzas para callar, pero gracias.

IFIGENIA.—Quédate, padre, en casa junto a tus hijos.

AGAMENÓN.—Yo quiero, sí, pero estoy apesadumbrado porque no puedo quedarme[28].

IFIGENIA.—¡Así perezcan las lanzas y las desgracias de Menelao!

AGAMENÓN.—A otros hará perecer antes lo que a mí ya me tiene perdido.

IFIGENIA.—[660] ¡Cuánto tiempo has estado ausente en los recovecos de Áulide!

AGAMENÓN.—Incluso ahora hay algo que me impide todavía hacer partir al ejército.

IFIGENIA.—¡Huy! ¡Ojalá fuese bueno para ti y para mí que me llevases contigo en el barco!

AGAMENÓN.—También a ti te aguarda un viaje en el que te acordarás de tu padre.

IFIGENIA.—¿Voy a navegar con mi madre o he de viajar sola?

AGAMENÓN.—Sola, estarás sola sin tu padre ni tu madre.

IFIGENIA.—[670] ¿No será, quizá, que estás intentando que viva en otra casa, padre?

AGAMENÓN.—Déjalo. Una joven no debe conocer este tipo de cosas.

IFIGENIA.—Date prisa en volver de Frigia, tan pronto como hayas triunfado allí, padre.

---

[28] Diggle.

AGAMENÓN.—Primero tengo que oficiar aquí cierto sacrificio.

IFIGENIA.—Sí, sí, que hay que observar la piedad con sacrificios.

AGAMENÓN.—Tú lo verás. Lo cierto es que estarás colocada cerca del agua de las lustraciones.

IFIGENIA.—¿Dispondremos, entonces, coros junto al altar, padre?

AGAMENÓN.—Te envidio a ti en tu ignorancia más que a mí, porque aún no comprendes nada. Ve dentro de las tiendas —para las muchachas es feo que se las vea—, pero antes dame un beso y también tu diestra, [680] porque vas a vivir lejos, muy lejos de tu padre por largo tiempo. *(Se abrazan de nuevo el padre y la hija.)*

¡Oh pecho y mejillas, oh rubios cabellos! ¡Qué pesarosa carga resultan para nosotros Helena y la ciudad de los frigios! Pongo fin a mis palabras, que al punto la humedad del llanto en mis ojos me asalta en cuanto te toco. Entra en la tienda. (IFIGENIA *entra finalmente en la tienda.)*

(A su esposa CLITEMESTRA.) Y a ti, hija de Leda, te suplico que me excuses si he llorado en exceso en el momento en que me disponía a entregarle mi hija a Aquiles. Aunque las despedidas son ciertamente dichosas, con todo causan dolor a los progenitores, cuando a otro hogar [690] entrega un padre a los hijos por los que tanto se ha esforzado.

CLITEMESTRA.—No soy tan incomprensiva como para reprenderte. Antes bien, piensa que también a mí me va a pasar lo mismo, cuando lleve fuera a mi hija al son del himeneo. Pero el tiempo se aliará con la costumbre hasta mitigar el dolor.

Por cierto, conozco el nombre del hombre a quien le has prometido nuestra hija en matrimonio, pero quiero saber de qué clase de familia procede y de dónde es.

AGAMENÓN.—Egina fue hija de Asopo, su padre[29].

---

[29] Egina es hija del dios-río Asopo. Zeus se enamoró de ella, la raptó y se la llevó a la isla de Enone, donde le dio un hijo, Éaco. La isla tomó en adelante el nombre de la joven y se convirtió en la isla de Egina. Este Éaco es, a su vez, el padre de Peleo que, tras casarse con una de las hijas de Nereo, con Tetis, engendró a Aquiles.

CLITEMESTRA.—De entre los dioses o los mortales, ¿quién se casó con ella?

AGAMENÓN.—Zeus. Y engendró a Éaco, señor de Enone.

CLITEMESTRA.—[700] ¿Y cuál de los hijos de Éaco ocupó la casa?

AGAMENÓN.—Peleo, y Peleo tuvo por esposa a una hija de Nereo.

CLITEMESTRA.—¿Se la entregó un dios o la tomó obligando a los dioses?

AGAMENÓN.—Zeus se la prometió y se la da, por la autoridad que tiene.

CLITEMESTRA.—¿Y dónde se casa con ella? ¿Acaso bajo las ondas del mar?

AGAMENÓN.—Donde habita Quirón, en la santa sede del Pelión.

CLITEMESTRA.—¿En el lugar en que dicen que vive la raza de los centauros?[30].

AGAMENÓN.—Sí. Allí celebraron los dioses el banquete por las bodas de Peleo.

CLITEMESTRA.—¿Tetis crió a Aquiles, o lo hizo su padre?

AGAMENÓN.—Quirón, con vistas a que no aprendiese las malas costumbres de los mortales[31].

CLITEMESTRA.—[710] ¡Huy! ¡Verdaderamente sabio el educador y más sabio[32] aún el que se lo confió!

AGAMENÓN.—Un hombre de esta condición va a ser el esposo de tu hija.

CLITEMESTRA.—¡Irreprochable! ¿Y en qué ciudad de la Hélade vive?

AGAMENÓN.—En los confines de Ftía, junto al río Apídano[33].

---

[30] Cfr. *Heracles,* versos 364-374: «A la raza de los agrestes centauros, que por los montes pacían, un día la abatió con sus flechas matadoras, derribándolos con sus alados proyectiles. Testigo de ello son el Peneo que arrastra bellas aguas, y los extensos y estériles campos de la llanura, y las moradas del Pelión, y los pastizales limítrofes del Ómola, desde donde, armando sus manos con pinos a modo de lanzas, la tierra tesalia intentaban someter.»

[31] Quirón es el más célebre, juicioso y sabio de los centauros. Se encargó, tal como aquí se dice, de la educación de Aquiles.

[32] Lectura de los manuscritos.

[33] En la región de Tesalia, al sur de Macedonia y, por tanto, bastante lejos de Argos, en la península del Peloponeso.

CLITEMESTRA.—¿Allá lejos se va a llevar a tu hija y mía?

AGAMENÓN.—Eso es asunto suyo, toda vez que él es su dueño.

CLITEMESTRA.—¡Pues que ojalá ambos sean felices! ¿Y qué día se van a casar?

AGAMENÓN.—Cuando el ciclo lunar llegue a su culminación[34].

CLITEMESTRA.—¿Has ofrecido ya a la diosa por tu hija los sacrificios previos a la boda?[35].

AGAMENÓN.—Estoy a punto de hacerlo. Ya le he prestado atención a ese asunto.

CLITEMESTRA.—[720] ¿Y luego celebrarás más tarde el banquete nupcial?

AGAMENÓN.—Sí, en cuanto oficie los sacrificios que tengo que ofrecer a los dioses.

CLITEMESTRA.—¿Y nosotras dónde dispondremos el convite para las mujeres?

AGAMENÓN.—Aquí, junto a las naves argivas de buenas popas.

CLITEMESTRA.—Bien, no queda más remedio. Con todo, que sea para bien.

AGAMENÓN.—¿Sabes, entonces, lo que tienes que hacer, mujer? ¡Obedéceme!

CLITEMESTRA.—¿Qué cosa? Que ya estoy habituada a obedecerte.

AGAMENÓN.—Nosotros aquí, justo donde está el novio...

CLITEMESTRA.—¿Qué vas a hacer tú, sin la madre, de aquello que tengo que hacer yo?

AGAMENÓN.—Le entregaré a nuestra hija junto con los danaidas.

CLITEMESTRA.—[730] ¿Y dónde va a resultar que hemos de estar nosotras en ese momento?

AGAMENÓN.—Ve a Argos y cuida de las doncellas.

---

[34] Es decir, al plenilunio, la ocasión más propicia para celebrar una boda.

[35] Se refiere a los sacrificios ofrecidos a las divinidades protectoras del matrimonio, entre las que se encuentra Ártemis, a quien realmente va a ser sacrificada Ifigenia, si bien por otros motivos distintos a los de sus bodas.

CLITEMESTRA.—¿Y dejar aquí a mi hija? ¿Y quién va a sostener la antorcha?[36].

AGAMENÓN.—Yo he de procurar la luz que cuadra a los novios.

CLITEMESTRA.—No es ésa la costumbre ni cosa para tomar a la ligera.

AGAMENÓN.—No es decoroso que tú estés sola mezclada entre la masa del ejército.

CLITEMESTRA.—¡Lo decoroso es que yo entregue en matrimonio a los hijos que he parido!

AGAMENÓN.—¡Sí, sí, y que no estén solas en casa las doncellas![37].

CLITEMESTRA.—¡Bien guardadas están en seguros gineceos!

AGAMENÓN.—¡Obedéceme!

CLITEMESTRA.—¡No, por la soberana diosa de Argos! [740] ¡Tú ve y ocúpate de lo de fuera, que de lo de casa me encargo yo, de lo que haya que ofrecer a las jóvenes recién casadas![38]. *(Entra garbosa en la tienda después de la acalorada discusión con su marido.)*

AGAMENÓN.—¡Ay de mí! Lo he intentado inútilmente y he visto frustradas mis expectativas de querer apartar a mi esposa de mi vista. Estoy intentado emplear todo tipo de trucos e incluso descubrir artimañas contra mis más amados seres, pero me veo vencido por todos los flancos. En fin, voy a ir a discurrir alguna salida en común con el adivino Calcante, querida para la diosa, mas desdichada para mí y afanosa para la Hélade. El hombre sabio debe cuidar en el hogar [750] a su mujer honrada y buena, o, de lo contrario, no casarse[39]. *(Sale en dirección al campamento.)*

---

[36] En el trayecto que debía recorrer la novia desde la antigua casa de sus padres hasta el nuevo hogar con su marido, la madre de la novia le acompañaba a ésta portando una antorcha. Clitemestra no está nada dispuesta a dejar de cumplir las obligaciones que cuadran a una madre en el momento de casar a una hija.

[37] Alusión a su otra hija que ha quedado en casa, Electra. Cfr. *Ifigenia entre los Tauros*, versos 561-562: «IFIGENIA.—¿Dejó Agamenón en palacio algún otro hijo? ORESTES.—Sólo ha dejado a Electra soltera.»

[38] Clitemestra es mujer de palabra resuelta y de acción más viva todavía.

[39] Hermann.

Coro.
Estrofa.

Al Simunte[40] y a sus arremolinadas aguas argénteas ha de llegar un día el gentío del ejército de los helenos, a bordo de sus naves y con sus armas rumbo a Ilión, a la llanura febea de Troya[41], donde contar he oído que Casandra esparce su rubia cabellera, engalanada con una corona de verdes hojas de laurel, [760] cuando la inspiran las fuerzas oraculares del dios[42].

Antístrofa.

Firmes en pie se apostarán sobre las torres de Troya en el perímetro de sus murallas los troyanos, cuando Ares, armado de su escudo de bronce, por mar, con el impulso de los remos de sus barcos de buenas popas, se aproxime a las aguas del Simunte, con voluntad de rescatar del país de Príamo a Helena, la hermana de los dos Dióscuros que habitan en el cielo, [770] y conducirla a tierra helena, con la ayuda de los escudos y lanzas de los esforzados aqueos.

Epodo.

Y tras cercar con sanguinario Ares a Pérgamo[43], la ciudad de los frigios, alrededor de sus pétreas torres, segará cabezas y cortará gargantas, devastará las construcciones de la ciudad hasta la última, y hará llorar profusamente a las hijitas [780] y a la esposa de

---

[40] El Simunte es un río de la llanura troyana.

[41] Laomedonte, uno de los primeros reyes de Troya, mandó construir las murallas de la ciudadela, y para ello recurrió a dos divinidades, Apolo y Posidón, dios del mar, a los cuales ayudó, según se dice, un mortal llamado Éaco. De aquí viene la referencia a la llanura febea de Troya. Cfr. *Las Troyanas*, versos 4-7: «Desde el momento en que Febo y yo (*sc.* Posidón) con rectilíneas plomadas edificamos las pétreas torres de esta tierra de Troya en rededor, en ningún momento de mis mientes se ha alejado el afecto por la ciudad de mis frigios.»

[42] Casandra es hija del rey Príamo y Hécabe. Poseía el don de la profecía, que le venía de Apolo. El dios tomaba posesión de ella y, en pleno delirio, ella formulaba sus oráculos. Es, además, la mujer a la que posteriormente Agamenón tomará a la fuerza después de conquistar Troya en calidad de amante, provocando de este modo las iras de su esposa. Cfr. *Las Troyanas*, 41-44: «Y a aquélla que como delirante doncella consagró el soberano Apolo, a Casandra, la ha tomado Agamenón por la fuerza como esposa en secreto, a expensas de dejar a un lado lo divino y lo piadoso.»

[43] Troya.

Príamo. En cuanto a Helena, la hija de Zeus, derramará todavía muchas más lágrimas por haber abandonado a su esposo. Que ni sobre mí ni sobre los hijos de mis hijos caigan jamás estas perspectivas de futuro, como las que albergan las lidias, ricas en oro, y las mujeres de los frigios, cuando junto al telar [790] intercambian entre ellas palabras de este cariz: «¿Quién, pues, de los cabellos de mi hermosa melena, haciendo mis lloros más intensos, me arrastrará lejos de mi patria destruida?[44]. Por tu culpa, sí, hija del cisne de cuello alargado, de ser efectivamente verdadero el rumor de que te concibió Leda de un ave alada, en que el cuerpo de Zeus se había transformado, a no ser que las historias de las tablillas de Pieria hayan transmitido esta versión a los hombres [800] inoportuna e inútilmente[45].

(Entra AQUILES procedente del campamento griego.)

AQUILES.—¿Dónde está el que aquí es general de los aqueos? ¿Quién de entre sus servidores podría decirle que Aquiles, el hijo de Peleo, está intentando buscarle ante su puerta? Lo cierto es que no todos aguardamos a orillas del Euripo en las mismas condiciones, pues algunos de nosotros, como no están sujetos al yugo matrimonial, han dejado sus casas vacías para permanecer aquí sentados junto a estas

---

[44] Las mujeres sufren este destino en numerosas ocasiones. Parece que sus melenas se prestan espléndidamente a ello, para desgracia suya; los hombres no pueden resistir la tentación de tirarles del pelo. Helena, en concreto, ha sido en los versos de Eurípides quien más veces ha sufrido este tratamiento. Cfr. *Helena*, versos 115-116: «HELENA.—¿Y capturasteis también a la mujer espartana *(sc.* a Helena)? TEUCRO.—Menelao se la llevó arrastrándola del pelo.» Cfr. *Orestes*, versos 1469-1473: «Pero Orestes, agarrándola *(sc.* a Helena) del pelo con sus dedos gracias a haberse adelantado con los pasos de sus botas de Micenas, le dobló hacia atrás el cuello sobre el hombro izquierdo con la inmediata intención de atravesarle la garganta con su funesta espada.» Cfr. *Las Troyanas*, versos 880-883: «¡Así que, ea! Entrad en las tiendas, compañeros de armas, traedla *(sc.* a Helena) arrastrándola de sus cabellos ávidos de sangre. Cuando lleguen favorables los vientos, la escoltaremos hasta la Hélade.»

[45] Cfr. *Helena*, versos 17-22: «Mi padre es Tindáreo, y circula cierta historia, como es bien sabido, a propósito de que Zeus voló hasta Leda, mi madre, tras adoptar la forma de un ave, un cisne, y que así, con el engaño de que estaba huyendo de una persecución a garras de un águila, consumó su unión, de ser cierta la historia esa. A mí, entonces, me llamaron Helena.»

costas, pero hay otros que tienen mujer e hijos. Así de terrible es el deseo que por esta expedición ha caído sobre la Hélade, no sin la intervención de los dioses.

[810] Por cierto, que es justo que yo exponga mi situación y que, luego, cualquier otro que quiera hable por sí mismo. Atrás dejé, efectivamente, mi tierra de Fársalo[46] y a Peleo, y aquí permanezco, a la espera, junto a estas débiles corrientes del Euripo, intentando contener a los mirmidones, que no dejan de acosarme y de decirme: «Aquiles, ¿por qué seguimos aguardando aquí? ¿Cuánto tiempo tiene que pasar todavía hasta que vayamos a Ilión? Si vas a hacer algo, hazlo, o, de lo contrario, haz regresar el ejército a casa, sin seguir a la espera de las dilaciones de los atridas».

CLITEMESTRA.—*(Saliendo, al escuchar la voz de* AQUILES.) ¡Oh hijo de la divina Nereide! En cuanto he oído tus palabras desde el interior [820] he salido aquí afuera, delante de la tienda.

AQUILES.—¡Oh santo pudor! ¿Quién es esta mujer que en estos momento estoy contemplando, dueña de unas formas de excepcional belleza?[47].

CLITEMESTRA.—No es raro que desconozcas quién soy, porque nunca antes me habías visto[48], y apruebo tu respeto por la decencia.

AQUILES.—¿Quién eres tú? ¿Y por qué has venido adonde reunidos se hallan los danaidas, una mujer entre hombres armados de escudos?

CLITEMESTRA.—Yo soy hija de Leda y me llamo Clitemestra. El soberano Agamenón es mi esposo.

AQUILES.—Bien has dicho brevemente las palabras justas y oportunas. [830] Pero para mí es indecoroso entablar conversación con mujeres.

---

[46] La localidad de Fársalo se encuentra en Tesalia, donde su padre Peleo tenía su reino, en Ftía. Aquiles acudió a la reunión del ejército griego comandando el contingente de los mirmidones.

[47] La belleza de Helena era proverbial, desde luego, pero su hermana Clitemestra también poseía, como bien puede verse por la admiración despertada en el joven Aquiles, sus buenos encantos y gracias.

[48] Fix.

CLITEMESTRA.—(AQUILES *hace ademán de marcharse.)* ¡Aguarda! ¿Por qué te escapas? Estrecha tu diestra con mi mano, en calidad de primicia de dichosas bodas.

AQUILES.—¿Qué estás diciendo? ¿Yo, mi diestra con la tuya? Temería a Agamenón, si tocase lo que no me está permitido.

CLITEMESTRA.—¡Sí, sí, permitidísimo, toda vez que te casas con mi hija, oh hijo de la divina y marina nereide!

AQUILES.—¿De qué bodas ni qué nada estás hablando? Me he quedado sin habla, mujer, a no ser que me estés contando estas inauditas noticias porque hayas perdido la cabeza[49].

CLITEMESTRA.—Es natural en todos el hecho de sentir vergüenza [840] al ver a los nuevos seres queridos, o cuando se les menciona la boda.

AQUILES.—Jamás he pretendido casarme con tu hija, mujer, ni de los atridas me ha llegado noticia alguna de boda.

CLITEMESTRA.—¿Qué sucede entonces? Vuelve a reconsiderar mis palabras, pues a mí las tuyas me resultan sorprendentes.

AQUILES.—Sorpréndete. A los dos nos interesa reconsiderar estos hechos, porque quizá ambos nos hayamos equivocado en nuestras afirmaciones.

CLITEMESTRA.—¿Acaso no es terrible lo que me está pasando? Persigo una boda que no existe, por lo que parece. Estoy avergonzada.

AQUILES.—Quizá alguien se ha burlado de ti y de mí. [850] ¡Venga! No te preocupes por ello y no le des importancia.

CLITEMESTRA.—*(Con intención de retirarse a la tienda y desviando pudorosamente la mirada.)* Adiós. Ya no te miro a los ojos de frente, tras haber resultado ser una mentirosa y recibir un trato indigno de mí.

AQUILES.—También a mí me ocurre eso contigo. Voy a entrar en esta tienda para buscar a tu marido.

---

[49] Recuérdese el hecho de que Aquiles no está enterado de los falsos planes de boda discurridos por Odiseo y de los que únicamente están enterados Odiseo, Calcante, Menelao y Agamenón. Cfr. versos 128-132: «Aquiles, que nos ha procurado su nombre, pero no su participación, no está enterado de la boda, ni de lo que estamos haciendo, ni de que le he prometido entregarle a mi hija en sus brazos en el lecho nupcial.»

ANCIANO.—*(Asomándose sigilosamente por la abertura de la tienda.)* ¡Oh extranjero, vástago de Éaco![50]. ¡Aguarda! *(AQUILES se sorprende y hace un gesto para asegurarse de que el ANCIANO le está llamando a él.)* Sí, sí, a ti te digo, hijo nacido de la diosa, y también a ti, retoño de Leda.

AQUILES.—¿Quién es ése que nos llama, entreabriendo la puerta? ¡Qué asustado nos llama!

ANCIANO.—Un esclavo, y no me enorgullezco de ello, pues mi suerte no me lo permite.

AQUILES.—¿De quién? Mío no, eso seguro. Lo mío y lo de Agamenón está por separado.

ANCIANO.—[860] *(Señalando a* CLITEMESTRA.*)* De esta mujer que está ante la tienda, desde que su padre Tindáreo me confió a ella.

AQUILES.—Ya nos estamos quietos. Explícame, si quieres algo, por qué has hecho que me detenga.

ANCIANO.—¿Estáis de verdad, pues, los dos solos ante estas puertas?

AQUILES.—Sí, sí, sólo nos hablarás a nosotros. ¡Pero sal ya fuera de la tienda real!

ANCIANO.—¡Oh Fortuna y providencia mía! ¡Salvad a quienes yo quiero!

AQUILES.—Ese ruego apunta a un tiempo futuro, pero contiene cierta pomposidad.

CLITEMESTRA.—*(Al* ANCIANO.*)* No te demores más, si deseas decirme algo.

ANCIANO.—*(A* CLITEMESTRA.*)* ¿Sabes, entonces, quién soy y lo bien dispuesto que estoy hacia ti y tus hijos?

CLITEMESTRA.—Sé yo que eres un antiguo siervo de mi casa.

ANCIANO.—¿Y que el soberano Agamenón me recibió entre los bienes de tu dote?[51].

CLITEMESTRA.—[870] Llegaste a Argos conmigo y siempre desde entonces has sido mío.

---

[50] Éaco es el abuelo de Aquiles, como se ha explicado a propósito del linaje de Aquiles en la nota al verso 697.

[51] Cfr. versos 46-48: «Lo cierto es que Tindáreo me envió en su día con tu esposa dentro de su dote, como honrado servidor de la novia.»

ANCIANO.—Así es. Y te soy fiel a ti, pero algo menos a tu esposo.

CLITEMESTRA.—*(Con apremio.)* ¡Descúbrenos ahora de una vez las palabras que andas encubriendo!

ANCIANO.—El padre que la engendró se dispone a matar a tu hija con sus propias manos.

CLITEMESTRA.—*(Escandalizada.)* ¿Cómo? Escupo con desprecio sobre ese cuento, anciano, pues no estás en tu sano juicio[52].

ANCIANO.—¡Cubriendo de sangre el blanco cuello de la desdichada con su espada!

CLITEMESTRA.—¡Oh, desventurada de mí! ¿Acaso será que mi esposo se ha vuelto loco?

ANCIANO.—¡En pleno uso de sus facultades mentales, excepto contigo y tu hija! En eso no anda cuerdo.

CLITEMESTRA.—¿Con qué razón? ¿Quién de entre los genios vengadores le induce a ello?

ANCIANO.—Oráculos, según al menos afirma Calcante, para que el ejército se ponga en camino.

CLITEMESTRA.—[880] ¿Adónde? ¡Pobre de mí y pobre de aquélla a quien su padre se dispone a matar!

ANCIANO.—A las moradas de Dárdano[53], a fin de que Menelao recupere a Helena.

CLITEMESTRA.—¿Acaso el regreso de Helena está determinado en relación con Ifigenia?

ANCIANO.—Ahora lo entiendes todo. El padre se dispone a sacrificar a tu hija en honor de Ártemis.

CLITEMESTRA.—¿Y lo de la boda era un pretexto para que yo saliese de casa?

ANCIANO.—Sí, para que trajeses aquí a tu hija llena de gozo con la intención de desposarla con Aquiles.

---

[52] Con intención de alejar de sí cualquier mancha o desgracia. En griego propiamente hay una forma de aoristo. Escupir era para los antiguos un modo de rechazar un mal agüero, como puede verse en el verso 1161 de la tragedia *Ifigenia entre los Tauros:* «Escupo. A la piedad imputo esta palabra.» Cfr. *Helena,* versos 74-75: «Que los dioses escupan y renieguen de ti. ¡Qué parecido tienes con Helena!» *Ifigenia en Áulide,* versos 509-510: «Escupo con desprecio sobre un parentesco que así de amargo resulta para unos y otros.»

[53] Las moradas de Dárdano es un modo poético de referirse a Troya, por cuanto Dárdano es hijo de Zeus y progenitor de los troyanos.

CLITEMESTRA.—¡Oh hija mía! Has venido para tu ruina, tú y también tu madre.

ANCIANO.—Estáis sufriendo las dos penalidades dignas de compasión. Agamenón se ha atrevido a algo verdaderamente terrible.

CLITEMESTRA.—*(Rompiendo en llanto.)* ¡Desventurada, estoy perdida! Ya no puedo ocultar por más tiempo la fuente de mis lágrimas.

ANCIANO.—Si de verdad es penosa la pérdida de los hijos —como lo es efectivamente—, llora, llora.

CLITEMESTRA.—[890] Y tú, anciano, ¿de dónde te has enterado de estos hechos que afirmas conocer?

ANCIANO.—Iba a llevarte una tablilla para contradecir la carta anterior.

CLITEMESTRA.—¿Para impedir o para ordenar que trajese a mi hija a su muerte?

ANCIANO.—¡Para que no la trajeses, por supuesto! Se daba el caso de que tu esposo había recuperado en ese momento la sensatez.

CLITEMESTRA.—¿Y luego cómo es que, si me traías la tablilla, no me has dejado recibirla?

ANCIANO.—Me la arrebató Menelao, que es el responsable de estas desgracias.

CLITEMESTRA.—*(A* AQUILES.*)* ¡Oh criatura de la nereide, oh hijo de Peleo! ¿Estás escuchando estas palabras?

AQUILES.—He oído que tú eres desdichada y, por lo que a mí respecta, no me lo tomo a la ligera.

CLITEMESTRA.—Van a matar a mi hija engañándonos con tus bodas.

AQUILES.—También yo censuro la conducta de tu esposo y no le resto importancia al asunto. *(El* ANCIANO *entra en la tienda.* CLITEMESTRA *se echa a los pies de* AQUILES.*)*

CLITEMESTRA.—[900] No he de avergonzarme yo de postrarme suplicante ante tus rodillas, mortal que procedes de una diosa. ¿Por qué, pues, me iba a dar aires de grandeza? ¿O por quién tendría yo que esforzarme con más interés que por mi hija?

¡Venga! ¡Ampáranos oh tú, hijo de la diosa, a mí en mi desgracia y a la que se decía que era tu esposa —falsamente, sí, pero aun así y todo se decía—! Yo la engalané con coronas y te la traía con la equivocada idea de casarla, pero ahora resulta que la traigo para el degüello. De lo contrario, sobre ti caerá el reproche de no habernos amparado. Aunque no te uniste a ella en matrimonio, lo cierto es que, al menos en cuanto a lo que se te llamaba, eras el amado esposo de esa desdichada muchacha.

¡Por tu barbilla, por tu diestra, por tu madre! [910] Tu nombre ha sido mi perdición y por eso tienes que darnos tu amparo.

No tengo otro altar al que escapar para refugiarme que tus rodillas, ni ningún amigo cerca de mí. Ya oyes la crueldad y la absoluta desvergüenza de Agamenón. Soy una mujer que he venido, como estás viendo, a un ejército sin mando y osado para el mal, pero cabal cuando quiere. Y si tú tuvieses la valentía de tender tu mano sobre mí para protegerme, salvada estoy. Pero, si no lo haces, estoy perdida.

CORIFEO.—Portentoso es esto de ser madre, poderoso filtro amoroso. Todas tienen en común la característica de sufrir por sus hijos.

AQUILES.—Mi ánimo se exalta altanero ante estos hechos. [920] Sé yo entristecerme en la desdicha y alegrarme en su justa medida en la prosperidad. Lo cierto es que los mortales de semejante carácter son calculadores y viven rectamente su vida con buen entendimiento. Unas veces, efectivamente, es placentero no pensar demasiado, pero en otras ocasiones es útil y conveniente tener la cabeza en su sitio. En cuanto a mí, como he sido educado por un hombre muy piadoso, por Quirón, he aprendido a tener un carácter honrado.

Y a los atridas, si son buenos comandantes, les obedeceré; pero cuando no lo sean, no les obedeceré. [930] Antes bien, mostrando aquí y en Troya una condición de hombre libre, honraré a Ares con la lanza en aquello que esté en mi mano. Y en cuanto a ti, que padeces horribles sufrimientos a manos de tus seres queridos, al menos en lo que esté en manos de un joven guerrero me compadeceré de ti y solucionaré tu penosa situación.

Jamás será a manos de su padre degollada tu hija, mi prometida, porque no he de prestarle a tu esposo mi persona para que urda sus enredos, pues mi nombre, en efecto, aun sin empuñar la espada, será el que asesine a tu hija, por más que tu esposo sea el responsable. [940] Mi cuerpo ya no seguiría estando limpio de manchas si por mi culpa y la de mis bodas pereciese esa doncella, tras sufrir terribles e insoportables barbaridades, ultrajada de modo increíble e inmerecido. Yo sería, en ese caso, el hombre más vil de entre los argivos, no sería nada —mientras que Menelao sería todo un guerrero— como si no hubiese nacido de Peleo sino de un genio vengador, si efectivamente tu esposo se sirve de mi nombre para su criminal asesinato.

¡No, por Nereo, que habita entre las húmedas ondas del mar, padre de Tetis, la que me engendró! [950] El soberano Agamenón no tocará a tu hija, hasta el punto de que ni siquiera con la punta de sus dedos rozará sus ropas. En caso contrario, Sípilo seguirá existiendo como ciudad, sostén de los bárbaros, de donde procede la estirpe de estos caudillos[54], mientras que en parte alguna volverá a oírse el nombre de Ftía[55].

Con amargura dará inicio al sacrificio tomando los granos de cebada[56] y las lustraciones el adivino Calcante. ¿Qué tipo de hombre puede ser un adivino que dice escasas verdades y numerosas falsedades cuando acierta y que, cuando no acierta, es una completa ruina?[57]

No he dicho esto con motivo de mi boda [960] —miles de mujeres andan a la caza de mi lecho—, pero el soberano Agamenón ha cometido un ultraje contra mí. Tendría que haberme pedido permiso para usar mi nombre como

---

[54] En efecto, tal como dice Aquiles, de Sípilo procede la estirpe de estos caudillos. Tántalo reinaba allí, en Lidia. Como ya se ha indicado en repetidas ocasiones, Tántalo es hijo de Zeus y padre de Pélope, que a su vez es padre de Atreo, que engendró a Agamenón y Menelao.

[55] Aquí en Ftía, Tesalia, está el reino de Peleo, padre de Aquiles. Lo que se quiere decir es que la patria de los caudillos atridas, Agamenón y Menelao, gozará de renombre, pero no así Ftía, toda vez que Aquiles será el responsable de la muerte y sacrificio de Ifigenia.

[56] Los granos de cebada que se echaban sobre el altar y la víctima antes del sacrificio.

[57] Cfr. versos 520-521: «AGAMENÓN.—Ambiciosos y perversos son los adivinos todos. MENELAO.—No son ni útiles ni inútiles cuando se presentan.»

señuelo de su hija. Clitemestra accedió a entregarme a su hija a mí como esposo, ¡a mí! Yo se lo habría permitido en favor de los helenos, si la travesía a Ilión se resentía por ese punto. No me habría negado a contribuir a la estrategia común de aquellos hombres en cuya compañía iba a la guerra.

Ahora, en cambio, no soy nada y a los generales no les cuesta lo más mínimo tratarme mal o no hacerlo. [970] Rápidamente sabrá mi espada, que antes de llegar a la presencia de los frigios he de embadurnar con manchas de sangre, si alguien va a intentar quitarme a tu hija.

¡Venga! Quédate tranquila. Me he presentado ante ti poderoso como un dios, aun no siéndolo, mas intentaré serlo[58].

Corifeo.—Has dicho, hijo de Peleo, palabras dignas de ti y de la marina divinidad, venerable diosa.

Clitemestra.—¡Huy! ¿Cómo podría expresarte sin exageración mi aprobación y no echar a perder mi gratitud por quedarme corta? Pues, de algún modo, los hombres de pro, cuando son objeto de alabanzas, [980] aborrecen a quienes les alaban si éstos les alaban excesivamente[59].

Siento vergüenza al introducir en la conversación mis penosas quejas, máxime cuando sufro yo sola mientras que tú estás libre de mis penas, pero lo cierto es que el hecho de que un hombre noble, aunque le alcance de lejos, preste su

---

[58] Como bien claro se ha encargado de dejar él mismo, lo que ofende a Aquiles no es el sacrificio justo o injusto de Ifigenia, ni siente la más mínima compasión por la joven, sino que lo que el altivo héroe no puede tolerar es que se haya fraguado el plan a sus espaldas y que se hayan aprovechado de él. Da a entender, entre otras cosas, que Clitemestra no podía rechazar la propuesta de matrimonio con Aquiles, dando por sentado el hecho, en su propia opinión, de que él es uno de los solteros más cotizados. El error fatal de Agamenón ha sido no pedirle su consentimiento en el momento de usar su nombre como pretexto. Es, por tanto, una cuestión de orgullo y vanidad.

[59] Habría que pensar que Clitemestra da su aprobación a las palabras de Aquiles, más por los beneficios que de ellas espera obtener, que por las inmediatas declaraciones de su frustrado yerno y sus poco generosas motivaciones. Lo mismo podría pensarse de la aprobación del Corifeo del Coro de mujeres. Respecto de las excesivas alabanzas, cfr. *Orestes*, versos 1161-1162: «Voy a dejar de alabarte, que incluso las excesivas alabanzas resultan algo pesado.»

ayuda a los desdichados, tiene un toque de dignidad. Compadécete de nosotras toda vez que padecemos desdichas dignas de compasión. En primer lugar yo, al creer que te tenía como yerno, albergaba una vana esperanza. En segundo lugar, si llega a morir, mi hija podría convertirse en un augurio para tus bodas futuras, de lo cual tú deberías precaverte.

[990] En fin, bien hablaste al principio, y bien también al final. Mi hija se salvará, ciertamente, si tú lo quieres. ¿Deseas que ella se abrace a tus rodillas en señal de súplica? No es eso acción que cuadre a una doncella pero, si a ti te parece bien, vendrá, conservando con pudor la nobleza de su mirada. Pero si yo puedo conseguir de ti el mismo resultado sin su presencia, que se quede ella en casa observando los debidos respetos. Con todo, no obstante, hay que pedir todo cuanto sea posible.

AQUILES.—Ni me traigas a tu hija aquí fuera ante mi vista, ni demos por torpeza motivo de que nos reprochen, mujer. [1000] Un ejército reunido, al estar libre de sus tareas domésticas, gusta de charlas maliciosas y malhabladas. Vais a llegar de todos modos al mismo punto tanto si me venís suplicando como si no, pues para mí sólo un combate es ahora el más importante: libraros de vuestros males. ¡Que te conste por lo menos una cosa de las que estás oyendo: que no hablo en falso! Y si hablo en falso y me burlo por burlar, que me muera; y que no muera si salvo a la chica.

CLITEMESTRA.—¡Bendito seas por siempre por prestar tu ayuda a los desdichados!

AQUILES.—Escucha, pues, ahora para que el asunto salga bien.

CLITEMESTRA.—[1010] ¿Qué has querido decir con eso? ¡Pues claro que hay que escucharte!

AQUILES.—Intentaremos convencer otra vez a su padre para que se lo piense mejor.

CLITEMESTRA.—Es un cobarde y le tiene demasiado miedo al ejército.

AQUILES.—Pero unos argumentos vencen a otros argumentos[60].

---

[60] Lectura de los manuscritos.

CLITEMESTRA.—Esa esperanza me deja fría, pero explícame lo que tengo que hacer.

AQUILES.—Ruégale lo primero que no mate a vuestra hija. Y si se opone, tendrás que acudir a mí. Es decir, si le convences de aquello que le pides, ya no será necesario que me presente yo, pues eso ya significa vuestra salvación. Yo saldría mejor parado de cara a mi amigo [1020] y el ejército no podría reprocharme el que yo haya tratado de solucionar el problema por la razón antes que por la fuerza. El hecho de que esta situación se resuelva con final feliz será una alegría para ti y tus seres queridos, por más que yo me mantenga aparte.

CLITEMESTRA.—¡Con qué sensatez has hablado! Hay que hacer lo que tú crees. Pero si no logro los objetivos que me propongo, ¿dónde volveré a verte? ¿Adónde tendría que ir, desdichada, para encontrar esa mano tuya que me auxilia en mis desdichas?

AQUILES.—Nosotros cuidaremos de ti como custodios[61] allí donde sea preciso. Que nadie te vea caminar así de excitada [1030] por entre la multitud de los dánaos, ni deshonres la casa paterna. Que no merece Tindáreo —déjame que te diga— oír hablar mal de él, pues entre los helenos es un gran hombre.

CLITEMESTRA.—Así será. Da las órdenes: yo tengo que ser tu esclava. Y si los dioses son inteligentes, tú, que eres un hombre justo, alcanzarás tu premio. Y si no, ¿qué necesidad hay de esforzarse?

(Ambos se van cada uno por su camino, CLITEMESTRA *al interior de la tienda y* AQUILES *hacia el campamento griego.)*

CORO.
Estrofa.
¿Qué sones hizo alzar Himeneo con la flauta libia, acompañada de la cítara amante de las danzas, al son de las siringas de caña, [1040] cuando por el Pelión acudían las musas piérides, de hermosos rizos, al banquete divino de las bodas del hijo de Peleo, ha-

---

[61] Lectura de los manuscritos.

*ciendo resonar sobre el suelo la suela de sus sandalias de oro, al
tiempo que con melodiosos cantos iban celebrando a Tetis y al Eácida*[62] *en los montes de los centauros, a lo largo del bosque del Pelión? Entretanto, el dardánida, [1050] amado objeto del deseo de
los lechos de Zeus, el frigio Ganimedes, iba escanciando el vino en
el interior de copas de oro, mientras las cincuenta hijas de Nereo,
bailando en círculo en las proximidades de una playa de blanca
arena, celebraban con sus danzas aquellas bodas*[63].

Antístrofa.

Con su acompañamiento de abetos[64] *y coronas de hierba acudió la
ecuestre comitiva de los centauros [1060] al banquete de los dioses,
en busca de la crátera de Baco. Levantaban grandes voces: «¡Oh,
hija de Nereo! El adivino Quirón, conocedor de las artes de Febo,
anunciaba que tú engendrarías un hijo, gran luz para Tesalia, que
irá con las lanzas y escudos de los mirmidones al ilustre país de
Príamo [1070] con intención de incendiar su territorio, con el
cuerpo revestido con su coraza y armas de oro, fruto del trabajo de
Hefesto, que obtuvo como regalo gracias a su madre, la diosa Tetis,
que lo parió. Feliz hicieron aquel día los dioses la boda de la nereide, hija de un excelente padre, y los primeros himeneos de Peleo.*

---

[62] El hijo de Éaco, Peleo, padre de Aquiles.
[63] Se celebran aquí en estas estrofa y antístrofa líricas las bodas de Tetis y
Peleo, padres de Aquiles. Cfr. versos 703-707: «AGAMENÓN.—Zeus se la prometió y se la da *(sc.* a Peleo, su esposa Tetis), por la autoridad que tiene. CLITEMES-
TRA.—¿Y dónde se casa con ella? ¿Acaso bajo las ondas del mar? AGAMENÓN.—
Donde habita Quirón, en la santa sede del Pelión. CLITEMESTRA.—¿En el lugar
en que dicen que vive la raza de los centauros? AGAMENÓN.—Sí. Allí celebraron
los dioses el banquete por las bodas de Peleo.» Así se explican las referencias a los
centauros, al celebrarse la boda en el Pelión. La alusión a Nereo y a sus hijos está
motivada por el hecho de que Tetis es, asimismo, hija del marino Nereo. En
cuanto a Ganimedes, éste pertenecía a la familia real troyana y fue raptado por
Zeus para que le sirviese de copero, dada su extraordinaria y sobresaliente belleza.
[64] Se refiere a abetos usados a modo de lanzas. Cfr. Eurípides, *Heracles,* 364-
375: «A la raza de los agrestes centauros, que por los montes pacían, un día los
abatió *(sc.* Heracles) con sus flechas matadoras, derribándolos con sus alados
proyectiles. Testigo de ello son el Peneo que arrastra bellas aguas, y los extensos y estériles campos de la llanura, y las moradas del Pelión, y los pastizales
limítrofes del Ómola, desde donde, armando sus manos con pinos a modo de
lanzas, la tierra tesalia intentaban someter.» La tierra tesalia es la patria de
Aquiles y de su padre.

Epodo.

[1080] A ti[65], en cambio, los bellos bucles de tu cabello los argivos van a coronar, como a una ternera que intacta saliese veloz de una gruta entre las rocas de un monte, con intención de cubrir de sangre tu cuello mortal. No te criaste con el acompañamiento de la siringa ni entre los silbidos de los boyeros, sino junto a tu madre, destinada a casarte con algún ináquida. [1090] ¿En dónde le resta ya algún poder a la faz de Pudor o de Virtud, toda vez que la impiedad posee ahora el mando, la Virtud, arrinconada, ya no interesa a los mortales, la ilegalidad gobierna las leyes, y ya no hay un común empeño entre los mortales para que no caiga sobre ellos la envidia de los dioses?»

(*Sale* CLITEMESTRA *de la tienda.*)

CLITEMESTRA.—He salido de la tienda para esperar a mi esposo, que lleva ya bastante tiempo ausente desde que dejó este recinto. [1100] Entretanto la desdichada de mi hija se encuentra envuelta en lágrimas, emitiendo una completa variedad de gemidos desde que oyó hablar de la condena a muerte que está planeando su padre. (*Viendo acercarse a* AGAMENÓN.) Pero he aquí que, mientras yo hacía mención de Agamenón, él ya ha encaminado hacia aquí cerca sus pasos. Al punto se van a poner al descubierto los impíos planes que proyecta sobre sus propios hijos.

AGAMENÓN.—(*Entrando definitivamente.*) ¡Oh hija de Leda! En buen momento te he encontrado fuera de la tienda, porque quiero decirte aparte de nuestra hija unas palabras que no es apropiado que las oigan las muchachas que van a casarse.

CLITEMESTRA.—¿Y qué es eso cuya oportunidad te preocupa?

AGAMENÓN.—[1110] Haz salir con su padre a nuestra hija de la tienda. Que el agua lustral ya está lista, y los granos de cebada[66], para arrojarlos con ambas manos sobre el fuego pu-

---

[65] En contraste con el alborozo de la evocación de las bodas de Tetis y Peleo, el Coro dirige ahora estas palabras pensando en la desdichada Ifigenia.

[66] Cfr. versos 955-956: «Con amargura dará inicio al sacrificio tomando los granos de cebada y las lustraciones el adivino Calcante.»

rificador, y las terneras que es preciso sacrificar en honor de la diosa antes de la boda.

CLITEMESTRA.—Bien te expresas con tus palabras pero, respecto de tus actos, no sé yo cómo he de calificarlos y de hablar bien de ellos.

(Llamando a su hija para que salga.) ¡Ven fuera, hija —que de todos modos ya sabes lo que tu padre piensa hacer— y coge a Orestes, tu hermano, hija, y tráelo bien envuelto en sus ropas! [1120] *(A AGAMENÓN, al ver que ya sale IFIGENIA, llorosa, con el niño ORESTES en brazos.)* ¡Velay! Aquí presente la tienes, obedeciendo sumisa tu soberana autoridad. El resto de mis palabras las diré en su nombre y en el mío propio.

AGAMENÓN.—Hija, ¿por qué estás llorando y ya no me miras con alegría, sino que clavas la mirada en el suelo y te proteges ocultándote entre tus ropas?[67].

CLITEMESTRA.—¡Huy! ¿Cuál de entre mis desgracias tomaría como el comienzo de ellas? Pues lo cierto es que todas ellas pueden tenerse como las primeras, incluso las medianas o las menos importantes, en todas partes.

AGAMENÓN.—*(Desconcertado.)* ¿Pero qué pasa? Que todas, en mi opinión, presentáis la misma confusión y turbación en vuestras miradas.

CLITEMESTRA.—Respóndeme sinceramente a lo que te voy a preguntar, esposo mío.

AGAMENÓN.—[1130] No tienes ninguna necesidad de ordenármelo. Accedo a que me interrogues.

CLITEMESTRA.—A esta hija, tuya y mía, ¿piensas matarla?

AGAMENÓN.—*(Nuevamente sobresaltado.)* ¡Eh! ¡Has dicho una auténtica barbaridad y no tienes por qué tener esas sospechas!

CLITEMESTRA.—Estate tranquilo y respóndeme de nuevo a esa primera cuestión.

AGAMENÓN.—Escucharías respuestas razonables si te limitases a hacer preguntas razonables.

---

[67] En contraste con sus anteriores palabras en el verso 640: «¡Oh padre! ¡Qué contenta estoy de verte después de tanto tiempo!»

CLITEMESTRA.—No te estoy preguntando otra cosa; y tú no te me salgas por la tangente.

AGAMENÓN.—¡Oh augusto hado, suerte y destino mío!

CLITEMESTRA.—¡Y mío también, sí, y de ésta, uno solo para tres infelices!

AGAMENÓN.—¿Qué mal has sufrido?

CLITEMESTRA.—¿Tú me lo preguntas? ¿A mí? No resulta juiciosa en este preciso momento esa prudente sensatez.

AGAMENÓN.—[1140] ¡Estamos perdidos! Mis planes secretos se han puesto en evidencia.

CLITEMESTRA.—Lo sé todo y estoy informada de lo que estás a punto de hacer. El mismo hecho de callarte es tu confirmación, y tus lamentos. No te molestes en hablar.

AGAMENÓN.—¡Velay! Guardo silencio. ¿Qué necesidad hay de añadir a la actual desgracia el bochorno de explicarme con mentiras?

CLITEMESTRA.—Escúchame, pues, ahora. Voy a poner al descubierto mis razones sin hacer por más tiempo uso de extraños enigmas.

En primer lugar, para que esto sea lo primero que te reprocho, te casaste conmigo contra mi voluntad y me tomaste por la fuerza, [1150] después de matar a Tántalo, mi anterior marido y estrellando a mi bebé contra el suelo[68], tras arrancármelo violentamente de mis pechos. Y los dos hijos de Zeus, mis dos hermanos, marcharon refulgentes contra ti a lomos de sus caballos, pero mi anciano padre Tindáreo te dio su protección cuando te convertiste en suplicante, y volviste a obtener mi lecho[69].

Desde aquel momento convendrás conmigo en que, por lo que a ti y la casa respecta, una vez reconciliada contigo, he sido una mujer intachable, que se modera con el sexo

---

[68] Scaliger.

[69] Tántalo es hijo de Zeus y padre de Pélope, que a su vez es padre de Atreo, que engendró a Agamenón, y de Tiestes.

Otro Tántalo al que hay que tener en cuenta —y que es el que ahora nos interesa— es un hijo del Tiestes anteriormente citado, hermano menor de Atreo y tío de Agamenón. Clitemestra estuvo casada primero con este Tántalo, al que Agamenón dio muerte, junto a sus dos hijos. Perseguido por los Dióscuros, hermanos de Clitemestra, Agamenón fue obligado a casarse con ella.

[1160] y que trata de engrandecer tu morada, de modo que te alegrases y fueses feliz tanto al entrar en ella como al salir afuera. ¡Rara presa para un hombre conseguir una mujer de estas características! En cambio, no es nada raro casarse con una mujer frívola[70].

Te he dado a luz, además de nuestras tres muchachas, a este niño, y tú quieres dejarme descaradamente sin una de ellas. Y si alguien te pregunta por qué la vas a matar, explícamelo, ¿qué le vas a decir? ¿O es que tengo yo que decir tus palabras? «Para que Menelao recupere a Helena». Bien está, según tú, al menos[71], que nuestros hijos paguen el precio de una mujer criminal. [1170] Compramos lo más aborrecible con lo más amado.

A ver, si te marchas a la guerra y me dejas a mí en casa, y te encuentras allí por un largo período de ausencia, ¿qué sentimientos crees que albergaré en casa en mi corazón, cuando contemple el asiento de esta muchacha completamente vacío, y vacíos asimismo los aposentos de las doncellas, y me eche sola entre lágrimas sin dejar de repetir constantemente la misma letanía: «Te ha perdido, hija mía, el padre que te engendró, matándote él en persona, no otro ni por mano ajena, dejando tras de sí semejante pago a tu hogar»? [1180] Con que sólo será necesario un breve pretexto para que las hijas que te quedan y yo te dispensemos la bienvenida que precisamente hay que darte. ¡No, de ningún modo, por los dioses! ¡No me fuerces a ser malvada contigo, ni tú mismo lo seas tampoco![72].

---

[70] Clitemestra, como mujer que es, da muestras de conocer bien la naturaleza del sexo femenino. Cfr. *Electra*, verso 1035: «No cabe duda, las mujeres somos un poco alocadas, no digo lo contrario.» En su boca hallamos afirmaciones que, por lo general, abundan más en boca de varones o en las tajantes sentencias del Corifeo, pero no en una mujer.

[71] Fix.

[72] Esta frase de Clitemestra suena de un modo terrible. Lo cierto es que Clitemestra encontrará, más adelante, plenamente justificado el asesinato de su marido para vengar el sacrificio de su hija y la amante que se trajo de Troya de regreso a su hogar. Cfr. *Electra,* versos 1018-1038: «Tindáreo me entregó en matrimonio a tu padre no para que muriésemos yo o los hijos que engendrase. En cambio él, engañando a mi hija so pretexto de unas bodas con Aquiles, se marchó y se la llevó de nuestra casa rumbo a Áulide, el refugio de los bar-

Bien. Vas a sacrificar a tu hija: ¿qué plegarias pronunciarás en ese momento? ¿Qué bien suplicarás para ti en el momento de inmolar a tu hija? ¿Un duro regreso, toda vez que de casa ya partes con deshonor? ¿O es que sería justo que yo suplicase algún bien en tu favor? No creeríamos en ese caso, desde luego, que los dioses son inteligentes, [1190] si albergamos buenos pensamientos en favor de los asesinos.

Y cuando regreses a Argos, ¿abrazarás a tus hijos? ¡Pero si ya no puedes! ¿Cuál, incluso, de tus hijos te dirigirá su mirada, si luego, tras dejar que se te acercase, matas a uno de ellos? ¿Ya has razonado sobre estos hechos o sólo te preocupa seguir empuñando el cetro hasta el final y mandar ejércitos?

Tendrías que haber pronunciado ante los argivos un discurso justo: «¿Queréis, aqueos, ir por mar al territorio de los frigios? Elegid por sorteo el hijo de quién ha de morir.» Eso habría supuesto, efectivamente, un trato equitativo, y no el hecho de que tú fueses el escogido [1200] para ofrecer a los dánaos a tu hija como selecta víctima. O bien que Menelao, a quien justamente incumbe el problema, mate a Hermíone en interés de su madre. Ahora, en cambio, yo, que he mantenido intacto tu lecho, me voy a ver despojada de mi hija, mientras que la mujer que cometió el yerro va a recobrar en Esparta a la joven que quedó en casa y va a ser dichosa.

Replícame a estas cuestiones si en algún punto no tengo razón. Pero si están bien dichas, no des, ahora por lo menos, muerte a nuestra hija, tuya y mía, y serás sensato.

---

cos. Allí, tras ponerla bien extendida sobre una pira, desgarró las blancas mejillas de Ifigenia. Y si, bien por dar completo remedio a la conquista de la ciudad, o por prestar un servicio a su patria, o por salvar a sus demás hijos, hubiese matado a una única hija por el bien de muchos, podría haber sido perdonable dicha acción. Pero en este caso particular, como Helena es una desvergonzada y su marido no supo castigar a su esposa por traidora, por todo ello hizo matar a mi hija. Pues bien, después de estos hechos, aunque yo había sufrido un trato injusto, no me enfurecí ni habría llegado al punto de matar a mi esposo, pero entonces él me vino con una ménade poseída, una muchacha; la trajo y la metió en su cama, así que éramos dos las mujeres que tenía a la vez en la misma casa. No cabe duda, las mujeres somos un poco alocadas, no digo lo contrario, pero cuando, en tales circunstancias, el marido comete un desliz y deja a un lado la cama casera, imitar desea la mujer al marido, y hacerse con otro amante.»

CORIFEO.—Hazle caso, que contribuir a la salvación de los hijos —¡fíjate bien!— es un noble acto, [1210] Agamenón. Nadie de entre los mortales podría decir lo contrario ante estas razones.

IFIGENIA.—Si yo tuviese, padre, la elocuencia de Orfeo para persuadir cantando enhechizadoramente, de modo que hasta las piedras me siguiesen y seducir con mis palabras a quienes yo quisiese, a ese recurso yo acudiría[73]. Pero ahora —lo sabio por mi parte— verteré mis lágrimas, pues eso sí puedo hacerlo.

(Echándose a las rodillas de su padre.) Como ramo de olivo a tus rodillas enlazo mi cuerpo[74], que mi madre parió justamente para alegría tuya. ¡No me hagas morir fuera de hora, que es dulce contemplar la luz del día! ¡No me obligues a ver las oscuridades subterráneas! [1220] Yo te llamé la primera padre, y tú hija a mí. Yo puse la primera mi cuerpo sobre tus rodillas, obsequiándote con afectuosas muestras de cariño y recibiéndolas a su vez de ti. Tus palabras entonces eran éstas: «¿Te veré entonces, hija, feliz en el hogar de tu marido, viva y floreciente de un modo digno de mí?» Y las mías a su vez eran éstas, mientras me cogía de tu mentón, del que ahora con mi mano te cojo: «¿Y yo a ti qué? ¿Acaso te acogeré ya anciano, padre, en la amable hospitalidad de mi hogar, [1230] para recompensarte por los desvelos de mi crianza?» De estas conversaciones tengo yo el recuerdo, pero tú las has olvidado y quieres matarme. ¡No, por Pélope y tu padre Atreo, y por mi madre, aquí presente, que ya antes soportó dolores por mí y que ahora por vez segunda es nuevamente presa de ellos!

¿Qué tengo que ver yo con las bodas de Alejandro y Helena? ¿De dónde vino aquél para ruina mía, padre? Mira hacia mí, ofréceme tu rostro y bésame, para que al menos

---

[73] Orfeo sabía entonar cantos tan dulces que las fieras lo seguían, las plantas y los árboles se inclinaban hacia él, y suavizaba el carácter de los hombres más ariscos. Ifigenia ya ha dejado claro el poder de seducción de Orfeo, al que a ella le gustaría acudir. No obstante, lo cierto es que la moza no carece de dotes y artes persuasivas.

[74] Los suplicantes solían acompañarse de ramos de olivo. La imagen aquí sugerida es de una gran belleza.

ese recuerdo tuyo tenga al morir, [1240] en caso de que no consiga convencerte con mis palabras.

(*A* ORESTES.) Hermano, de poca ayuda eres tú, sí, para tus seres queridos, pero aun así y todo acompáñame en mi llanto, suplica a tu padre por que tu hermana no muera. El sentido de la percepción de las desgracias —¡fíjate!— se halla presente hasta en los tiernos infantes, sí. (*A su padre.*) ¡Velay! Con su silencio también él, padre, te está suplicando.

¡Venga! Ten consideración por mí y compadécete de mi existencia. Sí, dos seres queridos tuyos a ti te imploramos por tu barbilla, uno es un recién nacido, la otra ya está crecida.

Lo resumiré todo en una frase para ganar el pleito. [1250] Contemplar la luz esta que ahora vemos es lo más dulce para los mortales. El mundo de los infiernos, por contra, no es nada. Loco está quien morir desea: vivir mal es mejor que morir honrosamente.

CORIFEO.—¡Oh, atrevida Helena! ¡Por tu culpa y la de tus bodas una gran disputa se alza ahora entre los atridas y sus hijos!

AGAMENÓN.—Yo soy consciente de lo que merece compasión o no, y quiero a mis hijos. Loco estaría de no ser así. Es terrible para mí atreverme a estas barbaridades, mujer, pero también me es terrible no hacerlo, ya que estoy en la obligación de actuar así. Contemplad qué enorme es esta hueste naval, [1260] y qué enorme es el número de los hoplitas helenos, cuyo viaje hasta las torres de Ilión no resulta posible, ni destruir los ilustres cimientos de Troya, si no te sacrifico, como dice el adivino Calcante.

Un arrebato de pasión ha hecho enloquecer al ejército de los helenos por ir por mar cuanto antes a territorio bárbaro y poner fin a los raptos de esposas helenas. Matarán a las hijas que tengo en Argos, y a vosotros, y a mí, si no observo los oráculos de la diosa. Menelao no me tiene convertido en su esclavo, hija, [1270] ni me he plegado a los designios de su voluntad, sino la Hélade, en cuyo provecho debo, tanto si quiero como si no, sacrificarte. Nosotros somos inferiores a esta circunstancia. Lo cierto es que, en la medida en que de ti o de mí dependa, hija, ella tiene que ser libre y los lechos helenos no deber ser despojados por los bárbaros a la fuerza. *(Sale por un lateral en dirección al campamento.)*

CLITEMESTRA.—*¡Oh hija! ¡Oh extranjeras! ¡Ay de mí, pobre, por tu muerte! Tu padre te entrega traidoramente a Hades y huye[75].*

IFIGENIA.—*¡Ay de mí, madre! ¡Que la misma, [1280] la misma canción de desdicha a ambas nos vale! ¡Nunca más, nunca, habrá para mí luz ni esplendor de este sol!*

¡Ay, ay! ¡Nevada espesura de Frigia y montes del Ida, donde Príamo un día a un tierno bebé, tras apartarlo lejos de su madre, dejó caer en un destino colmado de muerte, a Paris, a quien ideo, [1290] ideo llamaban, sí, llamaban en la ciudad de los frigios![76]. ¡Jamás debiste criar al boyero Alejandro entre bueyes ni dejar que habitase en las cercanías de cristalinas aguas, donde fluyen pacíficas las fuentes de las ninfas y el prado florece entre renuevos de hierba y flores de rosas y jacintos que las diosas recogen! ¡Allí un día [1300] acudieron Palas, la astuta Cipris y Hera, junto con Hermes, el mensajero de Zeus —Cipris presumía de las pasiones que desataba, Palas por su arma y Hera por su regio matrimonio con el soberano Zeus— con vistas a un aborrecible juicio, un certamen de belleza, mas desde mi punto de vista, en cambio, con vistas a mi muerte, que ciertamente procurará un buen nombre [1310] a las doncellas danaides, pero que Ártemis recibe como sacrificio preparatorio para la travesía a Ilión. ¡En cuanto al hombre que me engendró, desdichada de mí —¡oh madre, ma-

---

[75] Ciertamente la retirada de Agamenón ha resultado ser un exabrupto en cierto modo. Ha emitido al final categóricamente unas cuantas palabras en su defensa y se ha marchado sin mediar más palabras ni con su mujer ni con su hija, sin derecho a réplica alguna.

[76] El nacimiento de Paris fue precedido de un prodigio. Su madre, a punto de dar a luz, tuvo un ensueño en que se veía a sí misma echando al mundo una antorcha que prendía fuego a Troya. Se interpretó que el niño sería la ruina de Troya y por precaución su padre expuso al niño en el Ida. El niño sobrevivió, no obstante, y acabó regresando de nuevo al palacio de donde procedía. Cfr. *Las Troyanas*, versos 919-922: «Primero fue esta mujer de aquí *(sc.* Hécabe) la que engendró el comienzo de todos nuestros males, cuando a Paris parió. En segundo lugar, Príamo nos hizo perecer a Troya y a mí *(sc.* Helena) al no dar muerte al recién nacido, a Alejandro, amarga imagen del tizón.»

dre!— *se ha marchado tras dejarme sola y abandonada a trai-*
ción! ¡Desgraciada de mí, amarga, amarga he sufrido a la funes-
ta Helena! ¡Voy a ser asesinada! ¡Perezco por obra del degüello
impío de mi impío padre!

¡Ojalá a las popas de las naves de espolón de bronce [1320]
nunca hubiese acogido para mi desgracia esta Áulide en sus fon-
deaderos, ni a los remos que conducen esta expedición rumbo a
Troya, ni Zeus hubiese enviado vientos contrarios al Euripo, pues
él despliega los vientos de una forma u otra para cada uno de los
mortales, alegría para unos en sus velas, pena para otros, o necesi-
dad, para que zarpen, o atraquen, o se demoren! [1330] ¡Muy su-
frida es, en verdad, esta raza, muy sufrida, sí, esta raza efímera de
los hombres! ¡Descubrir su destino es un duro golpe para ellos!
¡Ay! ¡Tremendos sufrimientos y tremendos dolores ha provocado a
los danaidas la muchacha tindáride!

CORIFEO.—Yo no puedo menos que compadecerme de ti
por la mala fortuna con que te has encontrado y que jamás
deberías haber sufrido.

(Ven acercarse a un grupo de hombres armados al frente del
cual se halla AQUILES.)

IFIGENIA.—*(Sin reconocer todavía de lejos a AQUILES.)* ¡Oh ma-
dre que me pariste! Estoy viendo acercarse a una multitud
de guerreros.
CLITEMESTRA.—*(Reconociendo a AQUILES entre la tropa.)* Es
Aquiles, el hijo de la diosa, hija, por el que aquí viniste.
IFIGENIA.—[1340] *(Pidiendo ayuda a las mujeres del CORO, al*
llevar ella al niño ORESTES en brazos.) ¡Abridme la puerta, sir-
vientas, para que pueda ocultar mi cuerpo!
CLITEMESTRA.—¿Pero por qué huyes, hija?
IFIGENIA.—Me da vergüenza ver a Aquiles en este momento.
CLITEMESTRA.—¿Por qué, pues?
IFIGENIA.—El fracaso de mis bodas me causa rubor.
CLITEMESTRA.—No te encuentras en situación de andarte
con exigencias respecto de los hechos hoy acaecidos, así
que espera aquí. No es cosa de hacerse la digna por echarle
a él la culpa.

AQUILES.—*(Entrando definitivamente.)* ¡Oh pobre mujer, hija de Leda!

CLITEMESTRA.—No dices mentiras.

AQUILES.—Un terrible griterío se está levantando entre los argivos.

CLITEMESTRA.—¿Qué griterío? Explícamelo.

AQUILES.—Por tu hija.

CLITEMESTRA.—Has dicho una palabra presagio de calamidades.

AQUILES.—¡Que hay que matarla!

CLITEMESTRA.—¿Y nadie dice lo contrario?

AQUILES.—Incluso yo mismo corrí el riesgo de...

CLITEMESTRA.—¿De qué, extranjero?

AQUILES.—[1350] De ser lapidado a pedradas.

CLITEMESTRA.—¿Acaso por intentar salvar a mi joven hija?

AQUILES.—Por eso mismo.

CLITEMESTRA.—¿Pero quién se atrevería a rozar tu cuerpo con intención hostil?

AQUILES.—Todos los helenos.

CLITEMESTRA.—¿Pero el ejército de los mirmidones no estaba de tu lado?[77].

AQUILES.—Él fue mi primer enemigo.

CLITEMESTRA.—Entonces estamos perdidas, hija.

AQUILES.—Me tachaban de no estar a la altura de esta boda.

CLITEMESTRA.—¿Y tú qué les respondías?

AQUILES.—Que no matasen a mi futura esposa...

CLITEMESTRA.—Correcta respuesta, sí.

AQUILES.—... que tu padre me prometió.

CLITEMESTRA.—Y que él hizo venir desde Argos, ni más ni menos.

AQUILES.—Pero acabé siendo vencido por el clamor popular.

CLITEMESTRA.—La masa es ciertamente una terrible desgracia.

AQUILES.—Pero aun así y todo te defenderemos.

---

[77] Cfr. versos 812-814: «Atrás dejé, efectivamente, mi tierra de Fársalo y a Peleo, y aquí permanezco, a la espera, junto a estas débiles corrientes del Euripo, intentando contener a los mirmidones, que no dejan de acosarme.» Aquiles estaba al frente del contingente armado de los mirmidones.

CLITEMESTRA.—¿Aun siendo uno solo vas a enfrentarte a una multitud?

AQUILES.—¿Ves a estos hombres que traen mis armas?

CLITEMESTRA.—¡Bendito seas por tu nobles intenciones!

AQUILES.—[1360] Lo seremos, sí.

CLITEMESTRA.—¿Y mi hija ya no va a ser degollada?

AQUILES.—No, al menos con mi consentimiento.

CLITEMESTRA.—¿Y vendrá alguien para capturar a mi muchacha?

AQUILES.—Sí, miles de hombres, y los conducirá Odiseo.

CLITEMESTRA.—¿El hijo de Sísifo acaso?[78]

AQUILES.—El mismo en persona.

CLITEMESTRA.—¿Actuando por cuenta propia o mandado por el ejército?

AQUILES.—Tras ser elegido con mucho gusto.

CLITEMESTRA.—¡Miserable elección, sí, asesinar!

AQUILES.—Pero yo lo contendré.

CLITEMESTRA.—¿Y la cogerá y se la llevará contra su voluntad?

AQUILES.—Sin duda, por sus rubios cabellos[79].

CLITEMESTRA.—¿Y qué tengo que hacer yo entonces?

AQUILES.—Cogerte de tu hija.

CLITEMESTRA.—No la degollarán, si es por eso.

AQUILES.—Pero sin embargo es a eso a lo que precisamente vendrá.

IFIGENIA.—Madre, tienes que escuchar mis palabras, pues veo que te estás enfureciendo en vano [1370] con tu esposo, y para nosotras no es fácil soportar con paciencia lo imposible. A este extranjero, ciertamente, es justo darle las gracias por su buena voluntad, pero también tienes que darte cuenta de este hecho: que no incurra en las iras del

---

[78] Así se le ha llamado también a Odiseo en el verso 524. En la epopeya homérica, tal como aparece en la *Odisea*, Odiseo es hijo de Laertes, pero los trágicos recogen una tradición diferente según la cual su madre Anticlea, antes de casarse con Laertes, habría amado a Sísifo, y Odiseo sería en realidad hijo de éste.

[79] Las mujeres sufren este destino en numerosas ocasiones. Cfr. nota 44 a esta misma tragedia y también, en general, versos 791-793: «¿Quién, pues, de los cabellos de mi hermosa melena, haciendo mis lloros más intensos, me arrastrará lejos de mi patria destruida?»

ejército[80] y nosotros no logremos ningún beneficio y él se tope con una desgracia. Las ideas que me han venido a la mente mientras reflexionaba conmigo misma, escúchalas, madre[81].

Como ya está decretado que yo muera, quiero hacerlo con nobleza, apartando a un lado de mi camino cualquier señal de bajeza. Considera conmigo ahora en este punto, madre, cuánta razón tengo. Toda la poderosa Hélade tiene su mirada en estos momentos puesta en mí. En mis manos está la oportunidad de que las naves se hagan a la mar y la completa aniquilación de los frigios, [1380] y que ya no se permita raptar en el futuro a nuestras esposas fuera de la dichosa Hélade, si los bárbaros intentan hacerlo, porque van a pagar la seducción de Helena, a la que Paris raptó. Si muero, evitaré todas estas atrocidades y mi fama por haber liberado a Grecia será dichosa. Y además —¡fíjate bien!— tampoco tengo que tenerle demasiado apego a la vida, porque me pariste para el interés común de todos los helenos, y no sólo para el tuyo. Si miles de guerreros armados con sus escudo y otros miles empuñando los remos, en el momento en el que la Hélade se ha visto agraviada, van a asumir el riesgo de enfrentarse a nuestros enemigos y de morir en pro de la Hélade, [1390] ¿va mi vida, que es una sola, a ser un impedimento para todos estos hechos? ¿Qué justo argumento podríamos ofrecer en contra de estas razones?

Y volvamos al punto aquel *(señalando a* AQUILES): este individuo no debe enfrentarse a todos los argivos ni morir por culpa de una mujer. Es mejor que siga contemplando

---

[80] A este respecto, cfr. las anteriores palabras de Aquiles a Clitemestra: versos 1017-1021: «si le convences *(sc.* a Agamenón) de aquello que le pides, ya no será necesario que me presente yo *(sc.* Aquiles), pues eso ya significa vuestra salvación. Yo saldría mejor parado de cara a mi amigo y el ejército no podría reprocharme el que yo haya tratado de solucionar el problema por la razón antes que por la fuerza».

[81] Ifigenia apunta a continuación suficientes y buenos argumentos para fundamentar su cambio de posición, frente a la 'inconsistencia' de este carácter que apuntaba Aristóteles en su *Poética* (1454a).

la luz del día un solo hombre, solo uno, que miles de mujeres. Y si ha sido voluntad de Ártemis hacerse con mi persona, ¿he de ser yo, que soy mortal, un obstáculo a los designios de la diosa? ¡Pero si eso es imposible! Entrego mi cuerpo para bien de la Hélade. Sacrificadme, saquead Troya. Estos hechos habrán de ser los signos que mantengan mi recuerdo por largo tiempo, en calidad de hijos, boda y gloria mía. Lo natural es que los helenos impongan su poder sobre los bárbaros, y no los bárbaros, [1400] madre, sobre los helenos, pues unos son cosa servil y los otros son hombres libres.

CORIFEO.—Tu postura, joven, se mantiene en términos de nobleza, mas la de la divinidad y el destino está debilitada.

AQUILES.—Hija de Agamenón, dichoso me pensaba hacer alguno de los dioses si llegaba a alcanzar tu matrimonio. Envidio a la Hélade por ti, y a ti por la Hélade. Has hablado de un modo verdaderamente correcto y digno de tu patria. Tras abandonar, efectivamente, la actitud de enfrentarte a la divinidad, que es más fuerte que tú, has tenido en consideración lo provechoso y necesario. [1410] Pero más deseo aún por tus bodas me entra al contemplar tu naturaleza, pues eres auténticamente noble. ¡Y mira que yo quiero hacerte bien y llevarte a casa, y me siento apesadumbrado —que lo sepa Tetis— por no salvarte aun enfrentándome a los danaidas! Date cuenta: la muerte es una terrible desgracia.

IFIGENIA.—Esto es lo que digo sin reserva alguna: la hija de Tindáreo se basta con su persona para causar enfrentamientos entre los hombres y asesinatos. Pero tú, extranjero, no mueras por mi causa ni mates a nadie. [1420] Antes bien, deja que salve yo a la Hélade, si tengo poder para ello.

AQUILES.—¡Oh, excelente resolución! Nada puedo ya responder yo a esas palabras, puesto que ya estás decidida. Noble, sí, es tu pensamiento. ¿Por qué no podría uno decir la verdad?

Aun así y todo, quizá, sólo quizá, puede que cambies de idea con respecto a esto. Para que compruebes efectivamente lo que he dicho, iré y me colocaré con mis armas cerca del altar para no permitir sino impedir que mueras.

Mis palabras te servirán de algo cuando veas la espada cerca de tu cuello. [1430] No pienso permitir, desde luego, que mueras por una locura. Iré con estas armas al templo de la diosa y estaré aguardando a que llegues allí.

IFIGENIA.—*(Observando que su madre no puede contener las lágrimas.)* Madre, ¿por qué empapas en silencio tus ojos con lágrimas?

CLITEMESTRA.—Tengo, desdichada de mí, motivos para dolerme de corazón.

IFIGENIA.—Para, no me hagas acobardarme y hazme caso en esto.

CLITEMESTRA.—Habla, que por mi parte, hija, no vas a recibir ningún daño.

IFIGENIA.—Ni se te ocurra cortarte los rizos de tu melena[82] ni recubras tu cuerpo con ropas de luto.

CLITEMESTRA.—¿Qué has querido decir ahora con eso, hija? ¿Después de haberte perdido?

IFIGENIA.—[1440] No, tú no. Estoy salvada, y tú vas a ser famosa por mí.

CLITEMESTRA.—¿Cómo dices? ¿No debo guardar luto por tu vida?

IFIGENIA.—No, en modo alguno, porque no se me va a levantar un túmulo funerario.

CLITEMESTRA.—¿Y qué? ¿El hecho de morir no se considera como una tumba?

IFIGENIA.—El altar de la diosa hija de Zeus será mi monumento.

CLITEMESTRA.—De acuerdo, hija, te haré caso porque tienes razón.

IFIGENIA.—¡Como que soy mujer afortunada y benefactora de la Hélade!

CLITEMESTRA.—¿Y qué les cuento a tus hermanas de ti?

IFIGENIA.—Tampoco les hagas ponerse a ellas ropas de luto.

CLITEMESTRA.—¿Les transmito a las muchachas de tu padre alguna palabra amable?

---

[82] En señal de luto. Idénticas muestras de dolor podemos encontrarlas, en este mismo volumen, en *Helena*, 372-74, 1054, 1089, 1124; *Las Fenicias*, 322-26, 1350, 1524-5; *Orestes*, 96, 458, 961-63, 1467.

IFIGENIA.—[1450] Sí, deséales que sean dichosas y a Orestes críalo por mí y hazlo todo un hombre.

CLITEMESTRA.—Abrázalo, que lo ves por última vez.

IFIGENIA.—*(A* ORESTES, *entre sus brazos.)* ¡Oh queridísimo mío! Has ayudado cuanto has podido a tus seres queridos.

CLITEMESTRA.—¿Hay algo que pueda hacer por ti en Argos, algún favor?

IFIGENIA.—A mi padre, no lo aborrezcas, que es tu esposo.

CLITEMESTRA.—Inquietantes peligros tendrá él que correr por tu culpa[83].

IFIGENIA.—Me ha hecho perecer contra su voluntad, por el bien de la tierra helena.

CLITEMESTRA.—Pero con engaño, de un modo deshonroso e indigno de Atreo.

IFIGENIA.—¿Quién es el que me va a llevar, antes de que me arrastren del pelo?[84].

CLITEMESTRA.—Yo, contigo...

IFIGENIA.—No, tú no. No es buena idea.

CLITEMESTRA.—[1460] Cogiéndome de tus ropas.

IFIGENIA.—¡Madre, hazme caso! Aguarda aquí, que eso es mejor para ti y para mí. Que alguno de los criados de mi padre me conduzca hasta el prado de Ártemis, donde he de ser degollada. *(Hace ademán de marcharse.)*

---

[83] Esos inquietantes peligros no son otra cosa que su asesinato de regreso de la guerra. Cfr. *Electra,* versos 1-10: «¡Oh antigua tierra de Argos, corrientes del Inaco, de donde en buena hora, con marcial entusiasmo, a bordo de mil navíos embarcó rumbo a tierras troyanas el soberano Agamenón! En habiendo dado muerte al gobernante del país de Ilión, a Príamo, y capturado la ilustre ciudad de Dárdano, regresó a Argos y en sus altos templos ofrendó muchísimos despojos de los bárbaros. Allí sí que fue afortunado, mas en sus palacios encontró la muerte por dolo de su esposa Clitemestra, a manos de Egisto, el hijo de Tiestes.»

No obstante, su hija Electra recriminará a su madre Clitemestra fraguar estos planes antes incluso del sacrificio de Ifigenia, en claro contraste con la imagen de buena esposa que aquí ofrece: *Electra,* versos 1069-1075: «Antes de que se hubiese decidido el sacrificio de tu hija, y cuando tu marido acababa de partir lejos de casa en barco, ya estabas tú atusándote ante el espejo los rizos de tu rubia melena. Y a la mujer que, cuando su marido se encuentra ausente de casa, se dedica tanto a su belleza, táchala de ser poco decente, ya que no necesita lucir de puertas para fuera un bello rostro, a no ser que ande buscando algún mal.»

[84] Se repite la imagen de la pobre muchacha llevada a rastras del pelo.

CLITEMESTRA.—¡Hija mía! ¿Ya te vas?

IFIGENIA.—Sí, para no volver jamás.

CLITEMESTRA.—¿Abandonas a tu madre?

IFIGENIA.—Sí, como ves, sin merecerlo.

CLITEMESTRA.—¡Detente! ¡No me dejes!

IFIGENIA.—No te consiento que derrames lágrimas. *(Al* CORO.) Y vosotras, jóvenes muchachas, entonad un peán en alabanza a Ártemis, la hija de Zeus, por mi desventurado sino. Y que religioso silencio haya entre los dánaos. [1470] ¡Que alguien vaya disponiendo las cestas para la ofrenda! ¡Arda el fuego con los purificadores granos de cebada![85]. ¡Que mi padre camine alrededor del altar de izquiera a derecha! ¡Que salvación vengo a traer a los helenos, portadora de victoria! (CLITEMESTRA *entra en la tienda con el pequeño* ORESTES.)

¡Guiadme, destrucción de la ciudad de Ilión y de los frigios! ¡Dadme, traedme coronas que me envuelvan —aquí está mi cabellera para que la adornéis con guirnaldas— y fuentes de agua lustral! [1480] ¡Danzad en torno al templo, en torno al altar de Ártemis, la soberana Ártemis, la bienaventurada! ¡Que con mis sangre, si es preciso, y mi sacrificio enluciré el oráculo hasta su cumplimiento! ¡Oh augusta, augusta madre! ¡No te ofreceremos nuestras lágrimas, [1490] que tal no cuadra en los sagrados ritos! ¡Oh, oh jóvenes mujeres! ¡Uníos a los cantos de celebración de Ártemis en su templo, en la costa opuesta a Cálcide[86], donde las lanzas destructoras[87] rabian a causa de mi nombre en estos estrechos fondeaderos de Áulide! ¡Oh tierra madre, oh pelasgia y patria mía de Micenas!

CORO.—[1500] ¿*Invocas a la ciudad de Perseo, fruto del trabajo de manos ciclópeas?*[88].

---

[85] Cfr. versos 955-956: «Con amargura dará inicio al sacrificio tomando los granos de cebada y las lustraciones el adivino Calcante.»

[86] Es decir, en Áulide, donde ellas ahora mismo se encuentran, enfrente de las costas de Cálcide, patria de las mujeres del Coro, en Eubea.

[87] Lectura de los manuscritos.

[88] A Micenas suele aplicarse el estilo de arquitectura ciclópea, consistente en grandes bloques de piedra que parecen desafiar las fuerzas humanas. Estas construcciones suelen atribuirse a los Cíclopes, caracterizados, entre otras cosas, por su fuerza y su habilidad manual. Una vez más se confunden Argos y Micenas.

IFIGENIA.—*Me criaste como luz de la Hélade y no renuncio a morir.*

CORO.—*¡No te falte, ciertamente, la gloria!*

IFIGENIA.—*¡Ay, ay! ¡Día que la antorcha portas y luz de Zeus! ¡Otra existencia y destino habitaré! ¡Adiós, amada luz mía!*

(IFIGENIA *se retira de la escena.*)

CORO.—*[1510] ¡Ay, ay! Ved a la mujer que va a ser la destrucción de la ciudad de Ilión y de los frigios, cómo enfila su camino para que sobre su cabeza depositen coronas y derramen una fuente de aguas lustrales, cuando el altar de la diosa soberana rocíe*[89] *con las gotas de su sangre derramada en el momento en que degüellen su preciosa garganta. Te aguardan las límpidas abluciones paternas y el ejército de los aqueos, que quiere [1520] arribar a la ciudad de Ilión. ¡Ea! ¡A la hija de Zeus invoquemos, a Ártemis, soberana de los dioses, para un propicio destino! ¡Señora, señora que en los sacrificios humanos te complaces! ¡Envía rumbo al país de los frigios al ejército de los helenos, rumbo a los dolosos asentamientos de Troya! ¡Y permite que Agamenón por obra de sus lanzas y bien de la Hélade ciña alrededor de su cabeza [1530] una ilustrísima corona de gloria imperecedera!*

(*Aparece un* MENSAJERO.)

MENSAJERO.—*(Dando voces en dirección a la tienda.)* ¡Oh, Clitemestra, hija de Tindáreo! ¡Sal fuera de la tiendas, para que oír puedas mis palabras!

CLITEMESTRA.—*(Saliendo de la tienda.)* He salido aquí en cuanto he oído tu voz, aterrorizada, pobre de mí, y conmocionada por el miedo. ¿No habrás venido a relatarme alguna otra desgracia, además de la actualmente presente?

MENSAJERO.—A propósito de tu hija, ciertamente, quiero indicarte unos hechos sorprendentes y terroríficos.

CLITEMESTRA.—Pues entonces no te sigas demorando y cuéntamelos lo más rápido que puedas.

---

[89] Monk.

[386]

MENSAJERO.—[1540] Pues de todo te vas a enterar con claridad, amada señora mía, y te lo voy a contar desde el principio, a no ser que me falle la cabeza y se me confunda la lengua en mi relato.

Cuando llegamos al bosque de la hija de Zeus, Ártemis, y a sus prados cubiertos de flores, donde se encontraba congregado el ejército de los aqueos, en cuanto les llevamos a tu hija se apelotonó al punto la multitud de los argivos. Tan pronto como el soberano Agamenón vio que su hija se encaminaba al bosque para su degüello, comenzó a gemir en alto y, al tiempo que volvía su rostro hacia atrás, [1550] dejaba correr sus lágrimas, mientras se colocaba el manto ante los ojos. Y ella, plantándose firme cerca de su progenitor, le dijo estas palabras: «Padre, aquí me tienes. Por el bien de mi patria y por el bien de toda la tierra helena, mi cuerpo de buen grado entrego a quienes me conduzcan al altar de la diosa para el sacrificio, si efectivamente así reza el oráculo. Y, por lo que a mí respecta, ojalá alcancéis el éxito, triunféis con lanza victoriosa y regreséis a la tierra patria. Así las cosas, que ninguno de los argivos roce mi cuerpo, [1560] porque voy a ofrecer mi cuello en silencio con resuelta voluntad.» Estas palabras dijo, y todo el mundo se quedó atónito al escuchar el enorme coraje y el valor de la muchacha.

Entonces Taltibio, que era quien se ocupaba de esto, se puso en pie y ordenó en voz alta silencio y moderación al ejército[90]. Y el adivino Calcante depositó en la cesta labrada en oro el aguzado puñal que con su mano había desenvainado de dentro de la funda y coronó la cabeza de la joven. Entonces el hijo de Peleo cogió la cesta y el agua de las lustraciones y recorrió en círculo el altar de la diosa, [1570] y dijo: «¡Oh hija de Zeus! ¡Oh matadora de fieras salvajes, que en la oscuridad de la noche haces recorrer su curso a la radiante luz de la luna! Acepta esta víctima sacrificial que nosotros, el ejército de los aqueos conjuntamente con el soberano Agamenón, te presentamos como ofrenda, san-

---

[90] Este asunto concierne a Taltibio en calidad de heraldo.

gre inmaculada del hermoso cuello de una virgen, y concédenos que el viaje de nuestros navíos esté libre de peligros y destruir con nuestra lanza la ciudadela de Troya»[91]. Los atridas y todo el ejército estaban firmes, mirando en dirección al suelo. Y entonces el sacerdote cogió el puñal, formuló las súplicas oportunas y examinó cuidadosamente el cuello, para asestarle un golpe certero. [1580] A mí me entró en el corazón un dolor nada pequeño y me quedé con la cabeza echada hacia adelante.

Pero de repente sucedió algo asombroso de ver. En efecto, todo el mundo había sentido con claridad el sonido del golpe, pero nadie vio qué lugar de la tierra se tragó a la muchacha[92]. Entonces grita el sacerdote y todo el ejército respondió como un eco, al contemplar aquel inesperado portento procedente de alguno de los dioses, que ni siquiera habiéndolo presenciado sería digno de crédito. Una cierva, efectivamente, yacía entre convulsiones en el suelo, enorme y magnífica de ver, con cuya sangre había quedado rociado de arriba abajo el altar de la diosa[93].

---

[91] ¡Menos mal que se había comprometido a ayudarla! Cfr. versos 1424-1431: «Aun así y todo, quizá, sólo quizá, puede que cambies de idea con respecto a esto. Para que compruebes efectivamente lo que he dicho, iré y me colocaré con mis armas cerca del altar para no permitir sino impedir que mueras. Mis palabras te servirán de algo cuando veas la espada cerca de tu cuello. No pienso permitir, desde luego, que mueras por una locura. Iré con estas armas al templo de la diosa y estaré aguardando a que llegues allí.» Efectivamente, este final presenta algunas inconsistencias. También puede ser que Aquiles se haya situado tan cerca de la joven, participando tan activamente en la ceremonia, para asistirle en caso de un repentino cambio de opinión a última hora, de acuerdo al compromiso adquirido con Ifigenia.

[92] Como acaba de indicar el mensajero, todos permanecían con la mirada puesta en el suelo, sin mirar directamente al altar.

[93] La propia Ifigenia en otra tragedia, *Ifigenia entre los Tauros*, de acción cronológicamente posterior, nos cuenta lo sucedido en este día: *Ifigenia entre los Tauros*, versos 26-41: «Y cuando llegué a Áulide, desdichada de mí, me colocaron en suspenso sobre una pira para matarme a punta de espada. Pero Ártemis me raptó, ofreciendo en mi lugar un ciervo a los aqueos, me acompañó a través del brillante éter y me hizo vivir en este país de los tauros, en cuya tierra gobierna sobre bárbaros el bárbaro Toante que, como los pies mueve veloces igual que si fuesen alas, recibió este nombre debido a la ligereza de sus pies. Y me ha hecho sacerdotisa en este templo, donde la diosa Ártemis se deleita en la práctica de un entretenimiento, cuyo nombre es lo único hermoso que

[1590] Y en esto Calcante —¡imagínate!— dijo en medio de una gran alegría: «¡Oh, generales de este ejército de la liga aquea! ¿Veis esta víctima sacrificial, que la diosa nos ha puesto delante en su altar, una cierva montaraz? A ésta la recibe con más satisfacción que a la muchacha, a fin de no manchar el altar con su noble sangre. Con gusto ha aceptado este sacrificio y por eso nos concede navegación con vientos favorables y el ataque a Ilión. Así las cosas, que todo marinero se arme de valor y se dirija a su nave; que en este día de hoy [1600] tenemos que dejar la encajonada bahía de Áulide y atravesar las ondas del Egeo.»

Y cuando la víctima entera quedó carbonizada por completo entre las llamas de Hefesto, formuló las súplicas oportunas con vistas a que el ejército obtuviese un exitoso retorno. En cuanto a mí, Agamenón me ha enviado a comunicarte estos hechos y a contarte qué destino tiene ella, enviado por los dioses, y qué imperecedera gloria se ha ganado a lo largo y ancho de la Hélade. Y yo, como estuve presente y contemplé el hecho, te lo estoy contando. Tu hija sin duda se marchó volando en dirección a los dioses[94]. Aparta tu pena y deja a un lado tu enfado con tu esposo. [1610] Las actuaciones de los dioses resultan imprevisibles a ojos de los mortales, pero salvan a quienes aman. Lo cierto es que este día de hoy ha visto morir y vivir a tu hija. *(El* MENSAJERO *se va.)*

---

tiene (el resto me lo callo por miedo a la diosa), pues sacrifica, a raíz de una costumbre que ya existía en la ciudad incluso en el pasado, a todo griego que alcanza esta tierra. Yo doy comienzo al rito, pero de los sacrificios, que no se deben revelar, se ocupan otros en el interior del santuario de la diosa.»

[94] Nada sabe el mensajero, claro está, de lo realmente sucedido, tal como ha quedado recogido en la nota anterior. Cfr. *Ifigenia entre los Tauros,* versos 6-9: «Junto a los torbellinos que con frecuencia el Euripo hace refluir, cuando arremolina la mar azuloscura con compactos vientos, allí mi padre me inmoló *(sc.* a mí, Ifigenia) por causa de Helena, *según cree él,* en los ilustres valles de Áulide, en honor de Ártemis.» *Creen* ellos, en efecto, que así ha sido, pero nada saben del rapto de Ártemis y posterior traslado a la tierra de los tauros. La pieza *Ifigenia entre los Tauros* desarrolla, precisamente, esta parte de la historia, con un Orestes ya adulto y culpable del matricidio de su madre Clitemestra, en venganza por el asesinato de su padre, tal como se ha presagiado muy veladamente en varias ocasiones en este mismo drama.

CORIFEO.—Qué contenta estoy —déjame que te diga— al oír las palabras del mensajero. Dice que tu hija vive y que se encuentra entre los dioses.

CLITEMESTRA.—¡Oh hija! ¿De cuál de los dioses te has convertido en el objeto de su rapto? ¿Cómo voy a dirigirme a ti? ¿Y cómo no afirmar que me dicen estas palabras en tono consolador, para que ponga fin a mi triste luto por ti?

CORIFEO.—*(Viendo acercarse a* AGAMENÓN.) Por cierto, por ahí llega Agamenón, [1620] que podrá explicarte la misma historia.

AGAMENÓN.—*(Entrando definitivamente.)* Mujer, podemos considerarnos dichosos por nuestra hija, ya que en efecto se encuentra entre los dioses gozando de su compañía. *(Señalando a* ORESTES.) Tienes que coger a este ternero recién nacido y llevarlo a casa, que el ejército tiene ya su mirada puesta en la navegación.

¡Adiós, entonces! Largo será el tiempo hasta que puedas volver a dirigirme la palabra, a mi regreso de Troya. ¡Que te vaya bien!

CORO.—*¡Con alegría, atrida, marcha a tierra frigia, y con alegría regresa, tras haber ganado para bien mío los más hermosos despojos de Troya!*

(Salen todos.)

RESO

INTRODUCCIÓN

REMEDANDO en parte las palabras de Diggle, el editor del texto oxoniense que hemos tomado como base para nuestra traducción, puede decirse que sobre la autoría del *Reso* nada se sabe a ciencia cierta. Sin que se pueda negar taxativamente que Eurípides sea su autor, lo cierto es que hay numerosas razones para pensar que la obra que se nos ha conservado no ha salido de su genio creador.

El propio autor de alguno de los argumentos de la obra plantea ya la cuestión de la autenticidad del drama. En concreto, dice así: «Algunos sospecharon que este drama era espúreo y que no es de Eurípides, ya que sus características dan la sensación de ser más propias de Sófocles. Sin embargo, en los catálogos está registrado como auténtico.» Entre los modernos, hay abundantes y sesudos estudios que aportan numerosas pruebas en un sentido o en otro. Strohm y Lesky se manifiestan abiertamente en contra de la paternidad euripidea del drama conservado, mientras que Sneller, Björck, Ritchie y Murray insisten en su autenticidad.

Sin embargo, la opinión dominante hoy día, corroborada en la propia opinión del autor de estas líneas a partir de la atenta lectura, verso a verso, palabra a palabra, escena a escena, de la tragedia *Reso,* es que nos hallamos probablemente, más bien, ante un drama anónimo del siglo IV que en algún momento desplazó en la transmisión al auténtico *Reso* de Eurípides, que sin duda alguna él escribió, según nos consta por el testimonio de los catálogos. Ciertos elementos en la lengua, la estricta fidelidad al modelo épico de la historia (la Dolonía del canto X de la *Ilíada* homérica), la ausencia del elemento gnómico tan característico de la tragedia clásica, ciertas formas de organizar los estásimos corales, y el ir incluso demasiado más allá en algún punto de innovación respecto de lo que el propio Eurípides había ya innovado de por sí, junto a otros elementos, nos dan pie para pensar que, sin que ello suponga un demérito para la obra, no es éste el *Reso* auténtico de Eurípides, sino que habría que situarlo con bastantes probabilidades en el siglo IV a. C. Esto significa que hemos perdido desgraciadamente un drama de Eurípides, pero significa afortunadamente que podemos conocer algo de cómo era la tragedia en el siglo posterior al de los tres grandes tragediógrafos y sobre el rumbo que siguió. De ser cierta esta hipótesis, todo parece indicar que la tragedia griega siguió en buena parte algunos de los nuevos caminos explorados y abiertos por Eurípides, a la búsqueda de un teatro efectista, espectacular, de abundantes movimientos de personajes en la escena, en el que dominan los enredos, las confusiones, las sorpresas, las intervenciones divinas, las acciones y tramas complejas dominadas absolutamente por el azar y su gobierno sobre el destino humano, para sorprender y satisfacer a un público ávido de novedad.

La obra sigue fielmente la narración de la Dolonía homérica, contenida en el canto X de la *Ilíada*. Los centinelas del ejército troyano, acampado en armas en las proximidades de las tropas griegas, acuden alborotados en medio de la noche a la tienda de Héctor para comunicarle los extraños movimientos que están efectuando los aqueos. Todo parece indicar que éstos van a proceder a la retirada, a lo cual Héctor quiere responder enardecido con un duro ataque sorpresa para evitar su huida, pero Eneas propone sabiamente enviar antes un espía que compruebe si de verdad los griegos están de retirada, o si andan tramando alguna otra cosa. Dolón se ofrece voluntario para la misión y se encamina a ella. Entretanto, un pastor de los rebaños de Héctor acude a notificar a su amo la llegada del tracio Reso, hijo del río Estrimón y de la Musa Terpsícore, que viene como aliado a prestar su ayuda a Troya. Héctor se irrita al principio por la tardanza de Reso en prestar sus servicios, pero accede finalmente a darle la bienvenida. Reso llega al campamento y Héctor no se resiste a reprocharle su tardanza, pero al final parece arreglarse la situación y Reso asegura que al día siguiente, en una sola jornada, acabará con los griegos. Dichas estas palabras, acampará y pasará la noche.

Por lo que respecta a los griegos, Odiseo y Diomedes deciden hacer una incursión nocturna en el campamento troyano. Previamente han sorprendido a Dolón y, tras revelarles éste el santo y seña de los troyanos y la posición de la tienda de Héctor, le matan, con lo cual frustrarán las esperanzas troyanas de ser informados por su espía. Una vez dentro del campamento troyano, los dos griegos se encaminan a la tienda de Héctor con intención de asesinarle, pero éste se encuentra ausente y, por consejo de la diosa Atenea, que se les aparece, deciden matar a Reso, que iba a resultarles mucho más peligroso a los griegos que ningún otro. Los troyanos descubren que hay intrusos griegos en el campamento y que Reso ha sido asesinado, por lo cual se arma un gran revuelo, pero Odiseo y Diomedes consiguen escapar de los centinelas.

El auriga de Reso, que ha sobrevivido a la muerte de su amo, entra en escena y acusa a los troyanos de haber perpetrado el crimen, lo cual niega Héctor enérgicamente. La sorprendente aparición como *dea ex machina* de la Musa Terpsícore, llevando entre sus brazos el cadáver de su hijo Reso, sirve para aclarar los hechos y señalar a los responsables auténticos de todo lo acontecido, Odiseo y Diomedes, con la activa intervención de la diosa Atenea.

En resumidas cuentas, el elevado número de personajes, la rápida sucesión de escenas breves (aun siendo una pieza relativamente breve que no llega a los mil versos), las complicadas entradas y salidas de personajes, unida a la confusión que se produce entre ellos, como la que tiene lugar cuando la diosa Atenea se hace pasar por Afrodita para engañar a Paris, nos sitúa ante un drama que parece un típico producto de la tragedia del siglo IV a. C. que responde al ideal de *poikilía* («entremeses variados») que reclamaba Astidamante[1].

---

[1] Antonio Melero Bellido, «Otros trágicos y poetas menores de los siglos V y IV», pág. 424, en J. A. López Férez, *Historia de la literatura griega*, Madrid, 1988, págs. 423-430.

Nota bibliográfica

Björck, G., «Rhesos», *Arctos,* 1 (1954), 16 ss.
— «The Authenticity of Rhesus», *Eranos,* 55 (1957), 7 ss.
Campagno, S., «Sull'autenticità del Reso di Euripide», *AAT,* 98 (1963), 1 ss.
Cataudella, Q., «Vedute vecchie e nuove sul Reso euripideo», en *Saggi sulla tragedia greca,* Mesina-Florencia, 1969.
Grégoire, H., «L'autenticité du Rhesos d'Euripide», *AC,* 2 (1933), 91 ss.
Kitto, H. D. F., «The *Rhesus* and related matters», *YClS,* 25 (1977), 317-50.
Melero Bellido, A., «Otros trágicos y poetas menores de los siglos V y IV», en J. A. López Férez, *Historia de la literatura griega,* Madrid, 1988, págs. 423-430.
Ritchie, W., *The Authenticity of the Rhesus of Euripides,* Cambridge, 1964.
Sneller, C. B., *De Rheso tragoedia,* Amsterdam-París, 1949.
Strohm, H., «Beobachtungen zum Rhesos», *Hermes,* 87 (1959), 257 ss.

Sobre el texto

En el caso de esta tragedia no nos hemos apartado en ningún verso de las lecturas ofrecidas por la edición oxoniense de J. Diggle.

ARGUMENTO

Héctor, al oír contar mientras pernoctaba vigilante cerca de las tropas griegas que éstos andaban encendiendo hogueras, se puso en guardia por si estaban intentando huir. Resuelto a poner en armas a su ejército, cambió de idea tras aconsejarle Eneas que se serenase y que, enviando un espía, se enterase a través de éste de la verdad. Dolón se hace cargo de la misión. Le asignó un puesto en el campamento[2].

Aparecen entonces Odiseo y Diomedes tras haber dado muerte a Dolón, se encaminan a la tienda de Héctor pero, al no encontrar en ella al general, se dan media vuelta. Atenea los detuvo apareciéndoseles, les ordenó que no siguiesen buscando a Héctor y les mandó matar a Reso, porque éste iba a ser más peligroso para los griegos, de continuar con vida.

Se presenta entonces Alejandro, que ha percibido la presencia de enemigos pero, engañado por Atenea bajo la falsa forma de Afrodita, se dio media vuelta sin haber hecho nada.

Diomedes y Odiseo asesinan a Reso y se marchan apresuradamente. La desafortunada circunstancia de los dos asesinatos se comenta de boca en boca por todo el ejército. Tras presentarse Héctor para ver por sí mismo los sucesos acaecidos, el malherido cuidador de los caballos de Reso hace la observación de que el asesinato se ha producido por culpa de Héc-

---

[2] En el punto anterior a esta frase, algunos editores detectan algún tipo de laguna. Aquí en esta frase se hace alusión al puesto en el campamento que Héctor asignó a Reso tras la llegada de éste con sus tropas.

tor. Mientras éste trata de defenderse de la acusación, Calíope les revela la verdad y se lleva el cadáver de Reso para su entierro. Se compadece de Estrimón por la desgracia de su hijo y de Reso, engendrado por él; y afirma que Aquiles no va a quedar sin ser llorado.

Algunos sospecharon que este drama era espúreo y que no es de Eurípides, ya que sus características dan la sensación de ser más propias de Sófocles. Sin embargo, en los catálogos está registrado como auténtico. Y la meticulosa curiosidad que hay en él respecto de los fenómenos celestes concuerda con Eurípides. Se han transmitido dos prólogos. Dicearco, al exponer el argumento de *Reso,* escribe textualmente de este modo: «Ahora el resplandor brillante de la luna, llevada por un carro...». Y en algunas de las copias se ha transmitido otro prólogo, muy prosaico y que no parece propio de Eurípides. También cabe la posibilidad de que algunos actores lo hayan retocado. Es como sigue: «¡Oh tú, Palas, valiente hija de Zeus altísimo! ¿Qué hacemos? No debíamos nosotros demorarnos por más tiempo en socorrer al ejército de los aqueos, ya que ahora mal les van las cosas en el combate, aturdidos por la lanza imparable de Héctor. En verdad, para mí no hay pesadumbre más dolorosa, al menos desde que Alejandro determinó que la diosa Cipris en belleza aventajaba mi hermosura y la tuya, Atenea, la más querida para mí de entre los dioses, que no ver venida abajo, reducida a ruinas, la ciudad de Príamo, completamente machacada de raíz por la fuerza.»

ARGUMENTO
DEL GRAMÁTICO ARISTÓFANES

Reso era hijo del río Estrimón y de Terpsícore, una de la Musas, y se presenta de noche en Ilión al frente de los tracios, en tanto que los troyanos se hallaban acampados frente a las naves de los griegos. Odiseo y Diomedes, que son espías, lo matan al sugerírselo Atenea, ya que podría llegar a ser un gran peligro para los griegos. Entonces se aparece Terpsícore y se lleva el cadáver de su hijo para enterrarlo. En la *párodos* se aclara también lo relativo al asesinato de Dolón.

La representación del drama se desarrolla en Troya. El coro se compone de centinelas troyanos, que pronuncian también el prólogo. Comprende una noche en vela.

PERSONAJES DEL DRAMA

CORO DE GUERREROS TROYANOS, *centinelas*
HÉCTOR, *hijo de Príamo*
ENEAS, *hijo de Anquises*
DOLÓN, *hijo de Eumedes*
PASTOR, *realizando funciones de mensajero*
RESO, *rey de Tracia*
ODISEO, *hijo de Laertes*
DIOMEDES, *hijo de Tideo*
ATENEA, *diosa*
ALEJANDRO, o PARIS, *hijo de Príamo*
AURIGA, *al servicio de Reso*
MUSA, *madre de Reso*

(La acción está ambientada en la guerra de Troya. La escena representa el campamento troyano, enfrente de la tienda de HÉCTOR, *visible al fondo. En la parte central de la tienda puede verse la puerta que da acceso a su interior. Un grupo de guerreros troyanos, centinelas nocturnos, entra en este momento en escena hablando agitadamente entre sí con intención de ir al encuentro de* HÉCTOR *a su tienda. Es de noche.)*

CORO.—*[1] ¡Aproximaos al lecho de Héctor! ¿Quién de entre los escuderos del rey o de entre los porteadores de sus armas anda insomne? Que el rumor de frescas noticias acoja en sus oídos, de parte de quienes durante la cuarta vigilia nocturna velan por todo el ejército. (Dirigiéndose a* HÉCTOR, *que duerme en el interior de su tienda.) Endereza la cabeza apoyando el codo, disipa el reposo de tus fieros párpados, abandona el jergón hecho de hojas, [10] Héctor; que es el momento imperioso de escuchar.*

HÉCTOR.—*(Desde el interior, desconcertado.) ¿Quién es ése de ahí? ¿Acaso una voz de amigo? ¿Quién es? ¿Cuál es el santo y seña? ¡Que lo diga! ¿Quién se acerca de noche a nuestro lugar de reposo? ¡Que hable!*

CORO.—*¡Centinelas del ejército!*

HÉCTOR.—*(Saliendo al exterior de su tienda.) ¿Por qué te conduces con este alboroto?*

CORO.—*Tranquilízate.*

HÉCTOR.—*Ya estoy tranquilo. ¿Acaso es esto una emboscada de noche?*

CORO.—*No, no lo es.*

HÉCTOR.—*¿Por qué, pues, abandonas la guardia y revuelves al ejército, a no ser que tengas algo que contar ahora de noche? [20] ¿No sabes que pernoctamos cerca del ejército argivo completamente armados?*

Estrofa.

CORO.—*¡Arma tu brazo! ¡Encamínate, Héctor, al lecho de tus alia-*
dos! ¡Aprémiales a empuñar la lanza! ¡Despiértales del sueño!
¡Envía a tus amigos para que se unan a tu tropa!

   ¡Ajustad las bridas a los caballos! ¿Quién va a ir a por el hijo
de Pántoo[3], o a por el de Europa[4], general de los varones licios?
[30] ¿Dónde están los supervisores de los sacrificios? ¿Dónde están
los capitanes de la infantería ligera y los arqueros frigios? ¡Atad las
cuerdas de vuestros arcos de cuerno!

HÉCTOR.—*De un lado me estás comunicando noticias terribles de*
escuchar, pero, por otro lado, me tranquilizas, aunque nada resul-
ta claro. (Con incredulidad.) A ver, ¿es que te ha aterrado el tre-
mendo látigo de Pan, hijo de Crono, y por eso has abandonado la
guardia y revuelves al ejército? ¿Qué es lo que estás diciendo? ¿Qué
nueva noticia puedo pensar que me comunicas? Que aunque has
dicho muchas cosas, [40] no me has dado a conocer nada inte-
ligible.

Antístrofa.

CORO.—*El ejército argivo está encendiendo hogueras, Héctor, toda*
la noche, y el recinto de las naves brilla bajo el resplandor de las an-
torchas. Y todo el ejército ha acudido en plena noche junto a la tien-
da de Agamenón[5] con estrépito, para recibir nuevas instrucciones.
Lo cierto es que nunca antes su flota armada había estado tan

---

   [3] En la *Ilíada* de Homero, este Pántoo aparece como uno de los ancianos
troyanos, compañeros del rey Príamo y tiene tres hijos: Hiperenor, Euforbo y
Polidamante.

   [4] Según el escoliasta, quien afirma, a su vez, basarse en Homero, se refiere
a Sarpedón. Ahora bien, siguiendo a Diodoro (IV 60, V 79) que trata de solucionar las dificultades cronológicas que implica la participación del hijo de
Europa en la guerra de Troya, el Sarpedón aquí aludido debe de ser nieto del
hijo de Europa, con el mismo nombre que su abuelo. En la *Ilíada* de Homero desempeña un gran papel en el ataque al campamento aqueo y el asalto a
la muralla. Acaba muriendo a manos de Patroclo. Dirige, en efecto, un contingente de tropas licias, como aquí se afirma.

   [5] Agamenón es el comandante en jefe de todo el contingente de tropas
griegas reunidas contra Troya. Cfr. *Ifigenia entre los Tauros*, versos 10-14: «Hasta allí, como es bien sabido, el soberano Agamenón condujo una flota griega
de mil navíos, porque quería tomar para gloria de los aqueos la bella corona
del triunfo sobre Ilión, tratando de vengar las oprobiosas bodas de Helena, y
hacer un favor a Menelao.»

alarmada. Y yo, como sospecho receloso de sus inmediatas inten-
ciones, [50] he venido hasta ti en calidad de mensajero, para que
nunca tengas que dirigirme reproche alguno.

HÉCTOR.—Has llegado en el momento preciso, aunque me hayas comunicado una noticia inquietante. Seguro que esos
hombres tienen intención de emprender la huida de esta tierra en viaje nocturno, tratando de pasar inadvertidos a mis
ojos. Me regocijan esas señales nocturnas de antorcha.

¡Oh dios, que cuando tenía la suerte de mi lado me pri-
vaste como a un león de su alimento, antes de que aniqui-
lar pudiese violentamente con esta lanza el ejército entero
de los argivos! ¡En verdad que si del sol relucientes los rayos no se hubiesen contenido ocultándose, [60] no habría
detenido yo mi lanza exitosa antes de prender fuego a sus
naves y de ir de tienda en tienda matando aqueos con esta
mano que a tantos ha dado muerte! Resuelto estaba yo a
dirigir mi lanza incluso de noche y a beneficiarme del impulso exitoso de un dios, pero los adivinos, sabios y cono-
cedores de lo divino, me convencieron de que aguardase la
luz del día y de que no dejase entonces a ningún aqueo en
tierra firme. Pero ellos no aguardan a los consejos de mis sa-
cerdotes: en la oscuridad de la noche el fugitivo tiene muchas posibilidades de emprender la carrera.

[70] Así que hay que dar cuanto antes orden al ejército
de que se ponga presto en armas y ponga fin al sueño, para
que de entre los enemigos unos, al saltar a sus naves, resul-
ten heridos en la espalda y rocíen las escalas con su sangre,
y otros, apresados con cadenas y grilletes, aprendan a cultivar las tierras de labor de los frigios.

CORIFEO.—Héctor, te estás precipitando antes de conocer
bien los hechos. La verdad es que no sabemos a ciencia
cierta si esos hombres están huyendo[6].

---

[6] El Corifeo recomienda tranquilidad a Héctor ante lo incierto de la noticia y de la posible situación. Curiosa actitud, cuando pocos versos antes era
precisamente el Coro quien urgía a Héctor a levantar en armas a todo el ejército. Cfr. versos 23-26: «¡Arma tu brazo! ¡Encamínate, Héctor, al lecho de tus
aliados! ¡Aprémiales a empuñar la lanza! ¡Despiértales del sueño! ¡Envía a tus
amigos para que se unan a tu tropa!»

HÉCTOR.—¿Cuál es, pues, el motivo de que el ejército de los argivos encienda hogueras?

CORIFEO.—No lo sé; pero a mi juicio me parece altamente sospechoso[7].

HÉCTOR.—[80] Sábete que, si esto te atemoriza, todo te causa terror.

CORIFEO.—Nunca antes los enemigos habían encendido tantos fuegos.

HÉCTOR.—Ni tampoco habían fracasado tan vergonzosamente en una derrota con las armas.

CORIFEO.—Tú llevaste a cabo esas acciones. Analiza ahora también lo que queda.

HÉCTOR.—Con respecto a los enemigos sólo hay una palabra: tomar las armas.

CORIFEO.—*(Viendo entrar a* ENEAS *por un lateral.)* Por cierto, he ahí a Eneas que hacia aquí enfila su camino con paso presto, conocedor de algún nuevo asunto que contar a sus amigos.

(Entra ENEAS *en escena acompañado de algunos troyanos,* DOLÓN *entre ellos. Todos van desarmados.)*

ENEAS.—Héctor, ¿con qué objeto los centinelas nocturnos han venido por el campamento hasta tu tienda y andan hablando con miedo en plena noche, y el ejército está revuelto?

HÉCTOR.—[90] Eneas, cubre tu cuerpo con tus armas para protegerte.

ENEAS.—¿Pero qué pasa? ¿Es que se te ha notificado que alguno de los enemigos se ha introducido oculto a traición durante la noche?

HÉCTOR.—Esos hombres están emprendiendo la huida y embarcando en sus naves.

---

[7] Estas palabras del Corifeo sí concuerdan con lo expresado anteriormente. Cfr. versos 49-51: «Lo cierto es que nunca antes su flota armada había estado tan alarmada. Y yo, como sospecho receloso de sus inmediatas intenciones, he venido hasta ti en calidad de mensajero, para que nunca tengas que dirigirme reproche alguno.»

ENEAS.—¿Qué pruebas firmes de eso podrías alegar?

HÉCTOR.—Llevan toda la noche prendiendo antorchas de fuego. Y me parece que no van a aguardar hasta mañana, sino que están encendiendo esas antorchas sobre sus naves de bancos bien provistas para partir en retirada de esta tierra con rumbo a sus hogares.

ENEAS.—Y tú, ¿qué es lo que quieres hacer a este respecto empuñando las armas?

HÉCTOR.—[100] Cuando emprendan la huida y salten sobre sus naves, los contendré firmemente con mi lanza y les hostigaré de forma insoportable. Que sería vergonzoso para nosotros, y perjudicial además de una vergüenza, dejar escapar sin combatir, cuando un dios nos los entrega, a unos enemigos que tantos males nos han hecho.

ENEAS.—¡Ojalá fueses varón sensato, en igual medida que eficaz es tu brazo! Mas lo cierto es que un mismo mortal no es por naturaleza ducho en todo. A cada uno le toca un don: a ti combatir y a otros tomar buenas decisiones.

Te has excitado al oír que los aqueos están encendiendo hogueras y antorchas, [110] y te propones conducir el ejército rebasando las trincheras en la quietud de la noche. No obstante, si al atravesar el cóncavo socavón del foso te encuentras con que los enemigos no están intentando huir del país, sino que te aguardan para combatir, ni siquiera vencido volverías de regreso. Pues, ¿cómo atravesará la empalizada un ejército en fuga? ¿Y cómo franquearán los aurigas los puentes sin destrozar los ejes de los carros? Y aun venciendo, tienes como rival de reserva al hijo de Peleo[8], [120] que no te dejará que prendas fuego a las naves ni quitar de en medio a los aqueos tal como crees, ya que es un guerrero fiero y está fuertemente acorazado de valor.

Así que dejemos dormir tranquilo al ejército junto a sus escudos después de sus fatigas bélicas. Me parece mejor enviar a alguien —quien quiera— que espíe a los enemigos. Y en caso de que estén emprendiendo la huida, nos pondremos en marcha y caeremos sobre el ejército de los argivos; pero si esas señales de fuego conducen a algún enga-

---

[8] El hijo de Peleo y de la diosa marina Tetis no es otro que Aquiles.

ño, nos enteraremos de los trucos de los enemigos gracias a nuestro espía [130] y ya tomaremos una decisión. Ésta es la opinión que yo tengo, señor.

CORO.
Estrofa.
También yo creo eso. Cambia de idea y piensa en ello. No me agrada la autoridad susceptible de derrumbarse de los generales. Pues, ¿qué sería mejor que el que un espía fuese caminando velozmente hasta cerca de las naves, para acechar el motivo por el que arden hogueras allí enfrente en el puerto?

HÉCTOR.—Como a todos vosotros os agrada este plan, tú ganas. Ve y apacigua a nuestros aliados; el ejército podría quizá inquietarse al oír esta asamblea nocturna. [140] Yo, por mi parte, enviaré a alguien a espiar a los enemigos. Si averiguamos que se trata de una estratagema por parte de los enemigos, tú estarás presente y escucharás toda la conversación. Pero si están emprendiendo la huida, aguarda bien atento a escuchar la voz de la trompeta[9] porque no pienso quedarme quieto aquí, sino que me dirigiré esta noche al fondeadero de las naves con el propósito de entablar combate con el ejército argivo.

ENEAS.—Envíalo cuanto antes, ya que ahora piensas sobre una buena base. Me verás firmemente perseverante contigo, cuando sea preciso.

HÉCTOR.—*(Dirigiéndose al grupo de troyanos que han llegado con* ENEAS.) ¿Quién quiere, entonces, de entre los troyanos que aquí presentes se encuentran en esta conversación, [150] ir como espía hasta las naves de los argivos? ¿Quién se va a convertir en el benefactor de esta tierra? ¿Quién dice

---

[9] Un comentario del escoliasta al verso 1377 de *Las Fenicias* nos aclara que, hasta los tiempos de la guerra de Troya, se empleaba el procedimiento de arrojar una antorcha para dar la señal del comienzo de un combate que, posteriormente, fue sustituida por una trompeta. Cfr. versos 986-989: «Marchad y dad orden a los aliados de armarse rápidamente y de guarnecer las cervices de los caballos. Hay que aguardar, sosteniendo las antorchas, al son de la trompeta tirrénica.» Cfr. también *Las Fenicias*, versos 1377-1379: «Cuando como una antorcha se dejó oír el sonido de la trompeta tirrénica, señal del cruento combate, se precipitaron en feroz carrera uno contra otro.»

que sí? Yo no puedo —daos cuenta— prestar todos los servicios a mi ciudad patria y a nuestros aliados.

DOLÓN.—*(Adelantándose fuera del grupo de guerreros troyanos.)* Yo arrostraré este peligro en pro de esta tierra e iré como espía hasta las naves de los argivos; y regresaré en cuanto me haya enterado con detalle de todos los planes de los aqueos. En estos términos me someto a esta difícil labor.

HÉCTOR.—A tu nombre haces auténtica justicia[10] y eres patriota, Dolón. La casa de tu padre, ya gloriosa incluso en el pasado, [160] dos veces tanto más gloriosa la acabas de hacer ahora.

DOLÓN.—¿Y no debería, a la par que asume esta difícil labor, percibir un digno salario aquel que la asume? Lo cierto es que cuando se añade una ganancia al trabajo, éste produce doble satisfacción.

HÉCTOR.—Sí, eso es justo y yo no digo lo contrario. Fija tú un precio, excepto mi realeza.

DOLÓN.—No ansío tu realeza protectora de la ciudad.

HÉCTOR.—Pues entonces cásate con una de las hijas de Príamo y conviértete en su yerno.

DOLÓN.—Pero no quiero casarme con una esposa de mayor linaje que yo.

HÉCTOR.—Aquí tienes oro, si es eso lo que reclamas como recompensa.

DOLÓN.—[170] También lo hay en mi casa. No carezco de medios de vida.

HÉCTOR.—¿A qué aspiras, entonces, de cuanto guarda Ilión?

DOLÓN.—Cuando derrotes a los aqueos, concédeme un regalo.

HÉCTOR.—Te lo daré. Pídeme cualquier cosa menos los capitanes de las naves.

DOLÓN.—Mátalos. No te estoy pidiendo que contengas tu brazo sobre Menelao.

---

[10] Héctor tiene que estar pensando en la palabra griega *dólos,* que significa 'cebo para pescar', y de ahí 'trampa', 'engaño', conectando así el nombre del sujeto con la misión que va a realizar. Hay en griego, no obstante, un sustantivo *dólon* con el significado de 'arma secreta', pero su acuñación es posterior a la de la posible fecha de composición del drama.

HÉCTOR.—*(Afanoso por encontrar algo que le pueda apetecer.)* ¿No me pides tampoco adueñarte del hijo de Oileo?[11].

DOLÓN.—Malas son para cultivar la tierra las manos cuidadosamente criadas.

HÉCTOR.—¿Por quién, pues, de entre los aqueos quieres pedir un rescate por su vida?

DOLÓN.—Acabo de decírtelo hace un rato: en mi casa hay oro.

HÉCTOR.—Pues entonces tú mismo estarás presente en el momento de escoger de entre los despojos.

DOLÓN.—[180] Cuélgalos en tu casa como ofrenda a los dioses.

HÉCTOR.—¿Qué presente, entonces, vas a reclamarme mayor que éstos?

DOLÓN.—Los caballos de Aquiles: quien su vida se juega a los dados de un dios, debe esforzarse a cambio de una digna recompensa.

HÉCTOR.—Rivalizas conmigo, desde luego que sí, en el aprecio hacia esos caballos, porque también yo los deseo. Nacieron, ciertamente, inmortales de inmortales, y llevan encima al impetuoso hijo de Peleo. Se los entregó a Peleo, según cuentan, después de domarlos él mismo, el marino Posidón[12]. Pero después de animarte no voy a incumplir lo dicho. Te voy a conceder [190] la más hermosa posesión de tu casa: el carro de Aquiles[13].

DOLÓN.—Gracias. Cuando lo obtenga, podré afirmar que he recibido de entre los frigios el más hermoso regalo por mi valentía. En cuanto a ti, no debes mirarme con envidia: tú tendrás otros mil trofeos con que regocijarte por ser el más bravo guerrero de este país.

---

[11] Ayante, así llamado, «hijo de Oileo», para distinguirlo del «hijo de Telamón». Figura entre los héroes que lucharon contra Troya, como jefe de un contingente locrio, a la cabeza de cuarenta naves.

[12] Cuando Aquiles decidió ir a combatir a Troya con los griegos, su madre Tetis le dio una armadura divina, ofrecida antaño por Hefesto a Peleo como regalo de bodas. Añadió asimismo los caballos que Posidón le había regalado en la misma ocasión, en las bodas celebradas en el monte Pelión. Entre los regalos más notables figuran, en efecto, dos caballos inmortales, Balio y Janto, obsequio de Posidón.

[13] Con su correspondiente tiro de caballos, claro está, que es lo que realmente ha solicitado Dolón.

(HÉCTOR *entra en el interior de su tienda.*)

CORO.
Antístrofa.

¡Grande es el certamen y grandes metas pretendes alcanzar! ¡Bienaventurado serás, en verdad, si lo logras! ¡Renombrada es esta afanosa empresa! ¡Gran mérito es de reyes ser el yerno! Que se cuide la Justicia de lo divino; [200] en lo humano has alcanzado el cumplimiento de lo que deseabas.

DOLÓN.—Voy a ponerme en camino. Iré a mi casa a equipar mi cuerpo con los atuendos adecuados en mi propio hogar y de ahí dirigiré mis pasos hacia las naves de los argivos.

CORIFEO.—¿Qué otra vestimenta, pues, te vas a poner en vez de ésta?

DOLÓN.—Una que cuadre a la misión y a mis andanzas clandestinas.

CORIFEO.—De un sabio varón hay que aprender algo sabio. Cuéntame, ¿cuál va a ser el atavío de tu cuerpo?

DOLÓN.—Voy a echarme alrededor de la espalda una piel de lobo, con las fauces abiertas de la fiera alrededor de mi cabeza, [210] y, ajustándome sus patas delanteras a mis brazos y sus traseras a mis piernas, imitaré el modo de caminar a cuatro patas del lobo, imposible de descubrir a los ojos de los enemigos cuando me acerque a los fosos y a las vallas de protección de las naves. Cuando pise un lugar solitario, me erguiré sobre mis dos piernas. En esto consiste mi estratagema[14].

CORIFEO.—Que Hermes, el hijo de Maya, te lleve primero allá y luego aquí con éxito en tu misión, que para algo es el rey de los ladrones[15]. Estás enterado de tu trabajo: sólo necesitas tener éxito.

---

[14] En la *Dolonía* que se desarrolla, efectivamente, en el canto X de la *Ilíada* de Homero, Dolón se reviste de una piel de lobo para cumplir su misión (Homero, *Ilíada* X, versos 333-337), pero para nada se habla de imitar el andar a cuatro patas del lobo, elemento que el propio escoliasta rechaza y critica como increíble y poco convincente y apropiado.

[15] Hermes pasaba, ciertamente, por ser el dios de los ladrones.

DOLÓN.—Regresaré sano y salvo —¡que lo sepas!— y, tras matarlos, [220] te traeré la cabeza de Odiseo —así tendrás una muestra inequívoca para asegurar que Dolón ha ido hasta las naves de los argivos— o al hijo de Tideo[16]. No he de volver a casa sin mancharme las manos de sangre antes de que la luz del día arribe a esta tierra.

(DOLÓN *se marcha para cumplir su misión.*)

CORO.
Estrofa 1.ª.
¡Apolo timbreo, delio[17], frecuente visitador del templo de Licia! ¡Oh cabeza de la estirpe de Zeus! ¡Acude de tu arco pertrechado, ven de noche y sé para este hombre salvífico guía de su misión! [230] ¡Ayuda a los dardánidas![18] ¡Oh todopoderoso! ¡Oh tú, que los antiguos muros de Troya construiste![19].

---

[16] Posiblemente haya que entender «la (sc. cabeza) del hijo de Tideo», aunque el texto original expresa literalmente lo que hemos traducido, «al hijo de Tideo». Al romper la continuidad de la frase a causa de la oración parentética introducida en medio, se ha producido probablemente esta pequeña dislocación sintáctica.

Quede aclarado también, por cierto, que el hijo de Tideo de quien se está hablando es Diomedes. En los relatos del ciclo troyano, Diomedes aparece como compañero de Odiseo en la mayor parte de las misiones delicadas que se le encomendaron a éste, tal como podremos ver en esta misma pieza, versos más adelante.

[17] Contábase que cuando Leto se encontraba embarazada de los dos gemelos divinos, Hera, por celos, había prohibido que en cualquier lugar de la tierra le fuese concedido asilo para dar a luz. Por ese motivo, Leto andaba errante hasta que finalmente Delos, que hasta ese momento había sido una isla flotante y estéril, consintió en acogerla, dado que no temía la cólera de Hera. Como recompensa, quedó fijada en el fondo del mar por cuatro sólidas columnas. De aquí el nombre de Apolo delio.

[18] Dárdano es hijo de Zeus y progenitor de los troyanos.

[19] Laomedonte, uno de los primeros reyes de Troya, mandó construir las murallas de la ciudadela, y para ello recurrió a dos divinidades, Apolo y Posidón, dios del mar, a los cuales ayudó, según se dice, un mortal llamado Éaco. Cfr. *Las Troyanas,* versos 4-7: «Desde el momento en que Febo y yo (sc. Posidón) con rectilíneas plomadas edificamos las pétreas torres de esta tierra de Troya en redor, en ningún momento de mis mientes se ha alejado el afecto por la ciudad de mis frigios.»

Antístrofa 1.ª.

¡Ojalá llegue hasta la ensenada de las naves, observar pueda al ejército de la Hélade, y regresar luego al hogar de la casa de su padre en Ilión! ¡Ojalá, tras derrotar nuestro señor al Ares aqueo, a subirse algún día llegue en el carro de los caballos de Ftía , [240] con que el dios marino obsequió al eácida Peleo![20].

Estrofa 2.ª.

Porque sólo él ha tenido el coraje de ir a espiar el fondeadero de las naves en pro de su hogar y en pro de esta tierra. ¡Admiro su resolución! Hay en verdad escasez de hombres valientes, cuando en el mar se oscurece el sol y la ciudad anda agitada como por un temporal. ¡Aún hay entre los frigios alguien bravo, aún lo hay! [250] ¡Aún hay arrojo en la guerra! ¿Dónde de entre los misios hay quien la alianza conmigo desprecie?

Antístrofa 2.ª.

¿A qué varón de entre los aqueos infligirá una mortal herida en los barracones de su campamento este degollador que surca la llanura, imitando el modo de andar a cuatro patas de una fiera sobre la tierra? ¡Ojalá mate a Menelao y, tras quitarle la vida, ponga en las manos de Helena la cabeza de Agamenón, [260] dolor por su malvado cuñado, quien contra esta ciudad, contra esta tierra de Troya, marchó trayéndose consigo un ejército de innumerables navíos![21].

(Llega un PASTOR *de* HÉCTOR *que se acerca hasta la entrada de su tienda, hablando a su interior.)*

PASTOR.—Señor, que de aquí en adelante sea yo para mis amos portador de noticias como las que traigo ahora para tu conocimiento.

---

[20] El dios marino es Posidón y los caballos mencionados son los obsequiados a Dolón si resuelve con éxito su misión. Por otra parte, a Peleo, padre de Aquiles, se le llama 'eácida' por cuanto es hijo de Éaco.

[21] Cfr. *Ifigenia entre los Tauros*, versos 10-14: «Hasta allí, como es bien sabido, el soberano Agamenón condujo una flota griega de mil navíos, porque quería tomar para gloria de los aqueos la bella corona del triunfo sobre Ilión, tratando de vengar las oprobiosas bodas de Helena, y hacer un favor a Menelao.»

HÉCTOR.—*(Saliendo de la tienda, irritado por lo que él considera una visita inoportuna.)* ¡En verdad que hay mucha torpeza en la mente de los campesinos! Porque seguro, con toda probabilidad, que has venido a traer a tus amos alguna noticia sobre los rebaños, cuando estamos en armas y no nos cuadra el momento[22]. ¿No sabes dónde está mi palacio o el trono de mi padre? [270] Allí tienes que llevar tu voz para declarar que los rebaños están bien.

PASTOR.—Los boyeros somos torpes, no digo lo contrario; pero soy portador nada menos que de estupendas noticias para ti.

HÉCTOR.—Deja de contarme sucesos rurales. Nosotros nos traemos entre manos batallas y lanzas.

PASTOR.—De eso mismo precisamente he venido yo a hablarte, pues un hombre, amigo tuyo y aliado de este país, viene acercándose comandando infinitas tropas.

HÉCTOR.—¿Cuál es la patria cuyo territorio ha dejado abandonado?

PASTOR.—Tracia. Le llaman por el nombre del hijo de Estrimón[23].

HÉCTOR.—[280] ¿Quieres decir que Reso ha puesto sus pies en Troya?

PASTOR.—Eso es. Me has aliviado de la mitad de mi relato.

HÉCTOR.—¿Y cómo se ha dirigido a las boscosas tierras del Ida, apartándose de los caminos anchurosos y llanos?

PASTOR.—No lo sé exactamente, pero sí que cabe hacerse una idea de ello, ya que no es cosa fácil hacer avanzar a un ejército de noche, si se ha oído contar que la llanura estaba repleta de brazos enemigos.

El miedo se apoderó de los campesinos que habitamos las laderas del Ida, la tierra en la que se hunden nuestras raíces, según llegaba de noche a los bosquecillos infestados de

---

[22] Cfr. versos 17-22: «¿Por qué, pues, abandonas la guardia y revuelves al ejército, a no ser que tengas algo que contar ahora de noche? ¿No sabes que pernoctamos cerca del ejército argivo completamente armados?»

[23] Estrimón es dios del río homónimo de Tracia. Con una de las Musas engendró a Reso a quien, en función de esta paternidad, se le llama en ocasiones «hijo del río», como en el verso 346.

fieras, [290] pues lo cierto es que el ejército tracio iba avanzando torrencialmente en medio de un gran estruendo. Conmocionados por la sorpresa, mandamos a nuestros rebaños a las cumbres, no fuera que viniese alguien de entre los argivos para saquear o arrasar tus establos, hasta que en ese momento percibimos en nuestros oídos voces que no eran de griegos, y se nos quitó el miedo.

Entonces yo fui y les pregunté en lengua tracia a los soldados del soberano que iban en avanzadilla explorando el camino quién era el comandante de las tropas, cómo se llamaba y de quién era hijo el hombre que enfilaba su camino hacia la ciudadela en calidad de aliado de los hijos de Príamo. [300] Y tras escuchar todo lo que quería saber, me quedé allí y vi a Reso puesto en pie como una divinidad sobre sus caballos y su carruaje tracio.

Un collarín de oro cubría la cerviz uncida al yugo de sus caballos, más refulgentes que la nieve. Un pequeño escudo destelleaba desde sus hombros con sus imágenes en oro labradas. Y una gorgona de bronce, como en la égida de la diosa[24], sujeta a la frente de los caballos, producía estremecedores sonidos con sus infinitas campanillas. El número del contigente armado no podría establecerse ni siquiera haciendo un recuento, [310] porque era inabarcable a la vista. Había numerosos jinetes, numerosas unidades de soldados armados de escudo, numerosos arqueros con flechas, y una inmensa multitud de infantería ligera, todos portadores de equipamiento tracio.

Así es el hombre que a Troya se presenta como aliado. El hijo de Peleo no podrá librarse de él ni huyendo ni enfrentándose a su lanza.

CORIFEO.—Cuando los dioses son favorables a los ciudadanos, las circunstancias tienden a inclinarse hacia el lado bueno.

---

[24] La égida es uno de los atributos de Atenea, en común con Zeus. La diosa fijó en su escudo la cabeza de Gorgona, cuyos ojos echaban chispas y su mirada era tan penetrante que el que la sufría quedaba convertido en piedra, que le había entregado Perseo. Llevaba, además, los bordes rematados con serpientes. Cfr. Homero, *La Ilíada*, II, 447 ss., V, 738 ss. y XV, 318 ss.

Héctor.—Como mi lanza obtiene éxitos [320] y Zeus está de nuestra parte, numerosos son los amigos que voy a encontrar. Pero no tenemos ninguna necesidad de quienes en el pasado no compartieron nuestras fatigas, cuando Ares destrozaba incesantemente resoplando violentamente con fuerza las velas de esta tierra. Así Reso nos demuestra qué clase de amigo es para Troya, ya que llega justo para el banquete, sin haber estado junto a los cazadores en el momento de capturar la presa ni haber compartido sus fatigas con la lanza[25].

Corifeo.—Con razón no tienes en cuenta a estos amigos y los recriminas. Mas da la bienvenida a quienes ayudar quieren a la ciudad.

Héctor.—Nos bastamos los que en el pasado hemos protegido a Ilión.

Corifeo.—[330] ¿Crees que ya tienes vencidos a los enemigos?

Héctor.—Lo creo. Lo demostrará mañana la luz del dios.

Corifeo.—Estate atento a lo que pueda suceder. La divinidad da la vuelta a muchas situaciones.

Héctor.—Aborrezco que la ayuda se preste tarde a los amigos. Por consiguiente, toda vez que ya ha venido, que se siente a la mesa de los huéspedes no en calidad de aliado, desde luego, sino como huésped, que la gratitud de los hijos de Príamo se le ha acabado ya.

Corifeo.—Señor, rechazar a los aliados predispone a la enemistad.

Pastor.—Sólo con que le viesen engendraría el miedo entre los enemigos.

Héctor.—*(Dirigiéndose respectivamente al* Corifeo *y al* Pastor, *cambiando de opinión.)* Tú me estás aconsejando bien y tú has hecho una oportuna observación. Que el hombre de la armadura de oro, Reso, [340] como ha relatado el mensajero, sea aliado de este país.

(El Pastor *se marcha.)*

---

[25] Obsérvense las acertadas metáforas que emplea Héctor en este parlamento, tomadas tanto del mundo de la navegación como de la caza.

CORO.
Estrofa 1.ª.

¡Que Adrastea, hija de Zeus, de mi boca aleje la envidia, pues me dispongo a referir en este momento todo cuanto a mi espíritu le place decir! Has venido, oh hijo del río, has venido, has llegado bienvenido a la morada de Zeus Filio, toda vez que por fin aquí te traen tu madre piéride[26] *[350] y el río de hermosos puentes,*

Antístrofa 1.ª.

Estrimón, quien arremolinándose en su día acuoso por entre los senos intactos de la musa cantora engendró tu vigorosa juventud. Me has llegado como un Zeus lucífero conduciendo tu carro, tirado por veloces potros. ¡Ahora, oh patria, oh Frigia, ahora con el auxilio de un dios puedes celebrar a Zeus libertador!

Estrofa 2.ª.

[360] ¿Acaso algún día la antigua Troya de nuevo volverá a entregarse todo el día a elevar brindis en los banquetes, entre cantos de amor y corteses rivalidades por las copas llenas de vino, cuando hacia Esparta por mar los atridas se marchen de nuestras costas de Ilión? ¡Oh amigo! ¡Ojalá marches a tu hogar, luego de conseguirme estos logros con tu brazo y con tu lanza!

Antístrofa 2.ª.

[370] ¡Ven, hazte visible! ¡Expón ante los ojos del pelida tu escudo rico en oro, levantándolo de lado sobre la hendidura del carro, mientras animas a tus caballos y blandes tu venablo de dos puntas! Nadie, en verdad, se te pondrá delante ni danzará en el templo de Hera argiva[27] *Es más, esta tierra ha de soportar con sumo gusto la carga de los que mueran bajo el destino tracio.*

CORIFEO.—*[380] (Viendo llegar, admirado, a* RESO.) ¡Ah, ah! ¡Oh gran rey! ¡Hermoso, Tracia, has criado a este cachorro

---

[26] Aquí se hace referencia a su madre Terpsícore en calidad de Musa. 'Piéride' es un epíteto local, aplicado a las Musas, que deriva del país de Pieria, en Tracia, donde habitaban las Musas.

[27] En Argos había un importante templo dedicado a Hera. Cfr. *Ifigenia entre los Tauros*, 217-21: «¡Ay, ay! Sin embargo, ahora habito en casa estéril como huésped del mar inhóspito, sin boda, sin hijos, sin patria, sin amigos, la que antaño era cortejada por parte de los griegos, sin celebrar a la Hera de Argos.»

con aspecto de príncipe! ¡Contempla la armadura de oro que protege su persona! ¡Escucha también el tintineo de las campanillas que resuenan junto a la embrazadura del escudo! ¡Un dios, Troya, un dios, Ares en persona, el retoño de Estrimón, de la musa cantora, viene a inspirarte valor!

(Entra finalmente RESO.)

RESO.—*(Dirigiéndose a* HÉCTOR.) Salve, Héctor, hijo noble de un noble padre, rey de esta tierra. Te saludo demasiado tarde. [390] No obstante me alegro de que estés teniendo éxito y de que te halles sitiando las defensas de los enemigos. Así que vengo aquí para ayudarte a derribar hasta enterrarlas sus fortificaciones e incendiar los cascos de sus naves.

HÉCTOR.—Hijo de una musa cantora, madre tuya, y del río tracio Estrimón: acostumbro a decir siempre la verdad y no soy por naturaleza hombre de doblez.

Hace tiempo, mucho tiempo que tenías que haber venido para trabajar junto con este país y no permitir por la parte que te toca que Troya sucumbiese bajo la lanza enemiga de los argivos. Porque no pretenderás decir que, como no te llamaron tus amigos, [400] ni viniste, ni nos socorriste, ni te interesaste por nosotros. Pues, ¿qué heraldo o consejo de ancianos frigios no te suplicó encarecidamente que fueses a socorrer a nuestra ciudad? ¿Qué clase de cumplido regalo no te hemos enviado? Pero tú, aun siendo pariente nuestro y bárbaro, a nosotros los bárbaros has hecho cuanto ha estado en tu mano para entregarnos a los griegos. Y eso que yo te hice, de un pequeño reyezuelo que eras, gran rey de los tracios con la ayuda de este brazo mío, cuando en los alrededores del Pangeo y de la tierra de los peonios, echándome al ataque sobre los más valientes de entre los tracios cara a cara, [410] rompí las líneas de su infantería ligera y te entregué un pueblo que yo había sometido para tu propio provecho.

Pero tú, pisoteando la gratitud por tan numerosos favores concedidos, cuando tus amigos sufren eres el último en llegar para ayudarles. Otros, en cambio, que ningún parentesco tienen con nosotros, hace tiempo que han venido aquí. Unos ya han caído y yacen en sus tumbas bajo tierra, demostración no pequeña de lealtad a la ciudad; otros en armas y sobre los carros de caballos siguen aguantando con fuerza los soplos gélidos[28] o el árido fuego del dios[29]. No andan todo el día en los divanes entretenidos en levantar su mano derecha para hacer brindis, como tú.

[420] Éstos son, para que veas que Héctor es franco, los reproches que te hago y que a la cara te digo.

RESO.—También yo mismo soy así. Voy directo al grano en mis palabras y no soy por naturaleza hombre de doblez.

Una pena muy a mi pesar me afligía el corazón más que a ti por hallarme lejos de esta tierra, pero un país próximo a mis fronteras, el pueblo escita, nos declaró la guerra cuando me disponía a iniciar mi viaje a Ilión. Fui a las costas del ponto Euxino para hacer que el ejército tracio lo cruzase. [430] Allí un denso río de sangre escita se vertió a tierra por efecto de la lanza, mezclado con la sangre derramada de los tracios. Tales circunstancias me impidieron acudir a suelo troyano y venir como aliado tuyo.

Pero en cuanto los he derrotado, tras tomar a sus hijos como rehenes e imponerles que paguen a mi familia un tributo anual, aquí he venido cruzando con mis naves la entrada del Ponto, y he recorrido el resto del camino a pie por tierra. No he estado bebiendo y brindando sin parar, como tú andas pregonando, ni acostado reposando en palacios ricos en oro, [440] sino que sé cómo azotan los vientos heladores el ponto tracio y la comarca de los peonios porque los he estado soportando con firmeza insomne con esta armadura siempre prendida.

Bien: he llegado tarde, sí, pero aun así y todo en el momento oportuno, ya que tú llevas ya diez años con la lanza en pie de guerra y no estás consiguiendo nada, sino que vas malgastando un día tras otro combatiendo con los argivos como si jugases a los dados. A mí, en cambio, un solo día me bastará únicamente cuando arrase sus defensas para caer sobre el fondeadero de sus naves y matar a los aqueos,

---

[28] El invierno, aclara el escoliasta.
[29] El dios aludido es Helios, el sol.

y al día siguiente me marcharía de Ilión [450] a mi casa, tras acortar considerablemente tus fatigas.

Que ninguno de vosotros embrace el escudo, que yo he de contener aniquilándolos a esos aqueos que andan haciendo grandes alardes con la lanza, aunque haya llegado el último.

CORO.
Estrofa.

¡Ay, ay! ¡Dices palabras de amigo! ¡Eres un amigo de parte de Zeus! ¡Sólo quiera Zeus supremo alejar ese sentimiento irresistible de envidia que ronda tus palabras! Ni antes ni ahora una nave desde Argos [460] ha traído un guerrero mejor que tú. ¿Cómo —me parece— podrá Aquiles mantenerse firme bajo tu lanza? ¿Cómo podrá Ayante? ¡Ojalá contemple yo ese día, señor mío, en que con tu lanza le exijas el cumplimiento del castigo por su brazo homicida!

RESO.—*(Dirigiéndose a* HÉCTOR.*)* Me ofrezco, después de mi larga ausencia, para realizar tales actos en tu provecho; y lo digo de común acuerdo con Adrastea.

Y cuando hayamos liberado esta ciudad de los enemigos, [470] y hayas separado las primicias selectas para los dioses, quiero conducir contigo un ejército contra la tierra de los argivos y, una vez que hayamos llegado allí, devastar con la lanza la Hélade entera, para que aprendan a su vez a pasarlo mal.

HÉCTOR.—Si consiguiese librarme de los males presentes y volver a habitar algún día segura esta ciudad como en los tiempos de antaño, en verdad que les estaría a los dioses enormemente agradecido. Pero por lo que respecta a Argos y al territorio de la Hélade, no va a ser tan fácil como tú dices devastarlo todo con la lanza.

RESO.—¿No dicen que han venido los más distinguidos de entre los griegos?

HÉCTOR.—[480] Y no nos quejamos —de eso, al menos—, pero intentamos echarlos por todos los medios.

RESO.—¿No cumpliríamos, entonces, matando a éstos todos nuestros objetivos?

HÉCTOR.—No atiendas a lo lejano desentendiéndote de lo cercano.

RESO.—Está visto que te conformas con sufrir y no con actuar.

HÉCTOR.—La verdad es que incluso estando aquí sigo teniendo mucha autoridad, así que puedes plantar tu escudo y colocar el ejército en el ala izquierda, en la derecha, o en medio de los aliados.

RESO.—Héctor, quiero combatir yo solo con los enemigos pero, si crees que es vergonzoso que no prendamos juntos fuego a las proas de las naves, [490] tras haberte esforzado por ello antes durante tanto tiempo, asígname un puesto incluso cara a cara ante el ejército de Aquiles.

HÉCTOR.—No puedes oponerle tu lanza impetuosa.

RESO.—Pues la noticia desde luego es que vino por mar hasta Ilión.

HÉCTOR.—Vino y está aquí pero, como está encolerizado con los comandantes del ejército, no está tomando parte en la guerra[30].

RESO.—¿Quién más, entonces, es tan famoso después de él en el ejército?

HÉCTOR.—Creo que Ayante no es en nada inferior a él, y el hijo de Tideo[31]. Está también esa cosa urdidora, Odiseo, un espíritu sobradamente valiente, [500] un hombre que ha infligido a esta tierra numerosísimos ultrajes.

Entró de noche en el templo de Atenea y, tras robar su imagen, se la llevó a las naves de los argivos. También una vez, llevando ropas de mendigo como un vagabundo, entró dentro del recinto amurallado, enviado con la misión de espiar a Ilión, y empezó a pronunciar numerosas imprecaciones contra los argivos. Luego salió tras matar a los encargados de la custodia de las puertas de la ciudad. Siempre se le encuentra en emboscada apostado en las proximidades del altar timbreo, cerca de la ciudadela. Nos enfrentamos con un criminal terrible.

---

[30] Se refiere, claro está, a la cólera de Aquiles que le tiene apartado del combate, tal como se cuenta en el canto I de la *Ilíada* de Homero.

[31] El mencionado Diomedes, que suele aparecer, como aquí más tarde, acompañando a Odiseo.

Reso.—[510] Ningún hombre de bravo coraje se digna en matar a su enemigo a escondidas, sino que avanza hacia él cara a cara. A ese individuo que dices tú que suele andar clandestinamente apostado al acecho y urdiendo trucos, lo he de atrapar yo con vida y lo he de colocar empalándole el espinazo sobre las puertas de salida de la ciudad como festín para los buitres alados. Pues quien es ladrón y anda saqueando los templos de los dioses tiene que morir de esta suerte.

Héctor.—Bien. Ahora poneos bajo techo, que es de noche. Voy a indicarte el lugar donde tiene que hacer tu ejército la guardia nocturna, [520] aparte de nuestras filas[32]. Nuestra contraseña es 'Febo', en caso de que la necesites. Acuérdate de ella al oírmela decir a mí y comunícasela al ejército tracio. *(A los centinelas del* Coro.*)* Y vosotros tenéis que ir al frente de las filas y vigilar bien despiertos para recibir a Dolón, nuestro espía de las naves; porque, si regresa sano y salvo, tiene que estar ya aproximándose al campamento troyano.

*(*Héctor *y* Reso *abandonan la escena. Tal como ha dicho antes* Héctor, *va a acompañar a* Reso *para indicarle dónde debe pernoctar su tropa. El* Coro, *por su parte, va saliendo también para volver a sus puestos de guardia, que habían abandonado para ir a ver a* Héctor *y comunicarle los movimientos de los griegos. Todavía es de noche y las estrellas son visibles en el cielo. Se escuchan también el canto de un ruiseñor y el de la siringa de algún pastor.)*

Coro.
Estrofa.
¿De quién es la guardia ahora? ¿Quién va a relevarme de la mía? Las primeras constelaciones van ya ocultándose y las siete Pléya-

---

[32] Cfr. versos 613-615: «Se halla aquí cerca y no está unido al cuerpo principal del ejército, sino que Héctor le ha asignado para acostarse un puesto fuera de las filas, hasta que la luz del día tome el relevo a la noche.»

des[33] *[530] están ya en lo alto del cielo. Vuela el águila en medio del cielo. ¡Despertaos! ¿A qué esperáis? ¡Salid de la cama para vuestra guardia! ¿No veis el resplandor de la luna? La aurora está ya cerca, la aurora, y aquí está ya el astro que se le adelanta.*

—¿A quién se le ha llamado para la primera guardia?

—Dicen que a Corebo, el hijo de Migdón.

—*[540]* ¿Y a quién después de él?

—El ejército peonio despertaba a los cilicios, y los misios a nosotros.

—¿No es, pues, ya el momento de despertar a los licios para la quinta guardia, según el turno que les corresponde?

Antístrofa.

¡Ahí, ahí lo estoy oyendo ya! Posado junto al Simunte[34] *llora el fruto ensangrentado de sus amores, con su canto de ricos matices musicales, el depredador de sus crías, [550] su inquietud melodiosa, el ruiseñor*[35]*. Los rebaños ya están paciendo en el Ida: ya oigo*

---

[33] Las Pléyades son siete hermanas que, divinizadas, se convirtieron en las siete estrellas de la constelación homónima. Aparecen en primavera poco antes del amanecer. Son hijas del gigante Atlante y de Pléyone. Para el curso completo de una noche, desde que se retira al atardecer el sol, con la aparición de las estrellas nocturnas, hasta la aparición al alba de la Aurora, que vuelve a dar paso al sol, cfr. *Ión*, versos 1147-1158: «Urano trataba de reunir las estrellas en la esfera del firmamento. A unos caballos arreaba el Sol hasta alcanzar su resplandor postrero, arrastrando tras de sí la clara luz de las estrellas vespertinas. La Noche, con sus negros ropajes, conducía furiosamente los caballos de su carruaje, sujetos sin ningún correaje, sólo por el yugo, y las estrellas seguían a la diosa. La Pléyade seguía su recorrido por medio del firmamento, también Orión, armado de su espada, y, más arriba, la Osa volvía su cola áurea sobre su eje. La órbita completa de la luna, que divide en dos al mes, desde lo alto hería con sus rayos; también las Híades, la más clara señal para los navegantes. La Aurora, portadora de la luz, alejaba las estrellas.»

[34] El Simunte es un río de la llanura troyana.

[35] Procne, hija de Pandión, rey de Atenas, se casó con Tereo, un aliado de su padre, y juntos tuvieron un hijo, Itis. Tereo, entonces, se enamoró de su cuñada, Filomela, y tras violarla le cortó la lengua para que no pudiera revelar su afrenta, pero la astuta hermana de Procne bordó en una tela su desgracia para que ésta se enterase. Enterada Procne del suceso, decidió castigar a su marido dando muerte a su hijo Itis, cociéndolo y sirviéndoselo a la mesa a su marido. Enterado Tereo del hecho, se armó de un hacha y salió en persecución de las dos hermanas. Las jóvenes rogaron a los dioses que las salvasen y éstos, apiadándose de ellas, las transformaron en pájaros: a Procne, en ruiseñor; y a Filomela, en golondrina.

nítidamente el son de la siringa en la noche. El sueño embelesa las
cuencas de mis ojos, pues con dulzura extrema se posa en mis pár-
pados al llegar la aurora.

—¿Por qué, en hora buena, no llega el espía que Héctor
hizo ir para inspeccionar las naves?

—Me estoy alarmando, pues hace ya rato que está ausente.

—[560] ¿Es que acaso habrá caído en una emboscada
oculta y habrá muerto? Probablemente sería terrible para mí.

—Yo digo que vayamos a despertar a los licios para la
quinta guardia, según el turno que les corresponde.

(Se terminan de retirar los últimos componentes del CORO
DE GUERREROS TROYANOS, *centinelas. Entran ahora en
la escena sigilosamente los griegos* ODISEO *y* DIOMEDES,
camino de la tienda de HÉCTOR, *que se encuentra ausente.
Llevan los despojos de* DOLÓN.)

ODISEO.—Diomedes, ¿no has oído —¿o un simple rumor
sin importancia se derrama por mis oídos?— un ruido de
armas?

DIOMEDES.—No. Es que las trabas de los carros suenan a hierro. También a mí, antes de darme cuenta de que se trataba
del golpeteo de las trabas de los caballos, me entró miedo.

ODISEO.—[570] Mira, no vayas a encontrarte en la oscuridad
con los guardias.

DIOMEDES.—Voy a andarme con cuidado —tranquilo—,
aunque voy poniendo los pies entre tinieblas.

ODISEO.—Pero, y si —es un suponer— despiertas a alguien,
¿conoces la contraseña del ejército?

DIOMEDES.—Sé, porque se lo oí decir a Dolón, que la señal
acordada es 'Febo'[36].

---

[36] También se la hemos oído decir antes a Héctor. Cfr. verso 521: «Nuestra
contraseña es 'Febo', en caso de que la necesites.» Y este mismo, Héctor, la requería al principio de la obra para identificar como amigos a los intrusos de su
tienda: cfr. versos 11-14: «¿Quién es ese de ahí? ¿Acaso una voz de amigo?
¿Quién es? ¿Cuál es el santo y seña? ¡Que lo diga! ¿Quién se acerca de noche
a nuestro lugar de reposo? ¡Que hable!»

ODISEO.—*(Desconcertado, tras asomarse al interior de la tienda de* HÉCTOR.) ¡Eh! Veo ahí vacíos los lechos de los enemigos.

DIOMEDES.—Pues lo cierto es que Dolón nos dijo que éste era el lugar de reposo de Héctor, contra quien justamente ya tengo aquí desenvainada mi espada.

ODISEO.—¿Qué puede pasar, entonces? ¿Es que se habrá marchado su tropa a alguna parte para preparar alguna emboscada?

DIOMEDES.—Igual andan tramando algo contra nosotros.

ODISEO.—Valiente es Héctor ahora, sí, valiente, cuando es fuerte.

DIOMEDES.—[580] ¿Qué hacemos entonces, Odiseo? Pues no hemos encontrado a este hombre en su cama y hemos errado en nuestras expectativas.

ODISEO.—Enfilemos cuanto antes nuestro camino hacia el fondeadero de las naves. Que lo está protegiendo de entre los dioses uno —quien sea— que le hace tener buena suerte; y no hay que forzar la fortuna.

DIOMEDES.—¿Es que, entonces, no debemos ir ambos a por Eneas, o a por Paris, el más aborrecible de los frigios, y cortarles el cuello con la espada?

ODISEO.—¿Cómo, pues, vas a poder buscarlos en medio de la oscuridad de la noche por medio del ejército enemigo y matarlos sin correr riesgos?

DIOMEDES.—Pero sería verdaderamente vergonzoso que regresásemos a la escuadra argiva [590] sin haberles hecho ninguna faena a los enemigos.

ODISEO.—¿Pero cómo que no se la has hecho? *(Señalando los despojos de* DOLÓN, *la piel de la que éste hablaba.)* ¿No hemos conseguido estos despojos cuando hemos matado los dos al espía del fondeadero, a Dolón? ¿O te propones arrasar todo el campamento?

DIOMEDES.—Me estás convenciendo. Enfilemos el camino de regreso. Que la fortuna nos conceda el éxito.

(Justo cuando empiezan a marcharse, aparece la diosa ATENEA *en lo alto de la tienda.)*

ATENEA.—¿Adónde vais ahora marchándoos de las filas troyanas, reconcomiéndoos el corazón por la pena de que un dios no os da la oportunidad de matar a Héctor o a Paris?[37]. ¿Es que no estáis enterados de que hay un hombre, Reso, que ha venido como aliado de Troya, con unas habilidades nada despreciables? [600] Como pase de esta noche a mañana, ni Aquiles ni la lanza de Ayante podrán contener la aniquilación total del fondeadero de las naves cuando derribe hasta enterrarlas vuestras murallas y armado de su lanza haga una incursión definitiva atravesando vuestras puertas para adentro[38]. Matándole a éste, lo tienes todo en tus manos. Dejad en paz el lecho de Héctor y lo de su asesinato cortándole la cabeza. Que de otra mano le ha de llegar la muerte[39].

ODISEO.—¡Soberana Atenea! Me he percatado de que era el familiar sonido de tu voz, pues en medio de mis fatigas [610] siempre te me presentas para ayudarme en todo momento. Danos a conocer dónde duerme este hombre. ¿En qué lugar del ejército están situadas sus filas?

ATENEA.—Se halla aquí cerca y no está unido al cuerpo principal del ejército, sino que Héctor le ha asignado para acostarse un puesto fuera de las filas, hasta que la luz del día tome el relevo a la noche. Allí cerca se encuentran atadas a los carros tracios sus potras blancas, magníficas en la noche, que brillan como el plumaje de un cisne en el río. Cuando hayáis matado a su dueño, lleváoslas [620] como el más precioso botín para vuestro hogar, que no hay un lugar en la tierra donde haya un tiro de caballos de semejante categoría[40].

---

[37] Cfr. versos 582-584: «Enfilemos cuanto antes nuestro camino hacia el fondeadero de las naves. Que lo está protegiendo de entre los dioses uno —quien sea— que le hace tener buena suerte; y no hay que forzar la fortuna.»

[38] Ésas, al menos, eran las intenciones de Reso, según le hemos oído decir a él mismo. Cfr. versos 447-450: «A mí, en cambio, un solo día me bastará únicamente cuando arrase sus defensas para caer sobre el fondeadero de sus naves y matar a los aqueos, y al día siguiente me marcharía de Ilión a mi casa, tras acortar considerablemente tus fatigas.»

[39] Así será, en efecto, cuando en el Canto XXII de la *Ilíada* de Homero muera a manos de Aquiles.

[40] Habíamos oído hablar de los magníficos caballos de Aquiles que Dolón había reclamado como recompensa, si lograba el éxito que finalmente no ha obtenido; pero también Reso era célebre por sus caballos, blancos como la nieve y rápidos como el viento.

ODISEO.—Diomedes, mata tú a la hueste tracia o déjame a mí y ocúpate tú de las potras.

DIOMEDES.—Yo le daré muerte y tú domarás las potras, que tú estás versado en estas argucias y eres inteligente para discurrirlas. Cada uno tiene que encargarse de aquello en lo que puede resultar de mayor utilidad. (ODISEO *se retira para cumplir su cometido.*)

ATENEA.—*(Viendo llegar a* ALEJANDRO.) Por cierto, ahí veo a Alejandro que enfila su camino hacia nosotros, tras de haberse enterado a través de alguno de los guardias de las noticias aún sin confirmar de la llegada de enemigos.

DIOMEDES.—[630] ¿Viene solo o acompañado?

ATENEA.—Solo. Se encamina, al parecer, al lecho de Héctor para comunicarle que han llegado unos griegos para espiar al ejército.

DIOMEDES.—¿No hay, pues, que matarle?

ATENEA.—No se puede desafiar al destino más allá de lo que éste dispone, y no se ha dispuesto que él muera a tus manos. ¡Venga! Date prisa en ocuparte de aquel por quien justamente has venido empuñando fatalmente tu espada. (DIOMEDES *se retira también para cumplir su cometido.*) Yo, entretanto, haciendo que él crea que soy su aliada Cipris y que he acudido para auxiliarle en medio de sus fatigas, intercambiaré con él, mi enemigo, falsas palabras. [640] Aunque acabo de decirlo, el que tiene, no obstante, que pasar por ello, no lo sabe ni ha oído mis palabras, aun estando cerca[41].

(Entra ALEJANDRO *en la escena. Se dirige a la entrada de la tienda de su hermano* HÉCTOR. *Al principio no ve a la diosa* ATENEA, *que permanece en lo alto de la tienda.)*

ALEJANDRO.—Hector, ¿aún duermes? A ti te digo, al capitán y hermano mío. ¿No tendrías que estar despierto? Alguno de los enemigos se ha llegado hasta nuestro ejército. Puede que sean ladrones o unos espías. *(Se sobresalta al descubrir de repente la presencia de la diosa.)*

---

[41] Curiosa aclaración ésta, de que Paris, aun estando cerca, no ha podido escuchar las palabras de Atenea. La propia situación escénica o las convencio-

ATENEA.—*(Tratando de apaciguarle.)* ¡Tranquilo! Soy Cipris y te protejo benévola. Me ocupo de tu contienda y no me olvido de aquel honor, sino que agradezco haber recibido un buen trato de tu parte[42]. Ahora mismo, para que el ejército troyano tenga éxito, [650] he venido a traer un hombre, un gran amigo para ti, el hijo tracio de la divina musa cantora. Le llaman por el nombre del hijo de Estrimón.

ALEJANDRO.—*(Tranquilizado.)* Resulta que siempre has albergado en el pasado buenas intenciones para con la ciudad y conmigo; y por ello afirmo que, al dirimir aquel certamen, proporcioné a esta ciudad el mayor tesoro de nuestra vida.

He venido al oír de forma confusa —por un rumor que ha irrumpido entre los guardias— que han venido unos espías aqueos. Unos lo cuentan pero no los han visto y otros sí los han visto pero no pueden decir adónde iban[43]. [660] Por eso he venido hasta la tienda de Héctor.

ATENEA.—No tengas ningún miedo. No hay ninguna novedad en el ejército. Héctor se ha marchado a acompañar al ejército tracio a su lugar de descanso.

ALEJANDRO.—Me convences —fíjate—. Confiado en tus palabras, me marcho a mantener mi puesto libre de miedo. *(Se marcha.)*

ATENEA.—Vete, que puedes creer que me preocupa todo lo tuyo hasta el punto de querer ver con éxito a mis aliados[44]. Hasta tú llegarás a conocer mi buena voluntad.

---

nes teatrales en este tipo de situaciones habrían hecho innecesaria esta aclaración, que recuerda a alguna de las acotaciones leídas en los escolios.

[42] Se refiere a su elección en el célebre juicio de Paris. Una de las personas directamente implicadas en las consecuencias de tales hechos, Helena, nos lo cuenta al principio de la tragedia homónima: cfr. *Helena*, versos 23-30: «Tres diosas acudieron por una cuestión de belleza a lo más recóndito del Ida junto a Alejandro —Hera, Cipris y la virginal hija nacida de Zeus— porque querían resolver un juicio sobre su hermosura respectiva. Cipris, entonces, vence, al proponerle a Alejandro que obtendría mi belleza, si es que bella es mi mala suerte. El ideo Paris, pues, dejó sus bovinos apriscos y se dirigió a Esparta con la intención de poseerme como esposa.»

[43] Ésta es la eficacia del modo de actuar de Odiseo, que siempre consigue crear el desconcierto sin ser visto. Cfr. versos 800-802: «Y aunque sé que ha sucedido una desgracia porque la he visto, no puedo explicar de qué modo han fallecido los difuntos ni por obra de qué mano.»

[44] Efectivamente, dice bien.

(Entran en este momento ODISEO *y* DIOMEDES, *dando señales de gran excitación, tras haber perpetrado ya el asesinato de* RESO, *como habían acordado por orden de la diosa* ATENEA.)

Y a vosotros, que traéis demasiada energía, hijo de Laertes, os pido que hagáis descansar vuestras afiladas espadas. [670] Que ya yace muerto para provecho nuestro el general tracio y habéis obtenido sus caballos, pero los enemigos se han percatado de los hechos y vienen a por vosotros. Así que tenéis que escapar cuanto antes al fondeadero de las naves. ¿A qué estáis esperando para poner a salvo vuestra vida del inminente huracán de los enemigos?

(La diosa ATENEA *desaparece.* ODISEO *y* DIOMEDES *se disponen a huir hacia su campamento, pero en este preciso momento aparece el* CORO *de centinelas troyanos y los sorprende.)*

CORO.—*(Con gran sorpresa al ver a* ODISEO *y* DIOMEDES, *antes de constatar su identidad real, pero reconociéndolos como intrusos.)* ¡Eh, eh! ¡Dispara, dispara, dispara! ¡Golpea, golpea, golpea! *(Refiriéndose a* ODISEO, *sin reconocerlo.)* ¿Quién es ese hombre? ¡Mirad! ¡A ése me refiero! [680] ¡Aquí, aquí todo el mundo! *(Sujetándolos para evitar su huida.)* ¡Ya los tengo! ¡Ya los he cogido, a los ladrones estos que andan revolviendo el ejército en la oscuridad de la noche! ¿Cuál es tu tropa? ¿De dónde has venido? ¿De qué país eres?

ODISEO.—¡Tú no tienes por qué saberlo!

CORIFEO.—Pues vas a morir hoy mismo por hacernos mal. ¿No vas a decirme la contraseña antes de que mi lanza atraviese tu pecho?

ODISEO.—¡Detente! ¡Tranquilo!

CORIFEO.—¡Que venga aquí todo el mundo! ¡Golpeadle! ¿Has sido tú el que ha matado a Reso?

ODISEO.—¡No, sino a ti, que eres su asesino! ¡Que todo el mundo se detenga!

CORIFEO.—¡Desde luego que no!

ODISEO.—*(Con intención de detenerle.)* ¡Eh! ¡No golpees a un hombre amigo!

CORIFEO.—¿Pues cuál es, entonces, la contraseña?

ODISEO.—'Febo'.

CORIFEO.—Entendido. ¡Que todo el mundo se detenga! ¿Sabes por dónde se han ido esos hombres?

ODISEO.—*(Señalándole uno de los laterales, mientras ellos dos, ODISEO y DIOMEDES, se van engañándolos por el otro.)* Los hemos visto por ahí, en esa dirección.

CORIFEO.—[690] *(A sus compañeros.)* ¡Que todo el mundo vaya tras sus huellas! ¿Habría que dar la voz de alarma? Pero sería peligroso perturbar a los aliados de noche con este susto.

CORO.

Estrofa.

¿Quién era el hombre este que acaba de marcharse? ¿Quién es el que se ufanará de haber escapado de mis manos con ese gran aplomo y seguridad? ¿Dónde podré encontrarlo? ¿A quién podría equiparar al individuo este que en la oscuridad de la noche ha atravesado con paso intrépido nuestras filas y los puestos de guardia? ¿Será un tesalio [700] o algún habitante de la ribereña ciudad de los locrios? ¿O llevará una vida errante? ¿Quién podría ser? ¿De dónde sería? ¿De qué país? ¿A cuál de entre los dioses honra con sus plegarias como dios supremo?

CORIFEO.—¿Acaso esta acción no es propia de Odiseo, o de quién si no, a juzgar por ocasiones anteriores? Pues por supuesto que sí.

—*¿Es que tú lo crees?*

—*¿Y por qué no, pues?*

—*¡Bien osado, desde luego, ha sido con nosotros!*

—*¿A quién elogias por su coraje?*

—*A Odiseo.*

—*No elogies la astuta lanza de un individuo ladrón.*

Antístrofa.

[710] Ya antes entró en la ciudad en secreto, envuelto en un vestido andrajoso y con una espada escondida entre las ropas. Se iba arrastrando pidiendo algo con qué vivir, cual esclavo mendicante, llevando la cabeza sucia y asquerosa. Además iba sin parar hablando mal de la casa real de los atridas, como si fuese de verdad

enemigo de sus generales[45]*. [720] ¡Así perezca, así perezca con*
toda justicia, antes de poner la planta de sus pies sobre la tierra de
los frigios!

—Tanto si era realmente Odiseo como si no, me está entrando un temor: que Héctor nos lo reproche a nosotros,
los guardias.
—¿Diciéndonos qué?
—Molesto por...
—¿Haciendo qué? ¿Qué te atemoriza?
—*... que hayan penetrado por donde estábamos nosotros...*
—¿Quiénes?
—*... los individuos que esta noche se han introducido en el ejér-*
cito frigio.

(Entra el AURIGA *de* RESO, *malherido y muy nervioso.)*

AURIGA.—¡Ay, ay! ¡Grave azar del destino! ¡Huy, huy!
CORIFEO.—*(Sorprendido y dirigiéndose a sus compañeros.)* ¡Eh,
eh! [730] ¡Silencio todo el mundo! ¡Agazapaos! Que quizá
alguien caiga en la red.
AURIGA.—¡Ay, ay! ¡Triste circunstancia para los tracios!
CORIFEO.—Es uno de los aliados el que se lamenta.
AURIGA.—*¡Ay, ay! ¡Pobre de mí y de ti, soberano de los tracios, que*
del más aborrecible modo has contemplado Troya! ¡Qué final te ha
arrebatado la vida!
CORIFEO.—¿Quién, de entre nuestros aliados, eres tú, en
buena hora? En la noche mis ojos se debilitan y no te alcanzo a reconocer con claridad.
AURIGA.—*¿Dónde podría encontrar a alguno de los príncipes troya-*
nos? ¿Dónde duerme Héctor [740] acostado con sus armas? ¿A
quién de entre los comandantes del ejército podría indicarle qué
enormes desgracias hemos padecido, las que nos ha hecho alguien

---

[45] Cfr. versos 503-507: «También una vez, llevando ropas de mendigo
como un vagabundo, entró dentro del recinto amurallado, enviado con la misión de espiar a Ilión, y empezó a pronunciar numerosas imprecaciones contra los argivos. Luego salió tras matar a los encargados de la custodia de las
puertas de la ciudad.»

que se ha marchado sin ser visto, pero que ha dejado entre los tracios un dolor bien visible?

CORIFEO.—Alguna desgracia parece que le ha alcanzado al ejército tracio, según infiero al escuchar a este individuo.

AURIGA.—*¡El ejército ha desaparecido! ¡Nuestro rey ha caído muerto víctima de un golpe a traición! ¡Ay, ay! ¡Ay, ay! [750] ¡Qué dolor más grande por su mortal herida me va consumiendo por dentro! ¿Cómo podría morir? ¿Es que era preciso que Reso y yo pereciésemos sin gloria, tras arribar como aliado de Troya?*

CORIFEO.—Estas palabras no nos dan a entender con rodeos una desgracia, pues claramente nos está refiriendo que nuestros aliados han muerto.

AURIGA.—Ha sido todo terrible y, además de la desgracia en sí, muy vergonzoso. La desgracia es, desde luego, doble; ya que morir con gloria, cuando hay que morir, creo que es gravoso para el muerto —¿cómo, pues, no?— [760], pero para los que continúan con vida es un orgullo y un honor de buena reputación para la familia. En cambio nosotros hemos perecido sin gloria y por no pensar bien las cosas.

En efecto, cuando la mano de Héctor nos dejó donde íbamos a dormir y nos dijo la contraseña, nos pusimos a dormir en el suelo agotados por la fatiga. El ejército no estaba sometido a la vigilancia de centinelas nocturnos, ni el armamento estaba ordenado en sus filas, y las fustas no estaban colocadas sobre los yugos de los caballos, porque nuestro rey se había informado de que vosotros ibais venciendo y de que permanecíais al acecho de las proas de las naves enemigas, así que nos echamos y nos dormimos sin preocuparnos de nada[46].

---

[46] Esas noticias, desde luego, ha dado a entender Reso cuando, al llegar al campamento, ha saludado a Héctor: cfr. versos 388-392: «Salve, Héctor, hijo noble de un noble padre, rey de esta tierra. Te saludo demasiado tarde. No obstante me alegro de que estés teniendo éxito y de que te halles sitiando las defensas de los enemigos. Así que vengo aquí para ayudarte a derribar hasta enterrarlas sus fortificaciones e incendiar los cascos de sus naves.» Y el propio Héctor ha declarado que se encontraban acampados bien cerca del enemigo: cfr. versos 20-22: «¿No sabes que pernoctamos cerca del ejército argivo completamente armados?»

[770] Yo, entretanto, como había dejado de dormir por culpa de mi solícito corazón, medía con mano generosa las raciones de pienso para los caballos, pensando que habría que uncirlos al yugo muy de mañana para el combate. Entonces veo a un par de individuos que andaban merodeando por los alrededores de nuestro ejército en medio de la oscuridad compacta de la noche. En cuanto yo hice un movimiento, ellos dos se agazaparon asustados y dieron marcha atrás de regreso. Les dije a gritos que no se acercasen a nuestro ejército, ya que creí que serían unos ladrones que habían venido del bando aliado. Pero ellos no contestaron nada y yo ya no dije nada más, sino que me fui y volví a intentar dormir de nuevo.

[780] Entonces se me presenta una visión durante el sueño. Los caballos que yo había criado y que conducía situado junto a Reso en su carro, vi, como si me pareciese un sueño, que unos lobos se les habían echado encima sobre sus lomos, y les golpeaban fustigando con su cola el pelo de la piel equina, mientras ellos bufaban por sus conductos nasales resoplando ira y echaban encabritándose las crines atrás por el susto. En ese momento me despierto intentando proteger a los caballos de las fieras, ya que el susto me pone en acción en medio de la noche y, al levantar la cabeza, escucho los estertores de un moribundo. [790] Entonces me alcanza un chorro caliente procedente de la sangre fresca de mi amo, degollado y resistiéndose aún a morir. Me pongo, pues, derecho de un brinco con la mano vacía de armas y, cuando trataba de ver con claridad y de encontrar una espada, un hombre se me pone al lado y me hiere con una espada con todas sus fuerzas en la parte baja del costado. Sentí de veras el golpe del arma al recibir el profundo surco de la herida. Yo entonces caigo de bruces, mientras ellos pusieron sus pies en fuga tras apoderarse del tiro de caballos.

¡Ay, ay! El dolor me consume y ya no puedo mantenerme erguido por más tiempo, pobre de mí. [800] Y aunque sé que ha sucedido una desgracia porque la he visto, no puedo explicar de qué modo han fallecido los difuntos ni por obra de qué mano[47]. Puede sospecharse, no obstante, en mi opinión, que hemos sufrido estas penalidades de parte de amigos nuestros.

CORIFEO.—Auriga del tracio que mal ha terminado, nada temas: estos actos los han cometido los enemigos. *(Viendo a* HÉCTOR *que viene acercándose.)* El mismísimo Héctor viene hacia aquí al enterarse de esta desgracia; muestra sus condolencias, al parecer, por tus males.

HÉCTOR.—*(Entrando definitivamente en la escena, acompañado de su séquito, y dirigiéndose enfurecido al* CORO *de centinelas.)* ¿Cómo —¡vosotros, que habéis conseguido consumar las mayores calamidades!— se os han pasado por alto cuando venían los espías enemigos de ese modo vergonzoso, [810] y han degollado a nuestra gente, sin que los hayáis interceptado ni al entrar en el campamento ni al salir?[48]. *(Dirigiéndose directamente al* CORIFEO.)* De entre éstos, ¿quién sino tú ha de pagar la pena? Pues desde luego tú, así lo afirmo yo, eres el responsable de la vigilancia del ejército.

Se han marchado sin recibir un golpe, haciendo mofa entre muchas risas de la cobardía de los frigios y de mí, su general. Sábete, pues, bien —lo juro por Zeus padre— que por haber actuado así te aguarda el látigo o una muerte por decapitación, o de lo contrario ya podéis creer que Héctor es un don nadie o un cobarde.

---

[47] Ésta es la eficacia del modo de actuar de Odiseo, que siempre consigue crear el desconcierto sin ser visto. Cfr. versos 656-659: «He venido al oír de forma confusa —por un rumor que ha irrumpido entre los guardias— que han venido unos espías aqueos. Unos lo cuentan pero no los han visto y otros sí los han visto pero no pueden decir adónde iban.»

[48] Se confirman los temores anteriormente mostrados por el Coro de centinelas, a saber, que Héctor les recriminase el haber dejado escapar a los intrusos. Cfr. versos 722-727: «—Tanto si era realmente Odiseo como si no, me está entrando un temor: que Héctor nos lo reproche a nosotros, los guardias. —¿Diciéndonos qué? —Molesto por... —¿Haciendo qué? ¿Qué te atemoriza? —... que hayan penetrado por donde estábamos nosotros... —¿Quiénes? — ... los individuos que esta noche se han introducido en el ejército frigio.»

CORO.
Antístrofa.

[820] ¡Ay, ay! ¡Oh gran rey protector de la ciudad! Vine entonces, cuando como mensajero tuyo me acerqué hasta ti, para anunciarte que en las naves estaban ardiendo hogueras. Con los ojos insomnes toda la noche ni he dormido ni he echado una cabezada. ¡No, por las fuentes del Simunte! No me guardes, señor, resentimiento, que yo no soy responsable de ninguno de estos hechos. Mas si, con el tiempo, llegases a advertir una palabra o hecho fuera de lugar, [830] hazme ir vivo bajo tierra. No apelaría a tu clemencia.

AURIGA.—¿Por qué profieres esas amenazas contra estos hombres e intentas tú, un bárbaro, hacerme cambiar de opinión a mí, otro bárbaro, enredando las palabras? Esos actos los has cometido tú, y no vamos a aceptar ninguna otra explicación, ni los muertos ni los heridos. Bien largos, sí, y sabios discursos vas a necesitar, si quieres convencerme de que no has matado a tus amigos, toda vez que anhelabas sus caballos y que por ellos has asesinado a tus aliados[49], [840] después de mucho rogarles encarecidamente que aquí viniesen. Vinieron, han muerto. Con mejores formas deshonró Paris la hospitalidad que le ofrecieron que tú al matar a tus aliados. Pues no vayas a decirme que algún argivo vino y nos ha causado este desastre.

¿Quién podría rebasar las líneas troyanas y venir contra nosotros, en modo tal que pasase inadvertido? Tú y el ejército de los frigios ya estabais acampados aquí antes que nosotros. ¿Quién, entonces, de entre tus aliados ha resultado herido, quién ha resultado muerto, al hacer su incursión los enemigos de los que hablas? Nosotros en cambio estamos heridos o, quienes han sufrido aún males mayores, [850] ni siquiera ven la luz del sol.

---

[49] Héctor había mostrado con anterioridad su deseo por los magníficos caballos de Aquiles, pero no, desde luego, por los de Reso. No cabe acusar a Héctor de traición o deslealtad. Respecto de los caballos inmortales de Aquiles, cfr. versos 184-186: «Rivalizas conmigo, desde luego que sí, en el aprecio hacia esos caballos, porque también yo los deseo. Nacieron, ciertamente, inmortales de inmortales, y llevan encima al impetuoso hijo de Peleo.»

Sencillamente, no creemos que los aqueos hayan sido los causantes. ¿Pues quién de entre los enemigos habría podido ir y encontrar en medio de la noche el lecho de Reso, a no ser que algún dios se lo indicase a sus asesinos?[50]. ¡Ni siquiera sabían de ninguna manera que había venido! Así que esto son artimañas tuyas.

HÉCTOR.—Hace ya verdaderamente mucho tiempo que venimos tratando con aliados, todo el que llevan en esta tierra las huestes aqueas, y nunca he oído de ellos, que yo sepa, una palabra fuera de tono. Empezaríamos contigo. Jamás me cautivaría a mí un deseo tal [860] que me llevase a matar a mis amigos.

Sin duda esto ha sido Odiseo. ¿Qué otro hombre, pues, de entre los aqueos podría en buena hora haberlo hecho o planeado? Le temo y hay algo que inquieta mi corazón, no sea que se haya encontrado con Dolón y le haya matado, ya que hace mucho tiempo que se marchó y no aparece.

AURIGA.—No conozco yo a esos Odiseos tuyos de los que hablas *(enérgicamente),* ¡pero nosotros no hemos recibido los golpes de ninguno de los enemigos!

HÉCTOR.—Pues piensa eso, si es lo que crees.

AURIGA.—¡Oh tierra patria! ¿Cómo podría morir en ti?

HÉCTOR.—[870] No mueras, que ya tenemos cantidad suficiente de muertos.

AURIGA.—¿Adónde, entonces, voy a ir, tras quedarme solo sin mi amo?

HÉCTOR.—Mi casa te albergará y te curará de todas tus heridas.

AURIGA.—¿Y cómo van a cuidar de mí las manos de los homicidas?

HÉCTOR.—¿Es que este individuo no va a dejar de repetir la misma acusación?

AURIGA.—¡Que perezca el autor! Que contra ti no apunta mi lengua, como tú pregonas. Pero la Justicia lo sabe.

---

[50] Que es justamente lo que ha sucedido, aunque todavía no lo saben. Cfr. versos 611-615: «ODISEO.—Danos a conocer dónde duerme este hombre *(sc.* Reso). ¿En qué lugar del ejército están situadas sus filas? ATENEA.—Se halla aquí cerca y no está unido al cuerpo principal del ejército, sino que Héctor le ha asignado para acostarse un puesto fuera de las filas.»

HÉCTOR.—*(A los miembros de su séquito.)* Cogedle, llevadle a mi casa y atendedle de modo tal que no tenga de nada de qué acusaros. *(Se lo llevan.)*

(A los centinelas del CORO.*)* En cuanto a vosotros, debéis ir y decirles a los de dentro del recinto amurallado, [880] a Príamo y a los ancianos, que entierren los cadáveres al borde de los caminos.

CORO.—*¿Por qué tras gran dicha de nuevo al dolor un dios distinto conduce a Troya? ¿Qué se propone hacernos?*

> *(Viendo aparecer en lo alto de la tienda a la* MUSA *madre de* RESO, *llevando el cadáver de su hijo entre los brazos. Al principio, con sorpresa, no reconocen la identidad de la* MUSA.*)*

¡Eh, eh! ¿Qué divinidad, oh rey, sobre nuestras cabezas se lleva entre sus dos brazos el cadáver poco ha asesinado? Me estremezco al contemplar esta prodigiosa calamidad.

MUSA.—[890] Podéis mirar, troyanos. Aquí me presento yo, la Musa, una de las hermanas que de honores goza entre los sabios, contemplando con compasión a este querido hijo mío, muerto a manos de enemigos. El que lo mató, el traicionero Odiseo, ha de pagar finalmente un día el castigo que se merece.

Estrofa.
Con sinceros lamentos lloro por ti, hijo mío. ¡Ay, el dolor de una madre! ¡Qué viaje emprendiste rumbo a Troya! ¡Realmente desdichado y luctuoso! [900] Pero lo hiciste aunque yo te decía que no y por más que tu padre se oponía con fuerza. ¡Ay de mí, ay tú! ¡Oh querida, querida cabeza! ¡Hijo mío! ¡Ay de mí!

CORIFEO.—En la medida en que cuadra a quien no tiene comunidad en la pena de tu familia, me compadezco de tu hijo.

Antístrofa.

MUSA.—¡*Así perezca el Eneida! ¡Así perezca el Lartiada*[51], *que me ha dejado sin mi hijo, descendiente de un excelente padre!* [910] *¡Y Helena, que tras dejar su hogar se hizo a la mar por caer en un lecho frigio! Ella ha causado tu perdición a los pies de Ilión en favor de Troya y a ciudades sin número las ha dejado vacías de valientes hombres.*

Muchas veces, sí, en vida y también muchas cuando ya habías ido al Hades, hijo de Filamón, tocaste mi corazón, pues tu insolencia, que provocó tu caída, y el ataque a las Musas me hicieron engendrar a este desdichado hijo mío. Tras atravesar, en efecto, las corrientes de los ríos, [920] me acerqué al lecho fecundo de Estrimón[52], cuando al áureo monte Pangeo fuimos las Musas pertrechadas de nuestros instrumentos, camino de la mayor competición musical con el famoso artista tracio Támiris[53], y lo dejamos ciego por vilipendiar en muchas ocasiones nuestro arte.

(Dirigiéndose al cadáver de su hijo.) Y cuando te hube dado a luz, como me imponían respeto mis hermanas y su virginidad, te envié a los bellos remolinos acuosos de tu padre. Pero Estrimón no confió tu crianza a manos mortales, sino a las ninfas de las fuentes. [930] Y una vez que allí fuiste criado con los mejores cuidados por esas doncellas, llegaste a ser el primero de los hombres de Tracia reinando sobre ellos, hijo mío. Y mientras te dedicabas a pertrechar tus

---

[51] La Musa se refiere a los dos autores del crimen de su hijo. El Eneida es Diomedes, a quien se ha llamado varias veces 'hijo de Tideo'; Eneo es el padre de este Tideo y abuelo, por tanto, de Diomedes. El Lartiada es, claro está, Odiseo, hijo de Laertes.

[52] Cfr. versos 346-354: «Has venido, oh hijo del río, has venido, has llegado bienvenido a la morada de Zeus Filio, toda vez que por fin aquí te traen tu madre piéride y el río de hermosos puentes, Estrimón, quien arremolinándose en su día acuoso por entre los senos intactos de la musa cantora engendró tu vigorosa juventud.»

[53] Támiris es uno de los músicos míticos a quien se atribuyen varios poemas y diversas innovaciones musicales. Es a su vez hijo del músico Filamón y de la ninfa Argíope. Cuenta Homero *(Ilíada,* II 594 ss.) que trató de rivalizar en música con las Musas, pero fue vencido y las diosas, irritadas, lo cegaron y le privaron de su talento musical.

ejércitos sedientos de sangre en tu tierra patria, no albergaba yo temores de que encontrases la muerte; y te decía que no arribases a la ciudadela de Troya, conocedora de tu destino. Pero los embajadores de Héctor y los innumerables consejos de ancianos te convencieron de marchar allí y prestar tu ayuda a los amigos[54].

Y la responsable total de esta trágica muerte que has obrado, Atenea, —ni Odiseo ni el hijo de Tideo lo han hecho— [940] no creas que se me pasa por alto que has sido tú. Aun así, nosotras las Musas, mis hermanas y yo, tenemos a tu ciudad en la mayor estima y tenemos tratos con tu país. Orfeo trajo allí a la luz las antorchas de los inefables misterios, primo de este cadáver[55] al que que tú has matado. Y a Museo[56], augusto ciudadano tuyo y el único hombre que llegó a lo más lejos, lo instruimos nosotros, Febo y mis hermanas. Ahora me lamento por obtener como pago a estos servicios el tener a mi hijo entre mis brazos. No he de llevarte a tu ciudad a ningún otro artista.

CORIFEO.—[950] Sin razón, entonces, nos vituperaba el auriga tracio, Héctor, por planear el asesinato de este hombre.

HÉCTOR.—Yo ya conocía estos hechos. No había ninguna necesidad de adivinos para explicarnos que éste había perecido víctima de las maquinaciones de Odiseo.

Por lo que a mí respecta, al ver un ejército de helenos asentado en mi país, ¿por qué no, pues, habría debido yo enviar heraldos a mis amigos, para que viniesen aquí y pres-

---

[54] En este hecho justamente insiste Héctor cuando le reprocha a Reso su demora. Cfr. versos 399-403: «Porque no pretenderás decir que, como no te llamaron tus amigos, ni viniste, ni nos socorriste ni te interesaste por nosotros. Pues, ¿qué heraldo o consejo de ancianos frigios no te suplicó encarecidamente que fueses a socorrer a nuestra ciudad? ¿Qué clase de cumplido regalo no te hemos enviado?»

[55] Orfeo es hijo de la Musa Calíope y es, por tanto, primo de Reso, que es hijo de otra Musa, Terpsícore.

[56] Museo pasa por ser un gran músico ateniense, capaz de curar las enfermedades con sus melodías. Según las tradiciones, Museo es el amigo, el discípulo, el maestro, el hijo o, simplemente, el contemporáneo de Orfeo, del cual no parece ser sino una réplica en la leyenda ática. Es también adivino y se le atribuye a veces la introducción en el Ática de los misterios de Eleusis. Desde la Antigüedad se le atribuían poemas de inspiración mística.

tasen su ayuda a mi tierra? Yo los envié y él vino como debía a combatir junto a mí. Por supuesto que no me alegro de ningún modo de que él haya muerto. Ahora mismo estoy dispuesto a construirle un sepulcro para él [960] y a hacer arder conjuntamente miles de finas telas de vestidos. Que vino un amigo y se nos ha ido desdichadamente.

MUSA.—No ha de ir bajo la sombría superficie de la tierra. Hasta tal punto he de suplicar a la ninfa del mundo subterráneo, hija de la fecunda diosa Deméter, que deje libre su alma. Y ella está obligada conmigo a dar muestras de respeto a los amigos de Orfeo[57]. Con todo, para mí será de aquí en adelante como quien ha muerto y no contempla la luz del sol, pues nunca ha de ir al mismo sitio que yo ni ha de ver el cuerpo de su madre. [970] Oculto en los antros de la tierra argentífera, permanecerá como un hombre deificado contemplando la luz, como el intérprete de la palabra de Baco que habita la roca del Pangeo[58], venerado como un dios por quienes conocen los ritos.

Aliviaré la pena de la diosa marina, ya que su hijo debe morir también. Nosotras, mis hermanas y yo, te celebraremos primero a ti con nuestros cantos fúnebres, y luego a Aquiles, el hijo de Tetis[59], de luto en su momento. Palas que te mató no va a poder protegerle. Así es el dardo que le reserva la aljaba de Loxias.

[980] ¡Oh desdichas paternas, fatigas de los mortales! ¡Quienquiera que os tenga bien en cuenta a vosotras, su vida pasará sin hijos y no tendrá que enterrarlos luego de haberlos engendrado!

CORIFEO.—De los funerales de este pobre hombre ya se cuida su madre. (*Observando que ya ha comenzado a amanecer.*) En cuanto a ti, Héctor, si quieres llevar a cabo algo de lo que nos ocupa, ahora se presenta la ocasión, que aquí está ya la luz del día.

---

[57] Se refiere con estas palabras a Perséfone, hija de Deméter y de Zeus. Es la diosa de los Infiernos y la compañera de Hades.

[58] Orfeo.

[59] Tetis es la diosa marina, hija de Nereo, recién aludida. Aquí se hace referencia, en estos versos, a la futura muerte de su hijo Aquiles, por lo que también ella estará de luto en su momento.

HÉCTOR.—*(Dirigiéndose a los soldados del* CORO.) Marchad y dad orden a los aliados de armarse rápidamente y de guarnecer las cervices de los caballos. Hay que aguardar, sosteniendo las antorchas, al son de la trompeta tirrénica[60]. Rebasando el foso y las fortificaciones de los aqueos, [990] pienso prender fuego a sus naves para que los rayos de este sol que inician rectilíneamente su marcha traigan a los troyanos el día de la libertad.

CORO.—*Obedeced a nuestro rey. Marchemos en fila pertrechados de nuestras armas y comuniquemos estas órdenes a las fuerzas aliadas. ¡Que pronto nos conceda la victoria el dios que está de nuestro lado!*

(Salen todos.)

---

[60] La tradición atribuye a los etruscos la invención de la trompeta. Un comentario del escoliasta al verso 1377 de *Las Fenicias* nos aclara que, hasta los tiempos de la guerra de Troya, se empleaba el procedimiento de arrojar una antorcha para dar señal del comienzo de un combate que, posteriormente, fue sustituida por una trompeta (que recibe su nombre porque eran los etruscos, los tirrenos, quienes la emplearon en las guerras itálicas), siempre en versión del escoliasta. Cfr. *Las Fenicias,* versos 1377-1379: «Cuando como una antorcha se dejó oír el sonido de la trompeta tirrénica, señal del cruento combate, se precipitaron en feroz carrera uno contra otro.»

ÍNDICE

Colección Letras Universales

DE PRÓXIMA APARICIÓN